D0854458

OMNIBUS

Bear Grylls

IL VOLO FANTASMA

Traduzione di Andrea Berardini

MONDADORI

Questo libro è un'opera di fantasia. Personaggi e luoghi citati sono invenzioni dell'autore e hanno lo scopo di conferire veridicità alla narrazione. Qualsiasi analogia con fatti, luoghi e persone, vive o scomparse, è assolutamente casuale.

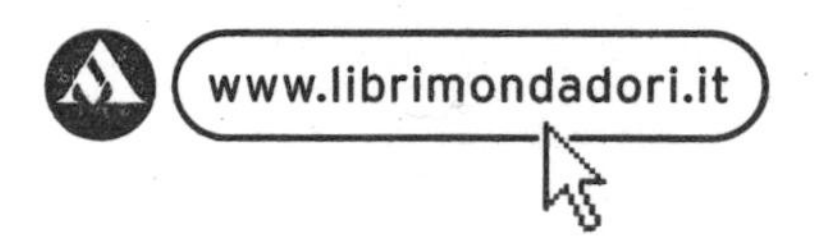

ISBN 978-88-04-65039-3

Titolo dell'opera originale
Ghost Flight
I edizione settembre 2015

IL VOLO FANTASMA

Questo libro è dedicato alla memoria di mio nonno,
il generale di brigata William Edward Henry Grylls,
ufficiale dell'Ordine dell'Impero britannico,
del 15°/19° Reggimento dei Reali Ussari del Re
e ufficiale comandante della Target Force.
Perduto ma mai dimenticato.

RINGRAZIAMENTI

Un grazie speciale agli agenti letterari della PFD: Caroline Michel, Annabel Merullo e Tim Binding, per il loro costante sostegno e i commenti puntuali sulle prime versioni. Grazie a Laura Williams, agente associato della PFD, per i suoi incredibili sforzi. Un ringraziamento speciale a Jon Wood, Jemima Forrester e a tutta la mia casa editrice, la Orion, a Susan Lamb, Malcolm Edwards, Mark Rusher, Gaby Young e tutti gli altri del "Team Grylls".

Un grazie speciale a Hamish de Bretton-Gordon, ufficiale dell'Ordine dell'Impero britannico, medico ed esperto di armi chimiche e batteriologiche per la Avon Protection, per i suoi consigli e gli spunti da esperto a proposito delle armi chimiche, biologiche e nucleari, e sulle misure di difesa e protezione. Un enorme ringraziamento a Chris Daniels e al personale della Hybrid Air Vehicles per i consigli e le indicazioni riguardo all'Airlander. Un ringraziamento speciale alla dottoressa Jacqueline Borg, straordinaria esperta di malattie neurologiche, compresi i disturbi dello spettro autistico. Un grazie ad Anne e Paul Sherrat, per i loro acuti consigli e le essenziali critiche relative al nazismo e al Blocco orientale.

E l'ultimo e più importante ringraziamento, ovviamente, a Damien, per avermi aiutato a costruire una storia a partire da quel che insieme abbiamo trovato nel baule "top secret" del nonno. Riportare in vita quei documenti come hai fatto tu è puro genio.

NOTA DELL'AUTORE

Mio nonno, il generale William Edward Henry Grylls, ufficiale dell'Ordine dell'Impero britannico, del 15°/19° Reggimento dei Reali Ussari del Re, prestò servizio come ufficiale comandante della Target Force, l'unità segreta costituita su richiesta di Winston Churchill verso la fine della Seconda guerra mondiale. L'unità era uno dei gruppi più clandestini di agenti mai messi assieme dal ministero della Guerra, e il suo compito principale era rintracciare e proteggere tecnologie, armi, scienziati e ufficiali nazisti d'alto rango perché sostenessero la causa alleata contro la nuova superpotenza nemica, l'Unione Sovietica.

Nessuno nella mia famiglia seppe nulla del suo ruolo segreto di ufficiale comandante della T Force fino a molti anni dopo la sua morte e fino a quando l'Official Secret Acts stabilì la regola dei settant'anni per la desecretazione dei documenti riservati, un processo di scoperta che in parte ha ispirato la scrittura di questo libro.

Mio nonno era un uomo di poche parole, ma lo ricordo con grande affetto dai giorni della mia infanzia. Fumatore di pipa, enigmatico, con un senso dell'umorismo tagliente, amato da coloro che aveva guidato.

Per me, comunque, lui fu sempre soltanto nonno Ted.

"Harper's Magazine", ottobre 1946

Una valanga di segreti

di C. Lester Walker

Di recente, qualcuno ha scritto alla base aeronautica di Wright Field, sostenendo di aver scoperto che il paese ha messo insieme, col tempo, una vasta collezione di segreti militari nemici... e chiedendo, se possibile, che gli venisse inviato tutto il materiale sui motori dei jet tedeschi. La Divisione Documenti dell'aeronautica ha risposto: "Spiacenti, ma si tratterebbe di cinquanta tonnellate".

Inoltre, quelle cinquanta tonnellate non sono che una minuscola porzione di quella che a oggi è indubbiamente la più vasta raccolta mai messa insieme di segreti militari trafugati al nemico. Se credevate – come probabilmente chiunque – che i segreti militari vengano ottenuti un poco alla volta, potrebbe interessarvi sapere che in questa raccolta ce n'è una valanga: la mole della documentazione è imponente, e non è mai esistito in passato nulla di paragonabile a questo archivio.

"Daily Mail", marzo 1988
L'Operazione Paperclip
di Tom Bower

L'Operazione Paperclip è stata il culmine di un'incredibile gara tra gli Alleati, negli anni successivi alla guerra, per mettere le mani sulle spoglie della Germania nazista. Appena qualche settimana dopo la sconfitta di Hitler, uomini indicati come "ferventi nazisti" vennero scelti dai più alti rappresentanti del Pentagono per essere trasformati in rispettabili cittadini americani.

Mentre in Gran Bretagna il conflitto politico bloccò ogni piano volto a coinvolgere tedeschi incriminati nello sforzo della ripresa economica, i francesi e i russi accolsero chiunque, indipendentemente dai crimini commessi, mentre gli americani, grazie a una rete di inganni, ripulirono la fedina criminale degli scienziati nazisti.

Il grado dello sviluppo tecnologico tedesco è testimoniato senza ombra di dubbio dalle centinaia di rapporti scritti dagli investigatori americani, che non si fanno remore a descrivere gli "incredibili risultati" e la "superba inventiva" dei tedeschi.

Pare che a Hitler, tutto sommato, spetti l'ultima risata nei confronti dei suoi nemici.

"The Sunday Times", dicembre 2014

Scoperto in Austria enorme deposito nazista di "armi del terrore"

di Bojan Pancevski

Un complesso sotterraneo segreto costruito dai nazisti verso la fine della Seconda guerra mondiale che forse è stato usato per sviluppare armi di distruzione di massa, tra cui una bomba atomica, è stato scoperto in Austria.

L'enorme struttura è stata individuata la settimana scorsa vicino al villaggio di Sankt Georgen an der Gusen. Si ritiene che sia collegata al vicino impianto di produzione sotterraneo B8 Bergkristall, dove è stato realizzato il Messerschmitt Me 262, il primo caccia operativo a propulsione jet che rappresentò, per un periodo, una seria minaccia per le forze aeree degli Alleati durante le ultime fasi della guerra. Alcuni documenti d'intelligence desecretati, oltre alle dichiarazioni dei testimoni, hanno permesso agli operai di individuare l'entrata nascosta.

"Si tratta di un complesso industriale gigantesco e probabilmente di uno dei siti segreti di produzione d'armi più grandi del Terzo Reich" ha dichiarato Andreas Sulzer, il documentarista austriaco a capo degli scavi.

Sulzer ha messo insieme un'équipe di storici e ha trovato nuove prove della collaborazione di diversi scienziati a un progetto segreto gestito dal generale delle SS Hans Kammler. Kammler era a capo del programma missilistico di Hitler che comprese la V2, la bomba volante usata contro Londra nelle ultime fasi del conflitto.

Era noto come un comandante geniale ma spietato, che autorizzò i progetti per le camere a gas e i forni crematori del campo di concentramento di Auschwitz, nella Polonia meridionale. C'è chi sostiene che sia stato catturato dagli americani e che dopo la guerra abbia ottenuto una nuova identità.

Gli scavi di Sulzer sono stati fermati lo scorso mercoledì dalle autorità locali, che hanno richiesto un permesso per condurre delle ricerche sui siti storici. Ma Sulzer è sicuro che i lavori potranno riprendere il mese prossimo. "Alcuni prigionieri dei campi di concentramento dell'intera Europa furono scelti per le loro particolari competenze – fisici, chimici e altri esperti – e messi a lavorare a questo mostruoso progetto; è nostro dovere nei confronti delle vittime aprire finalmente il sito e svelare la verità" ha dichiarato Sulzer.

1

I suoi occhi si aprirono.

Lentamente.

Ciglio dopo ciglio, lottando contro la spessa crosta di sangue che li teneva incollati l'uno all'altro. Un poco per volta, come crepe nel vetro, davanti ai bulbi oculari iniettati di sangue si aprirono delle fessure. Gli sembrò che la luce intensa gli bruciasse la retina, come se qualcuno gli puntasse un laser dritto negli occhi. Ma chi? Chi erano i nemici... i suoi aguzzini? E dove diavolo si trovavano?

Non riusciva a ricordare nulla di nulla.

Che giorno era? Anzi, che anno era? Com'era finito lì, dovunque si trovasse?

La luce del sole faceva un male d'inferno ma almeno, a poco a poco, stava ricominciando a vedere.

Il primo oggetto reale che Will Jaeger riuscì a distinguere fu lo scarafaggio. Gli balzò davanti agli occhi, sfocato, mostruoso e alieno, riempiendo per intero il suo campo visivo.

Per quanto riuscisse a capire, aveva la testa poggiata di lato a terra. Cemento. Coperto da una densa poltiglia marrone, Dio solo sapeva cosa fosse. Da quella posizione, lo scarafaggio sembrava avanzare deciso a infilarsi nella sua orbita oculare sinistra.

L'insetto fece vibrare le antenne in direzione di Jaeger e all'ultimo istante sparì, strisciando rapidamente oltre la punta del suo naso. E poi, lui sentì che gli si arrampicava lungo la guancia.

Lo scarafaggio si fermò da qualche parte vicino alla tempia destra... il punto più lontano dal pavimento, il più esposto.

Iniziò a esplorare con le zampe anteriori e le mandibole.

Come se stesse cercando qualcosa. Assaggiando qualcosa.

Jaeger sentì il primo morso, gli affondò nella carne: mascelle d'insetto che si facevano strada. Udì il sibilo, il sordo schioccare delle fauci che si serravano strappando lembi di carne morta. E poi – mentre un urlo muto gli si levava dalle labbra – si accorse che ce n'erano a decine, che gli stavano marciando addosso... come se fosse un cadavere.

Jaeger lottò per trattenere i conati, mentre una domanda gli rimbombava nel cervello: perché non riusciva a sentire le sue urla?

Con uno sforzo di volontà sovrumano, mosse il braccio sinistro.

Fu un movimento minimo, ma fu come se stesse provando a sollevare il mondo intero. A ogni centimetro, le articolazioni della spalla e del gomito lanciavano un grido di agonia, il ridicolo sforzo a cui li obbligava scatenava uno spasmo nei suoi muscoli.

Si sentì come uno storpio.

Per Dio, cosa gli era successo?

Che gli avevano fatto?

Serrando i denti e concentrandosi esclusivamente sulla sua forza di volontà, accostò il braccio alla testa, trascinando la mano lungo l'orecchio per sfregarlo disperatamente. Le dita sfiorarono... delle zampe. Animalesche zampe d'insetto, squamose, irsute, che vibravano e si contorcevano mentre lo scarafaggio si sforzava di entrare ancora più a fondo nel suo canale auricolare.

Tirateli fuori da lì! Tirateli fuori! Tirateli FUOORIII!

Gli venne da vomitare, ma le sue viscere erano vuote. Non c'era che una disgustosa pellicola secca, cadaverica, che gli ricopriva le pareti dello stomaco, la gola, la bocca, persino le narici.

Merda! Le narici! Stavano cercando di infilarsi anche lì!

Jaeger urlò di nuovo. Più a lungo. Più disperato. Non è così che voglio morire, Dio, ti prego, non così...

Più e più volte scavò con le dita nei suoi orifizi, gli scarafaggi scalciavano e sibilavano con tutta la loro rabbia d'insetto mentre li tirava fuori.

Finalmente, qualche scampolo di suono si fece strada fino alla sua coscienza. Dapprima, le sue urla iniziarono a riecheggiargli nelle orecchie sanguinanti. E poi si accorse che, misto a esse, c'era un altro suono... qualcosa di ancor più terrorizzante delle decine di insetti intenti a banchettare col suo cervello.

Una voce umana.

Gutturale. Crudele. Una voce che traeva piacere dal dolore.

Il suo carceriere.

Quella voce spalancò le dighe dei ricordi. La prigione di Black Beach. Il carcere alla fine del mondo. Un luogo in cui la gente veniva mandata per subire orribili torture e poi morire. Jaeger era stato sbattuto là dentro per un "crimine" che non aveva commesso, su ordine di un dittatore folle e sanguinario. Era stato allora che il vero orrore era cominciato.

In confronto all'inferno in cui si era svegliato, Jaeger avrebbe preferito persino la pace oscura dell'incoscienza. Qualunque cosa al posto delle settimane trascorse sotto chiave, in un luogo peggiore della dannazione... la sua cella. La sua prigione.

Costrinse la sua mente a ritirarsi verso le morbide, informi, mutevoli sfumature di grigio che l'avevano protetto, prima che qualcosa – che cosa? – lo trascinasse in quel presente indicibile.

I movimenti del suo braccio destro si fecero più contenuti.

Infine ricadde a terra.

Lasciare che gli scarafaggi banchettassero col suo cervello: persino quello era preferibile.

Poi la cosa che l'aveva svegliato lo colpì un'altra volta – un'ondata di acqua gelida in faccia, come lo schiaffo di un'onda marina –, solo che l'odore era totalmente diverso. Non il profumo ghiacciato, puro e rinvigorente dell'oceano, ma un tanfo fetido, il tanfo salmastro di un orinatoio che non vedeva una goccia di disinfettante da anni.

Il suo torturatore rise di nuovo.

Si stava divertendo parecchio.

Svuotare il secchio del piscio in faccia al prigioniero: che c'era di meglio?

Jaeger sputò il liquido disgustoso. Sbatté le palpebre per farlo uscire dagli occhi che bruciavano. Almeno, lo schizzo putrefatto aveva scacciato gli scarafaggi. La sua mente si mise a cercare le parole giuste, l'insulto perfetto da sputare in faccia al carceriere.

La dimostrazione che era vivo. Un gesto di resistenza.

«Vai a...»

Jaeger aprì la bocca, gracchiando il tipo di insulto che gli avrebbe assicurato una frustata con la canna dell'acqua che aveva imparato a temere.

Ma se non avesse opposto resistenza sarebbe finito. Resistere era tutto ciò che gli rimaneva.

Eppure non riuscì a finire la frase. Le parole gli si bloccarono in gola.

All'improvviso, un'altra voce si intromise, una voce così familiare – fraterna – che per qualche infinito istante credette di sognare. L'incantesimo iniziò dolcemente, ma a poco a poco crebbe di intensità e volume, una cantilena ritmata e colma, in qualche modo, della promessa dell'impossibile...

«*Ka mate, ka mate. Ka ora, ka ora.*

Ka mate, ka mate! Ka ora, ka ora!»

Jaeger avrebbe riconosciuto quella voce ovunque.

Takavesi Raffara: come faceva a essere lì?

Quando giocavano insieme nella squadra di rubgy dell'esercito britannico, era Raff a guidare l'*Haka*, la tradizionale danza di guerra maori che dava inizio alla partita. Sempre. Si sfilava la maglia, serrava i pugni e si faceva avanti per guardare gli avversari dritto negli occhi, con le mani che battevano il petto massiccio, le gambe come due tronchi d'albero a far da colonne, le braccia come arieti pronti all'assalto. Il resto della squadra, Jaeger incluso, lo fiancheggiava: erano impavidi, inarrestabili.

Raff aveva gli occhi fuori dalle orbite, la lingua gonfia, il volto contratto in uno spasmo di slancio guerriero, mentre scandiva ogni verso come un tuono.

«*KA MATE! KA MATE! KA ORA! KA ORA!*»

Morirò? Morirò? Vivrò? Vivrò?

Raff si era dimostrato altrettanto inarrestabile quando si erano trovati fianco a fianco sul campo di battaglia. Il miglior compagno che si potesse immaginare. Maori di nascita e membro del commando dei Royal Marines per destino, Raff aveva combattuto assieme a lui ai quattro angoli della terra: era come un fratello per Jaeger.

Jaeger ruotò gli occhi verso destra, nella direzione da cui proveniva il canto.

Riuscì appena a scorgere una sagoma ai limiti del suo campo visivo, all'estremità destra delle sbarre. Imponente. In confronto a lui, pure il carceriere sembrava un nano. Il suo sorriso fu come un limpido raggio di sole che irrompeva dopo il buio di una tempesta apparentemente eterna.

«Raff?» Quell'unica parola gli uscì con voce stridula, segnata da un'incredulità appena sospesa.

«Sì, sono io.» Quel sorriso. «Ti ho visto in condizioni peggiori, amico. Come quando ti ho dovuto trascinare fuori da quel bar di Amsterdam. Comunque, è meglio darti una ripulita. Abbiamo un volo della British Airways per Londra, prima classe.»

Jaeger non rispose. Cos'erano quelle parole? Come poteva Raff essere lì, in quel posto, apparentemente così vicino?

«Meglio mettersi in marcia» lo esortò Raff «prima che il tuo amico, il maggiore Mojo, cambi idea.»

«Ah, Bob Marley!» Il torturatore di Jaeger diede una pacca sulla spalla di Raff, imponendosi una giovialità scherzosa nonostante lo sguardo malevolo. «Bob Marley, sei un portento.»

Raff sorrise da un orecchio all'altro.

Jaeger non aveva mai visto nessuno che fosse in grado di sorridere a qualcuno e di lanciargli allo stesso tempo un'occhiata capace di far gelare il sangue. Il riferimento a Bob Marley doveva avere a che fare con la capigliatura di Raff, capelli lunghi, intrecciati, nel tradizionale stile maori. Come molti avevano imparato sul campo di rugby, Raff non apprezzava che si mancasse di rispetto all'acconciatura che aveva scelto.

«Apri la cella» ruggì. «Io e il mio amico Jaeger ce ne andiamo.»

2

La Jeep SUV lasciò la prigione di Black Beach a Bioko. Raff, curvo sul volante, passò a Jaeger una bottiglia d'acqua.

«Bevi.» Puntò il pollice verso il sedile posteriore. «Ce n'è altra nella borsa frigo. Buttane giù più che puoi. Devi reidratarti. Ci aspetta una giornata d'inferno...»

Raff tacque, concentrandosi sul viaggio che dovevano affrontare.

Jaeger lasciò che il silenzio aleggiasse nell'aria.

Dopo settimane in quella prigione, il suo corpo era un cumulo di dolori. Ogni giuntura urlava per il male. Sembrava passata una vita da quando l'avevano sbattuto in cella, dall'ultima volta che era salito a bordo di un'auto, dall'ultima volta che il suo corpo si era ritrovato esposto al calore bruciante del sole tropicale di Bioko.

Ogni scossone della Jeep gli provocava una fitta. Avevano preso la strada lungo l'oceano, una sottile striscia d'asfalto che conduceva a Malabo, l'unico centro urbano di Bioko. Le strade asfaltate, nella minuscola isola africana, erano poche e preziose. Per lo più, i soldi ricavati dal petrolio andavano a finanziare un nuovo palazzo per il presidente, o un nuovo yacht gigante per la sua flotta, o a gonfiare ancora di più i suoi conti in Svizzera.

Raff indicò il vano portaoggetti. «Ci sono degli occhiali da sole là dentro. Sembra ti dia fastidio.»

«È parecchio che non vedo la luce.»

Jaeger aprì lo sportello e recuperò quel che gli parve un paio di Oakley. Li studiò per un istante. «Falsi? Quanto sei taccagno.»

Raff rise. «Chi osa, vince.»
Un sorriso si fece strada tra i lineamenti tumefatti di Jaeger, facendogli un male infernale. Gli sembrava di non sorridere da una vita, e che facendolo gli si spaccasse in due la faccia.
Nelle ultime settimane si era convinto che non sarebbe mai uscito da quella cella. Nessuno d'importante sapeva che si trovasse lì. Era giunto a credere che sarebbe morto nella prigione di Black Beach, invisibile e dimenticato, e il suo cadavere, come quelli di innumerevoli altri prima di lui, sarebbe stato lanciato in pasto agli squali.
Non riusciva a crederci: era vivo e libero.
Il carceriere li aveva lasciati uscire attraverso la buia cantina, dove si trovavano le stanze di tortura, sfilando senza una parola lungo le pareti schizzate di sangue. Lo stesso posto dove venivano scaricati i rifiuti, oltre ai corpi di chi era morto in cella, prima di gettarli nell'oceano.
Jaeger non riusciva a immaginare che tipo di patto avesse sottoscritto Raff per tirarlo fuori.
Nessuno usciva dalla prigione di Black Beach.
Nessuno, mai.
«Come mi hai scovato?» Le sue parole risuonarono pesantemente nel silenzio.
Raff alzò le spalle. «Non è stato facile. Ci abbiamo lavorato in tre, Fenney, Carson, io.» Si mise a ridere. «Contento che ci siamo dati da fare?»
Jaeger alzò le spalle. «Stavo giusto iniziando a fare la conoscenza del maggiore Mojo. Un tipo a posto. Uno che vorresti sposasse tua sorella.» Lanciò un'occhiata al maori. «Ma come hai fatto a trovarmi? E perché...»
«Ci sono sempre per te, amico. E poi...» Un'ombra calò sui lineamenti di Raff. «C'è bisogno di te a Londra. Una missione. Per tutti e due.»
«Che tipo di missione?»
L'espressione di Raff si fece ancora più cupa. «Ti darò tutte le informazioni quando ce ne saremo andati da qui, perché fino a quel momento non ci sarà nessuna missione.»
Jaeger buttò giù una lunga sorsata d'acqua. Pura, fresca acqua imbottigliata: sembrava un dolce nettare rispetto a quella con cui era dovuto sopravvivere a Black Beach.

«E adesso? Mi hai tirato fuori da Black Beach, ma siamo ancora su Hell Island. È così che la chiamiamo da queste parti.»

«L'ho sentito. Secondo il patto col maggior Mojo, la terza parte del pagamento gli arriverà una volta che io e te ci troveremo sul volo per Londra. Solo che non ci imbarcheremo. Non saliremo su nessun aereo. L'aeroporto: è là che ci prenderanno. Ci preparerà un bel comitato d'accoglienza, in modo da poter dire che siamo scappati e che ci ha ripresi. Per ottenere due ricompense, una da noi, e un'altra dal presidente.»

Jaeger si strinse nelle spalle. Era stato proprio il presidente di Bioko – Honoré Chambara – a ordinare per primo il suo arresto. All'incirca un mese prima c'era stato un tentativo di colpo di Stato. Dei mercenari avevano conquistato l'altra metà della Guinea Equatoriale, quella che si trovava dall'altra parte dell'oceano, sul continente africano, mentre Bioko, la capitale, si trovava nella parte insulare del paese.

In seguito, il presidente Chambara aveva ordinato che tutti gli stranieri a Bioko venissero arrestati, anche se non ce n'erano molti. Jaeger era stato fermato insieme agli altri, e un controllo delle sue impronte digitali aveva svelato il suo passato nell'esercito.

Quando Chambara ne era venuto a conoscenza, aveva immaginato che Jaeger fosse coinvolto nel colpo di Stato: la loro talpa. Il che non era vero. Si trovava a Bioko per una serie di ragioni completamente diverse, e innocenti, ma non c'era stato modo di convincere Chambara. Su ordine del presidente, Jaeger era stato gettato nella prigione di Black Beach, dove il maggiore Mojo aveva fatto del proprio meglio per piegarlo e costringerlo a confessare.

Jaeger si infilò gli occhiali. «Hai ragione, non riusciremo mai ad andarcene con l'aereo. Hai un piano B?»

Raff gli lanciò un'occhiata. «Ho sentito che eri qui per lavorare come insegnante. Insegnante di inglese. In un villaggio nel Nord dell'isola. Ci ho fatto un salto. Per quei pescatori, sei la cosa migliore che sia mai successa a Hell Island. Hai insegnato ai loro figli a leggere e scrivere. È più di quanto abbia mai fatto il "presidente Chugga".» Fece una pausa. «Ci hanno preparato una canoa per raggiungere la Nigeria.»

Jaeger rifletté per un secondo. Aveva passato quasi tre anni a Bioko. Aveva imparato a conoscere molto bene la comunità dei pescatori. Attraversare il Golfo di Guinea in canoa... era fattibile. Forse.

«Sono trenta chilometri, più o meno» disse. «Ogni tanto i pescatori lo fanno, quando il tempo lo permette. Hai una mappa?»

Raff indicò il borsone tra i piedi di Jaeger, il quale si chinò con una fitta di dolore e vi frugò dentro. Trovò la mappa, la spiegò e studiò la posizione dell'isola. Bioko si trovava proprio dove l'Africa formava una piega a gomito, un'isola minuscola coperta di giungla fitta, non più lunga di cento chilometri per cinquanta di larghezza.

Il paese africano più vicino era il Camerun, a nordovest, con la Nigeria un poco più spostata a ovest. A più di duecento chilometri a sud c'era quello che fino a poco tempo prima aveva costituito l'altra metà del feudo del presidente Chambara, la parte continentale della Guinea Equatoriale, finita nelle mani dei golpisti.

«Il Camerun è più vicino» osservò Jaeger.

«Camerun? Nigeria?» Raff alzò le spalle. «In questo momento, qualunque posto è meglio di qui.»

«Quanto manca al tramonto?» domandò Jaeger. Gli scagnozzi di Chambara gli avevano portato via l'orologio ben prima di trascinarlo nella cella di Black Beach. «Protetti dal buio, potremmo farcela.»

«Sei ore. Ti do al massimo un'ora in albergo. Sfregati via di dosso tutta quella merda e butta giù un bel po' d'acqua: non hai alcuna possibilità di cavartela se non ti reidrati. Come ho detto, il grande giorno deve ancora arrivare.»

«Mojo sa in che albergo stai?»

Raff fece una smorfia. «Nascondersi non ha senso. Su un'isola di queste dimensioni, tutti sanno tutto. Ora che ci penso, mi ricorda casa mia...» I suoi denti scintillarono al sole. «Mojo non ci creerà alcun problema, non per qualche ora. Sarà occupato a controllare se gli arriva il denaro... e a quel punto, noi ce ne saremo già andati.»

Jaeger bevve dell'altra acqua, sforzandosi di far scendere lungo la gola secca una sorsata dopo l'altra. Il problema era che lo stomaco gli si era ristretto fino alle dimensioni di una noce. Se anche non l'avessero picchiato e torturato a morte, la denutrizione l'avrebbe ucciso presto, non c'era alcun dubbio.

«Insegnare ai mocciosi.» Raff sorrise, con aria maliziosa. «Davvero era questo che facevi?»

«Insegnavo ai mocciosi.»

«Bene. Insegnavi. E non hai proprio nulla a che fare con il colpo di Stato?»

«È esattamente quel che continuava a chiedermi il presidente Chugga. Tra una botta e l'altra. Uno come te gli farebbe comodo.»

«Okay. Insegnavi a dei ragazzini. Inglese. In un villaggio di pescatori.»

«Esatto.» Jaeger guardò fuori dal finestrino; il sorriso gli era svanito dal volto. «E poi, se proprio vuoi saperlo, mi serviva un posto dove nascondermi. Per pensare. Bioko, questo buco di culo alla fine dell'universo... Credevo che nessuno mi avrebbe mai trovato.» Fece una pausa. «Mi hai dimostrato che mi sbagliavo.»

La sosta in albergo si era rivelata un toccasana per Jaeger. Aveva fatto la doccia. Tre volte. Alla fine, l'acqua che vorticava giù per lo scarico era quasi pulita.

Si era costretto a mandare giù una dose di sali reidratanti. Si era tagliato la barba – la ricrescita di cinque settimane –, ma senza radersi completamente. Non ne aveva avuto il tempo.

Aveva controllato eventuali fratture; miracolosamente, non sembrava averne riportate molte. Aveva trentasei anni, e sull'isola si era tenuto in forma. E, grazie ai dieci anni precedenti trascorsi nelle forze d'élite dell'esercito, quando l'avevano gettato in cella era in perfetta forma fisica. Forse per questo era riemerso da Black Beach relativamente indenne.

Stabilì che aveva un paio di dita rotte, dei piedi e delle mani.

Nulla che non sarebbe guarito.

Un veloce cambio d'abiti e riprese posto sulla Jeep accanto a Raff, diretti a est, fuori da Malabo, nella fitta boscaglia tropicale. All'inizio, aveva guidato chino sul volante come una vecchia signora, a trenta miglia all'ora al massimo, per controllare se li stessero seguendo. I pochi abbastanza fortunati da possedere un'auto a Bioko guidavano tutti come schegge impazzite.

Se un'auto li avesse tallonati, si sarebbe tenuta a un miglio di distanza.

Quando svoltarono nella stretta stradina sterrata che conduceva verso la costa nordorientale, fu chiaro che nessuno li stava seguendo.

Il maggiore Mojo, evidentemente, aveva puntato tutto sull'aeroporto. In teoria, non c'era altro modo per lasciare l'isola, a meno di non voler sfidare la sorte tra le tempeste tropicali e gli squali che, affamati, circondavano Bioko.

Ed erano pochissimi ad averlo mai fatto.

3

Il capo Ibrahim indicò la spiaggia del villaggio di Fernao. Era abbastanza vicina perché il suono della risacca attraversasse le sottili pareti di fango della sua capanna.

«Abbiamo preparato una canoa. Ci sono acqua e cibo a disposizione.» Il capo fece una pausa e sfiorò la spalla di Jaeger. «Non dimenticheremo mai, specialmente i bambini.»

«Grazie» rispose Jaeger «nemmeno io. Voi tutti mi avete salvato, in più modi di quanti possa spiegare.»

Il capo lanciò un'occhiata alla figura al suo fianco, un giovane uomo dalla muscolatura ben delineata. «Mio figlio è uno dei migliori marinai di tutta Bioko... Siete sicuri di non volere che gli uomini vi traghettino dall'altra parte? Sapete che saremmo felici di farlo.»

Jaeger scosse il capo. «Quando il presidente Chambara scoprirà che sono fuggito si vendicherà in ogni modo possibile. Con ogni pretesto. Ci saluteremo qui. Non c'è altra maniera.»

Il capo si alzò in piedi. «Sono stati tre anni belli, William. *Inshallah*, riuscirete ad attraversare il golfo e da lì a tornare a casa. E un giorno, quando la maledizione di Chambara sarà svanita, *Inshallah*, tornerete a trovarci.»

«*Inshallah*» ripeté Jaeger. Lui e il capo si scambiarono una stretta di mano. «Ne sarei felice.»

Jaeger passò rapidamente in rassegna la fila di volti intorno alla capanna. Impolverati, graffiati, seminudi, ma felici. Forse era questo ciò che quei bambini gli avevano insegnato, il significato della felicità.

I suoi occhi tornarono sul capo. «Spiegagli perché faccio questo, ma solo dopo che me ne sarò andato.»

Il capo sorrise. «Lo farò. Ora vai. Hai fatto molte cose buone qui. Parti con questa consapevolezza, e con la leggerezza nel cuore.»

Jaeger e Raff si incamminarono verso la spiaggia, facendosi strada al riparo di una fitta macchia di palme. Meno erano i testimoni della loro partenza, meno persone avrebbero rischiato di subire rappresaglie.

Fu Raff a rompere il silenzio. Aveva compreso quanto soffrisse Jaeger all'idea di lasciare il villaggio.

«*Inshallah*?» domandò. «La gente del villaggio... è musulmana?»

«Sì. E sai che ti dico? Queste persone sono tra le più generose che abbia mai incontrato.»

Raff gli lanciò un'occhiata. «Tre anni da solo sull'isola di Bioko e, cazzo, Jaeger il tosto mi diventa un tenero.»

Jaeger gli rivolse un sorriso amaro. Forse aveva ragione. Forse si era intenerito.

Erano quasi arrivati sulla candida sabbia della spiaggia quando una figura li raggiunse alle spalle, ansimando, senza fiato. A piedi e petto nudi, con addosso soltanto un paio di pantaloncini stracciati, sembrava avere non più di otto anni. Sul volto aveva un'espressione di panico che rasentava il terrore.

«Signore! Signore!» Afferrò la mano di Jaeger. «Stanno arrivando. Gli uomini del presidente Chambara. Mio padre... Qualcuno ha dato l'allarme alla radio. Arrivano! Per prendervi! Per portarvi indietro!»

Jaeger si abbassò per guardare negli occhi il bambino. «Piccolo Mo, ascolta: nessuno mi prenderà.» Si sfilò gli "Oakley", praticamente l'unico oggetto che gli era rimasto. Li premette nella mano del bambino, poi gli arruffò i capelli impolverati e ispidi. «Dài, vediamo come ti stanno» lo spronò.

Il piccolo Mo si infilò gli occhiali. Erano così grandi che doveva reggerli con la mano.

«Amico, stai benissimo!» esclamò Jaeger. «Ma tienili nascosti, almeno finché gli uomini di Chambara non se ne saranno andati.» Fece una pausa. «Ora corri. Torna da tuo padre. Resta in casa. E, Mo, ringrazialo da parte mia per l'avvertimento.»

Il bambino diede un ultimo abbraccio a Jaeger, pieno di

riluttanza all'idea della separazione, prima di scattare verso il villaggio con gli occhi colmi di lacrime.

Jaeger e Raff si nascosero tra gli arbusti. Si acquattarono, abbastanza vicini da riuscire a comunicare bisbigliando. Jaeger afferrò il polso di Raff per controllare velocemente l'ora.

«Tra due ore circa farà buio» mormorò. «Due opzioni... Uno, facciamo un tentativo adesso, in pieno giorno. Due, restiamo qui e tagliamo la corda non appena arriva la notte. Se conosco Chambara, manderà i guardacoste a pattugliare l'oceano, oltre a qualsiasi altra squadra abbia inviato al villaggio. Da Malabo ci vogliono appena quaranta minuti via mare: ci prenderanno non appena tocchiamo l'acqua. Il che significa... non abbiamo scelta: aspettiamo la notte.»

Raff annuì. «Amico, sei qui da tre anni. Sai come vanno le cose. Ma ci serve un nascondiglio dove non gli verrà mai in mente di cercarci.»

I suoi occhi scrutarono tutt'attorno, fermandosi sulla lussureggiante vegetazione piena di ombre all'altra estremità della spiaggia. «Le mangrovie. Serpenti, coccodrilli, zanzare, scorpioni, sanguisughe e fango merdoso fino alla vita. L'ultimo posto in cui qualcuno sano di mente vorrebbe nascondersi.»

Si ficcò una mano in tasca e ne tirò fuori un coltello dall'aria inconfondibile. Lo porse a Jaeger: «Tienilo a portata di mano, non si sa mai».

Jaeger lo aprì e tastò la lama da dodici centimetri, ancora semipiegata, saggiandone il filo. «Un altro falso?»

Raff s'incupì. «Quando si tratta di armi, non bado a spese.»

«Dunque, gli uomini di Chambara stanno arrivando» rifletté Jaeger «ed è ovvio che vogliono riportarci a Black Beach. E noi abbiamo un coltello in due...»

Raff tirò fuori un secondo coltello, identico. «Fidati: farli passare all'aeroporto di Bioko è stato un miracolo.»

Jaeger accennò un sorriso. «Okay, un coltello a testa: imbattibili.»

Si immersero nella macchia di palme, verso la palude distante.

Dall'esterno, il labirinto di radici e rami contorti e selvatici sembrava impenetrabile. Risoluto, Raff si sdraiò a terra e iniziò a farsi strada strisciando, infilandosi in varchi impossibili, mentre creature invisibili schizzavano via allontanandosi da lui. Solo dopo essersi addentrato per una ventina di metri si fermò, con Jaeger che gli strisciava alle spalle.

L'ultima cosa che Jaeger aveva fatto sulla spiaggia era stata afferrare qualche fronda di palma con cui spazzare la sabbia alle loro spalle, per cancellare ogni traccia delle loro impronte. Quando si erano infilati tra le mangrovie, non restava più il minimo segno del loro passaggio.

I due si immersero nel maleodorante fango nero che formava il terreno della palude. Alla fine, solo le teste spuntavano dalla superficie, e anche queste erano coperte da uno spesso strato di fanghiglia e sporcizia. A distinguerli dal resto dell'ambiente c'era solo il bianco degli occhi.

Jaeger riusciva a sentire come, tutt'attorno, la superficie scura della palude ribollisse e fremesse di vita. «Mi viene quasi nostalgia di Black Beach» bisbigliò.

Raff grugnì in risposta: il luccichio dei denti era l'unica cosa che potesse rivelare la sua posizione.

Jaeger fece scorrere lo sguardo lungo il graticcio di rami che formava una compatta, fitta cupola sulle loro teste. Neanche la più spessa mangrovia superava il diametro di un polso umano, e raggiungeva al massimo sei metri di altezza. Ma dove le radici spuntavano dal fango per essere lavate quotidianamente dalla marea, crescevano dritte come frecce per mezzo metro o anche più.

Raff ne afferrò una e la tagliò rasoterra, usando la lama ripiegata del coltello. Fece un altro taglio a poco di più di un metro, e passò il bastone a Jaeger.

L'amico gli rivolse uno sguardo interrogativo.

«Krav Maga» grugnì Raff. «Combattimento con i bastoni, col caporale Carter. Ti dice niente? Fatti un picchetto.»

Jaeger sorrise. Come dimenticarlo?

Prese il coltello e iniziò ad affilare un'estremità del duro e resistente legno, assottigliandola fino a creare una punta di freccia.

A poco a poco, una lancia corta e affilata prese forma.

Il caporale Carter era il maestro delle armi, oltre che del combattimento corpo a corpo. Lui e Raff avevano addestrato l'unità di Jaeger nel Krav Maga, un'arte marziale ibrida inventata originariamente in Israele. Un misto di Kung Fu e di rissa da strada, insegnava come sopravvivere nella vita vera.

Diversamente dalle altre arti marziali, nel Krav Maga era necessario arrivare rapidamente alla conclusione dello scontro, infliggendo all'avversario il maggior danno possibile. "Danni sistematici", così Carter li chiamava: colpi progettati per essere letali. Non c'erano regole, e ogni mossa mirava alle parti più vulnerabili del corpo: gli occhi, il naso, il collo, l'inguine e le ginocchia. E bisognava picchiare duro.

Gli elementi fondamentali del Krav Maga erano la velocità, l'attacco e la sorpresa, oltre a colpire per primi e a saper improvvisare un'arma. Si lottava con qualunque cosa si avesse a portata di mano: assi di legno, sbarre di metallo, persino bottiglie rotte.

O una lancia appuntita ricavata da una radice di mangrovia.

Gli uomini di Chambara comparvero poco prima del crepuscolo.

Erano una ventina su una camionetta. Raggiunsero l'altra estremità della spiaggia, dividendosi per ispezionarla da un capo all'altro. Si fermarono davanti a ciascuna delle canoe scavate nei tronchi, ribaltandole come se credessero che la preda si nascondesse lì sotto.

Era il posto più ovvio per mettersi al riparo, il che l'aveva escluso completamente dalle opzioni di Jaeger e Raff.

I soldati delle forze armate di Bioko fecero partire delle raffiche coi loro fucili d'assalto G3, perforando il fondo di diverse imbarcazioni. Nelle loro azioni, però, non c'era alcun metodo, e Jaeger memorizzò quale canoa non era stata investita dalla raffica di proiettili.

Non ci volle molto prima che trovassero quella piena di provviste. Da un punto all'altro della spiaggia vennero urlati degli ordini. Un paio di figure in mimetica scattarono verso il villaggio, tornando un minuto più tardi con una sagoma minuscola sulle spalle.

La gettarono sulla sabbia ai piedi del comandante del plotone.

Era un uomo massiccio, sovrappeso: Jaeger lo riconobbe da una delle sue numerose visite a Black Beach, dove aveva supervisionato gli interrogatori e i pestaggi.

Il comandante affondò lo stivale tra le costole della sagoma a terra.

Il piccolo Mo reagì con un grido soffocato.

Riecheggiò penosamente nel buio della spiaggia.

Jaeger strinse i denti. Il bambino del capo era come un figlio per lui. Era un allievo intelligente, ma con un sorriso un po' sciocco che l'aveva sempre fatto ridere. In più si era rivelato un campione nel calcio da spiaggia, il loro passatempo preferito quando finivano le lezioni.

Ma non era solo per quello che avevano legato. In molti modi, il piccolo Mo ricordava a Jaeger il suo ragazzo.

O almeno, il figlio che una volta aveva avuto.

4

«JAEGER!» La voce risuonò facendosi strada attraverso i suoi tetri pensieri.

«William Jaeger. Sì, mi ricordo di te, codardo che non sei altro. E come vedi, ho il ragazzo.» Una mano enorme si abbassò e sollevò il piccolo Mo per le radici dei capelli, fino a tenerlo in equilibrio sulle punte dei piedi. «Gli resta un minuto da vivere. UN MINUTO! Fatevi vedere bastardi bianchi, SUBITO! O il ragazzo si becca una pallottola in mezzo agli occhi!»

Jaeger incrociò lo sguardo di Raff. Il colossale maori scosse la testa con insistenza. «Amico, sai come funziona» bisbigliò. «Se usciamo allo scoperto l'intero villaggio è condannato, compresi noi e il piccolo Mo.»

Senza dire una parola, Jaeger tornò a guardare le figure distanti. Raff aveva ragione, ma l'immagine del bambino che danzava sulle punte sotto la presa del corpulento comandante fu come un pugno nel cervello. La sua mente fu riportata a un ricordo sepolto: un lontano paesaggio montano, un pezzo di tela stracciato, tagliato da un coltello...

Jaeger sentì addosso un braccio muscoloso, possente, che lo tratteneva. «Fermo amico, fermo» bisbigliò Raff. «Dico sul serio. Se ti consegni ora, siamo tutti morti...»

«Il minuto è finito!» urlò il comandante. «FUORI! Subito!»

Jaeger udì lo scatto acuto, metallo su metallo, del proiettile che entrava nella camera di scoppio. Il comandante sollevò la pistola, premendo la canna contro la tempia del piccolo Mo. «INIZIO A CONTARE DA DIECI. E poi non illudetevi, bastardi inglesi, sparo!»

Il comandante si rivolgeva alle dune di sabbia, puntando la torcia verso i ciuffi d'erba nella speranza di scovare Raff e Jaeger.

«Dieci, nove, otto...»

Un'altra voce risuonò sulla spiaggia buia, le urla infantili interruppero il comandante. «Signore! Signore! Per favore! PER FAVORE!»

«Sette, sei, cinque... Sì, ragazzo, implora che i tuoi amici bianchi ti salvino... Tre.»

Jaeger sentì che l'amico maori lo teneva bloccato nel fango, mentre la sua mente sfrecciava terrorizzata tra ricordi lontani: un'aggressione violenta su una montagna buia e ghiacciata, sangue tra la prima neve dell'inverno. Il momento in cui la sua vita era implosa, fino al presente... Il piccolo Mo.

«Due! Uno! TEMPO *SCADUTO*!»

Il comandante premette il grilletto.

Un'unica fiammata proiettò sulla spiaggia ombre e luci nette. Poi l'uomo lasciò andare i capelli del ragazzo e il corpo minuto crollò sulla sabbia.

Jaeger si voltò per l'orrore, premendo il volto contro le radici di mangrovia. Se Raff non l'avesse trattenuto a terra sarebbe schizzato fuori dal nascondiglio, impugnando il coltello e il bastone appuntito, gli occhi brucianti di rabbia omicida.

E sarebbe morto.

E non gliene sarebbe importato niente.

Il comandante ringhiò una serie concitata di ordini. Figure in tute mimetica sfrecciarono in ogni direzione, alcune verso il villaggio, altre verso le due estremità della spiaggia. Una si bloccò, scivolando, al margine della palude.

«Bene, continuiamo col nostro giochino» annunciò il comandante, scrutando ancora in ogni direzione. «Ora prendiamo il prossimo bambino. Sono un uomo paziente. Ho tutto il tempo del mondo. E non mi dispiace uccidere fino all'ultimo dei tuoi alunni, Jaeger, se è quello che serve. Fatti vedere. O sei davvero il povero codardo bianco che ho sempre creduto fossi? Dimostrami che mi sbaglio.»

Jaeger notò che Raff si era mosso: avanzava furtivamente, in silenzio, scivolando sul ventre tra il fango come un gigantesco, spettrale serpente. Si guardò alle spalle per il più breve degli istanti.

«Vuoi andartene in un'esplosione di gloria?» bisbigliò.

Jaeger annuì, mestamente. «Velocità. Aggressività...»

«Sorpresa» Raff completò il mantra.

Jaeger strisciò in avanti, seguendo il percorso tracciato da Raff. Avanzando, restò impressionato dall'agilità con cui il maori si muoveva, in silenzio, a caccia, come un animale, un predatore nato. Nel corso degli anni, Raff gli aveva insegnato molte delle sue abilità; la convinzione totale, la concentrazione necessaria per predare e uccidere.

Ma Raff era ancora il maestro, il migliore di sempre.

Emerse dalla palude come un'ombra informe proprio nel momento in cui un altro bambino indifeso veniva trascinato sulla spiaggia. Il comandante iniziò a prenderlo a calci nel ventre, mentre la sentinella sghignazzava per il crudele spettacolo che stava avendo luogo.

Fu allora che Raff colse l'attimo. Avvolto dall'oscurità, raggiunse di soppiatto il soldato più vicino alla palude. Con un'unica rapida mossa gli avvolse il braccio sinistro attorno al collo e alla bocca, in una presa d'acciaio, soffocandolo e impedendogli di urlare, torcendogli il mento in alto e di lato. Allo stesso tempo, il braccio destro scattò con un colpo violento, affondando fino al manico la lama del coltello nella gola dell'uomo e poi tirandola in avanti per recidergli la carotide e la trachea.

Per diversi secondi Raff tenne stretto il soldato ferito, mentre la morte gli allagava i polmoni, affogandolo nel suo stesso sangue. Senza far rumore adagiò il corpo sulla sabbia. Un istante dopo era tornato nella palude, stringendo il fucile d'assalto del morto tra le mani coperte di sangue.

Si accovacciò, aprendo lo stretto varco per Jaeger.

«Avanti!» sibilò. «Andiamo.»

Jaeger percepì il movimento all'angolo dell'occhio. Una figura si era materializzata dal nulla, col fucile d'assalto alzato in posizione di fuoco, puntato contro Raff.

Jaeger scagliò il coltello.

Fu un movimento istintivo. La lama sibilò attraverso l'aria del crepuscolo, roteando in volo e conficcandosi nelle budella della sagoma.

Un urlo.

Il fucile sparò ma i colpi si dispersero, allontanandosi dal bersaglio. Mentre l'eco degli spari si spegneva, Jaeger si alzò e scattò in avanti, col paletto in una mano.

Aveva riconosciuto il soldato.

Corse e conficcò la lancia nel petto dell'uomo. Sentì la punta affilata che si incuneava tra le costole, oltrepassando muscoli e tendini, mentre la spingeva per tutta la lunghezza. Quando infine gli rubò il fucile, l'uomo caduto era ormai inchiodato alla sabbia: il paletto era penetrato nel costato uscendo dalla spalla.

Il maggiore Mojo, l'ex aguzzino di Jaeger, stava urlando e si contorceva come un maiale infilzato, ma non sarebbe andato da nessuna parte, questo era certo.

Con un unico movimento fluido, Jaeger sollevò il fucile, disinnescò la sicura e fece fuoco. L'arma scagliò una serie infuocata di proiettili traccianti, che sfrecciarono attraverso l'oscurità.

Jaeger mirò al tronco. I colpi alla testa erano perfetti per il poligono, ma in una sparatoria dal vivo bisognava sempre mirare alle budella. Era il bersaglio più grande, e in pochi sopravvivevano a una ferita allo stomaco.

Fece scorrere l'arma lungo l'intera lunghezza della spiaggia, alla ricerca della sagoma del comandante. Vide i ragazzi del villaggio che cercavano di liberarsi e mettersi al riparo nella macchia di palme lì vicino, poi il comandante che si voltava e iniziava a correre. Sparò una raffica selvaggia di colpi e vide i proiettili traccianti che si conficcavano nei calcagni del comandante, gli crivellavano il busto.

Jaeger percepì l'incertezza e la paura che presero a dilagare tra le file del nemico quando il loro capo cadde, urlando per il terrore, nell'agonia degli ultimi istanti.

Erano come un serpente decapitato, ormai.

Era il momento di sfruttare il vantaggio.

«Cambio caricatore!» urlò Jaeger estraendone uno pieno dalla tasca del suo ex carceriere e infilandolo in posizione. «Via! Via! Via!»

Raff non ebbe bisogno di farselo dire una seconda volta.

In un istante balzò in piedi e si scagliò in avanti, lanciando il suo urlo di battaglia, mentre Jaeger lo copriva con raffiche martellanti. Mentre il gigantesco, scuro e spaventoso maori si faceva avanti, Jaeger vide i primi nemici rompere le file e scappare.

Raff coprì una trentina di metri, poi si lasciò cadere in ginocchio aprendo una raffica di colpi mirati. Urlò a sua volta a Jaeger: «VAAAIII!».

Jaeger si alzò dalla sabbia con l'arma in spalla: tutta la rabbia e la furia accumulate erano ormai concentrate sullo scontro. Scattò in avanti – sotto la scura pellicola di fango della palude che lo copriva da testa a piedi si vedevano solo gli occhi e i denti digrignati – e si precipitò allo scoperto sulla spiaggia, sparando all'impazzata.

In pochi secondi, anche l'ultimo dei soldati del presidente Chambara aveva lasciato la postazione ed era fuggito. Raff e Jaeger li inseguirono tra le palme sparando ancora, finché nemmeno una figura ostile fu più visibile.

Qualche secondo dopo, il silenzio calò sulla buia striscia di sabbia, tranne che per i lamenti dei moribondi e dei feriti.

Senza perdere tempo, i due cercarono la canoa del capo e la trascinarono verso la battigia. Era difficile maneggiarla, grande e robusta com'era, sulla terraferma, e ci volle tutta la loro forza per trascinarla verso le onde. Stavano per salpare quando Jaeger fece cenno a Raff di aspettare.

Fendette le onde e attraversò la spiaggia, verso una figura abbandonata sulla sabbia intrisa di sangue. Estrasse faticosamente il paletto, si caricò l'uomo sulle spalle, tornò indietro e lo depositò al centro della canoa.

«Cambio di piano!» comunicò a Raff mentre spingevano l'imbarcazione più lontano tra le onde. «Mojo viene con noi. Inoltre, andiamo a est e quindi a sud. Gli uomini di Chambara crederanno che ci stiamo spostando verso nord, verso il Camerun o la Nigeria. Non gli verrà mai in mente che siamo andati nella direzione opposta, per tornare nel loro paese.»

Raff balzò dentro la canoa e si sporse per aiutare Jaeger. «Perché dovremmo tornare nell'inferno di Chugga?»

«Andiamo verso il continente. La distanza è doppia, ma non penseranno mai di seguirci. E poi, il territorio non è più governato da Chambara, ricordi? Cercheremo di entrare in contatto con i golpisti, magari potranno aiutarci.»

Raff ghignò. «*Ka mate, ka mate! Ka ora! Ka ora!* Andiamo, cazzo!»

Spinsero la canoa verso il largo, mentre Jaeger si univa al canto, e presto furono inghiottiti dalle tenebre inondate di luna.

5

«Bene, signori, sarete lieti di sapere che siete liberi. È bastata qualche telefonata. La vostra reputazione, a quanto pare, vi precede.»

L'uomo con l'accento marcatamente sudafricano davanti a loro era tozzo e tarchiato, col volto squadrato, rosso e barbuto da boero. Il suo fisico rivelava chiaramente una gioventù trascorsa tra partite di rugby, grandi bevute ed esercitazioni militari nel *bush* africano, prima che l'età e la gotta avessero la meglio.

Ma Pieter Boerke non si trovava lì per combattere. Era il capo dei golpisti, e poteva contare sulla forza di uomini ben più giovani e in forma per guidare la carica.

«Avete ancora intenzione di prendere Bioko?» commentò Jaeger. «Il colpo di Stato praticamente non è mai iniziato...»

Molti anni prima c'era stato un altro tentativo di rimuovere il presidente Chambara dal comando. Si era trasformato in una sconfitta pressoché totale.

Boerke fece una smorfia. «La mia è un'operazione completamente diversa. Chambara è finito. La comunità internazionale, l'industria petrolifera, la gente di Bioko, tutti vogliono liberarsi di lui. E chi può dargli torto? Quel tizio è una bestia. Mangia le persone... di solito, i suoi prigionieri preferiti.» Lanciò un'occhiata a Jaeger. «Ma sarai sollevato di essere fuggito in tempo da Black Beach, eh?»

Jaeger sorrise. Farlo gli causava ancora dolore, dopo che le tempeste tropicali e gli schizzi delle onde li avevano sferzati per i tre giorni necessari ad attraversare il Golfo di Guinea.

«Mentre parliamo, stiamo caricando di armi dei C-130» continuò Boerke «pronti a decollare dalla Nigeria. Ci stiamo preparando per la grande offensiva. Ora che ci penso, un paio di uomini in più mi farebbero comodo... Uomini come voi, che conoscono la conformazione del territorio.» Boerke li scrutò. «Vi andrebbe di unirvi a noi?»

Jaeger guardò Raff. «A quanto dice il mio amico maori, abbiamo degli impegni nel Regno Unito.»

«Purtroppo» borbottò Raff. «Dopo aver assaggiato l'ospitalità di Chugga, mi piacerebbe sfondargli la porta di casa.»

«Non ne dubito.» Boerke scoppiò in una fragorosa risata. «È l'ultima possibilità, ragazzi. Avrei bisogno di voi. Davvero. Voglio dire, siete fuggiti da Black Beach. Nessuno ne esce vivo. Siete riusciti ad abbandonare l'isola lottando solo con due paletti e un apribottiglia. Siete arrivati qui dopo tre giorni in canoa. Come ho detto, mi fareste comodo.»

Jaeger sollevò le mani. «Non questa volta. Ho chiuso con Bioko.»

«Capito.» Boerke si alzò e iniziò ad andare nervosamente avanti e indietro accanto alla scrivania. «Dunque, posso portarvi fuori di qui col prossimo C-130. Arriverete in Nigeria, poi vi faranno salire su un volo della British Airways diretto a Londra, senza fare domande. È il minimo che possa fare, dopo che ci avete consegnato quel pezzo di merda.»

Fece un cenno alle sue spalle. La sagoma legata e ammanettata del maggiore Mojo era gettata in un angolo della stanza.

Raff lanciò un'occhiata di disprezzo all'uomo ferito. «Gradirei che gli riservaste lo stesso trattamento che lui ha riservato al mio amico. Con gli interessi.»

Boerke sorrise. «Nessun problema. Abbiamo parecchie domande da fargli. E ricordatevi, siamo sudafricani. Non facciamo prigionieri. Ora, c'è altro che possa fare per voi prima che ciascuno vada per la propria strada?»

Jaeger esitò un istante. Il suo istinto gli diceva che poteva fidarsi del sudafricano; in più, c'era la fratellanza dei guerrieri a unirli. In ogni caso, voleva fare avere dei soldi al capo del villaggio di Fernao, e Boerke al momento era la sua unica opzione.

Si sfilò una striscia di carta dalla tasca. «Quando prenderete Bioko, potreste consegnare questo al capo di Fernao? Sono le coordinate di un conto di Zurigo, complete dei codici d'accesso. C'è una somma considerevole sopra, quella che Raff ha pagato a Mojo per liberarmi. Il figlio del capo è morto per causa nostra.

I soldi non lo riporteranno in vita, ma possono essere un punto di partenza.»

«Consideralo fatto» confermò Boerke. «Una cosa, però: è stata un'ottima idea portare qui quello stronzo di Mojo. Conosce le difese di Chambara come le sue tasche. È terribile che un bambino sia dovuto morire per carpire queste informazioni. Speriamo che la sua morte salvi la vita di molti.»

«Forse. Speriamo» convenne Jaeger. «Ma non era uno dei tuoi ragazzi. Il tuo allievo migliore.»

«Fidati, quando Chambara sarà fuori dai giochi, ogni ragazzo di Bioko avrà un futuro più luminoso. Dannazione, quel paese dovrebbe essere ricco. Ha petrolio, gas, minerali, tutto quanto. Venderemo gli yacht di Chambara, confischeremo i suoi conti esteri: sarà un buon punto di partenza. C'è altro che possa fare per voi prima che partiate?»

«Forse c'è una cosa...» rifletté Jaeger. «Sai, sono rimasto là per tre anni. È parecchio, in un posto come Bioko. Per farla breve, mi sono messo a scavare nella storia dell'isola. La Seconda guerra mondiale. Verso la fine del conflitto, gli inglesi hanno lanciato un'operazione top secret per spiare un cargo nemico, il *Duchessa*, ancorato nel porto di Malabo. Vi sono state investite risorse incredibili. La domanda è: perché?»

Boerke alzò le spalle. «Non chiederlo a me.»

«A quanto pare, il capitano aveva consegnato un manifesto di carico alle autorità portuali di Bioko» proseguì Jaeger. «Non era completo; c'era un elenco di sei pagine, ma la settima mancava. Si dice che sia conservata nella camera blindata del palazzo del governo di Malabo. Ho provato di tutto per procurarmelo. Quando conquisterete la capitale, potreste farmene avere una copia?»

Boerke annuì. «Nessun problema. Lasciami la tua email e un recapito telefonico. Ma sono curioso. Secondo te cosa trasportava? Perché quest'interesse?»

«Sono rimasto affascinato dalle voci che circolano, mi hanno stregato. Diamanti. Uranio. Oro. È questo che si dice. Qualcosa che proveniva dalle miniere africane. Qualcosa di cui i nazisti avevano un disperato bisogno per provare a vincere la guerra.»

«Probabilmente uranio» suggerì Boerke.

«Forse.» Jaeger alzò le spalle. «Ma la settima pagina lo dimostrerebbe.»

6

La motonave *Global Challenger* era all'ancora sul Tamigi, un cielo pesante incombeva minaccioso e imbronciato sopra la testa d'albero. Il taxi nero che aveva recuperato Raff e Jaeger all'aeroporto di Heathrow accostò al marciapiede; le ruote si fermarono in una pozzanghera grigia velata di olio.

Jaeger pensò che la tariffa del taxi sarebbe bastata a comprare i libri di testo per un'intera classe di Bioko. E quando Raff non diede all'autista la mancia che si aspettava, questi ripartì sgommando senza una parola, schizzandogli le scarpe di acqua sporca.

Londra a febbraio. Certe cose non cambiano mai.

Aveva dormito per quasi l'intera durata dei due voli, dalla Guinea Equatoriale continentale fino alla Nigeria a bordo di un rumoroso C-130 Hercules per il trasporto merci, e poi da lì fino a Londra. Avevano percorso la tratta Lagos-Londra immersi nel lusso sfrenato, ma per esperienza Jaeger sapeva che la prima classe comportava sempre dei costi extra.

Sempre.

Qualcuno aveva pagato i biglietti, e settemila sterline a testa non erano bruscolini. Quando aveva interrogato Raff sulla faccenda, il mastodontico e amichevole maori era stato stranamente reticente. Chiaramente, qualcuno voleva a tutti i costi che Jaeger tornasse a Londra e i soldi non erano un problema, ma Raff non aveva voglia di parlarne.

Per Jaeger non era un problema. Aveva totale fiducia nel suo amico.

Una volta arrivati a Londra, Jaeger iniziò a sentire l'effetto complessivo delle cinque settimane di prigionia a Black Beach, dello scontro e della fuga che erano seguiti. Salì sulla passerella del *Global Challenger* con le ossa che gli scricchiolavano come quelle di un vecchio, proprio mentre incominciava a piovere.

Il *Global Challenger*, una vecchia nave da ricognizione artica, ospitava la sede della Enduro Adventures, la società che Jaeger aveva fondato dopo aver lasciato l'esercito insieme a Raff e un altro compagno d'armi, Stephen Feaney, che ora si trovava in fondo alla passerella, seminascosto dalla pioggia scrosciante.

Tese la mano in segno di saluto. «Non credevo che ti avremmo trovato. Che aspetto di merda. A quanto pare, siamo arrivati giusto in tempo.»

«Sai com'è.» Jaeger alzò le spalle. «Quel gran bastardo di un maori... Il presidente Chambara stava per cucinarselo e mangiarselo. Qualcuno doveva tirarlo fuori da lì.»

Raff fece una smorfia. «Col cazzo!»

Seguirono delle risate. I tre uomini condivisero quel brevissimo istante mentre la pioggia martellava il ponte.

Era bello – dolce – essere di nuovo insieme.

Fare parte dell'élite militare era stata una costante avventura. Jaeger, Raff e Feaney erano stati in luoghi che pochi altri avevano mai visto, avevano fatto cose che pochi ritengono possibili. Era stato il massimo, ma non era certo senza conseguenze.

Qualche anno prima avevano deciso di lasciare finché erano ancora in tempo. Avevano sfruttato le abilità apprese grazie ai soldi dei contribuenti per avviare la propria attività. La Enduro Adventures – slogan: "La terra è il nostro campo giochi" – ne era il risultato.

Nata da un'idea di Jaeger, la Enduro era un'organizzazione dedicata a far vivere a persone ricche – uomini d'affari, sportivi e qualche celebrità – le più eccitanti avventure nella natura selvaggia. Col tempo, erano riusciti a trasformarla in un'impresa redditizia, attraendo personalità arcinote con le più incredibili avventure che il pianeta aveva da offrire.

Ma poi, quasi di punto in bianco, la vita di Jaeger era andata in frantumi e lui era scomparso dai radar. Era diventato l'uomo invisibile della Enduro. Feaney era stato obbligato a gestire l'aspetto economico dell'attività, e Raff a occuparsi delle spedizioni, anche se per nessuno dei due si trattava del proprio ambiente naturale.

Jaeger, un capitano, era l'unico ex ufficiale dei tre. Nell'esercito era stato alla guida di uno squadrone D, un'unità dello Special Air Service di sessanta uomini. Aveva lavorato a stretto contatto con le alte sfere, e sapeva muoversi facilmente nei circoli di affari più esclusivi.

Feaney era più vecchio, e aveva lavorato duro per fare carriera, fino a diventare sergente maggiore di Jaeger. Come nel caso di Raff, alcol e risse avevano sempre reso alquanto difficile una sua promozione... Non che al maori paresse importare.

Senza la sua figura centrale, gli ultimi tre anni erano stati una sfida per la Enduro Adventures. Jaeger sapeva che Feaney in parte ce l'aveva con lui per la sua fuga a Bioko. Ma se fosse stato colpito dallo stesso orrore, Jaeger era certo che pure lui avrebbe lottato. Il tempo e l'esperienza gli avevano insegnato che ogni uomo ha il proprio punto di rottura. Quando Jaeger aveva raggiunto il suo, era fuggito nell'ultimo posto sulla terra in cui l'avrebbero cercato: Bioko.

Feaney entrò per primo sottocoperta. La sala riunioni del *Global Challenger* era una sorta di santuario dell'avventura. Le pareti erano ricoperte di ricordi dei più remoti angoli della terra: bandiere di metà degli eserciti del globo, medaglie e berretti di unità d'élite di cui pochi conoscevano l'esistenza, file di armi scariche, tra cui un AK-47 placcato d'oro che proveniva da uno dei palazzi di Saddam Hussein.

Ma era anche uno straordinario tributo alle meraviglie del pianeta: a decorare le pareti c'erano foto dei biomi più selvaggi ed estremi – deserti aridi spazzati dal vento, montagne coperte di neve dai riflessi blu ghiaccio, l'intreccio di una giungla color carbone penetrata dai raggi del sole – insieme alle decine di fotografie dei gruppi che la Enduro Adventures aveva accompagnato.

Feaney aprì lo sportello del frigo dietro al bancone. «Birra?»

Raff grugnì. «Dopo Bioko, potrei scolarmela tutta.»

Feaney gli passò una bottiglia. «Jaeger?»

Jaeger scosse il capo. «No, grazie. Non ho toccato alcol a Bioko. Non il primo anno, ma negli altri due nemmeno una goccia. Una birra, e dovrete scrostarmi dal soffitto.»

Jaeger prese dell'acqua e tutti e tre si sedettero a uno dei tavolini bassi. Parlarono per un po', aggiornandosi su quanto era successo durante l'assenza degli altri, prima che Jaeger riportasse l'attenzione sul cuore della faccenda: le ragioni per cui Raff e Feaney erano andati fino in capo al mondo per trovarlo e riportarlo a casa.

«Quindi, questo nuovo contratto... aggiornami. Voglio dire, Raff mi ha detto qualcosa, ma sai com'è il maori: riuscirebbe a far calare le palpebre persino a un occhio di vetro.»

Raff sbatté la birra sul tavolo. «Io combatto, non parlo.»

«Io bevo, non amo» gli fece eco Jaeger.

Risero.

Tre anni d'assenza, e ora era un uomo diverso dal giovane guerriero ed esploratore che era scomparso. Era più ombroso, più silenzioso. Più chiuso. Eppure, di tanto in tanto, riemergeva qualche sprazzo dello humour e del fascino che lo rendevano perfetto come intermediario con il pubblico della Enduro Adventures.

«Be', immagino che tu debba averlo intuito» iniziò Feaney. «Le cose per la società, per la Enduro, non sono andate benissimo dopo che tu...»

«Avevo le mie ragioni» lo interruppe Jaeger.

«Amico, non dico di no. Dio sa che tutti quanti...»

Raff alzò una mano possente per zittirlo. «Quello che Feaney sta provando a dire è che è tutto a posto. Il passato è passato. E il futuro, per tutti noi, è questo contratto nuovo di zecca. Solo che nelle ultime settimane è venuta fuori un bel po' di merda.»

«Esatto» confermò Feaney. «Questa è la versione breve. Uno o due mesi fa sono stato contattato da Adam Carson, che ricorderai di certo da quando era il direttore delle forze speciali.»

«Il generale Adam Carson? Sì» annuì Jaeger. «Per quanto è rimasto con noi? Due anni? Era un comandante capace, anche se non mi è mai piaciuto più di tanto.»

«Neanche a me» convenne Feaney. «Comunque, dopo l'esercito, una società legata ai media gli ha dato la caccia. È finito a dirigere una casa cinematografica chiamata Wild Dog Media. Non è strano quanto può sembrare: sono specializzati nel filmare le più remote aree della terra; spedizioni, documentari, spot per le multinazionali, roba del genere. Ha assunto un mucchio di ex militari. La gente perfetta con cui collaborare.»

«Così sembra» annuì Jaeger.

«Carson aveva una proposta per noi, davvero vantaggiosa. Hanno scoperto la carcassa di un aereo nel cuore dell'Amazzonia. Della Seconda guerra mondiale, probabilmente. L'ha trovato l'esercito brasiliano, durante la sorveglianza aerea dell'estremo confine occidentale. In pratica, si trova nel mezzo del nulla più totale. A ogni modo, la Wild Dog voleva accaparrarsi l'opportunità di scoprire di che cosa si tratta esattamente.»

«È in Brasile?» chiese Jaeger.

«Sì. Cioè, in realtà no. È praticamente parcheggiato sul confine, dove si incontrano Brasile, Bolivia e Perù. Sembra che un'ala sia in Bolivia, l'altra in Perù, mentre il culo punta nella direzione della spiaggia di Copacabana. Diciamo così: chi l'ha piazzato lì se n'è totalmente fregato dei confini internazionali.»

«Mi ricorda il periodo che abbiamo passato nel Reggimento» commentò seccamente Jaeger.

«Esatto. La contesa è andata avanti per un po', ma l'unica forza militare in grado di farci qualcosa sono i brasiliani... ed è un'impresa enorme, persino per loro. Così, hanno iniziato a sondare il terreno, per vedere se fosse possibile mettere insieme una squadra internazionale per svelare il mistero.

«Qualsiasi cosa sia, è un velivolo enorme» continuò Feaney. «Carson saprà darti maggiori informazioni, ma per ora ti basti sapere che è un mistero avvolto in un enigma... o come diavolo si dice. Carson ha proposto di mandare una troupe a filmare le operazioni. Un evento televisivo da trasmettere in tutto il mondo. Ha raccolto un budget enorme. Ma ci sono state delle altre offerte, e i sudamericani si sono messi a litigare tra loro.»

«Tutti capi...» accennò Jaeger.

«... e nessun servo» confermò Feaney. «A proposito, la regione in cui si trova l'aereo, è il territorio di una delle tribù più ostili dell'Amazzonia. Gli amahuaca, o qualcosa del genere. Mai contattati. Felicissimi che le cose restino così. E pronti a sommergere di frecce e dardi chiunque entri nel loro territorio.»

Jaeger sollevò un sopracciglio. «Dardi avvelenati?»

«Non chiedere. Come spedizione, è davvero il massimo.» Feaney fece una pausa. «Ed è qui che entri in gioco tu. I brasiliani prenderanno il comando. Tutte le informazioni sono riservate, e la posizione esatta del relitto è top secret, in modo che nessuno possa giocare d'anticipo. Ma la Bolivia è per il Brasile quello che la Francia è per l'Inghilterra, e diciamo che i peruviani sono i tedeschi. Nessuno si fida di nessuno in questa faccenda.»

Jaeger sorrise. «Ci piacciono il vino dei primi e le macchine degli ultimi, tutto qui, no?»

«Esatto.» Feaney prese un sorso di birra. «Ma Carson è furbo. È riuscito a tirare i brasiliani dalla propria parte: e tutto grazie a una sola cosa. Guiderai tu la spedizione brasiliana. Hai addestrato le loro squadre antidroga, le loro forze speciali. A quanto pare, hai fatto un'ottima impressione, e anche Andy Smith, il tuo secondo. Di te si fidano. Totalmente. Sai meglio di chiunque perché.»

Jaeger annuì. «Il capitano Evandro è ancora con loro?»

«Il colonnello Evandro, ormai. Non solo è ancora con loro, ma è il capo delle forze speciali brasiliane. Hai tirato fuori dai casini alcuni tra i suoi uomini migliori. Non se l'è dimenticato. Carson ha promesso che o tu o Smith guiderete la missione. Preferibilmente, tutti e due. Ciò ha convinto il colonnello, e a sua volta lui è riuscito a convincere boliviani e peruviani.»

«Il colonnello Evandro è un brav'uomo» commentò Jaeger.

«Così sembra. Come minimo ha un'ottima memoria. È per questo che Carson e la Enduro hanno ottenuto l'ingaggio. Ed è per questo che siamo venuti a cercarti. E a quanto pare siamo arrivati appena in tempo.» Feaney studiò Jaeger per un istante. «Comunque, è un contratto enorme. Diversi milioni di dollari. Abbastanza da ribaltare le sorti della Enduro.»

«Splendido.» Jaeger lanciò un'occhiata a Feaney. «Forse troppo?»

«Forse.» Il volto di Feaney si adombrò. «Carson ha iniziato a mettere su una squadra. Internazionale, metà uomini e metà donne, per sfruttare al massimo il potenziale televisivo della faccenda. Ci sono state decine di volontari. Carson è stato sommerso dalle richieste. Ma allo stesso tempo non riusciva a trovare la minima traccia di dove fossi finito. Così Smithy si è accordato per guidare la cosa da solo, pensando che tu fossi... come dire... sparito dalla faccia della terra.»

L'espressione di Jaeger restò imperscrutabile. «O come se fossi andato a insegnare inglese a Bioko. Dipende dai punti di vista.»

«Già. A ogni modo...» Feaney alzò le spalle. «Tutto era pronto per partire per l'Amazzonia. La spedizione della vita era ai blocchi di partenza. Tutti si aspettavano una scoperta sconvolgente.»

«Poi i dirigenti televisivi si sono dovuti intromettere» brontolò Raff. «Hanno iniziato a spingere, spingere, quei bastardi avidi.»

«Raff, amico, Smithy aveva acconsentito» protestò Feaney. «Era d'accordo che fosse la cosa migliore.»

Raff andò a prendere un'altra birra. «Fa lo stesso, un brav'uomo è comunque...»

«Non lo sappiamo!» lo interruppe Feaney.

Raff sbatté lo sportello del frigo. «Sì, cazzo!»

Jaeger alzò le mani. «Wow... calma, ragazzi. Che è successo?»

«Da un certo punto di vista, Raff ha ragione.» Feaney riprese il filo del racconto. «La gente della tivù ha preteso degli extra. Una specie di prologo, se vuoi. Andy Smith doveva portare le reclute sulle colline scozzesi, verificare le loro capacità. Più o meno, un corso di selezione per il SAS in miniatura, per escludere i più deboli, e tutto doveva essere filmato.»

Jaeger annuì. «Quindi sono andati sui monti scozzesi. Qual è il problema?»

Feaney lanciò un'occhiata a Raff. «Non lo sa?»

Raff posò la birra con un gesto brusco. «Amico, l'ho tirato fuori da Black Beach mezzo morto, abbiamo dovuto combattere per lasciare quell'isola infernale solo con due coltellini, poi abbiamo dovuto affrontare squali e tempeste tropicali. Qual era il momento giusto per parlargliene, secondo te?»

Feaney si passò una mano tra i capelli rasati, poi guardò Jaeger. «Smithy ha portato la squadra in Scozia. Sulla costa occidentale, a gennaio. Il tempo era pessimo. Infernale. La polizia ha trovato il suo corpo in fondo al crepaccio del Loch Iver.»

Il cuore di Jaeger mancò un battito. Smithy morto? Aveva avuto la strana sensazione che qualcosa di terribile fosse successo, ma non questo. Non a Smithy. Un uomo incredibilmente solido, affidabile, Andy Smith era la persona che gli aveva sempre coperto le spalle. Non perdeva mai l'occasione di fare un commento sarcastico, per quanto la situazione fosse disperata. Era difficile trovare amici più legati di loro.

«Smithy è morto per una caduta?» chiese Jaeger, incredulo. «Impossibile. Quell'uomo era praticamente indistruttibile. Era un dio sulle montagne.»

Nella stanza calò il silenzio. Feaney fissava la sua bottiglia di birra, con lo sguardo velato dalla preoccupazione. «Secondo i poliziotti, il tasso alcolemico nel sangue era ben oltre il limite. Dicono che si è scolato una bottiglia di Jack Daniel's, è salito sul monte e si è schiantato nel buio.»

Un lampo minaccioso si accese negli occhi di Jaeger. «Stronzate. Smithy beveva ancora meno di me.»

«Amico, è quel che gli abbiamo detto. Alla polizia. Ma non cambiano versione: morte accidentale, più di un sospetto di suicidio.»

«Suicidio?» esplose Jaeger. «E per quale cazzo di ragione Smithy avrebbe dovuto uccidersi? Con una moglie e dei figli come i suoi? Una missione da sogno da guidare? Avanti: suicidio! Aprite gli occhi. Smithy aveva tutte le ragioni per vivere.»

«È meglio che tu glielo dica, Feaney.» Fu Raff a parlare, e la sua voce era carica di rabbia a malapena trattenuta. «Digli TUTTO.»

Feaney si fece forza prima di proseguire. «Quando l'hanno trovato, Smithy aveva i polmoni mezzi pieni d'acqua. Secondo i poliziotti è rimasto per tutta la notte sotto la pioggia scrosciante e l'ha inalata. Ma dicono anche che la caduta l'ha ucciso praticamente sul colpo. Gli ha spezzato di netto il collo. Be', è difficile inalare dell'acqua se sei morto. Deve averla respirata quando era ancora vivo.»

«Cos'è che state provando a dire?» Jaeger spostò lo sguardo da Feaney a Raff e viceversa. «Qualcuno gli ha fatto il *waterboarding*?»

Raff strinse le dita attorno al collo della bottiglia. «Polmoni mezzi pieni d'acqua. I morti non respirano. Chissà. E poi, c'è dell'altro.» Lanciò un'occhiata a Feaney: la bottiglia tremava nella sua stretta.

Feaney si chinò sotto al tavolo e recuperò una cartellina di plastica. Ne estrasse una foto e la spinse verso Jaeger.

«Ce l'ha data la polizia. Siamo andati comunque all'obitorio, per controllare. Quel segno, quel simbolo... gliel'hanno inciso sulla spalla sinistra.»

Jaeger fissò l'immagine e un brivido gelido gli corse lungo la spina dorsale. Incisa a fondo nella pelle del suo ex secondo c'era un'aquila rozzamente stilizzata. Era sollevata sulla coda, col tagliente becco uncinato rivolto verso destra e le ali spalancate, mentre gli artigli stringevano una bizzarra forma circolare.

Feaney si protese in avanti, puntando un dito verso la foto. «Non riusciamo a decifrarlo. Il simbolo dell'aquila. Non sembra dire niente a nessuno. E fidati, abbiamo chiesto parecchio in giro.» Guardò Jaeger. «Secondo la polizia è un'immagine paramilitare, nulla di che. Dicono che Smithy se l'è fatto da solo. Autolesionismo. Fa parte delle prove a sostegno del suicidio.»

Jaeger non riusciva a parlare. Aveva a malapena registrato le parole di Feaney. Non era in grado di distogliere gli occhi dalla foto; era come se quell'immagine eclissasse persino gli orrori che aveva subito nel carcere di Black Beach.

Più fissava il simbolo dell'aquila, e più gli sembrava che gli si imprimesse a fuoco nel cervello. In un modo o nell'altro, evocava ricordi terribili, che teneva nascosti nel profondo di sé.

Era così incomprensibile eppure, in qualche modo, familiare, e minacciava di riportare in superficie quei ricordi sepolti, scalcianti e urlanti.

7

Jaeger afferrò le pesanti tenaglie e scavalcò la recinzione. Fortunatamente, la vigilanza della marina di Springfield, nella zona est di Londra, non era così serrata. Aveva lasciato Bioko con i vestiti che aveva addosso. Non aveva certo avuto tempo di prendere le chiavi, nemmeno quelle che aprivano il cancello della marina.

Eppure, la barca era sua, e non c'era ragione per cui non potesse violare il suo stesso domicilio.

Aveva comprato le tenaglie in un negozio della zona. Prima di lasciare Raff e Feaney, aveva chiesto loro – e anche a Carson, il presidente della Wild Dog Media – quarantott'ore. Due giorni per decidere se fosse pronto a ripartire da dove Smithy aveva finito, guidando quella spedizione apparentemente maledetta fino in Amazzonia.

Ma, malgrado la richiesta, Jaeger sapeva che nessuno si era lasciato ingannare: potevano già contare su di lui. Per innumerevoli ragioni, semplicemente non poteva rifiutare.

Prima di tutto, era in debito con Raff. Il maori gli aveva salvato la vita. A meno che gli uomini di Pieter Boerke non avessero liberato Bioko in tempi da record, Jaeger sarebbe morto a Black Beach, e nessuno, nel mondo da cui si era completamente ritirato, se ne sarebbe accorto.

Poi, era in debito con Andy Smith. E Jaeger non voltava mai le spalle ai suoi amici. Mai. Era impossibile che Smithy si fosse ucciso. Aveva intenzione di controllare di nuovo, ovviamente. Solo per essere sicuro al cento per cento. Ma aveva la sensazione che la morte del suo amico fosse legata al misterioso aereo nel cuore dell'Amazzonia. Quale altra ragione – *quale altro movente* – poteva esserci?

Jaeger aveva l'istintiva sensazione che l'assassino di Smithy fosse uno dei membri della squadra. L'unico modo per scovarlo era unirsi a loro e smascherarlo dall'interno.

In terzo luogo, c'era l'aereo. Da quel poco che Adam Carson era riuscito a dirgli per telefono, la storia sembrava intrigante. Irresistibile. Feaney aveva provato a citare Winston Churchill: era davvero un rebus avvolto in un mistero all'interno di un enigma.

E Jaeger era irresistibilmente attratto dalla sfida.

No. Aveva già deciso: sarebbe partito.

Aveva chiesto quarantott'ore per ragioni completamente differenti. C'erano tre visite che intendeva fare, tre indagini da intraprendere, e l'avrebbe fatto senza dire nulla a nessuno. Forse, quegli ultimi tre anni l'avevano reso profondamente sospettoso. Incapace di fidarsi di chicchessia.

Poteva darsi che i tre anni a Bioko l'avessero trasformato in un eremita: troppo a proprio agio solo con se stesso.

Ma forse era meglio così... più sicuro. Era in questo modo che sarebbe sopravvissuto.

Jaeger imboccò il sentiero che girava attorno alla marina, con gli stivali che pestavano la ghiaia lucida, intrisa di pioggia. Ormai era quasi sera, il tramonto scendeva sul porticciolo e gli odori della cena impregnavano l'aria sopra l'immobile acqua invernale.

La scena – le barche dai colori accesi, i pigri sbuffi di fumo che salivano dai comignoli – era in netto contrasto col grigiore di febbraio, spoglio e slavato, che avvolgeva il canale. Tre lunghi anni. Era come se fosse stato via per una vita intera.

Si fermò un paio di attracchi prima del suo. Sulla chiatta di Annie le luci erano accese, la vecchia stufa a legna sbuffava affannosamente riccioli di fumo. Salì a bordo, infilando la testa attraverso il boccaporto che conduceva nella cambusa senza annunciarsi.

«Ciao, Annie. Sono io. Hai le mie chiavi di scorta?»

Un volto lo fissò con gli occhi spalancati per la paura. «Will? Dio mio... ma dove diavolo... eravamo tutti convinti che... voglio dire, temevamo che tu...»

«Fossi morto?» Jaeger le sorrise. «Non sono un fantasma, Annie. Sono stato via. A insegnare. In Africa. Sono tornato.»

Annie scosse il capo, confusa. «Dio mio... Lo sapevamo che eri un'acqua cheta che rompe i ponti. Ma tre anni in Africa... Cioè, un giorno eri qui, e il giorno dopo eri sparito senza dire niente a nessuno.»

C'era più che una punta di rammarico nel tono di Annie, per non dire di risentimento.

Coi suoi occhi grigioazzurri e i capelli scuri portati lunghi, Jaeger possedeva una bellezza virile, un po' rude e lupesca. C'era appena qualche lieve traccia di grigio nei suoi capelli, e sembrava più giovane della sua età.

Non aveva mai condiviso molti dettagli personali con gli altri abitanti della marina – inclusa Annie –, ma si era dimostrato un vicino affidabile e leale, e soprattutto attento agli altri "barcaroli". La comunità si vantava di essere solida. Era parte di quel che aveva attratto Jaeger; questo, e la promessa di avere una base con un piede nel cuore di Londra e l'altro in aperta campagna.

La marina si trovava sul fiume Lee, la cui valle formava un nastro di verde che si stendeva verso nord tra ampi prati e dolci colline. Rientrando da una giornata di lavoro sul *Global Challenger*, Jaeger aveva l'abitudine di correre lungo i sentieri a bordofiume, smaltendo la tensione accumulata e facendo un po' di necessario esercizio fisico.

Di rado aveva bisogno di cucinare: Annie non faceva che offrirgli manicaretti fatti in casa, e lui amava particolarmente i suoi frullati. Annie Stephenson: single, sulla trentina, carina in una maniera un po' hippy e civettuola... Da tempo sospettava che avesse un debole per lui. Ma nella vita di Jaeger c'era spazio per una sola donna.

Ruth e il ragazzo: loro erano la sua vita.

O almeno, lo erano stati.

Annie, malgrado si fosse rivelata una vicina meravigliosa, e per quanto a lui piacesse punzecchiarla per il suo stile hippy, non aveva alcuna possibilità.

Lei cercò un po' in giro e poi consegnò a Jaeger le sue chiavi. «Ancora non riesco a credere che sei tornato. Cioè, è fantastico riaverti qui. È questo che intendo. Hai presente George lo stagnino? Stava per mettere le mani sulla tua moto. Comunque, il fuoco è acceso.» Sorrise, nervosamente, ma con un vago accenno di speranza. «Preparo una torta per festeggiare, che ne dici?»

Jaeger sorrise. In quei rari momenti in cui l'oscurità gli scivolava via di dosso poteva sembrare molto giovane, quasi un ragazzo. «Sai una cosa, Annie? Mi è mancata la tua cucina, ma non mi fermerò a lungo. Prima ci sono un paio di cose di cui mi devo occupare. Ma dopo avremo un mucchio di tempo per una fetta di torta e per raccontarci le ultime novità.»

Jaeger tornò a riva, passando davanti alla chiatta di George. Si concesse un sorriso amaro: tipico di quel bastardo sfacciato mettere gli occhi sulla sua moto.

Qualche istante dopo salì a bordo della sua imbarcazione. Con un calcio si sbarazzò dei cumuli di foglie morte e si chinò davanti all'entrata: la spessa catena di sicurezza e il lucchetto erano ancora al loro posto. Era l'ultima cosa che aveva fatto – chiudere la chiatta con la catena – prima di lasciare Londra, prendendo un volo per la fine del mondo.

Serrò la catena tra le ganasce della tenaglia, tese i muscoli doloranti e – *zac!* – il metallo cadde a terra. Infilò la copia della chiave nella serratura e aprì la doppia porta che dava accesso all'interno. La sua era una delle tipiche chiatte del Tamigi: più ampie e profonde di una normale chiatta, offrivano spazio a sufficienza per concedersi un po' di lusso.

Ma non nel caso di Jaeger.

L'interno era singolarmente spoglio. Estremamente funzionale. Vuoto tranne che per qualche effetto personale.

Una stanza ospitava una palestra improvvisata. Un'altra, una camera da letto spartana. C'erano una cucina minuscola e una zona giorno con qualche tappeto e cuscino consunti gettati sul pavimento di legno, ma per lo più lo spazio interno era riservato alla scrivania, perché era qui che Jaeger preferiva lavorare ogniqualvolta riusciva a evitare il frenetico viaggio fino all'ufficio sul *Global Challenger*.

Non si trattenne a lungo. Prese un secondo mazzo di chiavi appeso a un chiodo e uscì. Assicurata alla prua della barca, ben coperta da un telo, c'era la sua Triumph Tiger Explorer. La moto era una vecchia amica. L'aveva comprata di seconda mano per festeggiare quando aveva passato la selezione del SAS, dieci anni prima o anche più.

Slegò il telo e l'arrotolò. Si chinò su un'altra catena di sicurezza, la tagliò, e stava per rialzarsi quando percepì un debole rumore: il fiacco fruscio di un passo sulla ghiaia scivolosa e bagnata. In un secondo, si avvolse la catena attorno alla mano, lasciandone pendere quasi sessanta centimetri, col pesante lucchetto che dondolava all'estremità.

Si voltò di scatto, impugnando l'arma improvvisata come una specie di mazzafrusto medievale.

Una figura colossale si stagliava nel buio. «Ero sicuro di trovarti qui.» Gli occhi si abbassarono sulla catena. «Mi immaginavo un'accoglienza più calorosa, però.»

Jaeger lasciò che la tensione abbandonasse i muscoli tesi. «Non hai tutti i torti. Una tazza di tè? Posso offrirti delle bustine secche e latte di tre anni fa.»

Entrarono. Raff si diede un'occhiata intorno. «Un tuffo nel passato, amico.»

«Già. Abbiamo passato dei bei momenti, qui.»

Jaeger armeggiò col bollitore, quindi porse a Raff una tazza di tè fumante. «Lo zucchero è duro come la pietra. I biscotti molli come la merda. Passi, immagino.»

Raff alzò le spalle. «Basta il tè.» Attraverso la porta aperta, lanciò un'occhiata alla Triumph. «Vai a farti un giro?»

Jaeger non aveva intenzione di rivelare nulla. «Sai com'è: sempre in sella.»

Raff si infilò la mano in tasca e tirò fuori un biglietto. «La famiglia di Smithy, il nuovo indirizzo. È inutile andare a quello vecchio: si sono trasferiti due volte negli ultimi tre anni.»

Il volto di Jaeger rimase una maschera indecifrabile. «Qualche ragione particolare? Per i traslochi?»

Raff rispose con un'alzata di spalle. «Guadagnava parecchio lavorando per noi. Per la Enduro. Gli serviva una stanza in più. Volevano avere un altro figlio, ha detto.»

«Non proprio un comportamento da suicida.»

«Non proprio. Ti serve una mano con la moto?»

«Sì, grazie.»

I due uomini trasportarono la Triumph lungo un ponticello improvvisato, fino al sentiero. Jaeger si accorse che le ruote erano quasi sgonfie. Ci voleva una bella pompata. Ritornò a bordo per recuperare la tenuta da motociclista: un giubbotto Belstaff impermeabile, stivali, spessi guanti di pelle e un casco integrale. Infine, prese la sciarpa e quel che sembrava un vecchio paio di occhiali da aviatore della Seconda guerra mondiale. Quindi sfilò un cassetto, lo rivoltò e staccò la busta incollata sul fondo. Controllò il contenuto: mille sterline in contanti, quanto aveva lasciato.

Jaeger si infilò il denaro in tasca, chiuse la porta e ritornò da Raff. Collegò un compressore elettrico e gonfiò gli pneumatici. Aveva lasciato la moto attaccata a un caricatore solare. Persino nel cuore dell'inverno era riuscito a fornire una carica di mantenimento sufficiente a tenere al massimo la batteria. Il motore girò a vuoto un paio di volte, e poi ruggì accendendosi.

Jaeger si avvolse la sciarpa attorno alla bocca, si infilò il casco e abbassò gli occhialoni. Erano un oggetto speciale, prezioso: suo nonno, Ted Jaeger, li aveva portati durante la Seconda guerra mondiale mentre prestava servizio in qualche squadra speciale. Non ne aveva mai parlato molto, ma dalle foto che teneva appese alle pareti era chiaro che la sua Jeep aperta aveva attraversato parecchie terre lontane, devastate dai conflitti.

Spesso Jaeger si pentiva di non aver fatto abbastanza domande al nonno Ted quando era ancora vivo, per chiedergli che cosa esattamente avesse combinato durante la guerra. E, dopo gli eventi delle ultime ore, si ritrovò ripetutamente a dispiacersi di non averlo fatto.

Salì in sella alla Triumph, gettando un'occhiata alla tazza vuota di Raff. «Lasciala sulla barca, per favore.»

«Okay.» Raff esitò, poi allungò la sua zampa colossale, posandola sul manubrio della moto. «Amico, ho visto quello sguardo nei tuoi occhi mentre studiavi la foto di Smithy. Dovunque tu stia andando, qualunque cosa tu intenda fare... stai attento.»

Jaeger lo osservò per un lungo istante, ma persino in quel momento il suo sguardo sembrava perso dentro di sé. «Sto sempre attento.»

Raff strinse di più la presa. «Sai una cosa? A un certo punto devi iniziare a fidarti di qualcuno. Nessuno di noi sa cos'hai passato. Nemmeno faremmo finta di saperlo. Ma siamo i tuoi amici. I tuoi fratelli. Non dimenticarlo mai.»

«Lo so.» Jaeger fece una pausa. «Quarantott'ore. Tornerò con la risposta.»

Poi diede gas, sfrecciò sulla ghiaia scura e scomparve.

8

Nel suo viaggio verso ovest Jaeger fece un'unica sosta al centro Carphone, per comprare uno smartphone prepagato. Mantenne l'Explorer a una velocità costante di ottanta miglia all'ora, lungo la M3, ma solo quando imboccò l'uscita della A303 e le piccole strade del Wiltshire riuscì finalmente a immergersi nella corsa.

Durante l'estenuante marcia in autostrada si era perso nei propri pensieri. Andy Smith. Amici così sono difficili da trovare. Poteva contarli tutti – Raff incluso – sulle dita di una mano. E ora, ce n'era uno in meno, e Jaeger era pronto a tutto per scoprire esattamente come e perché Smith era morto.

Le missioni di addestramento per la Narcotici brasiliana erano state uno degli ultimi incarichi che avevano svolto insieme. Jaeger aveva lasciato l'esercito poco dopo, per fondare la Enduro Adventures. Smithy era rimasto. Aveva detto che, con una moglie e tre figli piccoli da mantenere, non poteva correre il rischio di perdere lo stipendio fisso dell'esercito.

Era stato durante la terza missione in Brasile che gli eventi avevano preso una piega inattesa. In teoria Jaeger e i suoi uomini si trovavano là soltanto per addestrare le forze speciali brasiliane, la Brigada de Operações Especiais. Ma col tempo si erano formati dei legami, ed erano arrivati a odiare i trafficanti di droga – i narcos – quasi tanto quanto i ragazzi della BOE.

Quando una delle squadre del capitano Evandro era sparita, Jaeger e i suoi avevano preso il comando della situazione. Avevano organizzato la più imponente battuta di ricerca della storia delle forze speciali brasiliane. Jaeger ne era il capo, accompagnato da un uguale numero di operatori della BOE. Avevano localizzato il nascondiglio della gang nel cuore della giungla, l'avevano tenuto sotto controllo per giorni, poi avevano sferrato il blitz.

Nel bagno di sangue che era seguito, i fuorilegge erano stati spazzati via. Otto dei dodici uomini del capitano Evandro erano stati tratti in salvo: un ottimo risultato, in circostanze del genere. Ma nel corso dell'operazione Jaeger stesso aveva sfiorato la morte, e solo grazie al coraggio di Andy Smith e al suo sprezzo del pericolo era riuscito a salvarsi.

E, al pari di Evandro, Jaeger non era tipo da dimenticare cose simili.

Rallentò lungo lo svincolo per Fonthill Bishop. Attraversò i sobborghi di Tisbury, un villaggio da cartolina, e sbirciò verso destra, in direzione di una casa in posizione lievemente arretrata rispetto alla strada. Le finestre erano illuminate da una fioca luce gialla: occhi mesti che sbirciavano verso il terribile mondo esterno.

Millside: Jaeger aveva individuato l'indirizzo che Raff gli aveva passato.

Una casetta indipendente, coperta di muschio, simile a un cottage; qua e là lungo i muri salivano i rampicanti. Aveva un ruscello privato e un mezz'ettaro abbondante di terreno: Smithy aveva messo gli occhi su quel posto fin da quando si era trasferito in zona per essere più vicino al suo ex comandante e migliore amico, Will Jaeger. Evidentemente, alla fine aveva ottenuto la casa dei suoi sogni, solo che Jaeger, in quel momento, aveva fatto perdere le proprie tracce da più di due anni.

Proseguì uscendo dal villaggio e imboccò i tortuosi tornanti che riportavano verso Tuckingmill e East Hatch. Rallentò sotto il ponte ferroviario su cui passava la linea principale per Londra, quella che prendeva spesso, quando il tempo era troppo freddo e umido per affrontare la lunga corsa in moto.

Per un istante, il fanale illuminò le indicazioni per il castello di New Wardour. Jaeger svoltò a destra, percorse una breve salita e attraversò i sobri pilastri di pietra del cancello.

La moto imboccò l'ampio viale d'accesso in ghiaia, tra le due file di castagni che stavano lungo i lati come sentinelle. Un tempo un'imponente residenza di campagna, quando un suo compagno di scuola l'aveva comprata, Wardour era praticamente in rovina. Nick Tattershall aveva guadagnato una fortuna nella City, e aveva usato il denaro per riportare il castello al suo antico splendore.

L'aveva suddiviso in numerosi appartamenti, e aveva tenuto il più spazioso per sé. Ma quando i lavori erano quasi conclusi, la Gran Bretagna era entrata in una delle sue cicliche recessioni e il mercato immobiliare era crollato. Tattershall aveva rischiato di perdere tutto.

Jaeger si era fatto avanti e aveva comprato il primo appartamento, ancora da finire. La sua dimostrazione di fiducia aveva attirato altri compratori. L'aveva preso a un prezzo stracciato, accaparrandosi una proprietà che altrimenti non si sarebbe mai potuto permettere.

Col tempo, si era rivelata una casa perfetta per la famiglia.

Nel cuore di un ampio e splendido parco, era un luogo estremamente riservato e tranquillo, eppure si trovava ad appena un paio d'ore di treno o macchina da Londra. Jaeger era riuscito a dividere il lavoro tra Wardour, la chiatta e il *Global Challenger* senza restare mai troppo lontano dalla famiglia.

Parcheggiò la moto davanti all'imponente facciata di pietra calcarea. Infilò la chiave nella serratura ed entrò nel fresco ingresso in marmo, dirigendosi verso le scale. Ma già mentre saliva i primi gradini di pietra, il peso dei ricordi agrodolci iniziò a rallentargli il passo.

Quanti momenti meravigliosi aveva trascorso lì.

Quanta felicità.

Com'era stato possibile che tutto andasse così male?

Si fermò davanti alla porta del suo appartamento. Sapeva cosa l'aspettava. Si fece forza, girò la chiave nella serratura ed entrò.

Accese le luci. La maggior parte dei mobili era coperta da lenzuola, ma una volta alla settimana la sua fedele domestica, Mrs Sampson, veniva a spolverare e passare l'aspirapolvere, e le stanze erano pulite scrupolosamente.

Jaeger si fermò per un istante. Davanti a lui, sul muro, c'era un enorme dipinto: un incredibile uccello col petto arancione, il tordo rufiventre, uno dei simboli del Brasile. Dipinto da un noto artista brasiliano, era un dono del capitano Evandro: il suo modo per offrirgli un ringraziamento speciale.

Jaeger adorava quel quadro. Per quello l'aveva appeso alla

parete di fronte all'ingresso, in modo che fosse la prima cosa che si vedesse entrando.

Quand'era partito per Bioko, aveva chiesto a Mrs Sampson di non coprirlo. Non sapeva perché. Forse credeva che sarebbe ritornato prima, e voleva essere certo che l'uccello fosse lì, come sempre, ad accoglierlo.

Girò a sinistra ed entrò nell'ampio soggiorno. Non aveva senso aprire le massicce persiane di legno: fuori era già buio da un pezzo. Accese le luci e i suoi occhi si posarono sulla forma indistinta di una scrivania sospinta contro una parete.

Jaeger si avvicinò e, con grande delicatezza, sollevò il lenzuolo.

Allungò una mano e sfiorò il volto della splendida donna nella cornice. I polpastrelli indugiarono per qualche istante, incollati al vetro. Si chinò finché i suoi occhi non furono alla stessa altezza della scrivania.

«Sono tornato, Ruth» bisbigliò. «Tre lunghi anni, ma sono tornato.»

Le sue dita scesero lungo il vetro fino a fermarsi sui lineamenti di un ragazzo, che con atteggiamento quasi protettivo stava al fianco della madre. Entrambi portavano le T-shirt con su scritto SALVIAMO I RINOCERONTI, quelle che avevano comprato durante una vacanza nel parco nazionale di Amboseli, nell'Africa orientale. Jaeger non avrebbe mai dimenticato il safari notturno che avevano fatto tutti e tre insieme, accompagnati dalle guide masai. Avevano marciato nella savana alla luce della luna, tra branchi di giraffe, gnu e, meglio di tutti, rinoceronti, gli animali preferiti della famiglia.

«Luke... Papà è tornato...» mormorò Jaeger. «E Dio solo sa quanto mi siete mancati.»

Fece una pausa, e il pesante silenzio riecheggiò tra i muri. «Ma, sapete... non c'è mai stato il benché minimo indizio; nemmeno la più vaga prova. Se foste riusciti a farmi avere qualcosa, anche solo un piccolo segnale. Qualsiasi cosa. Smithy è stato all'erta. Ha tenuto gli occhi aperti. Sempre. Mi aveva promesso che me l'avrebbe fatto sapere.»

Prese la foto e la strinse a sé. «Sono andato in capo al mondo per provare a trovarvi. Sarei andato fino alla fine dell'universo. Nessun posto sarebbe stato troppo lontano. Ma, sapete, per tre lunghi anni non c'è stato nulla.»

Si passò la mano sul viso, come a spazzare via il dolore di quel lungo periodo di assenza. Quando la abbassò, i suoi occhi erano umidi di lacrime.

«E credo che, a voler essere onesti... se vogliamo dirci la verità... forse è arrivato il momento. Forse è l'ora di dirci davvero addio... credo che sia davvero il momento di accettare che non ci siete... più.»

Jaeger chinò il capo. Le sua labbra sfiorarono la fotografia. Baciò il volto della donna. Quello del figlio. Poi ripose la foto sulla scrivania, mettendola cautamente sopra il lenzuolo.

A faccia in su, per poterli vedere entrambi, e ricordare.

9

Jaeger attraversò il soggiorno fino al lato opposto, dove una doppia porta si apriva su quella che avevano soprannominato la stanza della musica. Una parete era coperta fino al soffitto di file di CD. Ne scelse uno, il *Requiem* di Mozart. Lo infilò nel lettore, premette il tasto "play" e la musica iniziò.

Le note melodiose gli riportarono ogni cosa alla memoria, tutti i ricordi di famiglia. Per la seconda volta in pochi minuti, Jaeger si trovò costretto a trattenere le lacrime. Non poteva permettersi di crollare, di cedere al lutto. Non ancora.

C'era un'altra ragione – una ragione davvero preoccupante – per cui era andato lì.

Trascinò l'ammaccato baule d'acciaio fuori dal suo posto sotto lo stereo. Per un istante, i suoi occhi indugiarono sulle iniziali dipinte sul coperchio: WEJ. William Edward "Ted" Jaeger. Il baule di guerra del nonno, quello che aveva regalato a Jaeger poco prima di morire.

Mentre il *Requiem* avanzava verso il primo, devastante, crescendo, Jaeger ripensò ai momenti in cui nonno Ted lo portava di nascosto nel suo studio, permettendogli di dare un tiro di pipa, per godersi qualche prezioso momento tra nonno e nipote, a rimestare nel baule.

La pipa del nonno Ted, eternamente infilata tra i denti. L'odore: il tabacco Navy Player Cut, aromatizzato al whisky. Gli pareva di riuscire quasi a vedere la scena: l'anello di fumo soffiato dal nonno che saliva, delicato ed etereo, nella luce della lampada da tavolo.

Jaeger fece scattare i ganci e sollevò il pesante coperchio del baule. In cima a tutto c'era uno dei suoi ricordi preferiti: una cartellina di cuoio, con sopra impresso, in un rosso sbiadito, TOP SECRET. E sotto: "Ufficiale di comando dell'unità di collegamento n. 206".

Jaeger era sempre rimasto colpito dal fatto che il contenuto della cartellina non fosse all'altezza di quanto promesso dalla copertina.

Dentro c'era un libretto con frequenze radio e codici risalenti alla guerra, diagrammi dei principali carri armati, schemi di turbine, bussole e motori. Per un bambino era estremamente affascinante, ma da adulto, Jaeger si era accorto che non c'era nulla che avesse un legame con la copertina, e che giustificasse un tale livello di segretezza.

Era quasi come se il nonno avesse raccolto quei documenti per affascinare e divertire un ragazzino, senza però svelare nessuna informazione sensibile, o di qualche importanza.

Dopo la morte del nonno, Jaeger aveva provato a fare qualche ricerca sull'unità di collegamento 206, per meglio delinearne la storia, ma non c'era nulla. Gli Archivi nazionali, il Museo imperiale della Guerra, l'Ammiragliato: ogni archivio che avrebbe dovuto conservare qualche traccia – anche solo un diario di guerra – non la menzionava neppure.

Era come se l'unità 206 non fosse mai esistita, come se fosse uno squadrone fantasma.

E poi, aveva trovato qualcosa.

O meglio, era stato Luke a trovarla.

Suo figlio, a otto anni, era affascinato dal contenuto del baule quanto lui: il pesante coltello militare del bisnonno, il suo berretto consunto, l'ammaccata bussola di ferro. E un giorno, le mani di suo figlio si erano infilate sotto a tutto, in fondo al baule, e avevano trovato ciò che per così tanto tempo era rimasto nascosto.

Jaeger, febbrilmente, si mise a fare lo stesso, ammucchiando gli oggetti sul pavimento. C'erano moltissimi cimeli nazisti: un distintivo con la testa di morto delle SS, il teschio con un sorriso enigmatico, un pugnale della Gioventù hitleriana, con l'effigie del Führer sull'elsa, un cravattino dei Lupi Mannari, un impavido gruppo di resistenti messo insieme quando la guerra era ormai perduta.

A volte Jaeger si era domandato se il nonno non si fosse avvicinato troppo al regime nazista, dato il numero di ricordi che, a quanto pareva, aveva accumulato. Qualsiasi cosa avesse fatto durante la guerra, poteva forse averlo trascinato troppo vicino al male e alle tenebra? Forse gli erano entrati dentro, impossessandosene?

Jaeger ne dubitava, ma non era mai riuscito a parlargliene prima che il nonno, inaspettatamente, morisse.

Si fermò un istante davanti a un libro dall'aspetto inconfondibile, che quasi aveva dimenticato fosse nel baule. Era una rara copia del Manoscritto Voynich, un testo medievale riccamente illustrato, scritto interamente in una lingua misteriosa. Stranamente, quel libro era sempre stato in bella vista sulla scrivania del nonno, ed era arrivato a Jaeger insieme al contenuto del baule.

Era un'altra delle cose di cui non era mai riuscito a parlare col nonno: perché quella fascinazione per un manoscritto medievale oscuro e incomprensibile?

Jaeger sollevò il pesante volume rivelando il doppio fondo di legno del baule. Non aveva mai capito se il nonno vi avesse lasciato il documento per caso o se ve l'avesse nascosto intenzionalmente, nella speranza che un giorno il nipote scoprisse lo scomparto segreto.

In ogni caso, era lì, nascosto tra un mucchio di cimeli di guerra; per trent'anni o più aveva atteso di essere scoperto.

Jaeger infilò le dita tra le tavole di legno, trovò il chiavistello dello scomparto e lo aprì. Tastò un po' ed estrasse la gonfia busta ingiallita, tenendola davanti a sé con mani che tremavano visibilmente. Una parte di lui non voleva assolutamente guardarci dentro, ma un'altra parte, ben più forte, sapeva di doverlo fare.

Tirò fuori il documento.

Scritto a macchina, rilegato con punti metallici lungo un lato: era proprio come lo ricordava. In alto sulla copertina, nei caratteri gotici così tipici del regime nazista di Hitler, c'era un'unica parola, in maiuscolo: *KRIEGSENTSCHEIDEND*.

Il tedesco di Jaeger era praticamente nullo, ma con l'aiuto di un dizionario era riuscito a tradurre le poche parole sulla copertina. *Kriegsentscheidend* era il massimo grado di segretezza mai usato dai nazisti. Più o meno lo si poteva rendere come "Più che segretissimo".

Al di sotto c'era una seconda scritta: "*Aktion Werwolf*", "Operazione Lupo Mannaro".

E sotto a questa, una data, che non c'era bisogno di tradurre: 12 febbraio 1945.

E infine "*Nur für Augen Sicherheitsdienst Standortwechsel Kommando*", "Riservato ai membri del *Sicherheitsdienst Standortwechsel Kommando*".

Il *Sicherheitsdienst* era il servizio di sicurezza delle SS e del partito nazista, il vertice del male. *Standortwechsel Kommando* si poteva tradurre come "commando di ricollocamento", un'espressione che a Jaeger praticamente non diceva nulla. Aveva cercato su Google entrambi i riferimenti, "Operazione lupo mannaro" e "Comando di ricollocamento", in inglese e in tedesco.

Non era uscito alcun risultato.

Nemmeno una menzione, in nessun angolo della rete.

Gli sforzi investigativi di Jaeger si erano arenati a quel punto, perché le tenebre – e la fuga a Bioko – erano calate poco dopo. Ma era chiaramente un documento considerato estremamente sensibile, all'epoca della guerra, che in un modo o nell'altro era capitato tra le mani di suo nonno.

Ma era stata la pagina seguente a ridestare i suoi ricordi, attirandolo da Londra al Wiltshire, fino alla sua – praticamente abbandonata – casa di famiglia.

Aprì la copertina, avvertendo nettamente un cattivo presagio.

Dal frontespizio lo fissava un'immagine stampata in nero. Jaeger la guardò, mentre i suoi pensieri iniziavano a turbinare. Proprio come temeva, la memoria non gli aveva mentito né l'aveva ingannato.

L'immagine scura rappresentava un'aquila stilizzata, ritta sulla coda, con le ali aperte sotto a un becco crudelmente incurvato; gli artigli stringevano un simbolo circolare ornato di segni illeggibili.

10

Jaeger era seduto al tavolo della cucina, immerso nei propri pensieri.

Davanti a lui aveva disposto tre fotografie: la prima era quella del cadavere di Andy Smith, col simbolo insanguinato dell'aquila inciso in profondità nella carne della sua spalla sinistra; la seconda, una foto scattata con lo smartphone del simbolo dell'aquila stampato sul frontespizio del documento sull'Operazione Lupo Mannaro.

E la terza, la foto di sua moglie e suo figlio.

Quand'era nell'esercito, Jaeger non sembrava proprio il tipo da sposarsi. Raramente si riusciva a conciliare un matrimonio felice e duraturo con la vita nelle forze speciali. Ogni mese c'era una nuova missione: confrontarsi con un deserto assolato, una giungla soffocante o una montagna coperta dai ghiacci. C'era stato poco tempo per storie d'amore durature.

Ma poi, c'era stato l'incidente. Dopo che Jaeger si era lanciato in alta quota sopra la savana africana, il suo paracadute aveva avuto un guasto. Era stato fortunato a sopravvivere. Aveva trascorso mesi in ospedale con la schiena spezzata e, mentre lottava per rimettersi in sesto, i suoi giorni nel SAS stavano per scadere.

Era stato in quel periodo – durante il lungo anno di riabilitazione – che aveva incontrato Ruth. Di sei anni più giovane di lui, gli era stata presentata da un amico in comune. All'inizio non erano andati affatto d'accordo. Ruth – laureata, appassionata attivista per la fauna selvatica e l'ambiente – aveva inquadrato Jaeger come il suo esatto opposto.

Lui, dal canto suo, aveva dato per scontato che un'abbraccia-alberi come lei avrebbe disprezzato un soldato d'élite come lui. Ma grazie alla miscela di battute e frecciatine taglienti di lui e all'atteggiamento esuberante di lei – oltre che alla sua bellezza – a poco a poco avevano iniziato a piacersi e, alla fine, si erano innamorati.

Col tempo, avevano capito che c'era qualcosa che li univa profondamente: l'amore per le cose selvagge. Ruth era incinta di Luke da tre mesi quando si erano sposati, con Andy Smith a fare da testimone. E con la nascita di Luke, nei mesi e negli anni che erano seguiti, avevano vissuto il miracolo di aver messo al mondo una versione in miniatura di se stessi.

Ogni giorno insieme a Luke e Ruth era una sfida straordinaria e un'avventura, il che rendeva ancor più insopportabile il vuoto lasciato dalla loro scomparsa.

Per quasi un'ora Jaeger restò a osservare quelle tre immagini – un documento nazista della Seconda guerra mondiale, ingiallito e ammuffito, un referto della polizia di un presunto suicidio, entrambi con un'identica versione del simbolo dell'aquila, e la foto di Ruth e Luke –, provando a intuire quale connessione potesse esserci. Non riusciva a scuotersi di dosso la sensazione che l'aquila fosse collegata alla morte – no, alla *scomparsa* – di sua moglie e suo figlio.

In qualche modo misterioso, che non sarebbe mai e poi mai riuscito a spiegare, sembrava che vi fosse un rapporto di causa ed effetto tra quegli eventi. Lo si sarebbe potuto chiamare il sesto senso del soldato, ma nel corso degli anni aveva imparato a fidarsi di quella voce interiore. O forse, non era che un cumulo di stronzate. Forse tre anni a Bioko e le settimane nella prigione di Black Beach avevano avuto la meglio su di lui, la paranoia gli era penetrata dentro come un acido scuro e corrosivo, mangiandogli l'anima.

Jaeger non conservava quasi alcun ricordo della notte in cui la moglie e il figlio erano stati strappati dalla sua vita. Era una tranquilla sera d'inverno, frizzante, serena e bella da togliere il fiato. Erano accampati sulle colline del Galles, sopra di loro la cupola del cielo stellato si stendeva enorme e selvaggia. Era il tipo di luogo in cui Jaeger era più felice.

Il fuoco si era spento tra la cenere, dopodiché Jaeger ricordava soltanto di essersi infilato nella tenda e di aver unito i sacchi a pelo, mentre moglie e figlio gli si erano sdraiati accanto per riscaldarsi. Lui stesso aveva sfiorato la morte – la tenda era stata riempita di gas tossico che l'aveva reso completamente inerme –, dunque che non avesse altri ricordi non era affatto sorprendente. E quando aveva ripreso conoscenza, si era ritrovato in terapia intensiva, e sua moglie e suo figlio erano scomparsi da parecchi giorni.

Ma quel che non riusciva a comprendere – quello che lo terrorizzava – era come il simbolo dell'aquila sembrasse scavare così a fondo in quei ricordi sepolti.

Gli strizzacervelli dell'esercito l'avevano avvisato che i ricordi erano ancora da qualche parte, dentro di lui. Che un giorno probabilmente avrebbero iniziato a riaffiorare, come pezzi di legno portati a riva da un mare in tempesta.

Ma perché era proprio il simbolo dell'aquila nera a minacciare di recuperarli dagli abissi e di riportarli alla luce?

11

Jaeger aveva trascorso la notte da solo nell'appartamento.

Aveva di nuovo fatto lo stesso sogno, quello che a lungo l'aveva perseguitato dopo la scomparsa di Luke e Ruth. Come sempre, l'aveva riportato fino al momento in cui glieli strappavano via, le immagini vivide e chiare come se fosse ieri.

Ma nell'istante in cui il terrore l'aveva afferrato, si era risvegliato, lamentandosi, in un groviglio di lenzuola sudate. Lo torturava l'incapacità di ritornare a quel momento, di ricordare, persino nella relativa sicurezza dei suoi sogni.

Si alzò di buon'ora.

Prese un paio di scarpe da corsa dall'armadio e si avviò tra i campi baciati dal gelo, in direzione sud, seguendo una lieve pendenza che scendeva attraverso una valle ombrosa, sulla quale, dalla parte opposta, torreggiavano i boschi di Grove Coppice. Prese il sentiero che tracciava un ampio cerchio attraverso gli alberi e aumentò il passo, assestandosi sul ritmo con cui abitualmente macinava il terreno.

Quella era da sempre la sua parte preferita del percorso: il bosco fitto lo proteggeva da ogni sguardo indiscreto, gli alti filari di pini attutivano tutti i rumori del suo passaggio. Lasciò che la mente si abbandonasse al ritmo della corsa, che il battito meditativo dei passi alleviasse la sua coscienza tormentata.

Quando riemerse alla luce del sole, all'estremità settentrionale di Pheasant's Copse, sapeva esattamente cosa doveva fare.

Di ritorno a Wardour, fece una doccia veloce e poi accese il computer. Mandò uno stringato messaggio al capitano – ormai colonnello – Evandro, sperando che avesse sempre lo stesso indirizzo email. Dopo gli abituali convenevoli, sganciò la domanda: quali erano stati i concorrenti della Wild Dog Media nella gara per occuparsi della futura spedizione?

Per Jaeger, tra coloro che avrebbero potuto avere un movente per uccidere Andy Smith, i concorrenti erano i primi della lista.

Fatto questo, raccolse la preziosa fotografia della moglie e del figlio, rimise i documenti segreti nel loro nascondiglio all'interno del baule di nonno Ted, chiuse a chiave la porta e mise in moto l'Explorer. Percorse lentamente Hazeledon Lane, perché era presto e doveva ammazzare il tempo.

Parcheggiò di fronte alla tavola calda di Beckett Street, a Tisbury. Erano le nove e avevano appena aperto. Ordinò uova in camicia, del bacon affumicato al legno di noce e del caffè nero. Mentre aspettava la colazione, il suo sguardo fu attratto dall'espositore dei giornali. Il titolo d'apertura del più vicino era: *Golpe in Africa Centrale. Catturato Chambara, presidente della Guinea Equatoriale.*

Jaeger l'afferrò e scorse la storia, gustandosi la notizia insieme all'eccellente colazione.

Pieter Boerke ci aveva preso in pieno: il suo colpo di Stato era andato esattamente come previsto. In un modo o nell'altro, era riuscito a trasportare i suoi uomini attraverso il Golfo di Guinea nel bel mezzo di una tempesta tropicale. Aveva scelto deliberatamente quel momento, perché i servizi segreti nell'area – probabilmente uomini del maggiore Mojo – avevano suggerito che le squadre di Chambara sarebbero rimaste bloccate per via del cattivo tempo.

Gli uomini di Boerke avevano colpito nel cuore di una notte infernale, tra l'ululare del vento e lo sferzare della pioggia. Le guardie di Chambara erano state colte assolutamente di sorpresa, la resistenza si era sgretolata quasi subito. Il presidente era stato catturato mentre cercava di lasciare il paese col suo jet privato, all'aeroporto di Bioko.

Jaeger sorrise. Alla fine, forse avrebbe ottenuto la settima pagina del manifesto del *Duchessa*... Non che ormai gli sembrasse importare granché.

Un quarto d'ora più tardi premette il dito su un campanello. Aveva lasciato la Triumph in paese e si era incamminato su per la collina, dopo aver fatto una telefonata per avvertire Dulce del proprio arrivo.

Dulce. La moglie di Andy meritava appieno quel nome.

Smith l'aveva incontrata in Brasile, durante la seconda missione d'addestramento. Dulce era una lontana cugina del colonnello Evandro. Il matrimonio aveva coronato una travolgente storia d'amore, e Jaeger non poteva certo avercela con lui per aver colto al volo l'occasione.

Un metro e settantacinque, occhi scuri e ardenti, pelle abbronzata; Dulce era incredibilmente sexy. Era anche ottimo materiale da matrimonio, come Jaeger aveva puntualizzato nel discorso da testimone di nozze, quando allo stesso tempo le aveva ricordato le pessime abitudini di Smithy, oltre alla sua totale lealtà.

La porta di Millside si aprì. Dulce comparve, di una bellezza mozzafiato come sempre, con un sorriso coraggioso sul volto segnato. Non faceva nulla per nascondere il dolore, ancora fresco e acuto appena sotto la superficie. Jaeger le porse il cesto che aveva comprato alla tavola calda, insieme a un bigliettino scritto in fretta.

Lei preparò il caffè, mentre Jaeger l'aggiornava con un breve riassunto dei tre anni in cui era sparito. Si era ovviamente tenuto in contatto con suo marito, ma per lo più si era trattato di comunicazioni unidirezionali, con Smithy che lo informava via email che non c'erano notizie su sua moglie e suo figlio.

Il patto che Jaeger aveva stretto col suo migliore amico prevedeva che le sue coordinate rimanessero segrete, a meno che lui stesso non avesse scelto altrimenti. C'era una clausola: se Smithy fosse morto, o avesse avuto qualche grave inconveniente, il suo avvocato avrebbe rivelato dove si trovava Jaeger.

Probabilmente era così che Raff e Feaney l'avevano trovato, ma non si era preso la briga di chiedere. Dopo la morte di Smithy, era un dettaglio irrilevante.

«Era successo qualcosa?» chiese Jaeger, mentre si sedevano al tavolo della cucina per dividersi i *pastéis de nata*, una specialità brasiliana preparata da Dulce. «Qualcosa che facesse pensare che fosse infelice? Che si sia suicidato?»

«Certo che no!» Negli occhi di Dulce balugino una scintilla di rabbia latina. Aveva sempre avuto un lato focoso. «Come puoi chiedermelo? Eravamo felici. Lui era così felice. No. Andy non avrebbe mai fatto quello che dicono. È impossibile e basta.»

«Niente problemi di soldi?» tentò Jaeger. «Nessuna grana coi bambini a scuola? Dammi una mano. Non so più dove andare a sbattere la testa.»

Lei alzò le spalle. «Niente di niente.»

«Beveva? Era alcolizzato?»

«Jaeger, è morto. E no, *amigo*, non era alcolizzato.»

Incrociò lo sguardo di lui con i suoi occhi dolenti, velati, tempestosi.

«Aveva un segno?» azzardò Jaeger. «Una specie di tatuaggio, sulla spalla sinistra?»

«Che segno?» Dulce aveva l'aria stupita. «Non aveva nulla. Lo saprei.»

Jaeger capì che i poliziotti non le avevano fatto vedere la foto, quella che mostrava l'aquila incisa sulla spalla di suo marito. Non poteva biasimarli. Per lei, era già stato un trauma; non era necessario metterla al corrente di tutti i dettagli più cruenti.

Jaeger passò rapidamente oltre. «Di questa spedizione in Amazzonia, lui che ne pensava? Problemi con la squadra? Con Carson? La troupe televisiva? Qualsiasi cosa?»

«Sai che ne pensava della giungla: l'amava. Era così esaltato.» Dulce fece una pausa. «Forse una cosa c'era. Preoccupava più me di lui. Di solito ci scherzavamo. Ho incontrato la squadra. C'era questa tizia. Una russa. Irina. Irina Narov. Bionda. Crede di essere la donna più bella del mondo. Non c'è stato un grande feeling tra noi.»

«Continua» la esortò Jaeger.

Lei rifletté per un istante. «Questa Narov... Sembrava convinta di essere una leader nata, di essere meglio di lui. Come se volesse prendersi la spedizione... portargliela via.»

Jaeger prese un appunto mentale per ricordarsi di fare qualche ricerca su Irina Narov. Non aveva mai sentito di nessuno pronto a commettere un omicidio per ragioni così inconsistenti. Ma dannazione, era evidente che c'era in ballo qualcosa di grosso: visibilità televisiva globale, la promessa di notorietà planetaria, e la potenziale ricchezza che ne conseguiva.

Forse, dopotutto, poteva esserci un movente.

Jaeger sfrecciava verso nord, l'Explorer divorava l'asfalto.

Stranamente, l'incontro con Dulce l'aveva in parte tranquillizzato. Gli aveva confermato quel che in cuor suo aveva sempre saputo: che tutto andava bene nella vita di Andy Smith. Non si era ucciso, era stato assassinato. Restava solo da trovare i colpevoli.

Aveva lasciato Dulce ricordandole che se lei o i ragazzi avessero avuto bisogno di qualcosa, qualsiasi cosa, non dovevano far altro che chiamarlo.

Era un viaggio lungo da Tisbury al confine scozzese.

Jaeger non aveva mai capito come mai il prozio Joe avesse scelto di trasferirsi lassù, così lontano dagli amici e dalla famiglia. Aveva sempre avuto l'impressione che si stesse nascondendo, ma non sapeva dire esattamente da cosa. Buccleuch Fell, a est di Langholm, sulla riva meridionale del lago Hellmoor: difficile trovare un luogo più remoto e isolato sul pianeta terra.

L'Explorer era una moto ibrida, adatta per le strade asfaltate come per lo sterrato. Quando Jaeger imboccò il sentiero che portava alla "capanna dello zio Joe", come l'avevano sempre chiamata, ne fu molto felice. Sfrecciò sulla prima spruzzata di neve, e più la strada saliva in alto più le condizioni si facevano avverse.

Posizionata tra Mossbrae Height e Law Kneis (entrambi rilievi di quasi cinquecento metri), la capanna si trovava in una delle poche radure in una vasta distesa di foresta, a quasi trecento metri di altitudine. Dallo spesso strato di neve, Jaeger capì che nessuno percorreva quella strada da parecchi giorni.

Aveva una scatola di provviste legata al portapacchi della moto: latte, uova, bacon, salsicce, cereali, pane. Aveva fatto rifornimento alla stazione di servizio di Westmorland, una delle ultime prima di uscire dalla M6. Quando entrò nella radura dello zio Joe, dovette usare entrambi i piedi per tenere in equilibrio la moto, mentre fendeva cumuli di neve di trenta o più centimetri.

D'estate, quel posto era praticamente il paradiso.

Jaeger, Ruth e Luke non riuscivano a starne lontano.

Ma nei lunghi mesi invernali...

Tre decenni addietro, lo zio Joe aveva comprato il terreno dall'Ente forestale. Aveva costruito la capanna sostanzialmente da solo, anche se era ben più sontuosa del nome che portava.

Aveva deviato un ruscello verso il suo terreno, e scavato una serie di laghetti collegati tra loro da cascate. Tutta l'aria era stata convertita in un paradiso ecologico, con tanto di angoli all'ombra per coltivare ortaggi.

Con i pannelli solari e una stufa a legna, e in più un generatore di energia eolica, era praticamente autosufficiente. Non c'era il telefono né campo per il cellulare, quindi Jaeger non aveva potuto chiamare per annunciare il suo arrivo. Una spessa colonna di fumo si levava dal comignolo di acciaio che correva lungo il fianco della capanna; la legna veniva raccolta gratis nel bosco, e di solito la capanna era caldissima.

Con i suoi novantacinque anni, allo zio Joe il tepore era necessario, specialmente quando il tempo peggiorava come quel giorno.

Jaeger parcheggiò, attraversò i cumuli di neve e picchiò sulla porta. Dovette bussare più e più volte prima che dall'interno si sentisse una voce.

«Ho sentito, ho sentito!» Si udì il rumore del catenaccio, poi la porta si aprì.

Due occhi sbirciarono fuori da sotto un ciuffo di capelli bianchi come la neve. All'erta, scintillanti, pieni di vita: non sembravano aver perso nulla della loro intensità nel corso degli anni.

Jaeger gli porse la cassetta di provviste. «Ho pensato che potessero farti comodo.»

Lo zio Joe lo fissò da sotto la fronte segnata. Dopo la morte di nonno Ted, lo "zio Joe", come lo chiamavano, aveva assunto il ruolo di nonno onorario, e si era dimostrato perfetto per quella parte. I due erano molto legati.

Gli occhi di zio Joe si illuminarono quando riconobbe l'inatteso ospite. «Will, ragazzo mio! Inutile dire che non ti aspettavamo... Ma entra. Su, vieni. Togliti quegli abiti bagnati mentre metto su il tè. Ethel è fuori. È andata a fare un giro nella neve. A ottantadue anni, o sono ottantatré?, ancora fa la ragazzina.»

Era tipico dello zio Joe.

Jaeger non lo vedeva da quasi quattro anni. Gli aveva mandato qualche cartolina da Bioko, senza dare troppi dettagli, solo per dirgli che era ancora vivo. E poi si era presentato lì senza avvertire, alla loro porta, e com'era da lui, Joe non si era minimamente scomposto.

Un giorno come un altro a Buccleuch Moor.

Per un po' si dedicarono ai convenevoli, scambiandosi notizie. Jaeger gli raccontò brevemente degli anni di Bioko. Lo zio lo aggiornò sugli ultimi quattro anni a Buccleuch, niente di nuovo da quelle parti. Poi gli chiese di Ruth e Luke. Non riuscì a farne a meno, anche se in cuor suo sapeva che se Jaeger avesse scoperto qualcosa, lui sarebbe stato tra i primi a saperlo.

Jaeger gli confermò che la loro scomparsa restava ancora un mistero.

Finiti gli aggiornamenti, lo zio Joe trafisse Jaeger con una delle sue occhiate: per metà duramente inquisitoria e per metà benevolmente scherzosa. «Bene, non dirmi che hai fatto tutta questa strada solo per portare un po' di provviste a un vecchio, anche se le apprezzo parecchio. Dimmi, perché sei qui?»

Come risposta, Jaeger estrasse il cellulare dal taschino interno del giubbotto Belstaff. Scorse le foto fino a quella del simbolo dell'aquila, quello stampato sul documento relativo all'Operazione Lupo Mannaro.

Lo posò sul tavolo davanti a Joe.

«Perdona questa tecnologia moderna, ma quest'immagine ti dice niente?»

Lo zio si mise a cercare nella tasca del cardigan. «Mi servono gli occhiali.»

Prese il telefono sollevandolo davanti a sé, inclinandolo da una parte e dall'altra. Evidentemente non aveva familiarità con la tecnologia, ma quando i suoi occhi misero a fuoco l'immagine, la sua espressione subì un cambiamento tanto drastico quanto inatteso.

In qualche istante, il suo viso aveva perso ogni colore. Era bianco come un fantasma. La mano gli tremava. Lentamente, poggiò il telefono sul tavolo. Quando alzò lo sguardo, nei suoi occhi c'era qualcosa che Jaeger non vi aveva mai visto, né si sarebbe mai aspettato di scorgervi.

Paura.

12

«Io... quasi me l'aspettavo... ho sempre temuto...» Lo zio Joe ansimò, gesticolando in direzione del lavandino, per chiedere dell'acqua.

Jaeger si affrettò a portargliela.

Il vecchio afferrò il bicchiere con una mano tremante e bevve versandone la metà sul tavolo. Quando i suoi occhi tornarono a incrociare quelli di Jaeger, sembravano del tutto privi di vita. Si guardò attorno nella stanza, come se la casa fosse stregata, come se cercasse di ricordare dove fosse, di trovare un appiglio nel qui e ora, nel presente.

«Dove diavolo l'hai pescata?» bisbigliò, indicando l'immagine sul telefono. «No, no... non rispondere! Temevo che arrivasse questo giorno. Ma non avrei mai immaginato che sarebbe arrivato per tramite tuo, ragazzo mio, e dopo tutto quello che hai passato...»

Il suo sguardo si perse in un angolo lontano della stanza.

Jaeger non sapeva cosa dire. L'ultima cosa che desiderava era mettere a disagio o tormentare quell'uomo a cui voleva tanto bene. Che diritto aveva di fargli del male nei suoi ultimi anni di vita?

«Ragazzo, è meglio che tu venga nello studio» lo invitò lo zio Joe, ridestandosi da quella specie di trance. «Non vorrei che Ethel sentisse qualcosa di... be', di questo. Malgrado le sue spedizioni nella neve, non è più forte come un tempo. Nessuno di noi lo è.»

Si alzò in piedi, indicando il bicchiere. «Puoi portarmi l'acqua?»

Si voltò verso lo studio e, mentre faceva strada, fu come se Jaeger non lo avesse mai visto prima. Era curvo, quasi piegato in due, come se gli toccasse reggere sulle spalle tutti i mali del mondo.

Lo zio Joe fece un profondo sospiro, come un vento secco che soffia tra le montagne. «Sai, pensavamo che ci saremmo portati i nostri segreti nella tomba. Tuo nonno. Io. Gli altri. Uomini d'onore, uomini che sapevano... che capivano... il codice. Tutti soldati... che sapevano che cosa ci si aspettava da noi.»

Si erano chiusi a chiave nello studio, dopodiché lo zio Joe aveva preteso di essere informato su tutto, su ogni minimo dettaglio, su ogni avvenimento che aveva condotto fino a quel momento. Quando Jaeger ebbe finito di parlare, il vecchio rimase in silenzio, immerso nei suoi pensieri.

Quando finalmente riprese a parlare, fu come se fosse impegnato in una conversazione con se stesso, o con altri nella stanza: i fantasmi di coloro che da tempo se n'erano andati.

«Pensavamo... eravamo certi... che il male fosse sparito» bisbigliò «che potessimo avviarci tutti verso il luogo dell'eterno riposo con l'animo in pace e la coscienza pulita. Eravamo convinti di aver fatto abbastanza, tanti anni fa.»

Sedevano su una coppia di comode poltrone di pelle consunta, accostate a quarantacinque gradi. Le pareti attorno erano piene di ricordi della guerra. Foto in bianco e nero dello zio Joe in uniforme, bandiere stracciate, stemmi, il coltello da combattimento della sua squadra, il berretto beige, consumato.

C'era solo un paio di eccezioni al tema militare. Joe ed Ethel non avevano mai avuto figli. Jaeger, Ruth e Luke erano stati la loro famiglia. Qualche foto – per lo più di Jaeger, moglie e figlio in vacanza alla capanna – era raggruppata sulla scrivania, insieme a un libro dall'aspetto inconfondibile, che sembrava completamente fuori posto rispetto ai cimeli di guerra.

Era una seconda copia del Manoscritto Voynich, apparentemente identica a quello nel baule di nonno Ted.

«E poi il mio ragazzo, il mio adorato ragazzo, viene qui» continuò lo zio Joe «con... con questa cosa. *Ein Reichsadler!*» Sputò le ultime parole con veemenza, mentre il suo sguardo restava fisso sul telefono di Jaeger. «Questo maledetto, dannato maleficio!

Da quanto dice il ragazzo, sembra che il male sia tornato... In tal caso, sono autorizzato a rompere il silenzio?»

La domanda rimase sospesa nell'aria. Le pareti ben isolate della capanna tendevano a smorzare ogni suono, eppure nella stanza sembrava risuonare un cupo ammonimento.

«Zio Joe, non sono venuto a impicciarmi...» fece Jaeger, ma lui alzò la mano per zittirlo.

Con un visibile sforzo di volontà, riportò la sua attenzione sul presente. «Ragazzo mio, non credo di poterti dire tutto» mormorò. «Tuo nonno, per prima cosa, non l'avrebbe mai consentito, a meno che la situazione non fosse disperata. Ma meriti di sapere *qualcosa*. Fammi delle domande. Devi avere delle domande. Chiedi, e vedrò cosa posso risponderti.»

Jaeger annuì. «Cos'avete fatto tu e il nonno durante la guerra? Gliel'ho chiesto quand'era vivo, ma non ha mai voluto dirmi nulla. Che cosa avete fatto per entrare in possesso di documenti» indicò il telefono «come quello?»

«Per capire cos'abbiamo fatto in guerra devi prima capire contro chi combattevamo» iniziò lo zio Joe, lentamente. «Troppi anni sono passati, troppo è stato dimenticato. Il messaggio di Hitler era semplice, e terrificante.

«Ricordi il suo motto: "*Denn heute gehört uns Deutschland, und morgen die ganze Welt*". Oggi ci appartiene la Germania, domani ci apparterrà il mondo. Il Reich millenario doveva davvero diventare un impero globale. Dove seguire il modello dell'Impero Romano, e Berlino sarebbe stata ribattezzata Germania e sarebbe diventata la capitale del mondo intero.

«Hitler sosteneva che i tedeschi appartenessero alla razza superiore ariana, gli *Übermensch*. Avrebbero fatto ricorso alla *Rassenhygiene*, l'igiene razziale, per ripulire la Germania dagli *Untermensch*, i subumani, dopodiché sarebbe stati invincibili. Gli *Untermensch* andavano sfruttati, schiavizzati ed eliminati impunemente. Otto, dieci, dodici milioni... Nessuno sa con certezza quanti ne sono stati sterminati.

«Tendiamo a pensare che sia capitato solo agli ebrei» continuò lo zio. «Ma non è così: successe a tutti quelli che non facevano parte della razza eletta. *Mischlings*, mezzi ebrei, o di razza mista. Omosessuali, comunisti; intellettuali, non bianchi, il che includeva polacchi, russi, sud europei, asiatici... Gli

Einsatzgruppen, le squadre della morte delle SS, erano determinati a sterminarli tutti.

«E poi c'erano le *Lebensunwertes Leben*, le vite indegne di essere vissute: i disabili e i malati mentali. Durante l'*Aktion T4*, i nazisti iniziarono a uccidere anche loro. Capisci? I *disabili*. Sterminare gli elementi più vulnerabili della società. E sai bene quali mezzi usarono per farlo: radunavano le *Lebensunwertes Leben* su un autobus speciale con una scusa qualsiasi, e li portavano in giro per la città, pompando all'interno i gas di scarico mentre loro guardavano fuori dai finestrini.»

L'anziano zio guardò Jaeger, il volto segnato dal tormento. «Tuo nonno e io abbiamo visto molte cose coi nostri stessi occhi.»

Prese un sorso d'acqua. Fece uno sforzo visibile per controllarsi. «Ma non c'era solo lo sterminio. Sui cancelli dei campi di concentramento misero uno slogan: *Arbeit macht frei*, "il lavoro rende liberi". Bene, ovviamente nulla poteva essere più lontano dalla verità. Il Reich di Hitler era una *Zwangswirtschaft*, un'economia basata sul lavoro forzato. Con gli *Untermensch* aveva a disposizione un enorme esercito di schiavi, e a milioni lavorarono fino a morire.

«E sai qual è la cosa peggiore?» sospirò. «Funzionava. Almeno dal punto di vista di Hitler, il piano funzionava. I risultati parlavano da sé. Progressi straordinari nella missilistica, razzi teleguidati all'avanguardia, missili da crociera, aeronautica incredibilmente avanzata, aerei a propulsione jet, sottomarini *stealth*, armi chimiche e biologiche inaudite, strumenti per la visione notturna: in quasi ogni campo, i tedeschi erano davanti a tutti. Erano anni luce davanti a noi.

«Hitler nutriva una fede fanatica nella tecnologia» proseguì. «Ricorda, con la V2 furono i primi a mandare un razzo nello spazio, non i russi, come oggi si tende a credere. Hitler era davvero convinto che la tecnologia avrebbe permesso loro di vincere la guerra. E fidati: se escludiamo la corsa al nucleare, che abbiamo vinto più per un colpo di fortuna che per la nostra superiorità, nel 1945 c'erano quasi riusciti.

«Prendi il sottomarino *stealth* XXI. Era decenni in anticipo sui tempi. Negli anni Settanta stavamo ancora cercando di copiare e riprodurre il suo progetto. Con trenta sottomarini XXI avrebbero potuto creare un cordone attorno alla Gran Bretagna e costringerci a capitolare. Alla fine della guerra, Hitler aveva una flotta di centosessanta unità pronte a solcare i mari.

«O prendi il razzo V7. Al confronto, la V2 sembrava un giocattolo. Aveva una gittata di tremila miglia, e armato con uno dei loro agenti nervini segreti, il Sarin o il Tabun, avrebbe potuto far piovere la morte dal cielo su tutte le nostre maggiori città.

«Credimi, William, ci sono andati vicinissimo, forse non a vincere la guerra, o a instaurare il loro *Tausendjähriges Reich*, ma quantomeno a costringere gli Alleati a negoziare la pace. E se l'avessimo fatto, avrebbe significato che Hitler – il nazismo, questo male radicale – sarebbe sopravvissuto. Perché questa era l'unica cosa a cui Hitler e il suo cerchio magico di fanatici miravano: salvaguardare il *Drittes Reich*, governare per mille anni. Ci sono andati vicinissimo...»

Lo zio Joe sospirò, esausto. «E in molti modi diversi, era nostro compito, mio e di tuo nonno, provare a fermarli.»

13

Lo zio Joe aprì il cassetto della scrivania e vi frugò dentro. Ne estrasse qualcosa, lo scartò e lo porse a Jaeger. «Il distintivo originale del SAS. Un pugnale bianco e, sotto, la scritta "Chi osa vince". Lo indossavamo insieme alle ali dei paracadutisti, e i due simboli insieme diedero vita al pugnale alato che oggi rappresenta l'unità.

«Ormai avrai capito che io e tuo nonno abbiamo prestato servizio nel SAS. Abbiamo combattuto in Nordafrica, nel Mediterraneo orientale e infine nell'Europa meridionale. Non è una grande rivelazione. Ma capisci, ragazzo, la nostra generazione non parlava di queste cose. È per questo che abbiamo tenuto i simboli della nostra unità, e le storie di guerra, così segreti.

«Era l'autunno del 1944, nell'Italia del Nord, quando entrambi fummo feriti» proseguì. «Un'operazione oltre le linee nemiche, un'imboscata, una sparatoria sanguinosa. Fummo trasportati in un ospedale, dapprima in Egitto e poi a Londra. Puoi immaginare che nessuno di noi aveva una gran voglia di rimettersi. Quando ci si presentò l'occasione di offrirci volontari per un'unità top secret, be', non ce la facemmo scappare.»

Lo zio lanciò un'occhiata a Jaeger, l'incertezza gli velava lo sguardo. «Tuo nonno e io abbiamo giurato di mantenere il segreto. Ma... be', alla luce di tutto questo...» Fece un cenno verso il telefono di Jaeger. «Tuo nonno era più in alto nella gerarchia, all'epoca era stato promosso colonnello. Nel gennaio 1945 venne nominato comandante della Target Force. Io diventai uno dei suoi ufficiali.

«Fidati, ragazzo: non ho mai parlato di queste cose prima. Nemmeno con Ethel.» Gli ci volle un istante per riprendersi. «La Target Force era una delle unità più segrete che siano mai state create. È per questo che di sicuro non ne hai mai sentito parlare. Aveva una missione ben precisa: dovevamo scoprire i più importanti segreti dei nazisti, la loro tecnologia militare, le loro *Wunderwaffen*, le loro macchine da guerra straordinariamente avanzate, e in più i loro principali segreti.»

Ora che il vecchio aveva iniziato a parlare, sembrava non volersi fermare. Le parole gli uscivano dalla bocca come se stesse disperatamente cercando di liberarsi dal peso dei ricordi, dei segreti.

«Dovevamo trovare le *Wunderwaffen* prima dei russi, che, già all'epoca, erano visti come il nuovo nemico. Ci venne consegnata una "Lista nera": siti importanti, fabbriche, laboratori, terreni di prova, gallerie del vento; e poi gli scienziati, i più illustri esperti, che non dovevano per nulla al mondo finire nelle mani dei russi. Questi stavano avanzando da est, era una corsa contro il tempo. Una corsa che per lo più abbiamo vinto.»

«È così che ha trovato il documento?» chiese Jaeger. Non era riuscito a trattenersi dal domandarlo. «Il rapporto sull'Operazione Lupo Mannaro?»

«Non è un rapporto» mormorò lo zio Joe. «È un piano operativo. E no, a dire il vero. Un documento con un simile livello di segretezza – ultrasegreto, emanato dal cuore delle tenebre – era fuori dalla nostra portata, persino fuori dalla portata della Target Force.»

«Ma allora dove...» iniziò Jaeger.

Il vecchio gli fece cenno di tacere. «Tuo nonno era un bravo soldato: impavido, intelligente, incorruttibile. Durante il periodo con la T Force, si accorse di qualcosa di così scioccante, di così totalmente oscuro, che ne parlava di rado. C'era un'operazione dietro la T Force: un'operazione progettata nel mondo oscuro. La missione era far sparire i nazisti di più alto livello, gli indesiderabili, quelli assolutamente intoccabili, e portarli in luoghi dove potevamo ancora "approfittare" di loro.

«Inutile dirlo, tuo nonno rimase sconvolto quando lo apprese. Inorridito.» Lo zio Joe fece una pausa. «Soprattutto, sapeva quanto fosse sbagliato. Sapeva che ci avrebbe corrotti tutti, se avessimo lasciato entrare il peggiore dei mali nei nostri stessi salotti. Era convinto che *tutti* i criminali di guerra nazisti andassero processati a Norimberga... Ma ora ci stiamo inoltrando in argomenti che ho giurato di non rivelare mai.» Lanciò una rapida occhiata a Jaeger. «Devo rompere la promessa che gli ho fatto?»

Jaeger gli mise una mano sul braccio, per confortarlo. «Zio Joe, quel che mi hai detto... è molto più di quanto abbia mai scoperto, di quanto sperassi di scoprire.»

La zio gli diede una pacca sulla mano. «Ragazzo, apprezzo la tua pazienza, la tua comprensione. Questo... questo è tutt'altro che facile... Alla fine della guerra tuo nonno è ritornato nel SAS. O meglio, all'epoca il SAS non esisteva più. Ufficialmente, venne smantellato subito dopo la guerra. Ufficiosamente, Winston Churchill, il più grande leader che un paese possa desiderare, tenne in vita l'unità... grazie a Dio.

«Il SAS era sempre stato una creatura di Churchill» proseguì. «Dopo la guerra lo gestì in segreto, totalmente di nascosto, da un albergo in centro a Londra. Vennero organizzate delle basi clandestine in tutta Europa. Il loro scopo era eliminare i nazisti che erano sfuggiti alla rete; dar loro la caccia, specialmente a quelli responsabili delle più terribili atrocità nel corso della guerra.

«Avrai forse sentito parlare del *Sonderbehandlung* di Hitler, l'"Ordine commando"? Decise che tutti gli uomini delle forze speciali alleate fatti prigionieri fossero consegnati alle SS per un "trattamento speciale": in altre parole, tortura e condanna a morte. A centinaia scomparvero in quella che i nazisti chiamavano *Nacht und Nebel*, "notte e nebbia".»

Lo zio fece una pausa: lo sforzo di calarsi così a fondo nelle tenebre lo stava provando.

«Il SAS di Churchill si mise a dare la caccia ai nazisti ancora in libertà; tutti quanti, indipendentemente dalla loro posizione nella gerarchia. Il *Sonderbehandlung*, l'Ordine commando, provenne direttamente da Hitler in persona. Tuo nonno mirava ai vertici del regime nazista, e ciò lo mise in conflitto con quelli che avevano l'ordine di far sparire quella gente e portarla al sicuro.»

«Quindi, stavamo combattendo contro noi stessi?» chiese Jaeger. «Una parte stava cercando di dare il colpo di grazia al male assoluto, mentre un'altra stava cercando di proteggerlo?»

«Può darsi» confermò il vecchio. «È più che probabile.»

«Per quanto è andata avanti?» domandò Jaeger. «La guerra segreta del nonno Ted... di Churchill?»

«Per quanto riguarda tuo nonno, non credo sia mai finita. Non fino al giorno della... della sua morte.»

«Quindi tutti i cimeli nazisti» azzardò Jaeger «le Teste di morto delle SS, le mostrine dei Lupi Mannari... li ha raccolti nel corso della caccia?»

Lo zio Joe annuì. «Esatto. Trofei, si potrebbe dire. Ciascuno il segno di un ricordo oscuro, di un male eliminato, com'era giusto che fosse.»

«E il documento sull'Operazione Lupo Mannaro?» lo incalzò Jaeger. «È così che l'ha trovato?»

«Può darsi. Probabilmente. Non lo so dire con certezza.» Il vecchio si spostò sulla sedia, a disagio. «Ne so pochissimo. E, inutile dirlo, non sapevo che tuo nonno ne avesse conservato una copia. *O che l'avesse passata a te*. Ne ho sentito parlare solo una o due volte, e sempre sottovoce. Tuo nonno di sicuro ne sapeva di più. Ma ha portato i suoi più profondi e oscuri segreti con sé nella tomba. E prematuramente, per giunta.»

«E il *Reichsadler*?» incalzò Jaeger. «Cosa significa? Cosa rappresenta?»

Lo zio Joe lo fissò per un lungo istante. «Quella *cosa* sul tuo telefono... Non è un *Reichsadler* qualunque. Di solito l'aquila nazista è appollaiata su una svastica.» Guardò di nuovo il telefono di Jaeger. «*Quella*... è completamente diversa. È sul simbolo circolare sotto la coda che ti devi concentrare.» Ebbe un tremito. «Solo una... organizzazione ha mai usato un simbolo simile, e fu *dopo* la guerra, quando si credeva che il mondo fosse in pace e il nazismo morto e sepolto...»

Faceva caldo nello studio, il tepore si diffondeva dalla stufa in cucina e teneva la temperatura alta, ma ciononostante Jaeger avvertì che un gelo tetro si era infilato nella stanza.

Lo zio sospirò, un'espressione affranta gli velò lo sguardo. «Inutile dirlo, non ne vedo uno da, be', quasi settant'anni. E sono stato felice, di non vederne.» Fece una pausa. «Ecco. Ora temo di essermi spinto troppo oltre. Se così è, tuo nonno e gli altri... dovranno perdonarmi.»

Si fermò di nuovo. «C'è un'altra cosa che sento di doverti chiedere: sai com'è morto tuo nonno? È una delle ragioni per cui mi sono trasferito quassù. Non sopportavo di restare nei posti in cui eravamo stati così felici da piccoli.»

Jaeger alzò le spalle. «So soltanto che è stata una cosa improvvisa. Prematura. Avevo solo diciassette anni... ero troppo piccolo perché mi dicessero molto di più.»

«Hanno fatto bene a non dirtelo.» Fece una pausa, rigirandosi tra le mani fragili la mostrina del SAS. «Aveva settantanove anni. Sano come un pesce. E allegro come sempre, ovviamente. Hanno detto che è stato un suicidio. Un tubo infilato nel finestrino. Il motore acceso. Avvelenato dal fumo di scappamento. Sopraffatto dai ricordi traumatici della guerra. Una montagna di idiozie!»

Rabbia e amarezza bruciavano nei suoi occhi. «Ti ricorda nulla? Un tubo nel finestrino? Sono sicuro di sì! Certo, lui non era una *Lebensunwertes Leben*, uno dei disabili, una delle "vite indegne di essere vissute".»

Lo zio Joe lanciò a Jaeger uno sguardo disperato. «Ma quale modo migliore di vendicarsi?»

Jaeger lanciò la moto a tutta velocità. Il potente motore da 1200cc rombava col suono gutturale di una Triumph che sfrecciava su un'autostrada buia e deserta. Eppure, mentre percorreva la M6 verso sud, si sentiva tutt'altro che trionfante. A dire il vero, l'incontro con lo zio Joe l'aveva lasciato tramortito.

Era stata la sua ultima rivelazione che l'aveva davvero sconvolto.

Il nonno Ted era stato trovato morto in un'auto piena di gas, apparentemente soffocato dal fumo di scappamento. Per la polizia, autolesionismo e suicidio erano state le probabili cause di morte. Sinistramente, sulla sua spalla sinistra era stata incisa un'immagine ben precisa: un *Reichsadler*.

Le somiglianze con la morte di Andy Smith erano allarmanti.

Jaeger aveva rimandato la partenza il più possibile. Aveva aiutato Ethel a rientrare dalla sua passeggiata. Aveva condiviso con loro la cena a base di aringhe affumicate. Aveva aspettato che andassero a letto, lo zio più stanco e tormentato di quanto l'avesse mai visto. Poi si era congedato ed era partito.

Aveva promesso a Raff, Feaney e Carson di dar loro una risposta di persona, entro quarantott'ore. E il tempo scarseggiava, specialmente visto che gli restava ancora una tappa nel lungo viaggio di ritorno verso Londra.

Aveva lasciato la capanna dello zio Joe, nel cuore del bosco innevato, sperando che in quell'isolamento lui ed Ethel fossero almeno al sicuro. Ma per tutto il viaggio ebbe la sensazione che i fantasmi del passato lo inseguissero attraverso le tenebre.

Che gli dessero la caccia attraverso la *Nacht und Nebel*, la notte e la nebbia.

14

«Rifatti gli occhi!» Adam Carson gettò un pacco di foto aeree sulla scrivania.

Curato, con la mascella squadrata, ben rasato, ingellato, Carson era un vincente nato. Jaeger non provava particolare simpatia per lui. L'aveva rispettato come comandante nell'esercito. Ma si fidava di lui? Non ne era mai stato sicuro.

«La Cordillera de los Dios: le Montagne degli Dèi» proseguì Carson. «Un'area grande quasi quanto il Galles, tutta di foresta vergine. Circondata da montagne impressionanti, quattromila, cinquemila metri, avvolta nella nebbia e nella pioggia. Ci sono tribù di selvaggi, cascate alte quanto cattedrali, grotte profonde miglia e miglia, dirupi vertiginosi e pericolosi turbini nei fiumi. Probabilmente, pure un branco di *Tyrannosaurus Rex*. Per farla breve, un vero e proprio Mondo Perduto.»

Jaeger studiò le immagini, sfogliandole una per volta. «Niente a che vedere con Soho.»

«Esatto.» Carson spinse un altro pacco di foto verso Jaeger. «E se hai ancora dubbi, dai un'occhiata a *queste*. Non è una meraviglia? Una bestia misteriosa, scura, sensuale, slanciata, sexy. Una sirena dell'aria, che ci chiama attraverso duemila miglia di giungla, e i decenni.»

Jaeger scorse le immagini. Il misterioso relitto si trovava nel mezzo di un mare verde smeraldo, ancora più evidente dato che la foresta lì accanto era bianca come la neve. Morta. Rami spogli si levavano verso il cielo come una miriade di dita scheletriche: la carcassa della giungla, spolpata e denudata.

«Foresta di ossa» mormorò Jaeger, indicando la zona morta tutt'attorno al misterioso aereo. «Qualche idea su cosa l'abbia causato?»

«Nessuna.» Carson sorrise. «Dev'essere stato qualcosa di parecchio velenoso, ma c'è un'infinità di potenziali candidati. Avrete delle tute anticontaminazione e dei respiratori, ovviamente. Vi serviranno le giuste precauzioni... cioè, se andrai.»

Jaeger ignorò la frecciata. Sapeva che tutti erano in attesa della sua risposta. Le quarantott'ore erano scadute. Per quello si erano riuniti nei lussuosi uffici della Wild Dog Media a Soho, Adam Carson, qualche funzionario televisivo e la squadra della Enduro Adventures.

A quanto sembrava, chiunque contasse in tivù era obbligato ad avere una base a Soho, una sfarzosa fetta nella parte ovest di Londra in cui sembravano concentrarsi i pezzi grossi dei media. Carson, come al solito, aveva fatto le cose in grande, affittando una serie di uffici nella centralissima Soho Square.

«L'aereo sembra sorprendentemente intatto» commentò Jaeger. «Come se fosse *atterrato* lì. Abbiamo idea di quale rotta seguisse, e in quale anno?»

Carson gli porse una terza serie di foto. «Ingrandimenti delle marcature. Sono parecchio sbiadite, ma sembrano i colori dell'aeronautica americana. Data l'usura, è evidente che è rimasto lì per decenni... Tutti credono che risalga agli anni della Seconda guerra mondiale. E se è così, si tratta di una cosa sensazionale, un fenomeno: decenni in anticipo sui tempi.

«Confrontatelo con un C-130 Hercules.» Carson lanciò un'occhiata ai funzionari. «Il C-130 è un aereo da trasporto moderno usato da quasi tutte le forze della NATO. Il nostro aereo misterioso è lungo trentaquattro metri, mentre il C-130 ne misura dodici, il che significa che è lungo il triplo. In più, ha sei motori, contro i quattro del C-130, e ha un'apertura alare molto più ampia.»

«Quindi potrebbe portare un maggior carico?» chiese Jaeger.

«Potrebbe» confermò Carson. «L'unico aereo da guerra alleato vagamente paragonabile è il Boeing B-29 Superfortress, quello che ha sganciato le bombe atomiche su Hiroshima e Nagasaki, ma la forma di questo aeromobile è completamente diversa, più aerodinamica e lineare. Inoltre, il B-29 era più o meno la metà. Così si può sostanzialmente riassumersi l'enigma: cosa diavolo è?»

Il sorriso di Carson si allargò, facendosi più sicuro, quasi sbruffone. «È stato ribattezzato "L'ultimo grande mistero della Seconda guerra mondiale". E si può dirlo forte.» Ormai si era lasciato trasportare dallo spirito del venditore, recitando per il suo pubblico. «Quindi, tutto quel che ci serve è l'uomo giusto per guidare la missione.» Lanciò un'occhiata a Jaeger. «Te la senti? Sei dei nostri?»

Jaeger studiò velocemente i volti radunati attorno a lui. Carson: sicurissimo di essersi accaparrato l'uomo che gli serviva. Raff: imperscrutabile come sempre. Feaney: un'ombra di preoccupazione sul volto, perché c'era in ballo il futuro della Enduro Adventures. E poi, i produttori televisivi, tutti poco più che trentenni, con abiti sciatti – ma all'ultima moda? –, per lo più tesi, dato che le sorti della loro bizzarria televisiva erano sul filo della lama.

E poi c'era Simon Jenkinson, l'archivista. A poco meno di sessant'anni, era di gran lunga il più anziano del gruppo; aveva l'aria di un orso del miele in letargo, con la barba sale e pepe, gli occhiali spessi come fondi di bottiglia, una giacca di tweed mangiata dalle tarme e la testa con lo sguardo sognante sempre persa tra le nuvole.

«E lei, Mr Jenkinson» gli si rivolse Jaeger «a quanto ho capito fa parte del Fondo archeologico per il recupero degli aeromobili perduti, oltre a essere un esperto della Seconda guerra mondiale? Non dovremmo sentire anche la sua opinione?»

«Chi? Io?» L'archivista si guardò intorno come se si fosse appena svegliato da un lungo sonno. I suoi baffetti vibrarono per la preoccupazione. «Io? La mia opinione? Non credo. Non sono bravo nelle discussioni di gruppo.»

Jaeger rise benevolmente. L'uomo gli fu subito simpatico. Gli piaceva la sua totale mancanza di presunzione e malizia.

«Abbiamo una certa fretta» intervenne Carson, guardando i produttori televisivi. «È più sensato parlare con l'archivista una volta conclusi i punti principali all'ordine del giorno, non pensi? E cioè, sei dei nostri o meno?»

«Quando devo prendere una decisione, preferisco avere il maggior numero di informazioni possibile» ribatté Jaeger. «Dunque, Mr Jenkinson, che idea si è fatto? Cosa può essere?»

«Be', mmh... Se proprio devo arrischiarmi...» L'archivista si schiarì la voce. «C'è un aeromobile che corrisponde alle caratteristiche di questo. Lo Junkers Ju 390. Tedesco, ovviamente. Un progetto molto caro a Hitler, a dire il vero. Doveva essere la punta di diamante dell'operazione Amerika Bomber, il progetto di condurre dei raid aerei transatlantici contro l'America, verso la fine della guerra.»

«E l'hanno fatto?» chiese Jaeger. «New York? Washington? Sono mai state bombardate?»

«Ci sono testimonianze che parlano di missioni del genere» confermò Jenkinson «ma nessuna è stata mai totalmente verificata. Basti dire che gli Ju 390 avevano le caratteristiche per riuscirci. Potevano vantare un avanzato sistema di rifornimento in volo, e i piloti che li guidavano usavano la tecnologia di visione notturna *Vampir*, talmente avanzata che quasi trasformava la notte in giorno: praticamente potevano decollare e atterrare nel buio più fitto.»

Jenkinson batté il dito su una delle foto aeree. «In più, vedete: gli Ju 390 erano dotati di una cupola sopra la fusoliera, per osservare la volta celeste. L'equipaggio poteva coprire lunghe tratte orientandosi con le stelle, senza far ricorso al radar o alla radio. In breve, erano gli aerei perfetti per volare attorno a mezzo mondo senza essere notati o rintracciabili.

«Quindi sì, se avessero voluto sganciare del gas nervino Sarin su New York, quest'aereo ci sarebbe riuscito.» Jenkinson si guardò attorno nella stanza, nervoso. «Mmh... scusate. Quest'ultima cosa, il Sarin su New York... mi sono lasciato un po' trasportare. Mi seguite?»

Una serie di cenni affermativi. Doveva essere strano per Simon Jenkinson, ma gli ascoltatori erano rapiti.

«Fu costruita solo una decina di Ju 390» proseguì. «Fortunatamente, i nazisti persero la guerra prima che il programma Amerika Bomber diventasse una minacciosa realtà. Ma la cosa strana è che nessuno Ju 390 è mai stato rinvenuto. Alla fine della guerra erano... be', scomparsi. Se *quello* è uno Ju 390, sarebbe il primo mai trovato.»

«Qualche idea su cosa ci farebbe un aereo da guerra tedesco nel cuore dell'Amazzonia dipinto con i colori americani?» gli domandò Jaeger.

«Nessuna.» Jenkinson fece una smorfia, quasi si vergognasse. «In realtà, devo confessare che è questo che mi ha dato da pensare, mentre me ne stavo chiuso negli archivi. Non sono riuscito a trovare da nessuna parte documenti relativi ad aerei inviati in Sudamerica. E per quanto riguarda i colori americani: be', mi lascia di stucco.»

«Se questi documenti esistessero, li avrebbe trovati?» domandò Jaeger.

L'archivista annuì. «A quanto ne so, questo aereo non è mai esistito. Un volo fantasma.»

Jaeger sorrise. «Sa una cosa, Jenkinson? Lei è sprecato negli archivi. Dovrebbe fare l'autore televisivo.»

«L'aereo che non è mai esistito» ripeté Carson. «Il volo fantasma. Geniale. E Will, non ti fa venire ancora più voglia di partire?»

«In effetti sì» confermò Jaeger. «Dunque, ho un'ultima domanda e una richiesta, dopodiché direi che ci sto.»

Carson allargò le mani, esortandolo a parlare. «Spara.»

Jaeger lasciò che la domanda piombasse nella stanza come una bomba. «Andy Smith. Nessuna novità sul perché l'hanno ammazzato?»

Il volto di Carson rimase una maschera imperscrutabile. Solo l'impercettibile pulsare di un muscolo sulla guancia rivelava che la domanda l'aveva irritato. «Be', si è trattato di un incidente o di un suicidio, a quanto sostiene la polizia. Quindi, anche se certo getta un'ombra malinconica sull'intera spedizione, è una cosa che dovremo elaborare e superare.» Una pulsazione. «E la richiesta?»

In risposta, Jaeger spinse una cartellina attraverso la scrivania. Conteneva una serie di brochure patinate, ciascuna con un dirigibile futuristico in bella mostra sulla prima pagina. «Stamattina ho fatto un salto all'hangar di Cardington Field, a Bradford, la sede della Hybrid Air Vehicles. Immagino che tu conosca Steve McBride e gli altri che ci lavorano.»

«McBride? Sì, li conosco» confermò Carson. «È un bravo operatore, affidabile. Ma perché ti interessano gli aeromobili ibridi?»

«McBride mi ha assicurato che possono portare un Heavy-lift Airlander 50, il più grande che hanno, a sorvolare quel tratto di Amazzonia.» Si rivolse ai produttori, di cui due erano inglesi e uno – il più danaroso – americano. «In parole povere, l'Airlander

50 è una specie di dirigibile moderno. Pieno d'elio invece che di idrogeno, assolutamente inerte. In altre parole, nessun rischio Hindenburg: non esploderà in una palla di fuoco.

«Lungo centoventi metri e largo sessanta» proseguì «l'Airlander è progettato per due scopi. Uno, sorveglianza continua ad ampio raggio, per tenere d'occhio qualunque attività si svolga al di sotto. Due, sollevare carichi ingenti.»

Jaeger fece una pausa. «L'Airlander ha un carico utile di sessantamila chili. McBride stima che un velivolo di queste dimensioni ne pesi più o meno la metà, attorno ai trentamila chili. Può forse arrivare a cinquantamila se ha un carico a bordo. Un Airlander 50 potrebbe sorvegliare l'intera operazione e sollevare l'aeromobile in un colpo solo.»

Il produttore televisivo americano diede un pugno sul tavolo, eccitato. «Mr Jaeger... Will... se stai dicendo quello che credo tu stia dicendo, è una proposta assolutamente favolosa. *Favolosa.* Se riuscite a raggiungere l'area, trovare l'aereo, assicurarlo e sollevarlo in un'unica operazione... cazzo, raddoppieremo il nostro contributo al budget. E, correggimi se mi sbaglio, Carson, ma siamo noi a fare la parte del leone, giusto?»

«Esatto, Jim» confermò Carson. «E perché non usare un Airlander? Se McBride assicura di poterci riuscire, e se voi sarete così gentili da coprire le spese extra, Jim, allora che stiamo aspettando! Andiamo e riportiamolo a casa!»

«Una domanda» si intromise il produttore inglese. «Se, come dite, questo Airlander può sorvolare la giungla e sollevare l'aereo, perché non può portare voi fino a destinazione? Voglio dire, il piano al momento è che veniate paracadutati nella giungla a diversi giorni di cammino dalla destinazione, e che vi spostiate via terra. L'Airlander non potrebbe risparmiarvi la fatica?»

«Ottima domanda» replicò Carson. «Ci sono tre problemi. Uno: non si scarica mai una squadra direttamente sul sito di una minaccia tossica ignota. Sarebbe praticamente un suicidio. Ci si avvicina da un luogo sicuro per identificare e valutare il pericolo. Due: guarda l'area attorno all'aereo: è un groviglio di rami morti, spezzati, acuminati. Se lanciamo la squadra in quel punto, metà degli uomini finiranno impalati sugli alberi.

«E tre» Carson fece un cenno del capo in direzione dell'americano «Jim vuole un lancio col paracadute per aggiungere un po' di brivido allo spettacolo, in favore della telecamera. Il che vuol dire lanciarsi in una zona sgombra, aperta, sicura. Ecco perché ci atterremo al piano, usando la zona d'atterraggio che siamo riusciti a identificare.»

Il pranzo venne servito in anticipo nella sala riunioni. Una ditta di catering portò vassoi di piatti freddi, coperti da un velo di pellicola trasparente. Jaeger diede un'occhiata e decise che non aveva fame. Vagò per la stanza fino a stringere l'archivista in un angolo abbastanza riservato.

«Interessante» commentò Jenkinson, studiando un pezzo di sushi dall'aria particolarmente gommosa. «Mi stupisce sempre come finiamo per mangiare il cibo del nostro vecchio nemico. In archivio, mi porto sandwich fatti a casa. Formaggio *cheddar* stagionato e sottaceti di Branston.»

Jaeger sorrise. «Poteva andare peggio. Potevano servirci dei crauti.»

Toccò a Jenkinson ridacchiare. «*Touché*. Sa, una parte di me quasi invidia voi che partirete alla ricerca di questo aereo misterioso. Ovviamente, io sarei praticamente inutile sul campo. Ma, be'... voi farete la storia. La vivrete. Imperdibile.»

«Potrei trovarle un posto nella squadra» suggerì Jaeger, con un filo di malizia nella voce. «Metterlo come condizione dell'accordo.»

L'archivista sputò un pezzo di pesce crudo. «Ops, scusi. Rivoltante, comunque.» L'avvolse in un fazzoletto di carta e lo posò su uno scaffale a portata di mano. «No, no, no, no, no... Sono più che felice di rimanere nel mio archivio.»

«A proposito di archivi...» rifletté Jaeger. «Per un momento, dimentichi quello che sa con certezza. Quel che mi interessa è una pura congettura. In base a tutto quello che ha visto e sentito, cosa crede che sia questo aereo misterioso?»

Gli occhi di Jenkinson si mossero nervosamente dietro gli spessi occhiali. «Normalmente non faccio congetture. Non è mia abitudine. Ma visto che me lo chiede... Ci sono solo due possibili scenari minimamente sensati. A) è uno Ju 390 e i nazisti l'hanno dipinto con i colori americani per potersi muovere indisturbati. B) è un aereo da guerra americano top secret, uno di cui nessuno ha mai sentito parlare.»

«E quale scenario è il più probabile?» lo incalzò Jaeger.

Jenkinson lanciò un'occhiata al tovagliolo inzaccherato sullo scaffale. «Il secondo, quanto che a me inizi a piacere il sushi. L'opzione A... Be', sarebbe sorpreso scoprendo quanto erano comuni questi imbrogli. Noi catturavamo i loro aerei, loro catturavano i nostri. Li dipingevamo con i colori dei nemici e li usavamo per ogni tipo di attività losca. Loro facevano altrettanto.»

Jaeger sollevò un sopracciglio. «Lo terrò a mente. Ora, lieve cambio di argomento. Ho un mistero per lei. Un indovinello. Ho pensato che dev'essere il tipo che sa apprezzare un bell'indovinello... ma vorrei che la cosa restasse tra noi, okay?»

«Nulla mi rende più felice che provare a risolvere un buon indovinello» confermò Jenkinson con un luccichio negli occhi «e ancor di più uno che devo tenere segreto.»

Jaeger abbassò la voce. «Due anziani. Veterani della Seconda guerra mondiale. Di servizio in un'unità segreta. Tutto molto riservato. Entrambi hanno tappezzato lo studio di cimeli della guerra. Con un'eccezione: tutti e due hanno sulla scrivania un oscuro manoscritto antico, interamente scritto in una lingua incomprensibile. La domanda è: perché?»

«Vuole sapere perché ciascuno ne ha una copia?» Jenkinson si sfregò la barba con aria pensosa. «Nessun indizio di un interesse più generale? Altri lavori accademici? Altri testi simili? Nessun segno di uno studio più ampio del fenomeno?»

«Nulla. Solo quel libro. Tutto qui. Una copia sulla scrivania in entrambi gli studi.»

Gli occhi di Jenkinson brillavano. Evidentemente si stavano divertendo. «C'è una cosa che si chiama cifrario a libro.» Sfilò una vecchia busta dalla tasca della giacca e iniziò a buttare giù appunti. «La bellezza sta nella sua assoluta semplicità. In questo, e nel fatto che è totalmente indecifrabile, a meno, ovviamente, di sapere a che libro ogni persona si riferisca.»

Scrisse una sequenza di numeri apparentemente casuale: 1.16.47 / 5.12.53 / 9.6.16 / 21.4.76 / 3.12.9/ 4.9.12.

«Ora, immagini che lei e un'altra persona abbiate entrambi la stessa edizione di un libro. Lui, o lei, le manda questi numeri. Iniziamo con la prima sequenza: 1.16.47; lei va al capitolo uno, pagina sedici, riga quarantasette. Inizia con la "I". La prossima: capitolo cinque, pagina dodici, riga cinquantatré: inizia con la

"D". Capitolo nove, pagina sei, riga sedici: inizia di nuovo con la "I". Capitolo ventuno, pagina quattro, riga settantasei: "O". Capitolo tre, pagina dodici, riga nove: "T". Capitolo quattro, pagina nove, riga dodici: "A". Ora le metta tutte insieme.

Jaeger ripeté le lettere: «I-D-I-O-T-A. Idiota».

Jenkinson sorrise. «L'ha detto lei.»

Jaeger non poté fare a meno di ridere. «Molto divertente. Si è appena giocato l'invito in Amazzonia.»

Jenkinson ridacchiò piano, sussultando un po'. «Mi perdoni, è la prima parola che mi è venuta in mente.»

«Stia attento, sta continuando a scavarsi la fossa.» Jaeger si interruppe per un secondo. «Ma come funziona se il libro è scritto in una lingua illeggibile? Non rende il codice inservibile?»

«Nient'affatto. Non se ha una "traduzione". Senza traduzione avrebbe una parola di sei lettere assolutamente incomprensibile. Senza traduzione non avrebbe alcun senso. Con la traduzione c'è un livello ulteriore di decodifica, tutto qui. Entrambi devono avere i due libri sotto mano, per decodificare il messaggio. È un colpo di genio, a dire il vero.»

«E un codice del genere può essere decifrato?»

Jenkinson scosse il capo. «Molto difficile. Quasi impossibile. È questo il bello. Bisogna sapere a che libro le due persone fanno riferimento, e in questo caso avere anche accesso alla traduzione. Il che lo rende quasi impossibile da decifrare, a meno di non catturare i due anziani e farglielo rivelare a furia di botte e torture.»

Jaeger lanciò un'occhiata incuriosita all'archivista. «Che mente perversa ha, Mr Jenkinson. Ma grazie per le informazioni. E continui a cercare se ci sono tracce del nostro aereo misterioso.» Scrisse il proprio indirizzo email e i contatti telefonici sulla busta di Jenkinson. «Mi farebbe piacere sapere qualsiasi cosa trovi.»

«Assolutamente.» Jenkinson sorrise. «Sono felice di vedere che qualcuno si sta interessando davvero, finalmente.»

15

«Uno specchio bidirezionale» annunciò Carson. «Lo usiamo per decidere quali personaggi piaceranno di più al pubblico televisivo. O almeno, così dice questa cazzata di teoria.»

Lui e Jaeger vennero fatti accomodare in una stanza buia, davanti a quella che sembrava una lunga parete di vetro. Dall'altra parte c'era un gruppo di persone che si stavano godendo un buffet freddo, apparentemente inconsapevoli di essere osservate. Carson aveva cambiato nettamente tono: era tornato a quel che evidentemente riteneva il gergo più adatto tra ex commilitoni.

«Non hai idea di quante stronzate ho dovuto sopportare per mettere insieme questa squadra» continuò. «I produttori televisivi: loro vogliono personaggi bizzarri, glamour e gnocca. "Materiale da audience" dicono. Io volevo ex militari tosti che avessero almeno una chance di cavarsela. Questo gruppetto» disse indicando il vetro col pollice «è il fottuto risultato.»

Jaeger indicò i vassoi di sandwich che la squadra era intenta a divorare. «Perché a loro non è toccato quello schifosissimo...?»

«Il sushi? Il vantaggio di essere al comando» l'interruppe Carson, cupo. «A noi spetta il cibo oscenamente caro e indigeribile. Allora, prima ti descrivo la squadra, poi suggerirei di andare a dire loro qualche parolina gentile di presentazione.»

Carson indicò una figura dall'altra parte del vetro. «Quello grosso, Joe James. Ex SAS neozelandese. Ha perso troppi compagni lungo la strada; soffre di stress post-traumatico, da qui i capelli lunghi e unti e la barba alla Osama Bin Laden. Sembra un motociclista incrociato con un barbone; i produttori lo amano, ovviamente. Ma mai farsi ingannare dalle apparenze: è un operatore tosto e pieno di risorse, almeno così mi hanno detto.

«Il secondo: il nero palestrato. Lewis Alonzo. Ex US Navy SEAL. Ormai lavora come guardia del corpo, ma gli mancano le scariche d'adrenalina dello scontro. Per questo si è offerto volontario per il nostro giochino. Direi che è l'uomo più affidabile che hai. Qualsiasi cosa capiti, non perderlo in Amazzonia. Come lo yankee ha chiarito durante la riunione, sono loro a pagare la fetta più grossa del conto. Gli servono degli americani nella squadra, preferibilmente gente che si lanci in strepitose gesta eroiche, per catturare il pubblico americano.

«Numero tre: la rete francese Canal+ si è accollata una fetta considerevole del budget, ed ecco il perché dell'elegante fringuello francese. Sylvie Clermont. Ha lavorato nel CRAP, *Commandos de Recherche et d'Action en Profondeur*. Tipo il SAS, senza lo "speciale". Ha indossato Dior per tutta la durata delle esercitazioni in Scozia. E le stava dannatamente bene, tra l'altro. Probabilmente non si lava molto, come tutte le squinzie francesi, ma immagino che potrei perdonarglielo...»

Carson rise alla propria battuta. Lanciò un'occhiata a Jaeger, come se si aspettasse un'uguale dimostrazione di divertimento. Non ottenne nemmeno l'accenno di un sorriso. Alzò le spalle con indifferenza – aveva la pelle spessa come quella di un ippopotamo – e proseguì.

«Quattro: il tizio asiatico, Hiro Kamishi, scelto dalla rete giapponese NHK. Hiro di nome, eroe di natura. Ex capitano del Tokusha Sakusen Gun, le forze speciali giapponesi. Si considera una specie di samurai moderno, in cammino sulla via del guerriero. Si è fatto un certo nome come storico militare, soprattutto grazie al senso di colpa giapponese per la Seconda guerra mondiale. Personalmente, non capisco perché si sentano in colpa. Noi abbiamo vinto, loro hanno perso, fine della storia.»

Carson rise di nuovo alla propria battuta, senza più preoccuparsi dell'approvazione di Jaeger. Il messaggio era chiaro: sono io a dirigere lo spettacolo qui, dico quel cavolo che voglio e mi diverto quanto mi pare.

«Cinque e sei: coppia di mocciosi capelloni che hanno appena imparato a radersi, Mike Dale e Stefan Kral. Uno australiano, l'altro slovacco. Sono gli operatori della Wild Dog Media, quindi di loro non dovrai preoccuparti più di tanto. Hanno già lavorato in aree a rischio di disordini, e dovrebbero essere in grado di cavarsela da soli. Il lato positivo è che staranno dietro la videocamera a filmare, quindi non ti staranno troppo tra i piedi. Il lato negativo: hai quasi l'età per essere loro padre.»

Carson sghignazzò: evidentemente, finora, era la battuta migliore dello spettacolo.

«Sette: Stefan Krakow. Mezzo polacco e mezzo tedesco. La scelta d'alto profilo della ZDF, la rete tedesca. È un ex GSG9. Che altro c'è da dire? È un crucco. Ha la personalità di un pidocchio e il senso dell'umorismo di un lombrico. È un grigio tipo teutonico, fino al midollo. Se l'aereo è tedesco, fidati: Krakow te lo farà notare.

«Otto: la caliente pollastrella latina, Leticia Santos... Ce l'ha appioppata la brigata di abbraccia-alberi. *Chica* brasiliana che al momento lavora per il FUNAI, l'agenzia governativa brasiliana per l'Amazzonia. Una volta era nella BOE, il corpo speciale del tuo amico Evandro. Il suo motto al momento è: abbraccia un indio dell'amazzonia. È l'uomo di Evandro nella spedizione, più o meno.

«E infine, numero nove: avanti, prego, il tempo è finito. *Se solo...* Già, sto parlando di quella bionda stratosferica. Gran gnocca. Irina Narov. Ex ufficiale dello SPECNAZ russo, ora ha preso la cittadinanza americana e vive a New York. Fredda come il ghiaccio. Assolutamente capace. Decisamente un piacere per gli occhi. Ah, già, non gira mai senza il coltello. O senza lo sguardo incazzato. Inutile dire che i produttori la amano. Pensano che Narov farà schizzare gli ascolti alle stelle.»

Carson si voltò verso Jaeger. «E con la tua preziosa personcina arriviamo a dieci tondo tondo. Allora, che ne dici? Una squadra da sogno, eh?»

Jaeger alzò le spalle. «Immagino sia tardi per cambiare idea e chiamarmi fuori?»

Carson sorrise da un orecchio all'altro. «Fidati, te la spasserai. Sei il personaggio perfetto per farne una squadra coesa.»

Jaeger sbuffò. «Una cosa: vorrei che Raff mi facesse da secondo. Mani affidabili per le operazioni di sostegno, e per aiutarmi a gestire questa manica di matti.»

Carson scosse la testa. «Niente da fare, temo. Come soldato non c'è nessuno meglio di lui, ma non è certo il massimo dell'erudizione, per non parlare dell'estetica. I produttori sono irremovibili per quanto riguarda la formazione della squadra. Il che significa che la deliziosa Irina Narov, l'americana onoraria, sarà il tuo secondo... be', seconda.»

«Prendere o lasciare?»

«Già. O lo schianto biondo o niente.»

Jaeger tornò a voltarsi verso lo specchio, osservando a lungo Irina Narov: la persona che, secondo lui, era la principale sospettata dell'omicidio di Andy Smith.

Stranamente, ebbe la sensazione che sapesse di essere osservata, come se percepisse il suo sguardo attraverso il vetro.

16

Era l'alba.

Quasi ora di mettere in moto il Lockheed Martin C-130J Super Hercules e levarsi in aria. Il resto della squadra di Jaeger aveva ultimato i preparativi ed era pronto a partire. Avevano allacciato le cinture nei sedili di tela pieghevoli dell'aeromobile, si erano collegati al sistema di ossigenazione di bordo e si stavano caricando per quel che sapevano sarebbe avvenuto: un salto dal tetto del mondo verso l'ignoto.

Per Jaeger, fu il momento di prendersi qualche ultimo minuto per sé, mentre la spedizione – o, in questo caso, l'incarico della sua vita – stava per decollare.

Erano pronti a entrare in azione.

Luce verde, si parte.

Nessuna marcia indietro, devoti alla missione oltre ogni ragionevolezza.

Erano i minuti finali prima che la lotta per la sopravvivenza reclamasse tutte le loro forze. Jaeger si allontanò lungo la pista, cercando qualche istante di privacy, senza dubbio gli ultimi che avrebbe avuto per giorni, per settimane. Lo faceva quando era parte dell'élite militare. Lo fece ora, raccogliendo il coraggio per condurre la spedizione nel cuore dell'Amazzonia.

Sarebbero partiti dall'aeroporto brasiliano di Cachimbo, al centro della Serra do Cachimbo, le Montagne della Pipa. Cachimbo si trovava a metà strada tra Rio de Janeiro e la costa atlantica, all'estremità occidentale dell'Amazzonia, il che la rendeva lo scalo perfetto lungo il viaggio verso la destinazione.

di persona. Non appena avesse finito in Amazzonia, avrebbe preso un volo per le Bermuda.

Jaeger e la sua squadra si trovavano in Brasile da una settimana, ospiti del colonnello Evandro e delle squadre della BOE. In quei giorni il calore del Brasile – della gente quanto del clima – aveva fugato la sua peggiore paura. A poco a poco, la sensazione strisciante di essere avvolto dalle tenebre che l'aveva preso in Inghilterra era svanita dalla sua mente.

Solo in quel momento – mentre si preparavano a entrare nel cuore dell'Amazzonia vera e propria – quei timori erano tornati a farsi sentire.

17

La pista di decollo di Cachimbo si trovava in fondo a una valle di fitta foresta, un tappeto impenetrabile di vegetazione lussureggiante e intricata che risaliva i pendii su entrambi i lati. I primi raggi di sole iniziavano a colpire l'irregolare orizzonte della giungla, come laser che dissolvevano i banchi di nebbia rimasti impigliati agli alberi. L'intenso sole tropicale avrebbe presto reso rovente la fresca aria mattutina.

I colleghi di Jaeger sostenevano che, di fronte alla giungla, si possono avere solo due reazioni: o amore o odio a prima vista. Per chi la odiava, era buia, sfuggente e inquietante. Claustrofobica. Piena di insidie. Ma per Jaeger era sempre stato il contrario. Era inesorabilmente attratto da quel rigoglio di vita selvatica, pulsante, esuberante: l'ecosistema mozzafiato della foresta tropicale.

Era esaltato all'idea di un'area selvaggia libera dalle trappole della civiltà umana. E, a dire il vero, la giungla era neutrale. Di per sé non era né ostile né amichevole verso la razza umana. Bisognava imparare le sue regole, accordarsi ai suoi echi, diventare tutt'uno con la sua essenza: la giungla allora poteva rivelarsi un'amica, un rifugio straordinario.

Detto questo, la natura incontaminata, semplice e distante della Cordillera de los Dios – le Montagne degli Dèi –, era diversa da qualunque altra cosa sulla faccia della terra. E poi, ovviamente, c'era l'aereo misterioso, nascosto nel cuore profondo della Cordillera.

Sopra di lui, quella che sembrava un'aquila arpia lanciò un grido stridulo e solitario. Un altro grido le rispose dalla cima di uno degli alberi più alti tra i giganti della foresta. Era un "emergente", un enorme albero di legno duro che svettava a circa quarantacinque metri sopra i recessi più bui e ombrosi del terreno. La sua verdeggiante chioma si era fatta strada attraverso l'intreccio dei rami, spingendosi in alto nella battaglia per il sole.

Si levava là, bagnato dai primi raggi di un'alba magnifica.

Re di tutto quello su cui torreggiava.

I rami più alti offrivano un punto d'osservazione perfetto da cui l'aquila poteva dare la caccia alle sue prede. Jaeger studiò le intricate ramificazioni dell'albero, spolverato da un velo di petali di un rosa delicato. Era l'unico a essere in fiore. Attirava lo sguardo: una macchia di colore iridescente circondata su ogni lato da un mare di toni profondi di verde.

Individuò il nido.

Le due aquile erano una coppia.

Di sicuro avevano dei piccoli da sfamare.

Per un momento Jaeger si immaginò al posto di quell'aquila, a volteggiare sopra la giungla su ali larghe due metri. Si vide mentre si tuffava sopra la natura selvaggia e remota che nascondeva l'aereo misterioso. Con la vista di un'aquila avrebbe potuto seguire un topo sul fondo della foresta a decine e decine di metri di distanza. Trovare il punto in cui giaceva il relitto – rami nudi, scheletrici, privi di vita e di foglie – sarebbe stato un gioco da ragazzi.

Con la mente scivolò in alto, la scena sotto di lui totalmente innaturale. Immobile, morta. Persino spettrale.

Cos'aveva ucciso la foresta in quel modo?

Quali segreti – *quali pericoli* – erano nascosti nell'aereo misterioso?

Per un secondo Jaeger ripensò al *Reichsadler*. Nel turbinio frenetico degli ultimi giorni non aveva avuto modo di riflettere sul crudele simbolo dell'aquila, su quella tenebra profetica. Strano come quell'uccello magnifico potesse rappresentare allo stesso tempo un male così assoluto e una bellezza e una libertà così complete.

Era stato Sun Tzu, il grande stratega militare cinese, a coniare la frase "conosci il tuo nemico".

Nell'esercito, Jaeger ne aveva fatto il proprio mantra.

Era abituato a fronteggiare un nemico che conosceva e capiva bene. Che aveva studiato meticolosamente, usando immagini satellitari, foto di sorveglianza e rapporti delle principali agenzie di intelligence mondiali. Ricorrendo a comunicazioni intercettate. Usando agenti HUMINT – dediti alla raccolta diretta di informazioni – sul campo: una spia o un informatore tra le file dei cattivi.

Prima di ogni missione si assicurava di conoscere alla perfezione il nemico, in modo da poterlo sconfiggere più facilmente. Ma, in quel momento, sarebbero andati incontro a un'infinità di potenziali pericoli, nessuno dei quali conoscevano o comprendevano bene.

Quali che fossero i rischi, restavano ignoti.

Chiunque fosse il nemico, non aveva un volto.

Sconosciuto.

Non c'era dubbio, era quello ciò che lo spaventava: dirigersi verso questo pericolo ignoto, senza nome.

Ma almeno ora l'aveva compreso.

Almeno adesso sapeva.

Raggiunta quella consapevolezza, Jaeger si sentì in parte rassicurato. Si voltò verso l'aereo. Sentì il lamento stridulo dei motori che venivano accesi, facendo partire la prima delle gigantesche turbine. Lentamente, faticosamente, le enormi pale a uncino delle eliche iniziarono a girare, come se fossero impantanate in una densa melassa.

Una Land Rover stava percorrendo la strada sterrata che costeggiava la pista. Jaeger immaginò che qualcuno stesse venendo a prenderlo per riportarlo all'aereo in attesa. L'auto si fermò e ne uscì l'inconfondibile sagoma del colonnello Evandro.

Alto quasi uno e novanta, con gli occhi scuri e il fisico atletico e agile malgrado l'età, il colonnello della BOE non aveva perso neanche un po' della propria forma col passare degli anni, da quando Jaeger aveva lavorato al suo fianco. Era stato lui a scegliere di sottoporsi all'infernale processo di selezione del SAS, in modo da poter organizzare la propria unità sul modello del reggimento inglese, e per questo Jaeger lo ammirava moltissimo.

«È ora di raggiungere gli altri» annunciò il colonnello. «La tua squadra sta ultimando i preparativi per il decollo.»

Jaeger annuì. «Sicuro di non voler venire con noi?»

Il colonnello sorrise. «Onestamente? Non c'è nulla che vorrei di più. Il lavoro d'ufficio non è proprio il mio ambiente. Ma con il grado e la responsabilità, arrivano anche tutte le solite stronzate.»

«Allora è meglio che mi avvii.»

Il colonnello tese la mano a Jaeger. «Buona fortuna, amico mio.»

«Credi che ne avremo bisogno?»

Il colonnello alzò le spalle. «È l'Amazzonia. Tutto può succedere.»

«Tutto può succedere» gli fece eco Jaeger. Parole sagge.

Insieme salirono sulla Land Rover e tornarono lungo il tracciato verso l'Hercules in attesa.

18

Jaeger si fermò accanto alla cabina. Una testa spuntò fuori dal finestrino laterale aperto.

«Il meteo è ottimo sulla zona di lancio» gli annunciò il pilota a gran voce. «Decolliamo tra quindici minuti. Va bene per te?»

Jaeger annuì. «A dire il vero, non vedo l'ora. Detesto l'attesa.»

L'equipaggio era interamente americano; dalla postura e dal comportamento, Jaeger intuì che dovevano essere ex militari. Carson aveva noleggiato l'Hercules C-130 da una qualche compagnia aerea privata, e a Jaeger era stato detto che erano i migliori nel campo. Era assolutamente sicuro che lo avrebbero portato esattamente nel punto di cielo da cui lui e la squadra dovevano lanciarsi.

«C'è qualche canzone che vorresti sentire?» chiese il pilota. «Per l'ora-L, intendo.»

Jaeger sorrise. Ora-L significava Ora del Lancio, il momento in cui lui e la squadra sarebbero saltati dalla rampa posteriore nel vuoto ululante.

Era una tradizione consolidata tra le unità aerotrasportate mettere musica a tutto volume mentre ci si preparava per il salto. Faceva salire l'adrenalina e aumentare il battito, mentre ci si preparava per la caduta libera verso la guerra o, in questo caso, verso un viaggio misterioso in un Mondo Perduto contemporaneo.

«Qualcosa di classico» suggerì Jaeger. «Wagner magari? Che cos'hai a disposizione?»

Jaeger aveva sempre scelto brani di quel genere per il salto.

Era una specie di controcultura, almeno a sentire i suoi compagni, ma la musica classica lo aiutava a concentrarsi. E, in quel momento, Jaeger aveva davvero bisogno di concentrazione.

Sarebbe stato lui a guidare il lancio, in modo da dare istruzioni a chi veniva dopo. E non sarebbe saltato da solo.

Irina Narov si era unita tardi alla squadra, troppo tardi perché Andy Smith riuscisse a farle completare l'addestramento di HAHO, High Altitude High Opening, "alta altitudine alta apertura": un lancio di incursione che consentiva a una squadra militare di infiltrarsi per miglia in territorio nemico. Era così che avevano scelto di iniziare la spedizione.

Jaeger avrebbe effettuato un lancio HAHO in tandem, scagliandosi nel vuoto a trentamila piedi d'altitudine con un'altra persona – Irina Narov – legata a lui. Mai come in quel momento, pensò, gli sarebbe servita della musica rilassante.

«Ho *Highway to Hell* degli AC/DC» rispose il pilota. «*Stairway to Heaven* dei Led Zeppelin. ZZ-Top e Motorhead. Qualcosa di Eminem, 50 Cent e Fatboy. Scegli tu, amico.»

Jaeger si infilò la mano in tasca e tirò fuori un CD che lanciò al pilota. «Prova questo. Traccia cinque.»

Il pilota diede un'occhiata al disco. «La *Cavalcata delle Valchirie* di Wagner.» Fece una smorfia. «Sicuro di non volere *Highway to Hell*?»

Si mise a cantare a squarciagola, suonando con le dita il ritmo degli AC/DC sulla fiancata dell'aereo.

Jaeger sorrise. «Teniamola per il ritorno, okay?»

Il pilota alzò gli occhi al cielo. «Voi inglesi... Dovreste lasciarvi un po' andare. Vedremo di farvi divertire un po'!»

Jaeger aveva l'impressione che la *Cavalcata delle Valchirie* – la colonna sonora del film sul Vietnam *Apocalypse Now* – sarebbe stata perfetta per quella missione. Ed era anche una mezza concessione alla musica urlata del pilota: per Jaeger era importante che i suoi uomini fossero sempre felici.

Il pilota e il suo equipaggio avevano l'arduo compito di scaraventare dieci corpi fuori dalla stiva dell'aereo nel punto esatto di cielo che permettesse loro di raggiungere l'obiettivo, una minuscola radura a circa dieci chilometri sotto i loro piedi.

In quel momento, il pilota aveva la vita di Jaeger – e dei membri della sua squadra – nelle proprie mani.

Jaeger si spostò verso la coda dell'aereo e salì a bordo. Lasciò vagare lo sguardo nel ventre buio della stiva. Qua e là era rischiarato dal fioco bagliore dell'illuminazione a bassa tensione. Contò nove paracadutisti, dieci con lui. Diversamente da come capitava di solito nell'esercito, non conosceva bene nessuno di loro. Avevano condiviso qualche giorno di preparazione e niente più.

La squadra era completamente equipaggiata. Ogni membro indossava una spessa e ingombrante tuta di sopravvivenza in Gore-Tex, progettata specificamente per i lanci HAHO. Era una scocciatura indossarla, poiché non appena raggiunta la giungla rovente avrebbero iniziato a bollire. Ma senza quella protezione sarebbero morti assiderati durante il lungo lancio col paracadute attraverso il blu ghiacciato e rarefatto.

Alla quota di lancio di trentamila piedi si sarebbero trovati circa trecento metri più in alto dell'Everest, nella cosiddetta zona della morte, permanentemente ghiacciata. La temperatura sarebbe stata di meno cinquanta gradi e i venti a quella quota – la stessa a cui volano gli aerei di linea – sarebbero stati spaventosi. Senza la speciale tuta di sopravvivenza, completa di maschera, guanti e casco, sarebbero congelati in un battito di ciglia, rimanendo appesi al paracadute parecchio più a lungo.

Non potevano lanciarsi da una quota inferiore per la semplice ragione che la complessa traiettoria richiesta per portarli a destinazione richiedeva che restassero in volo per una quarantina di chilometri, e ciò si poteva fare solo saltando da trentamila piedi. In più, un lancio HAHO aveva il vantaggio di rendere ancor più spettacolare l'operazione in favore delle telecamere.

Al centro della stiva dell'Hercules c'erano due enormi contenitori a forma di rotolo di carta igienica. Erano così pesanti che andavano montati su una serie di binari che percorrevano tutta la lunghezza del pavimento. Due dei paracadutisti più esperti della squadra – Hiro Kamishi e Stefan Krakow – si sarebbero attaccati a quei tubi poco prima del lancio, in modo da paracadutarli nella zona di atterraggio.

Contenevano le canoe gonfiabili e tutto l'equipaggiamento della squadra: oggetti troppo ingombranti e pesanti per portarli negli zaini. Kamishi e Krakow avrebbero "cavalcato il tubo", come si soleva dire. La cosa avrebbe richiesto uno sforzo fisico immane, ma Jaeger non nutriva dubbi che i due se la sarebbero cavata.

D'altronde era proprio lui, Jaeger, ad avere il compito più difficile. Ma si disse che si era lanciato in tandem una decina di volte, e che non avrebbe avuto problemi a portare Irina Narov a terra tutta intera.

Si posizionò di fronte alla squadra, che occupava i sedili allineati lungo una fiancata dell'Hercules. Dalla parte opposta c'erano gli istruttori, che avevano il compito di farli uscire in sicurezza dall'aereo.

Dato che i vari partecipanti al progetto erano sparsi per mezzo mondo, tutto doveva avvenire a orari prefissati. Jaeger non doveva fare nulla di diverso da quel che avveniva durante un'operazione militare. Si chinò su un ginocchio e si arrotolò la manica sinistra sul braccio.

«Controllo» annunciò, urlando per farsi sentire nel frastuono delle turbine. «Conferma, ora Zulu.»

Una serie di sagome si mise a lottare con le tute ingombranti, cercando di scoprire gli orologi. Assicurarsi che tutti li avessero sincronizzati era vitale nella situazione che li aspettava.

La squadra e l'aereo che la trasportava avrebbero in parte agito nel fuso orario boliviano. Il C-130 era partito dal Brasile, che si trovava un'ora avanti rispetto alla Bolivia, mentre il quartier generale della Wild Dog Media, a Londra, era altre due ore avanti.

Non avrebbe avuto senso che, al termine della missione, Jaeger chiamasse una squadra di recupero se questa o loro sarebbero poi arrivati al punto di incontro con tre ore di ritardo dovute ai diversi fusi orari. L'ora Zulu era lo standard condiviso per tutte le operazioni militari del mondo, e anche la loro spedizione, da quel momento in poi, vi si sarebbe adeguata.

«Tra trenta secondi saranno le 05.00 ora Zulu» annunciò Jaeger.

Ciascuna delle sagome teneva gli occhi incollati alla lancetta dei secondi.

«Venticinque secondi, ventitré...»

Ci fu una serie di gesti affermativi. Dietro le ingombranti maschere per l'ossigeno, gli occhi scintillavano di eccitazione. Durante un lancio HAHO era necessario usare un respiratore, che pompava ossigeno puro pressurizzato direttamente nei polmoni.

Bisognava cominciare a usarlo prima del decollo per ridurre il rischio di ipossia, che può mettere fuori gioco o addirittura uccidere, in pochi istanti.

Le maschere impedivano di parlare, ma Jaeger si sentì sollevato: la squadra sembrava più che pronta ad affrontare la Cordillera de los Dios.

«05.00 ora Zulu tra dieci secondi...» contò Jaeger «Sette... quattro, tre, due: ora!»

Al segnale, tutti i membri della squadra annuirono: erano pronti, sincronizzati sull'ora Zulu.

Tutti portavano dei cronografi di precisione, ma nulla di eccessivamente elaborato. La regola fondamentale era avere il minor numero di pulsanti e di aggeggi possibile. L'ultima cosa che serviva loro era un orologio con un milione di funzioni. I comandi e i quadranti troppo grossi tendevano a rompersi o impigliarsi. "A prova di stupido" erano le parole d'ordine che Jaeger aveva imparato durante la selezione del SAS.

Jaeger portava l'orologio standard verde smorto dell'esercito britannico. Era a bassa luminosità, in modo che non si notasse al buio, e senza parti riflettenti o cromate, nulla che scintillasse al sole nel momento meno opportuno. Quando era nelle forze armate, portava quell'orologio anche per un'altra ragione: non lo faceva sembrare diverso da un comune soldato.

Se si veniva catturati dal nemico, era meglio non avere nulla addosso che indicasse di essere un uomo "speciale". In realtà, lui e i suoi erano abituati a ripulirsi completamente prima di qualsiasi missione: tagliare le etichette dei vestiti e non portare neanche un documento identificativo, o un segno di rango o unità.

Come ogni membro della sua squadra, Jaeger si era allenato a diventare del tutto anonimo.

O quasi.

Proprio come in quel momento, aveva sempre fatto un'eccezione, portando con sé due foto, plastificate e nascoste nella suola dello scarpone sinistro. La prima ritraeva il cane che aveva da bambino, una Bearded Collie regalatagli da suo nonno. Era stata impeccabilmente addestrata ed era assolutamente fedele, lo seguiva dappertutto. L'altra era una foto di Ruth e Luke, e Jaeger non poteva abbandonare il loro ricordo in quel momento.

Portare con sé foto simili era un enorme rischio in qualsiasi missione, ma certe cose erano più importanti delle regole.

Una volta sincronizzati gli orologi, Jaeger si avvicinò al suo paracadute. Si infilò l'imbracatura, strinse per bene i lacci e poi chiuse la pesante fibbia del cinturone con uno scatto deciso. Infine strinse gli anelli attorno alle cosce. Portava sulla schiena l'equivalente di un sacco pieno di carbone, ed era solo l'inizio.

I primissimi lanci HAHO erano stati eseguiti con un sistema che prevedeva uno zaino pesante legato alla schiena del paracadutista, insieme alla vela, ma ciò rendeva l'operatore estremamente sbilanciato all'indietro. Se per qualunque ragione si perdevano i sensi durante il lancio, tutto quel peso sulla schiena rischiava di farlo ribaltare durante la caduta libera.

Il paracadute era programmato per aprirsi automaticamente a una certa quota, ma se l'operatore fosse svenuto e avesse preso a cadere di schiena, la vela si sarebbe aperta sotto di lui. Il paracadutista sarebbe caduto dentro al suo stesso paracadute, che l'avrebbe avvolto come un enorme lenzuolo bagnato, ed entrambi sarebbero precipitati a terra come un sasso.

Per fortuna, Jaeger e i suoi stavano usando un sistema più moderno, il BT80. Con questo sistema, il pesante zaino era alloggiato in una sacca di tela resistente, attaccata sul davanti. In quel modo, anche se il paracadutista perdeva i sensi, il peso lo faceva cadere di pancia, col volto rivolto a terra. Allo scattare del meccanismo, la vela si apriva comunque sopra di lui, salvandogli la vita.

Gli assistenti si affaccendarono attorno a Jaeger, sistemando gli allacci e controllando ogni minimo dettaglio. Era fondamentale: con un lancio come quello, sarebbero potuti rimanere in aria appesi al paracadute persino per un'ora. Col peso sbilanciato o gli allacci laschi c'era il rischio che l'imbracatura si spostasse e aggrovigliasse, incidendo a sangue la carne e alterando la traiettoria di discesa.

L'ultima cosa di cui Jaeger aveva bisogno era raggiungere la giungla con l'inguine e le spalle ferite e doloranti. In quel clima caldo e umido, le ferite avrebbero rischiato di infettarsi, decretando la fine della missione per l'infortunato.

Jaeger si infilò il solido casco. Gli assistenti gli allacciarono la bombola d'ossigeno sul petto e gli passarono la maschera collegata al serbatoio da un tubo di gomma scanalato. Si premette la maschera sul volto e fece un profondo respiro, per assicurarsi che fosse perfettamente a prova d'aria.

A trentamila piedi non c'era praticamente ossigeno.

Se il respiratore avesse funzionato male anche solo per un paio di secondi, sarebbe stato un uomo morto.

Jaeger percepì un'ondata di euforia: l'ossigeno fresco e puro che gli saliva al cervello. Si infilò i guanti di pelle, e poi i sopraguanti di Gore-Tex che dovevano proteggerlo dal gelo dell'alta quota una volta effettuato il salto.

Si sarebbe lanciato con un'arma – un fucile a canna liscia Benelli M4, col calcio pieghevole – legata alla spalla sinistra, puntata verso il basso e fissata al suo corpo. Poteva capitare, nel corso del salto, di perdere lo zaino; in tal caso era fondamentale avere a portata di mano la propria arma principale.

Jaeger non si aspettava di incontrare forze ostili a terra, ma bisognava fare i conti con quella tribù mai contattata: gli amahuaca. L'ultimo segno della loro presenza era stata una pioggia di frecce avvelenate scagliata contro dei cercatori d'oro che si erano addentrati nel loro territorio.

I minatori erano fuggiti, riuscendo a malapena a scamparla.

Jaeger non biasimava gli indigeni per il desiderio di difendere il proprio territorio con tale determinazione. Se tutto ciò che il mondo esterno aveva da offrire erano miniere d'oro illegali – e deforestazione, probabilmente –, Jaeger non poteva che solidarizzare con gli indios: entrambe le attività avrebbero comportato la distruzione della loro foresta.

Ma ciò significava anche che chiunque entrasse nel loro territorio – inclusi Jaeger e la sua squadra – era destinato a essere considerato ostile, specialmente se piombava dal cielo direttamente nel cuore del loro mondo. La verità era che Jaeger non aveva la minima idea di che tipo di nemico avrebbero potuto incontrare una volta toccata terra, ma l'addestramento gli aveva insegnato a essere sempre pronto.

Per questo Jaeger aveva scelto il fucile. Era perfetto per uno scontro ravvicinato nella giungla fitta. Sparava un ampio ventaglio di pallini, quindi non era necessario riuscire a vedere e puntare il nemico nel buio e nella fitta vegetazione.

Bastava orientare la canna nella direzione più o meno giusta, e fare fuoco.

19

In realtà Jaeger sperava con tutte le forze che, nel caso avessero incontrato la tribù, sarebbe stato un contatto pacifico. Una parte di lui era eccitata dall'idea: se c'era qualcuno che comprendeva i misteri della foresta pluviale, era proprio questa tribù amazzonica. Il suo sapere accumulato nel corso di secoli era la chiave d'accesso agli antichi segreti della giungla.

Assicurato all'ingombrante attrezzatura, Jaeger si spostò e prese posto a sedere.

Era il più vicino alla rampa. Pronto a lanciarsi per primo.

Narov era subito dietro di lui.

Legato, caricato e appesantito a quel modo, Jaeger si sentiva come una specie di abominevole uomo delle nevi. Faceva caldo nella stiva claustrofobica e Jaeger odiava aspettare.

La rampa dell'aereo si chiuse con un lamento.

La stiva divenne un buio tunnel di ombre.

Come una gigantesca bara d'acciaio.

Li attendeva un viaggio di poco più di quattro ore; dunque, se tutto andava secondo i piani, avrebbero raggiunto la zona di lancio attorno alle 09.00 ora Zulu. Avrebbero lasciato l'aereo uno dopo l'altro, dieci figure vestite di verde kaki, i volti pitturati con i colori mimetici, sospesi sotto i paracaduti nero opaco.

Nessuno avrebbe potuto vederli o sentirli quando sarebbero atterrati. Certo sarebbe stata una sequenza adrenalinica, che avrebbe aggiunto un po' d'emozione alle riprese. Ma per qualche ragione Jaeger preferiva tenere un profilo basso e restare invisibile.

L'aereo si scosse e iniziò a rollare lungo la pista assolata. Jaeger lo sentì, dapprima lento, poi le turbine cominciarono a rombare al massimo della potenza, mentre il velivolo si girava verso la direzione del decollo. Sentì un'ondata d'adrenalina quando i motori presero a ruggire ancora di più, mentre il pilota portava a termine gli ultimi controlli prima di lasciare andare i freni.

Nella stiva l'aria era impregnata dei fumi del carburante bruciato, ma Jaeger sentiva solo l'odore e il sapore di puro ossigeno inebriante. Serrato nella tenuta da HAHO – tuta, guanti, imbracatura, bombola d'ossigeno, paracadute, casco, maschera, occhialoni – si sentiva totalmente impacciato. Quasi imprigionato.

Era difficile mantenere il senso delle proporzioni.

L'ossigeno tendeva a causare un'intensa euforia, come una pesante sbronza ma senza il mal di testa del giorno dopo.

Il rombo delle turbine cambiò nettamente di tono e un istante dopo il C-130 scattò in avanti, accelerando di colpo. Qualche secondo più tardi Jaeger si accorse che erano decollati e che si stavano inerpicando verso il cielo afoso. Afferrò l'interfono alle sue spalle, in modo da poter ascoltare quel che diceva il pilota.

Lo aiutava sempre a calmarsi quando doveva prepararsi per un salto.

«Velocità centottanta nodi» scandì la voce del pilota. «Quota millecinquecento piedi. Velocità variometrica...»

Ora, l'unico intoppo avrebbe potuto essere soltanto una tempesta sopra la giungla. A trentamila piedi le condizioni erano abbastanza prevedibili – gelide, ventose, ma stabili – indipendentemente dalla situazione a quote inferiori. Ma se una tempesta tropicale si fosse formata a terra, ciò avrebbe reso l'atterraggio impraticabile. Con un vento incrociato di più di quindici nodi non sarebbero riusciti a raggiungere il suolo. I paracaduti sarebbero stati trascinati di lato, insieme al loro carico umano, il che avrebbe raddoppiato il pericolo, visto che il punto dell'atterraggio era circondato da minacce su ogni lato.

Un fiume impetuoso – il Rio de los Dios – attraversava la giungla snodandosi in ampie anse. In un tratto particolarmente tortuoso aveva depositato un banco di sabbia lungo e sottile, praticamente privo di qualsiasi vegetazione. Era una delle poche zone libere nella vasta distesa della giungla, per questo l'avevano scelto per atterrare.

Ma ciò lasciava pochissimi margini d'errore.

Da un lato del banco c'era la sponda del fiume, segnata da un'imponente parete di giungla. Se qualcuno fosse stato spinto fuori traiettoria in quella direzione sarebbe andato a schiantarsi contro gli alberi. Se invece fosse stato sbattuto dall'altra parte sarebbe precipitato nel Rio de los Dios, e il peso dell'attrezzatura l'avrebbe trascinato a fondo.

«Altitudine tremilacinquecento» annunciò la voce del pilota. «Velocità ducentocinquanta nodi. Stiamo raggiungendo la quota di crociera.»

«Vedi quella frattura nella giungla?» intervenne il navigatore. «Seguiamo il fiume verso ovest per un'ora circa.»

«Ricevuto» confermò il pilota. «È una splendida mattinata.»

Mentre ascoltava la conversazione, Jaeger sentì un conato di vomito salirgli in gola. Di solito non soffriva il mal d'aria. Ma essere stretto, chiuso, avvolto nell'attrezzatura da HAHO, era quello che gli dava fastidio.

Durante l'addestramento aveva dovuto sottoporsi a una serie di test per controllare la sua resistenza all'alta quota ai bassi livelli d'ossigeno e all'estremo disorientamento. Era stato messo in una camera di decompressione, che a poco a poco l'aveva portato nelle stesse condizioni che si riscontrano a trentamila piedi.

Ogni volta che la "quota" aumentava di tremila piedi, doveva togliersi la maschera per l'ossigeno, urlare il suo nome, grado e numero, prima di rimettersi la maschera.

Non era stato troppo difficile.

Ma poi l'avevano messo nella temibile centrifuga.

Era come una colossale lavatrice dopata di steroidi. L'aveva sballottato sempre più velocemente, fin quasi a fargli perdere i sensi. Prima di svenire, si attraversava il cosiddetto "velo grigio": la vista si perdeva in un confuso caleidoscopio di grigi. Bisognava essere in grado di capire quando si stava per entrare in quella fase, in modo da saperla riconoscere durante un vero salto ed evitare di entrare in *spin*.

La centrifuga era stata un vero incubo rivoltante.

Gli avevano regalato un video come ricordo. Il "velo grigio" era tutt'altro che piacevole: gli occhi sembravano schizzare fuori dalle orbite come quelli di una vespa immersa nell'insetticida, il volto si faceva scavato, quasi scheletrico, le guance tremolavano e venivano risucchiate, i lineamenti diventavano un completo macello.

La centrifuga aveva quasi rischiato di spezzare e distruggere Jaeger. Amando la natura selvaggia, non poteva sopportare di infilarsi in quel claustrofobico tubo di metallo, in quella soffocante bara d'acciaio. Gli era sembrato di essere in prigione. O nella tomba.

Jaeger detestava sentirsi chiuso, o essere in qualunque modo limitato nei movimenti.

Proprio come lo limitava la tenuta da HAHO, mentre attendeva di lanciarsi.

Si appoggiò allo schienale e chiuse gli occhi, cercando di addormentarsi. Era la prima regola che aveva imparato come soldato d'élite: mai rifiutare l'opportunità di mangiare o dormire, perché non si sapeva quando la si avrebbe avuta di nuovo.

Più tardi, sentì una mano che lo scuoteva per svegliarlo. Era uno degli assistenti. Per un momento credette che fosse l'ora di andare in scena, ma quando guardò verso i suoi compagni si accorse che nessuno si stava avviando verso l'uscita.

L'assistente gli si avvicinò per urlargli nell'orecchio. «Il pilota vuole scambiare due parole.»

Jaeger guardò verso la cabina e vide una figura che girava attorno al navigatore, appollaiato sul suo sedile pieghevole nel retro della cabina di pilotaggio.

Il pilota doveva aver ceduto il comando al copilota, immaginò Jaeger. Si avvicinò e si chinò verso di lui, gridando per farsi sentire attraverso il rombo dei motori. «Come va qui dietro?»

«Dormivo come un bambino. È sempre un piacere volare con dei professionisti.»

«È sempre ottimo schiacciare un pisolino» confermò il pilota. «Bene, dunque, è successa una cosa. Ho pensato che fosse meglio avvisare. Non so che significhi, ma... Poco dopo il decollo, ho avuto la sensazione che fossimo seguiti. Non si smette mai di essere un Night Stalker, se sai cosa intendo.»

Jaeger alzò un sopracciglio. «Eri con i SOAR? Nel 160°?»

«Certo che sì» brontolò il pilota «prima di diventare troppo vecchio e malconcio per continuare a fare il soldato.»

Il 160° Reggimento Operazioni Speciali dell'aviazione – noto anche come "Night Stalker" – era il principale reparto dell'esercito americano per le operazioni aeree in incognito. In diverse occasioni Jaeger si era trovato in territorio ostile col fiato del nemico sul collo, e aveva dovuto chiamare un elicottero di ricerca e salvataggio dei SOAR.

«I SOAR: non c'è niente di meglio» disse Jaeger. «Assoluto rispetto per voi. Ci avete salvato il culo più di una volta.»

Il pilota tirò fuori dalla tasca un medaglione militare. Lo spinse nella mano di Jaeger.

Aveva più o meno le dimensioni e la forma di una moneta di cioccolato, quelle che Jaeger regalava a Luke per Natale. Era sempre un momento speciale, per la famiglia Jaeger, fino all'ultimo festeggiamento, finito avvolto nelle tenebre. Il ricordo provocò a Jaeger una fitta di dolore.

Il medaglione dei SOAR era freddo, spesso e pesante sul suo palmo. Su una faccia era rappresentato l'emblema del corpo, sull'altra c'era il suo motto: "La morte attende nel buio". Era tradizione dell'esercito americano regalare il medaglione della propria unità a un compagno di battaglia, una tradizione che purtroppo non aveva equivalenti nelle forze armate britanniche.

Jaeger si sentì onorato del dono e si ripromise di tenerlo sempre con sé durante la spedizione.

«Così, ho fatto un controllo a trecentosessanta gradi» proseguì il pilota. «E neanche a dirsi, c'era un piccolo aeromobile civile giusto sopra l'orizzonte, sulla nostra stessa rotta. E siccome ha continuato a restare lì, dritto dietro alla coda nel mio punto cieco, ho avuto la certezza che ci stava pedinando. C'è ancora, si tiene a circa quattro miglia di distanza, e siamo in volo da un'ora e venti.

«Dalla traccia radar sembra qualcosa come un Learjet-85» continuò. «Piccolo, veloce, un jet privato estremamente agile. Vuoi che li contatti per chiedere cosa diavolo stanno facendo col naso attaccato al nostro culo?»

Jaeger rifletté un secondo. Solitamente, un comportamento simile era tipico di un aereo in missione di sorveglianza, per scoprire cosa avessero in mente i tipi davanti a loro. Molte vittorie e molte sconfitte sono state determinate dalla bravura delle forze di intelligence e a Jaeger, in ogni caso, non piaceva mai essere spiato.

«C'è la possibilità che sia una coincidenza? Forse un volo

commerciale che è finito sulla nostra stessa direttrice, alla stessa velocità di crociera?»

Il pilota scosse il capo. «Impossibile. I Learjet-85 volano a quarantanovemila piedi, noi siamo a trentamila, alla quota di lancio. I piloti viaggiano sempre a velocità diverse, per non affollare lo spazio aereo. E poi, i Learjet viaggiano cento nodi più veloci di un Herc.»

«C'è il rischio che ci creino dei problemi?» domandò Jaeger. «Con il lancio?»

«Un Learjet contro un Super Hercules.» Il pilota scoppiò a ridere. «Vorrei che ci provassero.» Lanciò un'occhiata a Jaeger. «Ma si tengono a distanza, restano nel nostro punto cieco. Non c'è dubbio, ci stanno seguendo.»

«Può darsi che sia un'agenzia amica?» suggerì Jaeger. «Che siano solo curiosi di vedere cosa stiamo combinando?»

Il pilota alzò le spalle. «Può darsi. Ma sai come si dice: la congettura è la madre di ogni cazzata.»

Jaeger sorrise. Era uno dei modi di dire preferiti nei SAS. «Diciamo che di certo chi ci segue non è Babbo Natale con una slitta piena di regali. Teniamo gli occhi aperti. Dimmi se ci sono novità.»

«D'accordo» convenne il pilota. «Nel frattempo, noi procediamo secondo la rotta prestabilita, così puoi riposare ancora un po'.»

20

Jaeger si appoggiò provando a riaddormentarsi, ma era stranamente inquieto. Da qualunque angolo provasse a guardare la faccenda, non sapeva che pensare di quell'aereo misterioso. Si ficcò il medaglione dei Night Stalker in fondo alla tasca, e la sua mano sfiorò un pezzo di carta ripiegato. Se n'era quasi dimenticato.

Poco prima di lasciare Rio de Janeiro, aveva ricevuto un'email inattesa. Veniva da Simon Jenkinson, l'archivista. Siccome non avrebbe portato con sé né il laptop né lo smartphone – dove stavano andando, non ci sarebbero state né elettricità nè campo –, ne aveva stampata una copia.

Scorse di nuovo il messaggio.

> Mi ha chiesto di avvertirla nel caso avessi scoperto qualcosa di interessante. Gli archivi di Kew hanno appena desecretato un nuovo fascicolo: AVIA 54/1403°. Quando l'ho visto non riuscivo a crederci. Stupefacente. Quasi spaventoso. Ha l'aria di qualcosa che le autorità non avrebbero mai reso pubblico, se i censori facessero bene il loro lavoro.
> Ho richiesto una copia dell'intera cartella, ma di solito ci vuole un'eternità. Le inoltrerò tutti i documenti non appena li avrò. Comunque sono riuscito, di nascosto, a fotografare con l'iPhone i punti salienti, come quello che allego. Il nome chiave è Hans Kammler, o *SS Oberst-Gruppenführer* Hans Kammler, com'era chiamato durante la guerra. Nessun dubbio: Kammler è la chiave.

Gli Archivi nazionali con sede a Kew, nella parte occidentale di Londra, contenevano stanze intere di documenti relativi all'operato del governo britannico risalenti persino a secoli prima. Si potevano visionare tutti i fascicoli di persona, ma era necessario richiedere delle copie dei documenti che si volevano studiare più approfonditamente. Fare personalmente delle copie era severamente proibito.

Il fatto che Jenkinson li avesse fotografati colpì parecchio Jaeger. Evidentemente, l'archivista nascondeva un'indole davvero coraggiosa. O forse, i documenti gli erano sembrati così straordinari – così "stupefacenti", come aveva scritto lui stesso – che non aveva resistito a infrangere qualche regola.

Jaeger aveva scaricato la foto allegata: era l'immagina sfocata di un rapporto dell'intelligence da parte del ministero dell'aeronautica britannico, relativo alla Seconda guerra mondiale. In cima c'era scritto a lettere rosse: "SEGRETISSIMO: tenere sotto chiave e non rimuovere da quest'ufficio".

Il documento diceva:

> Trasmissione intercettata, 3 Febbraio 1945. La traduzione è la seguente:
> Dal Führer al plenipotenziario speciale del Führer Hans Kammler, SS *Oberst-Gruppenführer* e generale della Waffen SS.
> Oggetto: Operazione speciale del Führer – riferimento *Aktion Adlerflug* (Operazione Volo d'aquila)
> Stato: *Kriegsentscheidend* (più che segretissimo).
> Azione: Kammler, in quanto plenipotenziario del Führer, prenderà il comando di tutti i dipartimenti del ministero dell'Aeronautica tedesco, del personale di volo come di terra, della disposizione e dello sviluppo degli aeromobili, e di ogni questione riguardante le forniture, inclusi il carburante e l'organizzazione di terra, comprese le piste. Il quartier generale del Reichssportfeld di Kammler gestirà l'organizzazione di equipaggiamento e forniture.
> Kammler sarà a capo del programma di trasferimento di fondamentali industrie belliche fuori dalla portata del nemico.
> Kammler creerà centri informativi per il trasferimento, dotati di uno Squadrone 200 (LKW Junkers) cui è affidata la rimozione dei sistemi di armamento, l'evacuazione e il trasporto, con lo scopo di riorganizzarli nei già individuati rifugi.

Jenkinson aveva aggiunto una nota esplicativa: "LKW Junkers era una denominazione alternativa dello Ju 390".

Jaeger aveva cercato su Google la parola "plenipotenziario". A quanto aveva capito, si trattava di un rappresentante speciale cui erano accordati poteri straordinari. In altre parole, Kammler era il braccio destro di Hitler, col potere di fare qualunque cosa fosse necessaria.

La mail di Jenkinson era stuzzicante. Sembrava suggerire che un generale delle SS di nome Hans Kammler avesse ricevuto l'ordine di rimuovere i principali armamenti nazisti alla fine della guerra e di fare in modo che non cadessero in mano agli Alleati. E se Jenkinson aveva ragione, questa missione poteva essere stata compiuta con uno squadrone di giganteschi aerei da guerra Ju 390.

Jaeger aveva scritto a Jenkinson, chiedendogli un riassunto generale dell'intera documentazione su Kammler, ma non aveva ottenuto risposta, almeno non prima di salire a bordo del C-130 Hercules per raggiungere il cuore dell'Amazzonia. Doveva mettersi il cuore in pace: non avrebbe ricevuto altre informazioni, almeno non prima della fine della missione.

«Meno quaranta all'Ora-L.» L'annuncio del pilota interruppe le sue riflessioni. «Previsioni meteo: limpido e sereno. Nessun cambio di rotta.»

Una corrente d'aria gelida attraversava la stiva dell'aereo. Jaeger sfregò le mani congelate provando a risvegliarle un po'. Avrebbe ucciso per una tazza di caffè bollente.

Il Super Hercules si trovava a circa quattrocento chilometri a est del punto di lancio. Dopo una serie di complessi calcoli – tenendo conto della velocità e della direzione del vento a trentamila piedi e a tutte le quote inferiori – avevano stabilito il punto esatto del cielo da cui dovevano saltare.

Da lì, sarebbero scesi per quaranta chilometri fino a raggiungere il banco di sabbia.

«L meno dieci», scandì il pilota.

Jaeger si alzò.

Alla sua destra, una fila di figure fece altrettanto, alzandosi dai sedili, pestando i piedi addormentati per scacciare il freddo. Jaeger si chinò e agganciò il pesante zaino alla parte anteriore dell'imbracatura, usando una serie di spessi moschettoni d'acciaio. Dopo il salto, lo zaino sarebbe rimasto appeso al suo petto, agganciato a una serie di carrucole.

«L meno otto» annunciò il pilota.

Il bagaglio di Jaeger pesava trentacinque chili. Il paracadute attaccato alla sua schiena altrettanti. In più, portava quindici chili di armi e munizioni, e il sistema di respirazione.

In tutto quasi novanta chili.

Più del suo stesso peso.

Jaeger era un metro e settantacinque di muscoli agili e tonici. Di solito ci si immaginava gli uomini delle forze speciali come delle specie di mostri, delle vere e proprie montagne umane. Certo, alcuni – come Raff – erano mastodontici, ma per lo più si trattava di uomini come Jaeger: agili come leopardi, rapidi e altrettanto mortali.

Il capo assistente fece un passo indietro in modo che tutti potessero vederlo. Alzò cinque dita: "L meno cinque". Jaeger non riusciva più a sentire il pilota, avendo dovuto disconnettersi dall'interfono. Da quel momento, il salto sarebbe stato coordinato a gesti.

L'assistente alzò il pugno destro e ci soffiò dentro, poi aprì le dita come un fiore. Le stese tutt'e cinque, poi le richiuse due volte. Stava indicando la velocità del vento a terra: dieci nodi. Jaeger tirò un sospiro di sollievo. Con dieci nodi, l'atterraggio era fattibile.

Si rimise a stringere ogni legaccio un'ultima volta e a ricontrollare l'attrezzatura. L'assistente alzò e abbassò tre dita davanti al volto coperto dagli occhialoni: tre minuti al lancio. Era ora di agganciarsi a Irina Narov per il tandem.

Jaeger si voltò verso la coda dell'Hercules. Si fece avanti, sollevando il pesante zaino con una mano e usando l'altra per tenersi in equilibrio contro la parete dell'aereo. Doveva avvicinarsi il più possibile alla rampa prima di potersi agganciare al compagno di lancio.

Da davanti a sé udì un colpo sordo, cavo. Poi, un lamento meccanico e un risucchio di aria gelida. La rampa si era aperta e iniziò ad abbassarsi, e a ogni centimetro il vento urlante soffiava con più forza nella stiva.

Avvicinandosi alla turbolenta scia, Jaeger quasi si aspettava di udire le prime note di Wagner pompate dalle casse dell'aereo.

Era più o meno quello il momento in cui il pilota di solito faceva partire la musica.

Invece sentì un'esplosivo, graffiante riff di chitarra, seguito un istante dopo dai colpi insistenti della batteria. Poi, l'acuta voce folle del cantante di una delle più famose band rock attaccò la strofa.

Era *Highway to Hell* degli AC/DC.

Il pilota era un Night Stalker fino al midollo: aveva deciso di fare comunque a modo suo.

Proprio all'inizio del furioso ritornello, l'assistente spinse una figura verso Jaeger: Irina Narov, pronta per l'aggancio.

Highway to Hell...

Il pilota, il titolo stesso della canzone, sembravano suggerire che Jaeger e i suoi si fossero imbarcati per un viaggio di sola andata verso la dannazione.

Jaeger si chiese se fosse vero, se davvero sarebbero finiti all'inferno.

Era lì che la missione li avrebbe portati?

Sperava, pregava, che nella giungla li attendesse un destino più luminoso.

Eppure, una parte di lui temeva che, sulle Montagne degli Dèi, avrebbero trovato il peggiore degli incubi.

21

Jaeger fece del suo meglio per scacciare la folle, isterica canzone dalla sua testa. Per un istante incrociò lo sguardo dell'alta e atletica donna russa che gli stava davanti. Sembrava in forma perfetta: pareva non ci fosse un grammo di troppo sulla sua figura longilinea.

Jaeger non sapeva di preciso cos'aspettarsi di vedere nei suoi occhi.

Preoccupazione, forse? Paura?

O magari qualcosa di più simile al panico?

Narov era una ex SPECNAZ, più o meno l'equivalente russo del SAS. Sulla carta, in quanto ex ufficiale dello SPECNAZ, avrebbe dovuto essere in grado di mantenere il sangue freddo. Ma Jaeger aveva conosciuto diversi soldati eccellenti che se la facevano sotto al momento di saltare dalla rampa nel gelido, urlante e rarefatto blu.

A quella quota, la curvatura della terra era chiaramente visibile lungo la sottilissima linea dell'orizzonte. Saltare dalla rampa di un C-130 metteva i brividi anche nelle migliori delle condizioni; farlo da uno degli strati più esterni dell'atmosfera richiedeva un enorme slancio di fede, e poteva essere davvero terrorizzante.

Ma guardando nei gelidi occhi azzurro ghiaccio di Narov, Jaeger non scorse altro che una calma indecifrabile, imperscrutabile. Un vuoto sorprendente li riempiva: una fermezza risoluta, come se nulla, nemmeno un salto di trentamila piedi nel vuoto turbinante, potesse sfiorarla.

Lei distolse lo sguardo, dandogli la schiena e mettendosi in posizione.

Si avvicinarono.

Quando si fa un tandem, ci si lancia guardando entrambi nella stessa direzione. Il paracadute di Jaeger sarebbe dovuto riuscire a frenare la caduta di entrambi, offrendo loro un'enorme vela di seta sotto cui scivolare fino a toccare terra. Gli assistenti si erano posizionati ai due lati, e procedettero a legarli così stretti da essere imbarazzante.

Jaeger si era lanciato in tandem diverse volte. Sapeva che non avrebbe dovuto sentirsi così, ma in quel momento lo imbarazzava e metteva a disagio avere un altro essere umano così vicino al proprio corpo.

In passato, si era sempre lanciato assieme ad altri soldati come lui: fratelli d'armi, persone che conosceva benissimo e con cui sarebbe stato lieto di combattere schiena a schiena, nel caso fosse successo il peggio. Ma era tutt'altro che sereno legato a un perfetto sconosciuto e, per di più, a una donna.

Narov era, inoltre, il membro della squadra di cui meno si fidava, la principale sospettata dell'assassinio di Andy Smith. Eppure, non poteva negarlo: la sua evidente bellezza lo turbava. Per quanto ci provasse, non riusciva a scacciare quel pensiero e a concentrarsi solo sul lancio.

La musica di certo non l'aiutava, con i folli testi degli AC/DC che gli picchiavano nel cranio.

Jaeger lanciò un'occhiata alle sue spalle. Tutto stava accadendo rapidamente.

Riuscì a vedere gli assistenti che facevano rotolare i contenitori sui binari che percorrevano l'intera stiva. Kamishi e Krakow si fecero avanti e si inginocchiarono di fronte alle due casse, come in preghiera. Gli assistenti le fissarono alla loro imbracatura: i due avrebbero dovuto spingere i tubi davanti a sé e saltare insieme a essi, pochi secondi dopo Jaeger e Narov.

Jaeger si voltò a osservare il vuoto sferzato dal sole.

D'improvviso, lo stridente baccano che proveniva dagli altoparlanti cessò. *Highway to Hell* era stata interrotta. Ci fu qualche secondo di silenzio percorso solo dal vento, prima che Jaeger sentisse una nuova esplosione di suoni. Al posto della dannata canzone degli AC/DC, un brano evocativo dalla potenza unica iniziò a risuonare nella stiva del C-130.

Era inconfondibile.

Classico.
Jaeger si concesse un sorriso.
Il pilota l'aveva stuzzicato per un bel po', ma alla fine gliel'aveva data vinta: era la *Cavalcata delle Valchirie* di Wagner, per gli ultimi secondi prima del lancio.
Jaeger e la musica fecero un lungo viaggio indietro nel tempo.
Prima di unirsi ai SAS, Jaeger aveva prestato servizio in un'unità dei Royal Marine. Aveva seguito un corso di addestramento di paracadutismo, e durante la cerimonia conclusiva avevano suonato proprio la *Cavalcata delle Valchirie*. Molte volte si era lanciato fuori da un C-130 insieme ai compagni delle SAS mentre la classica composizione di Wagner si riversava dagli altoparlanti.
Era l'inno non ufficiale dell'aeronautica britannica.
E il brano perfetto per accompagnare il lancio in una missione come quella.
Preparandosi all'uscita, Jaeger pensò per un secondo all'aereo misterioso che li aveva seguiti. Il pilota non vi aveva più fatto riferimento. Probabilmente era scomparso, forse interrompendo la missione dopo che l'Hercules era entrato nello spazio aereo boliviano.
Di certo non avrebbe interferito col lancio, altrimenti il pilota li avrebbe fermati.
Jaeger scacciò il pensiero.
Spinse Narov in avanti; procedettero come una sola persona verso la rampa aperta. Ai loro lati, gli assistenti si assicurarono all'interno dell'aereo per evitare di essere risucchiati dal vento ululante.
Il segreto per portare a termine un lancio HAHO era non perdere mai l'orientamento, sapere sempre dove ci si trovava all'interno della formazione. In quanto guida del lancio, Jaeger doveva tenere tutti sott'occhio. Se avesse perso qualcuno, non avrebbe certo potuto chiamarlo con la radio: la turbolenza e il rumore del vento rendevano impossibile qualunque forma di comunicazione durante la caduta libera.
Jaeger e Narov si fermarono sul bordo della rampa.
Dietro di loro, gli altri si incolonnarono. Jaeger sentì il cuore che gli batteva come una mitragliatrice, mentre l'adrenalina saliva bruciandogli nelle vene. Si trovavano lassù, sul tetto del mondo, nel regno dei cieli stellati.

Gli assistenti controllarono tutti un'ultima volta, assicurandosi che non ci fossero legacci impigliati o ingarbugliati, o addirittura slacciati. Con Jaeger dovettero procedere a tentoni, verificando che tutti i punti di aggancio con Narov fossero a posto e saldi.

Il primo assistente gridò le istruzioni finali. «Ultimo controllo!»

«DIECI A POSTO!» urlò la figura dietro a tutti.

«NOVE A POSTO!»

Ogni volta che ciascuno dava l'okay, dava una pacca sulla schiena della persona davanti. Nessuna pacca significava che il compagno dietro era nei guai.

«TRE A POSTO!» Jaeger sentì la spinta dell'uomo dietro di lui: era Mike Dale, il giovane cameraman australiano che avrebbe ripreso lui e Narov mentre precipitavano dalla rampa, con una videocamera in miniatura attaccata al suo casco.

Prima che le parole gli si ghiacciassero in gola, Jaeger si costrinse a urlare: «UNO E DUE... A POSTO!»

La fila si serrò. Tenersi troppo distanti avrebbe comportato il rischio di perdersi di vista durante la caduta libera.

Jaeger guardò la spia di lancio.

Una luce rossa iniziò a lampeggiare: "preparatevi".

Guardò davanti a sé da sopra la spalla di Narov. Sentì qualche ciocca dei suoi capelli che gli sferzava il viso, e la forma oblunga della rampa che si stagliava contro le luminose, ringhianti fauci del cielo.

Fuori, c'era un vortice di pura luce, violenta, accecante.

Sentì il vento che gli afferrava il casco e provava a strappargli gli occhiali. Abbassò la testa e si costrinse a fare un passo avanti.

Con la coda dell'occhio, vide la luce rossa diventare verde.

L'assistente fece un passo indietro: «VIA! VIA! VIA!».

Di colpo, Jaeger spinse Narov in avanti, guidandola oltre il bordo e tuffandosi nell'aria rarefatta. Come un sol corpo, precipitarono nel vuoto ringhiante. Ma nell'istante in cui lasciarono la rampa, percepì uno strattone velocissimo, l'energia di qualcosa che li aveva afferrati e poi liberati sbilanciandoli violentemente.

Comprese subito cos'era successo: avevano fatto una "uscita instabile".

Erano fuori squadra, e avevano iniziato a roteare.

Potenzialmente, poteva finire davvero male.

Jaeger e Narov furono risucchiati nel vortice della scia dell'aereo, la turbolenza li fece roteare più veloce che mai. Quindi, risputati dalla scia, iniziarono a precipitare verso il suolo, girando su se stessi come una trottola gigante impazzita.

Jaeger provò a concentrarsi contando i secondi prima di potersi arrischiare ad aprire la vela.

«Mille e tre, mille e quattro...»

Ma mentre la sua voce scandiva gli istanti nella sua testa, capì che le cose stavano peggiorando rapidamente. Invece che stabilizzarsi, lo *spin* pareva inarrestabile. Era come trovarsi di nuovo nell'incubo della centrifuga, ma a trentamila piedi d'altezza e per davvero.

Provò a valutare a quale velocità stessero roteando per capire se poteva tentare di aprire il paracadute. L'unico modo era valutare la rapidità con cui l'aria attorno a loro passava dal blu al verde e poi di nuovo al blu: blu significava cielo, verde giungla.

Blu-verde-blu-verde-blu-verde-bluuu-verdeee-bluuurde-aaahhh!

Jaeger stava ormai cercando di non perdere conoscenza: difficilmente poteva concentrarsi sulla vista.

22

Lo schema di lancio richiedeva che tutti restassero allineati durante la caduta libera e aprissero il paracadute subito dopo Jaeger. In quel modo, sarebbero discesi tutti contemporaneamente, scivolando senza problemi verso il punto d'atterraggio. Ma essendo in due, e per di più sballottati dallo *spin* da una parte all'altra del cielo, Jaeger e Narov avevano già iniziato a perdere il contatto con gli altri.

Stavano precipitando in verticale, roteando sempre più rapidamente. Più aumentava la velocità, più la forza di gravità si faceva intensa, e il vento tirava la testa di Jaeger come un furioso uragano. Era come se fosse legato a una sorta di moto gigante e fuori controllo, che sfrecciava lungo un tunnel a cavatappi a quasi quattrocento chilometri all'ora.

Con l'effetto del vento, la temperatura doveva essere attorno ai meno cento gradi. E mentre la rotazione si faceva ancora più violenta, Jaeger iniziò a notare il "velo grigio" che si faceva strada ai margini dei suoi occhi ghiacciati.

La vista iniziò a farsi confusa e indistinta. Si accorse che stava annaspando alla ricerca di ossigeno. I polmoni gli bruciavano mentre tentavano di strappare abbastanza aria dalla bombola. La sua presenza di spirito – la capacità di valutare dove si trovasse, o persino chi fosse – stava rapidamente venendo meno.

Il fucile da combattimento sbatteva su di lui come una mazza da baseball, il calcio ripiegabile sferrava colpi su colpi contro il suo casco. Se l'era stretto saldamente al fianco, ma nella caduta doveva essersi allentato, il che li rendeva ancora più instabili.

Jaeger era ormai sul punto di perdere conoscenza.

E non voleva neppure immaginare in che condizioni si trovasse Narov.

Con i battiti che gli rimbombavano nel cranio e la mente che vacillava per le vertigini e il disorientamento, Jaeger cercò di focalizzare i suoi pensieri confusi. Doveva stabilizzare la caduta. Narov si era affidata a lui, come ogni altro membro della formazione.

C'era un unico modo per provare a fermare la rotazione.

Era il momento di tentare.

Tirò le braccia al petto, poi spalancò gambe e braccia a forma di stella, restando rigido, tenendo dritta la schiena contro la forza insostenibile che minacciava di smembrarlo. I muscoli urlavano per il dolore e la pressione. Emise un urlo lacerante, mentre tentava di mantenere la posizione e di ancorare entrambi nell'aria sottile come un rasoio.

«Aaaaaaaahhhhhhh!»

Almeno nessuno l'avrebbe mai sentito gridare, perché si trovavano soli sul tetto del mondo.

Con le braccia e le gambe divaricate a formare quattro ancore, il suo corpo si inarcò nell'atmosfera insostenibilmente rarefatta. L'aria gelata gli urlava attorno mentre i suoi arti erano paralizzati dal dolore. Se solo fosse riuscito a mantenere la posizione a stella abbastanza a lungo da stabilizzare la loro folle caduta a vortice, forse sarebbero riusciti a uscirne vivi.

Gradualmente, a poco a poco, soffrendo terribilmente, Jaeger si accorse che la rotazione stava diminuendo.

Infine, lui e Narov smisero di girare su se stessi.

Costrinse la propria mente esausta a concentrarsi.

Di fronte a sé aveva il blu accecante.

Blu significava cielo.

Esplose in una scarica di imprecazioni. La direzione sbagliata!

Lui e Narov stavano precipitando a una velocità assassina con la schiena rivolta a terra. Ogni secondo li portava di trecento piedi più vicini a polverizzarsi a terra, mentre piombavano verso la giungla. Ma se Jaeger avesse azionato il paracadute in quella posizione, si sarebbe aperto sotto di loro. Ci sarebbero caduti dentro, sfrecciando verso il suolo come due cadaveri avvolti in un sudario di seta ingarbugliata.

Si sarebbero schiantati nella foresta a quasi quattrocento chilometri all'ora.

Morti.

Un uomo e una donna morti, stretti in un abbraccio assassino.

Jaeger cambiò posizione, schiacciando il braccio destro lungo il fianco. Diede una spinta con l'altro fianco, cercando di rigirarsi. Dovevano voltarsi verso il verde. Subito.

Verde significava terra.

Ma per qualche ragione, l'intera manovra sembrò sortire il risultato peggiore: la spinta violenta li rimise in rotazione.

Per un istante fu sull'orlo del panico. Involontariamente, il braccio si avvicinò alla corda del paracadute, ma Jaeger si costrinse ad allontanare la mano. Si sforzò di ricordare i test che avevano condotto con un fantoccio realizzato appositamente, durante i salti di prova.

Aprendo il paracadute in *spin* si andava incontro ai guai. Guai belli grossi.

Le corde si sarebbero subito ingarbugliate, come spaghetti arrotolati da un bambino sulla forchetta. Una pessima notizia.

Mentre la rotazione aumentava, Jaeger si accorse che ormai era prossimo al "velo grigio". Era arrivato al tracollo. Era come trovarsi in una centrifuga dopata di steroidi, ma ad alta quota e senza pulsante di spegnimento. La vista iniziò ad appannarglisi, la sua mente prese a vagare sempre più lontano da lui, mentre era sul punto di collassare.

«Concentrati!» esclamò.

Si maledisse, cercando di sgomberare la testa da quella accecante confusione. «CONCENTRATI! CON-CEN-TRA-TI!»

Ogni secondo era prezioso, ormai. Doveva riprendere la posizione a stella, e spingere Narov a fare altrettanto. In quel modo avrebbero avuto maggiori probabilità di stabilizzarsi.

Non c'era modo di comunicare con lei a parte il linguaggio del corpo e i gesti delle mani. Jaeger stava per afferrarle le braccia e indicarle cosa voleva, quando i suoi sensi si accorsero che si stava dimenando violentemente contro di lui.

Nel mezzo di quell'accecante confusione, qualcosa scintillò, argenteo, nell'aria chiara e luminosa.

Una lama.

Un coltello militare.

Lo brandiva, pronta a conficcarglielo nel petto.

In un secondo Jaeger comprese cosa stava accadendo. Era impossibile, ma era reale. Narov era pronta a colpirlo con un coltello.

Nella sua mente riecheggiò l'avvertimento di Carson: "Non gira mai senza il coltello. O senza lo sguardo incazzato."

La lama gli balzò incontro, in un fendente violento.

Jaeger riuscì a parare il colpo col braccio destro, usando il robusto altimetro che si era messo al polso per fermare l'impatto. La lama rimbalzò sul vetro spesso, colpendo la manica di Gore-Tex.

Un dolore acuto gli esplose nell'avambraccio destro.

L'aveva ferito al primo colpo.

Per qualche istante disperato continuò a difendersi e a parare, mentre Narov sferrava un nuovo violento fendente, ancora e ancora e ancora.

Colpì un'altra volta, più in basso, mirando chiaramente alle sue budella. Il braccio di Jaeger, gelato come un blocco di ghiaccio, arrivò una frazione di secondo in ritardo.

Non fece in tempo a parare il fendente.

Si preparò per la fitta lancinante della lama che gli affondava nell'addome. Non importava dove l'avesse colpito.

Se l'aveva ferito lassù, mentre precipitava mille piedi più vicino a terra ogni tre secondi, era un uomo morto.

23

Il coltello scattò verso di lui, un fendente rapido e mirato.

Ma stranamente, quando scomparve sotto il suo stomaco, Jaeger non sentì alcun dolore. Nulla di nulla. Invece, si accorse che la prima delle corde che legavano Narov a lui si spezzò, tagliata in due dalla lama.

Il braccio di lei avanzò di nuovo, si ritrasse, e di nuovo la lama sottilissima andò a segno, segando il nylon e la tela robusta.

Una volta finito col lato destro, Narov passò all'altra parte. Spinse più e più volte la lama all'indietro, sferrando fendenti alla loro sinistra.

Ancora qualche colpo ed ebbe finito.

In quel momento, Irina Narov, la variabile impazzita della squadra di Jaeger, schizzò lontano da lui.

Nell'istante in cui si liberò, Jaeger la vide scattare nella posizione a stella. Mentre i suoi arti iniziavano a rallentare la caduta e a stabilizzarla, Jaeger le sfrecciò oltre. Qualche secondo dopo sentì uno schiocco sopra di sé, come le vele di una nave che si riempiono di vento, e un paracadute si spalancò nel cielo.

Irina Narov aveva aperto la vela d'emergenza.

Libero dal peso morto di un secondo corpo, Jaeger aveva d'improvviso molte più probabilità di sopravvivere delle zero di cinque secondi prima. Per qualche lungo momento lottò disperatamente per controllare lo *spin*, tentando di arrestare la caduta a vortice e di stabilizzarsi.

Era in caduta libera da quasi due minuti quando infine si

arrischiò a tirare la maniglia di apertura, facendo vorticare alle proprie spalle trentatré metri quadrati della migliore seta.

Un istante dopo gli sembrò che una mano gigante l'afferrasse strattonandolo violentemente per le spalle, verso l'alto. Rallentare durante una caduta libera impazzita come quella era come scagliarsi con un'auto contro un muro di mattoni a una velocità folle, con tutti gli airbag che esplodevano contemporaneamente.

Poco prima Jaeger si era figurato un veloce, imminente impatto mortale con la giungla; adesso sapeva che il paracadute l'aveva salvato. O meglio, era stata l'abilità di Irina Narov col coltello che aveva sostanzialmente salvato la vita a entrambi. Guardò verso l'alto, per controllare che la vela fosse a posto. Allungò le mani e afferrò i comandi, dando una serie di colpi vigorosi per sbloccare i mezzi freni e permettere al paracadute di iniziare a planare.

Grazie a Dio, tutto sembrava a posto.

Dal vertiginoso, turbinante *maelstrom* della caduta libera, dal frastuono spaccatimpani del vento, il mondo di Jaeger si era trasformato in una zona di pura, immobile calma. Solo di tanto in tanto una folata di vento increspava la superficie sulla sua testa. Per un istante si concentrò per tenere sotto controllo il battito cardiaco, schiarendosi del tutto la mente per rilassarsi durante la discesa.

Per una frazione di secondo si arrischiò a dare un'occhiata all'altimetro. Si trovava a milleottocento piedi: era appena arrivato al termine di una corsa mortale di ventottomila piedi verso la terra. C'erano voluti sei secondi perché la vela si aprisse del tutto. L'aveva sganciata meno di dieci secondi prima di precipitare a quasi duecento chilometri l'ora.

C'era mancato pochissimo.

A quella velocità non sarebbe rimasto molto di lui da raccogliere tra felci e legno marcio, in modo che i compagni potessero seppellire i suo resti.

Jaeger si concesse un secondo per controllare il cielo.

Tranne Narov, non c'era nessun altro paracadutista in vista.

Abbassò gli occhi doloranti, iniettati di sangue, verso il verde intreccio della vegetazione sotto di lui. Era sempre più vicina, pronta ad accoglierlo, e da nessuna parte si scorgeva una radura.

Calcolò che lui e Narov si trovavano a oltre trenta chilometri dal punto di atterraggio concordato. Il piano era di aprire i paracadute a ventottomila piedi, e planare per oltre quaranta chilometri fino al banco di sabbia. Ma con l'uscita instabile e la mortale rotazione che ne era seguita, tutto era andato in malora.

A parte l'indiscutibilmente tosta e sveglia Narov, Jaeger aveva perso ogni altro membro della squadra.

Erano due paracadutisti smarriti, alla deriva nell'aria ardente, senza un punto dove atterrare.

Non poteva andare peggio.

Per un istante Jaeger si chiese se il fucile si fosse imbrigliato sull'Hercules, avviando quella caduta semifatale. Ma come poteva essere sfuggito agli assistenti? Il loro compito era assicurarsi che ogni paracadutista non avesse intoppi, che non vi fosse nulla che potesse impigliarsi. E a parte quello, Jaeger era certo di aver fissato come si doveva l'arma, prima del lancio.

Aveva lavorato con diverse squadre di paracadutismo nel corso degli anni. Senza eccezioni, erano stati tutti ottimi professionisti. Sapevano di avere nelle proprie mani la vita dei paracadutisti, e che persino un minuscolo errore poteva rivelarsi fatale. Era solo grazie alla fortuna – e, Jaeger doveva ammetterlo, alla presenza di spirito di Narov – se entrambi erano ancora vivi.

Non aveva alcun senso che uno degli assistenti avesse lasciato il suo fucile troppo lasco al momento del lancio. Era inimmaginabile. In realtà, c'erano parecchie cose che, fino a quel momento, non tornavano. Primo, Smithy era morto, o meglio, era stato assassinato. Poi, quell'aereo misterioso che li tallonava. E infine questo.

Che uno degli assistenti avesse deliberatamente tentato di sabotarli? Jaeger non ne era certo, ma iniziava a domandarsi cos'altro potesse andare storto.

A dire il vero, parecchio: perché il quel momento Jaeger doveva affrontare la madre di ogni problema.

Dopo l'apertura del paracadute, il momento più pericoloso era il contatto col suolo; lo era sempre, ma ancor di più quando non c'erano zone sicure dove atterrare. Un istruttore una volta aveva detto a Jaeger che non era la caduta libera a uccidere: era il suolo.

Jaeger aveva guadagnato un centinaio di metri su Narov, dopo che lei si era liberata. Ormai, la squadra era ridotta a due.

La priorità assoluta era restare assieme per l'atterraggio, e per affrontare qualunque cosa sarebbe accaduta in seguito. Jaeger cercò di rallentare, in modo che lei lo raggiungesse.

Sopra, Narov eseguì una serie di rapidi spostamenti a sinistra, mentre ondeggiava sotto la vela, perdendo quota a ogni rotazione. Jaeger continuò a manovrare il suo paracadute, orientando i freni in modo da rallentare la planata e la caduta.

Dopo qualche secondo percepì un debole fruscio sopra la sua testa e vide Narov. Incrociarono gli sguardi attraverso lo spazio che li divideva. Malgrado l'epica "coltellata" a mezz'aria, sembrava assolutamente tranquilla, come se nulla d'imprevisto le fosse successo.

Jaeger alzò il pollice.

Narov ricambiò con lo stesso gesto.

Le indicò che l'avrebbe guidata nell'atterraggio. Lei annuì sbrigativamente. Restò indietro, mettendosi in posizione qualche decina di metri più in alto. Rimaneva poco più di un centinaio di metri.

Per fortuna, Jaeger era stato addestrato a quella situazione: l'impatto con la vegetazione della giungla. Non era per nulla facile riuscirci. Solo i paracadutisti più esperti potevano gestirlo. Ma a giudicare dalla destrezza con cui si era svincolata durante la caduta, Jaeger immaginò che Narov avesse ottime opportunità di cavarsela.

Scrutò il terreno sotto di sé, alla ricerca di una zona in cui la vegetazione fosse meno fitta, in modo da poterci passare attraverso. Di solito, quando un paracadutista atterrava nella giungla, non era perché l'avesse deciso lui. Di solito, si trattava di uomini in fuga da un aereo abbattuto, o in preda a un'avaria, o rimasto senza carburante.

Urtavano contro la vegetazione senza avere la minima idea su come affrontarla, senza alcun addestramento alla sopravvivenza. Di solito restavano feriti nell'impatto, braccia e gambe spezzate. Ma il peggio veniva dopo. Anche se il paracadutista riusciva a oltrepassare gli alberi, di rado la vela ce la faceva; normalmente restava impigliata tra i rami più alti, con l'uomo appeso a mezz'aria, sotto le chiome degli alberi.

E ciò, spesso, decretava la loro morte.

In quella trappola, c'erano tre opzioni. Restare sospesi all'imbracatura sperando di essere salvati. Liberarsene e precipitare per venti, venticinque metri fino al suolo. Provare a raggiungere un ramo, se era abbastanza vicino, e poi calarsi fino a terra.

Di solito, sceglievano di restare appesi al paracadute, poiché le altre opzioni sembravano una sorta di suicidio. Feriti, disorientati, scioccati e disidratati, tormentati da insetti voraci, restavano immobili in attesa di essere salvati.

Spesso, prima di morire passavano diversi, lunghi, giorni.

Jaeger non voleva quel destino per sé, né per Narov.

24

Attraverso la foschia turbinante, Jaeger intravide una zona di un verde più chiaro, giallastro, nel manto di vegetazione scura che si stendeva fino all'orizzonte. Erano piante più giovani, con più foglie, più elastiche e flessibili; era meno probabile che i rami si spezzassero diventando affilati come punte di lance.

Almeno, Jaeger lo sperava.

Controllò l'altimetro, quello con cui si era difeso temendo che le coltellate di Narov mirassero a sbudellarlo.

Ancora centocinquanta metri.

Afferrò le due leve metalliche sul davanti, a cui era ancorato lo zaino, abbassandole. Sentì che il pesante carico si staccava, mentre la corda lo lasciava cadere dieci metri sotto di lui.

L'ultima cosa che fece, mentre la foresta gli veniva incontro, fu premere un pulsante sul sistema GPS che aveva al polso. Prima che la foresta li inghiottisse, riuscì a marcare la loro posizione esatta, poiché immaginava che non avrebbe avuto molto presto un'altra occasione per farlo.

Negli ultimi secondi prima dell'impatto si concentrò a manovrare il paracadute con entrambi i comandi, in modo da planare sulla macchia di verde più chiaro.

Vide la massa di rami che gli balzava incontro. Tirò entrambi i comandi, allargando e rallentando la vela. Se riusciva a evitare lo stallo, avrebbe bruciato velocità e facilitato la discesa.

Un istante dopo sentì uno schiocco quando lo zaino da trentacinque chili colpì i primi rami, spezzandoli e scomparendo dalla vista.

Jaeger sollevò le gambe, piegò le ginocchia e si protesse faccia e petto con le braccia. Un secondo dopo, gli scarponi e le ginocchia iniziarono a penetrare la vegetazione, seguendo il sacco. I rami aguzzi gli punsero il sedere e le spalle, prima che precipitasse nell'oscuro vuoto al di sotto.

Urtò con forza contro i rami più spessi, ansimando per il dolore dell'impatto, e precipitò per diversi metri prima che il paracadute restasse impigliato tra gli alberi, bloccandolo. La brusca decelerazione gli tolse il respiro. Una nebbia fitta di foglie, rametti e altra materia vegetale lo avvolse completamente mentre tentava di riprendere fiato. Ma, ondeggiando avanti e indietro come un pendolo, Jaeger ringraziò la propria buona stella.

Era illeso, e soprattutto era ancora vivo.

Sentì un secondo schianto sopra di sé, e qualche istante dopo Narov apparve al suo fianco, anche lei dondolando violentemente avanti e indietro.

Lentamente, l'aria attorno a loro si schiarì.

Raggi di luce accecante filtravano attraverso i varchi che avevano aperto nelle fronde, chiazze di sole danzavano nell'aria carica di polvere.

Nel silenzio assordante, sembrava quasi che ogni creatura vivente nella giungla stesse trattenendo il respiro, scioccata per il fatto che due alieni fossero piombati nel loro mondo.

L'oscillazione delle corde stava diminuendo.

«Tutto bene?» urlò Jaeger rivolto a Narov.

Dopo quel che avevano passato, era l'eufemismo del secolo.

Lei alzò le spalle. «Sono viva. Tu anche, a quanto sembra. Poteva andare peggio.»

"E come, esattamente?" avrebbe voluto chiedere Jaeger. Ma si trattenne. L'inglese di Narov era ottimo, ma il suo accento russo era comunque forte, il suo singolarmente piatto e compassato.

Jaeger levò il capo in direzione della caduta. Azzardò un sorriso ammaliatore. «Per un momento, lassù, ho creduto che volessi uccidermi. Col coltello.»

Lei lo fissò. «Se avessi voluto ucciderti, ti avrei ucciso.»

Jaeger decise di ignorare la frecciata. «Stavo provando a stabilizzarci. Qualcosa si è impigliato durante il lancio, allentandomi il fucile. C'ero quasi riuscito quando ti sei divincolata. Non hai proprio fede, eh?»

«Forse.» Narov lo scrutò per un istante, il suo volto una maschera inespressiva. «Ma hai fallito.» Distolse lo sguardo. «Se non mi fossi liberata, entrambi saremmo morti.»

Jaeger non aveva molti argomenti per controbattere. Si contorse nell'imbracatura, provando a dare un'occhiata al terreno sotto di loro.

«Comunque, perché avrei dovuto ucciderti?» continuò lei. «Jaeger, devi imparare a fidarti della tua squadra.» Guardò i rami della giungla. «Bene, ora la domanda è: come scendiamo giù da qui? Negli SPECNAZ, non ci hanno mai addestrato per questo.»

«E invece vi allenavate a liberarvi dal compagno di tandem?» domandò Jaeger. «Il coltello... ci sai davvero fare.»

«Non mi sono mai allenata per quello. Ma non c'era altro da fare, nessun'altra opzione.» Fece una pausa. «"Qualsiasi missione, in qualsiasi momento, in qualsiasi luogo: a qualsiasi costo." È il motto degli SPECNAZ.»

Prima che Jaeger elaborasse una replica adatta, sentirono un possente schiocco sulle loro teste, come un'esplosione. Un pesante ramo precipitò, rimbalzando al suolo. Un istante dopo, Narov scese di qualche decina di centimetri, dato che uno dei pannelli del paracadute danneggiato aveva ceduto per la pressione.

Lanciò un'occhiata a Jaeger. «Dunque, hai qualche idea su come scendere, a parte cadere? O devo di nuovo pensarci io?»

Jaeger scosse il capo in preda alla frustrazione. Dio, era una donna impossibile. Eppure, dopo la sua performance col coltello, Jaeger aveva iniziato a dubitare che avesse veramente ucciso Smithy. Come aveva detto lei stessa, quella era stata l'occasione perfetta per colpire Jaeger e ucciderlo, eppure non l'aveva fatto.

Ma non c'era nulla di male nel continuare a metterla alla prova, rifletté Jaeger. «Forse c'è un modo per cavarci d'impiccio.» Indicò l'intreccio dei paracaduti tra i rami. «Ma prima, mi servirebbe il tuo coltello.»

Ne aveva uno anche lui, attaccato al corpo. Era il coltello Gerber che Raff gli aveva dato a Bioko. Per lui aveva assunto un significato speciale: era la lama con cui aveva salvato la vita al suo migliore amico. Lo portava in un fodero legato in diagonale sul petto. Ma voleva vedere se Narov avrebbe acconsentito a cedergli l'arma che quasi l'aveva sbudellato.

Lei non ebbe un attimo di esitazione. «Il mio coltello? Ma non farlo cadere. È un vecchio amico.» Afferrò la lama, la sganciò e, tenendola per la punta, la lanciò per la breve distanza che li separava.

«Tieni» esclamò.

Il coltello che Jaeger afferrò sembrava stranamente familiare. Per un secondo se lo rigirò tra le mani: l'agile lama affusolata di diciotto centimetri scintillava al sole. Non c'erano dubbi: era simile a quello riposto nel baule del nonno Ted, nell'appartamento di Wardour Castle.

Quando Jaeger aveva compiuto sedici anni, il nonno gli aveva permesso di sfilare il coltello dal fodero, mentre entrambi fumavano soddisfatti la pipa. Jaeger ricordò il profumo aromatico del tabacco e il nome del coltello: era impresso sull'elsa.

Jaeger controllò l'arma di Narov. Poi la guardò, studiandola. «Bello. Un Fairbairn-Sykes. Coltello da combattimento. Risale alla Seconda guerra mondiale, se non vado errato.»

«Esatto.» Narov alzò le spalle. «Come voi SAS avete dimostrato allora, è perfetto per ammazzare i tedeschi.»

Jaeger la studiò per un lungo istante. «Credi che dovremo uccidere dei tedeschi? Con questo?»

La risposta di lei – pronunciata con aria di sfida, e in quello che sembrava un tedesco perfetto – riecheggiò le tetre parole dello zio Joe: «*Denn heute gehört uns Deutschland, und morgen die ganze Welt.* "Oggi ci appartiene la Germania, domani il mondo intero."»

«Sai, è improbabile che ci siano dei sopravvissuti su quell'aereo.» Una vena di sarcasmo era filtrata nella voce di Jaeger. «Dopo più di settant'anni nel cuore dell'Amazzonia... Direi quasi impossibile.»

Narov lo fissò. «Credi che non lo sappia? Perché non fai qualcosa di utile, Mr Capo Spedizione, e ci tiri fuori dal casino in cui ci hai cacciati?»

25

Jaeger spiegò a Narov cos'aveva in mente.

Il paracadute d'emergenza che la donna era stata costretta a usare era una vela più piccola e meno robusta del BT80 di lui. Sembrava si fosse completamente strappata cadendo attraverso le chiome degli alberi, e per questo Jaeger propose di stabilizzare entrambi sotto le due vele, formando un unico ancoraggio resistente da cui calarsi fino a terra.

Finita la spiegazione, tagliarono le corde che reggevano gli zaini, che finora erano rimasti appesi ai cavi sotto i loro piedi. Le pesanti sacche sfondarono gli strati di vegetazione, atterrando con un tonfo secco al suolo, parecchio più in basso. Non c'era modo di completare la manovra che aveva in mente con trentacinque chili di equipaggiamento che gli penzolavano sotto i piedi attaccati a una corda.

Poi, disse a Narov di spingersi verso di lui; Jaeger fece altrettanto, usando il paracadute come un'ancora. Aggrappandosi alle corde ondeggiarono da una parte e dall'altra, finché non riuscirono ad afferrarsi al massimo dell'oscillazione.

Le gambe di Jaeger cercarono il corpo di Narov, si agganciarono attorno ai suoi fianchi e la strinsero. Poi con le braccia le serrò il busto e agganciò l'imbracatura di lei alla sua. Ora erano legati l'uno all'altra, a metà strada tra le rispettive vele.

Ma, a differenza che nel lancio in tandem, erano uniti faccia a faccia, legati da uno spesso moschettone, un anello metallico a forma di D con una chiusura a molla. Per Jaeger, la posizione e l'estrema vicinanza erano imbarazzanti, specialmente visto che stava bollendo per il caldo: la spessa e ingombrante tuta di sopravvivenza e il resto dell'attrezzatura per il lancio HAHO lo stavano cuocendo vivo.

Ma diamine: l'unica cosa che importava era arrivare a terra tutti interi.

Con un secondo moschettone Jaeger strinse assieme i paracadute alla base delle corde, nel punto più sottile. Poi tirò fuori un rotolo di paracord Spectre, una fune kaki estremamente elastica spessa quanto un normale filo per stendere, ma molto più resistente. Il paracord Spectre poteva reggere un carico di duecentotrenta chili, ma Jaeger la piegò in due, per essere più sicuro.

La fece passare due volte attraverso un fermo – uno strumento per la discesa a doppia corda – in modo da garantire maggiore attrito, assicurando l'altro capo ai paracadute. Quindi srotolò con attenzione il resto della corda, lasciandola cadere per una trentina di metri verso il suolo. Infine, assicurò il fermo al moschettone attaccato alla sua imbracatura, in modo che lui e Narov fossero entrambi attaccati alla corda da discesa improvvisata.

Erano ancora appesi ai paracaduti, ma allo stesso tempo uniti l'uno all'altro col raccordo che Jaeger aveva improvvisato. Ora veniva il momento critico: bisognava staccarsi dalle vele, e Jaeger avrebbe dovuto impegnarsi in una discesa a corda doppia per calare entrambi fino a terra.

Tutti e due si sfilarono casco, maschere e occhialoni, lasciandoli cadere nel vuoto. Jaeger sudava come un maiale per lo sforzo. Sentiva le gocce che gli scorrevano a rivoli lungo il viso, bagnando il davanti della tuta, dove era praticamente incollato a Narov.

Era come una gara di magliette bagnate – solo ravvicinatissima e troppo intima – e gli sembrava di poter sentire ogni millimetro del corpo di lei.

«Mi accorgo che non sei a tuo agio» commentò Narov. La sua voce aveva un bizzarro tono pragmatico, meccanico. «Questa vicinanza può essere necessaria per tre ragioni. Uno: necessità pratiche. Due: scaldarsi a vicenda. Tre: sesso. In questo momento, vale la numero uno. Resta concentrato sul da farsi.»

"*Bla bla bla*" pensò Jaeger. "Era ovvio che sarei finito intrappolato nella giungla con la sola compagnia della Vergine di Ghiaccio."

«Bene, mi hai attratta nel tuo abbraccio» proseguì lei, col solito tono piatto. Indicò verso l'alto. «Qualsiasi cosa hai in mente, ti suggerisco di sbrigarti.»

Jaeger guardò cosa stava indicando. A un metro dalla sua testa c'era un ragno gigante, grande quasi quanto una mano, argenteo, nella penombra, col corpo gonfio e le zampe come otto dita emaciate che strisciavano verso di lui.

Riuscì a vedere i suoi truci occhi tondi, rossi e maligni, l'umida mandibola che si apriva affamata. Sollevò le zampe anteriori, scuotendole aggressivamente, mentre si faceva sempre più vicino. Peggio ancora, vedeva le zanne – probabilmente coperte di veleno – pronte a colpire.

Brandì il coltello di Narov, pronto a farlo a pezzi, ma la mano di lei lo fermò.

«No!» sibilò.

Afferrò il coltello di riserva e senza neanche sfoderarlo infilò la punta sotto il corpo peloso del ragno, scaraventandolo in aria. Girò e girò su se stesso, scintillando alla luce del sole, mentre cadeva nel vuoto sibilando di rabbia per essere stato bloccato.

Narov non distolse lo sguardo dai rami. «Uccido solo se necessario. E solo se è saggio farlo.»

Jaeger guardò nella sua stessa direzione. C'erano decine e decine di aracnidi identici che strisciavano nella loro direzione. Anzi, la corda del paracadute pareva viva, coperta com'era da un tappeto di insetti.

«*Phoneutria*» continuò Narov. «"Assassina", in greco. Dobbiamo aver colpito un nido, cadendo.» Lo fissò. «Quando sollevano le zampe anteriori, è perché sono sulla difensiva. Se ne ferisci uno, il corpo emette un odore che allerta i suoi fratelli, e a quel punto attaccano davvero. Il veleno contiene la neurotossina PhTx3. I sintomi sono simili a quelli di un attacco col gas nervino: perdita di controllo sui muscoli e sulla respirazione, seguito da paralisi e asfissia.»

«Come dice lei, dottoressa Morte» bofonchiò Jaeger.

Lei lo fissò. «Li terrò a bada io. Tu tiraci giù di qui.»

Jaeger allungò la mano dietro di lei e iniziò a segare col coltello da combattimento la spessa striscia di tessuto simile a tela che univa l'imbracatura alle corde. Nel mentre, vedeva schizzare avanti il coltello di Narov, che scacciava un secondo e un terzo ragno.

Continuò a colpire gli insetti, ma Jaeger si accorse che glien'era sfuggito uno. Scattò verso di lui con le zampe anteriori sollevate e le zanne a qualche centimetro dalla sua mano nuda. Reagendo d'istinto, Jaeger tirò un fendente col coltello: la punta affilatissima dello stiletto lo colpì al ventre. Quando la lama tagliò facendo scorrere il sangue, il ragno si raggomitolò, rotolando e precipitando a terra.

In quel medesimo istante, Jaeger percepì un ticchettante segnale d'allarme che pulsava tra le decine di altri aracnidi, i quali compresero che uno dei loro era stato ferito.

Come un unico corpo, avanzarono all'attacco.

«Ora arrivano davvero!» sibilò Narov.

Sfoderò il coltello e iniziò a colpire a destra e a manca, trapassando la massa sibilante di aracnidi. Jaeger raddoppiò gli sforzi. Dopo qualche altro colpo riuscì a liberare Narov: il suo peso la trascinò in basso a una velocità allarmante, prima che il moschettone che la legava all'imbracatura di Jaeger la frenasse.

Per una frazione di secondo temette che la vela cedesse per il peso eccessivo, ma per fortuna reggeva. Allungò il braccio sopra la testa colpendo furiosamente le manovre, e un istante dopo anche queste cedettero.

Ora entrambi erano liberi, come se stessero cadendo.

Per un paio di secondi lasciò che precipitassero – il paracord strideva attraverso il fermo – finché non valutò che ormai erano al sicuro dall'esercito di ragni mortali. Allora afferrò il paracord a lo tirò violentemente verso il basso, tendendolo.

L'attrito nel fermo rallentò e arrestò la caduta. Erano appesi alla corda a una decina di metri sotto i paracadute, che ormai erano una massa ribollente di ragni furiosi e tossici.

Phoneutria. Jaeger sarebbe stato felice di non vederne mai più uno in vita sua.

Ebbe appena il tempo di formulare quel pensiero quando il primo insetto argenteo, contorcendosi, si scagliò all'inseguimento. Si lanciò verso il basso, lasciandosi la propria "corda" – un sottile filo di seta – alle spalle.

In risposta, Jaeger lasciò andare il paracord, e lui e Narov ripresero a cadere.

26

Si erano calati di nemmeno quattro metri quando una scossa violenta li arrestò. Uno dei lacci strappati della tuta HAHO di Narov si era incastrato nel fermo, bloccandolo.

Jaeger imprecò.

Afferrò il tessuto con la mano libera, cercando di liberarlo. In quel momento, sentì qualcosa di morbido e ossuto atterrargli tra i capelli con un fischio rabbioso e gorgogliante.

Una lama affilatissima balenò a qualche millimetro dal suo scalpo.

Jaeger percepì la punta del coltello penetrare nel *Phoneutria*: l'aracnide si contorse agonizzante, perdendo la presa e cadendo dalla sua testa nel vuoto. Ancora e ancora, la lama di Narov fendette il buio, mentre tentava di scacciare i ragni e Jaeger provava a liberarli.

Infine riuscì ad estrarre lo spesso laccio: con uno strattone, ripresero la discesa.

«Non si arrendono facilmente» brontolò Jaeger, lasciando che il paracord scorresse nel fermo.

«Per niente» confermò Narov.

Allungò un braccio davanti alla sua faccia. Non era sfuggito a Jaeger che era mancina. Un'orrenda macchia di un nero rossastro si stava espandendo sul dorso della sua mano sinistra, e Jaeger vide distintamente i due segni del morso.

Il suo sguardo incrociò quello di lei: erano colmi di terrore.

«Se ferisci un *Phoneutria*, attaccano tutti» gli ricordò. «Le vittime dicono che il morso è come una fiammata nelle vene. È una descrizione accurata.»

Jaeger era senza parole.

Era stata morsa da uno dei ragni che gli si erano lanciati addosso, eppure non aveva nemmeno urlato. Più precisamente, stava già per perdere un membro della squadra ancor prima di avere iniziato la missione?

«Ho del siero antiveleno.» Jaeger sbirciò in basso. «Ma è nello zaino. Dobbiamo tirarti giù, e in fretta.»

Jaeger alzò la mano destra il più in alto possibile. Il paracord sibilò più forte che mai attraverso il fermo, ed entrambi caddero a piena velocità verso il suolo. Era felice di avere i guanti, perché il doppio giro di corda era comunque sottile come un rasoio.

Jaeger fece in modo di toccare prima con i propri scarponi, attutendo l'impatto per entrambi. Normalmente, avrebbe usato la corda e il fermo per bloccarsi prima di toccare il suolo, ma era una corsa contro i *Phoneutria*, e ormai non avevano più tempo: doveva mettere le mani sul siero.

Atterrarono nella tetra penombra.

Ben poco del sole che filtra attraverso il fogliame della giungla raggiunge il sottobosco. Il novanta per cento circa della luce viene risucchiato dagli spessi strati di vegetazione affamata al di sopra: a livello del terreno, c'è sempre penombra.

Fino a che gli occhi di Jaeger non si fossero abituati alla scarsa illuminazione sarebbe stato difficile individuare dei pericoli, come i ragni.

Era abbastanza sicuro che i *Phoneutria* non avrebbero potuto seguirli fino a terra, ma, dopo il primo morso, era meglio non correre rischi. Guardò verso l'alto: nell'unico raggio di sole che penetrava in profondità nella foresta, riuscì a distinguere solo qualche filo di seta che scintillava minacciosamente, con appesa una lucente palla di veleno.

Incredibilmente, i *Phoneutria* stavano ancora attaccando e, a giudicare dal suo aspetto, Narov non sarebbe riuscita a mettersi al riparo.

Mentre i ragni continuavano a calarsi, Jaeger la trascinò a qualche metro dalla linea di discesa. Poi sganciò il fucile, lo puntò nella direzione dei ragni e fece fuoco. I ripetuti echi delle esplosioni in rapida successione erano assordanti: *boom! Boom! Boom! Boom!*

Il Benelli aveva un azionamento a pompa e un caricatore da

sette colpi, ciascuno armato con dei pallini da 9mm. Un'ondata di sfere di piombo travolse gli aracnidi.

Boom! Boom! Boom!

L'ultimo colpo esplose quando l'orda di *Phoneutria* si era ormai quasi posata sulla canna del fucile; lo sparo la trasformò all'istante in un purè di ragni. Era questo che Jaeger amava nel Benelli: bastava puntarlo più o meno nella direzione del bersaglio e sparare, anche se mai aveva immaginato di usarlo contro dei ragni.

Gli ultimi echi dei colpi tuonanti si riverberarono tutt'attorno, rimbalzando sugli enormi tronchi d'albero che li circondavano. Jaeger riuscì a sentire le grida terrorizzate di quel che sembrava un gruppo di primati, nascosti tra le chiome. Le scimmie si allontanarono rapidamente, muovendosi veloci tra i rami nella direzione opposta.

Il rumore degli spari era stato assordante, e sinistro.

Non c'era dubbio: Jaeger aveva appena segnalato il loro arrivo a chiunque fosse in ascolto... Ma al diavolo, aveva bisogno di un'arma potente per fermare l'ondata di *Phoneutria*, e il fucile da combattimento era praticamente fatto apposta.

Jaeger si gettò l'arma in spalla e liberò Narov dalla corda per la discesa. La trascinò con sé, con gli scarponi che strisciavano tra le foglie marcescenti e il fine terreno sabbioso. La appoggiò contro una delle numerose formazioni di radici a V rovesciata che spuntavano dalla base di un albero imponente.

La foresta pluviale era un castello costruito sulla sabbia; lo strato di terriccio al di sotto era sottile come un cracker. Nell'umidità e nel calore intensi, la vegetazione morta tendeva a marcire velocemente, e le sostanze nutritive così rimesse in circolo erano prontamente riassorbite da piante e animali. Di conseguenza, la maggior parte dei giganti della foresta poggiava su una rete di radici che penetravano solo per pochi centimetri appena nel terreno povero.

Dopo aver messo a sedere Narov, Jaeger tornò indietro a recuperare il suo zaino. Aveva un'ottima preparazione medica – una delle abilità specialistiche apprese nell'esercito – e gli effetti di una neurotossina simile gli erano ben noti: uccideva attaccando il sistema nervoso, e lo faceva in modo tale che le terminazioni nervose restassero costantemente eccitate, causando i terribili tremiti e le convulsioni che Narov stava iniziando ad avere.

Il decesso solitamente sopravveniva per l'incapacità dei muscoli coinvolti nella respirazione di continuare a funzionare normalmente. Il corpo finiva letteralmente per soffocarsi sino a morire.

Il trattamento richiedeva che l'antidoto per la sostanza neuroattiva, il ComboPen, venisse iniettato tre volte in rapida successione. Ciò avrebbe fermato i sintomi dell'avvelenamento, ma poteva darsi che Narov avrebbe avuto bisogno anche della pralidoxima e dell'avizafone per far tornare i muscoli respiratori a funzionare correttamente.

Jaeger afferrò il kit medico e cercò fiale e siringa. Fortunatamente era ben imbottito, e sembrava che quasi ogni cosa fosse sopravvissuta alla caduta. Preparò la prima dose di ComboPen, sollevò la siringa sopra la testa e l'affondò nel corpo di lei.

Penetrò la spessa tuta HAHO e i pantaloni militari, poi iniettò il farmaco nel suo sistema circolatorio.

27

Cinque minuti dopo, il trattamento era concluso. Narov era ancora cosciente, ma aveva la nausea, il respiro corto e notevoli spasmi e contrazioni. Dal momento in cui era stata morsa a quando Jaeger le aveva iniettato l'antidoto era passato solo qualche minuto, ma ciononostante c'era ancora il rischio che il veleno del ragno la uccidesse.

Dopo averle sfilato la tenuta da HAHO, Jaeger la spinse a bere il più possibile dalla borraccia d'acqua che le mise a fianco. Doveva mantenersi idratata, così che i fluidi aiutassero a eliminare le tossine dal suo organismo.

Jaeger si spogliò fino a restare con un paio di pantaloni militari in cotone resistente e una T-shirt. I suoi vestiti erano intrisi di sudore, che continuava a uscirgli dai pori. Immaginò che l'umidità superasse il novanta per cento. Malgrado l'intenso calore tropicale, solo una parte minima del sudore sarebbe evaporata, perché l'aria era già satura di vapore.

Per tutto il tempo, nella giungla, sarebbero stati zuppi, ed era meglio abituarcisi.

Jaeger si fermò a raccogliere le idee.

Erano le 09.03 Zulu quando si erano lanciati attraverso la vegetazione, alla fine dell'allucinante caduta libera. Ci avevano messo un'ora abbondante a scendere dalle cime degli alberi. Ormai erano circa le 10.30 Zulu, e si trovavano in una situazione totalmente disperata sotto ogni punto di vista: non aveva immaginato nulla di simile neanche quando aveva provato a delineare lo scenario peggiore, prima della partenza.

Uno degli istruttori dei SAS una volta gli aveva detto che "nessun piano sopravvive al primo contatto col nemico". Cazzo se era vero: specialmente quando si trattava di un lancio di trentamila piedi sull'Amazzonia, con un pezzo di ghiaccio russo attaccato al corpo.

Recuperò il suo zaino, un Alice Pack verde da settantacinque litri, uno zaino militare americano progettato appositamente per la giungla. A differenza di molti degli zaini più capienti, aveva una struttura di metallo che lo teneva sollevato a più di cinque centimetri dalla schiena, permettendo alla maggior parte del sudore di defluire e riducendo il rischio di fastidiose irritazioni o di abrasioni sulle anche e sulle spalle.

La maggior parte degli zaini disponeva di un grande compartimento centrale e di tasche che spuntavano sui lati. Di conseguenza erano più larghi delle spalle e rischiavano di impigliarsi nel sottobosco. L'Alice Pack era più sottile in alto e più ampio sul fondo, con le tasche attaccate sul retro. In quel modo, Jaeger era certo che, se avesse dovuto infilarsi in uno stretto pertugio, lo zaino non l'avrebbe ostacolato.

Lo zaino era avvolto in una spessa "sacca da canoa" di gomma, che lo rendeva impermeabile e gli permetteva di galleggiare. In più, forniva un ulteriore strato di imbottitura per affrontare una caduta di trenta metri come quella con cui aveva appena dovuto fare i conti.

Jaeger ne controllò il contenuto: come temeva, non tutto era sopravvissuto alla caduta. Il telefono satellitare Thuraya era riposto in una delle tasche posteriori, perché fosse a portata di mano. Lo schermo era scheggiato, e quando provò ad accenderlo non accadde nulla. Ne aveva un secondo, infilato in uno dei contenitori con cui si erano lanciati Krakow e Kamishi, ma in quel momento era totalmente inutile.

Prese la mappa. Fortunatamente, come ogni mappa, era praticamente indistruttibile. L'aveva fatta plastificare, per renderla semi-impermeabile, ed era già ripiegata sulla pagina giusta. O almeno, quella che avrebbe dovuto essere la pagina giusta: purtroppo, lui e Narov erano atterrati da qualche parte ad almeno quaranta chilometri dal punto prescelto.

Usando lo zaino come sedile, si appoggiò contro la radice di un albero e ripiegò la mappa fino a trovare quella che gli sembrava la pagina giusta. Tenere la mappa aperta al punto giusto era vietato nell'esercito, poiché rivelava immediatamente al nemico quale fosse l'obiettivo, in caso si venisse catturati, ma Jaeger non stava conducendo un'operazione militare: doveva essere una spedizione civile nella giungla, niente di più.

Dal GPS che aveva al polso recuperò il *waypoint*, quello che aveva memorizzato qualche istante prima di lanciarsi sulla giungla.

Gli fornì una griglia di sei cifre: 837529.

Sovrappose la griglia alla mappa, e comprese immediatamente dove si trovavano.

Si prese un momento per valutare la situazione.

Si trovavano ventisette chilometri a nord-est del punto d'atterraggio convenuto: il banco di sabbia. Brutta situazione, ma aveva temuto fosse ancora peggiore. Tra i due punti scorreva un'ampia ansa del Rio de los Dios. Supponendo che il resto della squadra avesse raggiunto il banco di sabbia secondo il piano, il fiume divideva l'attuale posizione di Jaeger e di Narov dalla loro.

Non c'era modo di aggirarlo, e Jaeger lo sapeva. In più, ventisette chilometri attraverso la giungla fitta con una persona ferita non sarebbe stata una passeggiata, questo era certo.

La procedura convenuta in caso qualcuno non riuscisse a raggiungere il punto di atterraggio prefissato prevedeva che il resto della squadra aspettasse per quarantott'ore. Se la persona (o le persone) mancante non fosse arrivata in quel lasso di tempo, il PI (punto d'incontro) seguente era una precisa ansa del fiume, approssimativamente a un giorno di marcia verso l'estuario; altri due PI si trovavano più in basso, ciascuno a un giorno di marcia dall'altro.

Il Rio de los Dios scorreva nella direzione in cui avrebbero dovuto muoversi per raggiungere l'aereo, un'altra delle ragioni per cui avevano scelto di atterrare sul banco di sabbia. Proseguire da lì sul fiume sarebbe stato relativamente più semplice che attraversare la giungla. Ma ogni PI successivo si trovava più distante a ovest, ancor più lontano dall'attuale posizione di Jaeger e di Narov.

Il banco di sabbia era più vicino, il che significava che avevano quarantott'ore per arrivarci. Se non ci fossero riusciti, il resto della spedizione avrebbe iniziato a spostarsi in direzione ovest, e Jaeger e Narov non l'avrebbero mai raggiunto.

Col telefono Thuraya fuori uso, Jaeger non aveva modo di mettersi in contatto con nessuno per comunicare quello che era successo. Anche se fosse stato in grado di farlo funzionare, non era certo che avrebbe trovato campo. Era necessario essere sotto il cielo aperto perché il telefono captasse il segnale e si collegasse al satellite, altrimenti era impossibile inviare e ricevere qualsiasi messaggio.

Anche se fossero riusciti ad attraversare il Rio de los Dios, avrebbero poi dovuto affrontare una sfiancante marcia nel cuore della giungla. Inoltre, c'era un altro enorme problema che Jaeger non aveva dimenticato, oltre al fatto che Narov non avrebbe mai potuto affrontare un viaggio simile.

Il colonnello Evandro aveva tenuto segreta la posizione esatta del relitto, per proteggerlo. Aveva accondisceso a comunicarla solamente a Jaeger in persona, e solo poco prima che partissero col C-130. A sua volta, Jaeger aveva promesso di non rivelare le coordinate a nessuno, specialmente perché non era certo di chi, tra i membri della squadra, potesse fidarsi.

Aveva deciso di rivelare a tutti il percorso esatto solo dopo aver messo piede sul banco di sabbia: a quel punto si sarebbero trovati tutti sulla stessa barca. Ma quando aveva scelto i PI d'emergenza, non aveva immaginato che sarebbe potuto capitare a lui di non raggiungere il punto d'atterraggio.

In quel momento, nessuno conosceva le coordinate dell'aereo, il che significava che senza di lui potevano procedere solo per un tratto limitato.

Jaeger lanciò un'occhiata a Narov. Le sue condizioni sembravano peggiorare. Un braccio sosteneva la mano su cui era stata morsa. Il volto era lucido di sudore, e la pelle aveva assunto un pallore malaticcio, mortale.

Poggiò nuovamente la testa contro la radice e fece qualche respiro profondo. Non era più in gioco soltanto la spedizione: ormai, era una questione di vita o di morte.

Ne andava della loro sopravvivenza, e solo le sue decisioni avrebbero potuto permettere a lui e a Narov di uscirne vivi.

28

Un elastico blu cielo teneva i capelli di Narov, di un biondo chiarissimo, sollevati dal suo volto. Aveva gli occhi chiusi, come se si fosse addormentata o avesse perso conoscenza, e respirava a fatica. Per un istante, Jaeger rimase colpito dalla sua bellezza, e dalla sua vulnerabilità.

D'improvviso lei spalancò gli occhi.

Per un istante lo fissò, gli occhi sgranati, vuoti, ciechi, un cielo azzurro ghiaccio attraversato da nuvole tempestose. E poi, con uno sforzo visibile, Narov sembrò recuperare lucidità e tornare a concentrarsi sul terribile presente.

«Sto soffrendo molto» annunciò con tranquillità, stringendo i denti. «Non andrò da nessuna parte. Hai quarantott'ore per trovare gli altri. Ho il mio zaino: acqua, cibo, arma, coltello. Mettiti in marcia.»

Jaeger scosse il capo. «Niente da fare.» Una pausa. «Mi annoio da solo.»

«Allora sei davvero un fottuto *Schwachkopf.*» L'ombra di un rapido sorriso le balenò negli occhi. Era la prima volta che Jaeger la vedeva mostrare una traccia d'emozione, a parte l'animosità appena mascherata; la cosa lo colpì. «Ma non mi sorprende che la tua compagnia ti annoi» proseguì lei, stancamente. «Sei davvero noioso. Bello, sì. Ma anche molto noioso...»

L'accenno di sorriso nei suoi occhi morì in uno spasmo convulsivo.

Jaeger sapeva cosa stava cercando di fare. Voleva provocarlo, spingerlo ad abbandonarla, come aveva suggerito. Ma lui possedeva una qualità che lei ancora non aveva avuto modo di apprezzare: non lasciava mai da soli i suoi amici.

Mai. Nemmeno quelli matti.

«Bene, questo è quel che faremo» annunciò Jaeger. «Abbandoneremo tutto tranne le cose essenziali, e il Mr Noioso qui presente trasporterà il tuo culo malconcio fuori da qui. E prima che inizi a protestare: lo faccio solo perché mi servi. Sono l'unico a conoscere le coordinate dell'aereo. Se non ce la faccio, la missione è finita. Ora darò le coordinate a te. Quindi, prenderai il mio posto se mi succede qualcosa. Capito?»

Narov alzò le spalle. «Che eroismo. Ma non ce la farai mai. Otterrai unicamente di allontanarmi dal mio zaino, e senza acqua e cibo morirò. Il che non ti rende soltanto noioso, ma pure stupido.»

Jaeger rise. Era quasi tentato di ripensarci e abbandonarla. Invece si alzò in piedi e raccolse gli zaini per selezionare le cose essenziali: un kit medico, provviste per entrambi per quarantott'ore, un poncho sotto cui dormire, munizioni per il fucile e infine mappa e bussola.

Prese un paio di borracce d'acqua piene, oltre a un leggero filtro Katadyn, che permetteva di ottenere rapidamente dell'acqua potabile.

Prese il suo zaino e vi infilò sul fondo delle sacche da canoa, riempiendolo il più possibile con l'equipaggiamento più leggero. Gli oggetti più pesanti – cibo, acqua, coltello, machete, munizioni – finirono in cima, in modo da reggere con le spalle la maggior parte del peso.

Il resto dell'attrezzatura sarebbe rimasto dov'era, alla mercé della giungla.

Finita la cernita, si caricò lo zaino sulla schiena, gettandosi il suo fucile e quello di Narov sulle spalle in modo che gli pendessero sul petto. Infine, mise gli oggetti più preziosi – due borracce d'acqua piene, la bussola e la mappa – nelle tasche che portava in vita, in una cintura militare.

A quel punto, era pronto.

Il suo GPS funzionava con un sistema simile al telefono, entrambi dipendevano dai satelliti. Anche quello era inservibile sotto il folto tetto della foresta. Avrebbe dovuto attraversare una trentina di chilometri di giungla senza sentieri, contando i passi e osservando la bussola: un metodo d'orientamento vecchio quanto la terra.

Per fortuna, in quest'epoca tecnologica, i SAS si fidavano ancora dei metodi tradizionali, e li insegnavano a tutti i loro membri.

Prima di sollevare Narov, Jaeger le svelò le coordinate dell'aereo, costringendola a ripetergliele diverse volte, per assicurarsi che le avesse memorizzate. Sapeva che l'avrebbe aiutata psicologicamente avere la consapevolezza che lui aveva bisogno di lei.

Ma una parte di lui dubitava davvero di potercela fare: una distanza simile su quel terreno, trasportando un peso del genere... Avrebbe ucciso quasi chiunque, e Jaeger lo sapeva.

Si chinò e afferrò Narov, sollevandola con la tecnica del pompiere fino a issarsela su una spalla. La pancia e il petto di lei – proprio come Jaeger voleva – poggiavano sullo zaino, in modo da scaricarvi sopra il peso. Strinse la cintura e i lacci dello zaino, in modo che aderisse completamente al busto gravando sul suo intero corpo, fianchi e gambe inclusi.

Infine, eseguì la misurazione con la bussola. Si concentrò su un albero particolare una trentina di metri più avanti, scegliendolo come primo obiettivo.

«Okay» sbuffò «non era così che doveva andare, ma comunque.»

«Basta stronzate.» Narov fece una smorfia di dolore. «Come ho detto, sei noioso e stupido.»

Jaeger la ignorò.

Si mise in marcia con ritmo regolare, contando ogni singolo passo.

29

I rumori della foresta avvolsero Jaeger: i versi degli animali selvaggi tra i rami degli alberi, il ronzio di mille insetti che pulsava dai cespugli, il gracidare di un coro di rane, che indicava la presenza di un terreno più umido da qualche parte davanti a loro.

Riusciva a percepire l'aumento dell'umidità e il sudore che continuava a sgorgare. Ma c'era qualcos'altro che lo tormentava, qualcosa di diverso dalla precarietà della loro situazione attuale. Jaeger aveva la sensazione che non fossero soli. Era un'impressione irrazionale, ma non riusciva a scrollarsela di dosso.

Fece del suo meglio per lasciare meno tracce possibile del loro passaggio, perché più il tempo passava più era certo che qualcuno li stesse osservando: la strana sensazione gli bruciava sulla nuca e sulle spalle.

Ma muoversi era terribilmente difficile, specialmente col peso che doveva portare.

Sotto innumerevoli aspetti, la giungla era l'ambiente più complicato in cui agire. In mezzo alle nevi dell'Artico bisognava soltanto preoccuparsi di restare caldi. Orientarsi era semplicissimo: si riusciva quasi sempre a captare un segnale GPS. Nel deserto, le maggiori difficoltà erano proteggersi dal calore e bere abbastanza acqua da tenersi in vita. Ci si spostava di notte, e di giorno ci si accampava all'ombra.

La giungla invece presentava innumerevoli pericoli, che nessun altro luogo poteva eguagliare: spossatezza, disidratazione, infezioni, piede da trincea, disorientamento, ferite, morsi, tagli, ematomi, insetti portatori di malattie e zanzare affamate, animali selvatici, sanguisughe e serpenti. Nella giungla bisognava costantemente combattere contro l'ambiente angusto e soffocante, mentre l'Artico e il deserto erano spazi aperti.

E poi ovviamente c'erano i ragni assassini – e le tribù ostili – con cui fare i conti.

Jaeger stava ripensando a tutto questo mentre si faceva strada attraverso l'intricato sottobosco, sul terreno scivoloso e infido. Il forte tanfo di putrido, scuro e fetido, gli assalì le narici. Il terreno digradava man mano che si avvicinava al Rio de los Dios. Non appena avessero raggiunto la riva nord del fiume, il gioco e il divertimento sarebbero iniziati sul serio.

Più si saliva in alto nella giungla, più il terreno tendeva a diventare semplice, perché era immancabilmente più asciutto e la vegetazione si faceva più rada. Ma prima o poi avrebbero dovuto attraversare il Rio de los Dios, il che significava addentrarsi su un suolo vischioso e paludoso.

Jaeger si fermò un istante per prendere fiato e studiare il percorso che li attendeva.

Davanti a loro si stendeva un crepaccio profondo, in cui senza dubbio l'acqua del Rio de los Dios defluiva durante le piogge. Sotto le suole la terra, mai raggiunta dalla luce del sole, sembrava umida e fangosa. Il canale era coperto di alberi di medie dimensioni, ciascuno dotato di grappoli di spine acuminate che spuntavano di diversi centimetri dal tronco.

Jaeger conosceva benissimo quegli alberi coperti di spine. Non erano velenosi, ma ciò non aveva molta importanza. Una volta ci era finito contro, durante un addestramento nella giungla. I rigidi aghi legnosi gli avevano trapassato il braccio in più punti, e le ferite si erano presto infettate. Da quel momento, li aveva ribattezzati "alberi bastardi".

Tra quei tronchi pericolosi c'erano spesse liane, anch'esse armate di taglienti spine uncinate. Jaeger estrasse la bussola e fece una rapida rilevazione. Il crepaccio correva verso sud, nella direzione che dovevano seguire, ma valutò che fosse meglio evitarlo.

Invece, puntò verso ovest, fissando lo sguardo su un gruppo di maturi alberi da legno duro, e si mosse in quella direzione. Avrebbe fatto il giro attorno al crepaccio, poi poco più avanti avrebbe girato verso sud, arrivando così direttamente al fiume.

Ogni venti minuti si concedeva di posare Narov a terra, in modo che entrambi potessero riprendere fiato e ingoiare un sorso d'acqua. Ma mai per più di due minuti: subito dopo si rimetteva in marcia.

Mentre saliva, sospinse il peso di Narov più in alto sulle spalle. Per un istante si domandò come stesse. Non aveva detto nemmeno una parola da quand'erano partiti. Se avesse perso del tutto conoscenza, attraversare il fiume sarebbe stato pressoché impossibile, e Jaeger sarebbe stato costretto a escogitare un piano alternativo.

Quindici minuti dopo discese un lieve pendio, fermandosi davanti a una solida parete di vegetazione. Dall'altra parte riusciva a intravedere una massa in movimento: di tanto in tanto, un riflesso di sole giungeva fino a loro.

Acqua. Era quasi al fiume.

La giungla adulta – vegetazione rimasta indisturbata per secoli – consiste solitamente in un alto intrico di rami con un sottobosco relativamente rado a terra. Ma nei luoghi in cui la foresta pluviale vergine è stata disturbata – da un'autostrada che le passa attraverso, per esempio, o da un fiume che ne scava le profondità –, la vegetazione secondaria tende a infittirsi nelle radure che si sono formate.

Il Rio de los Dios aveva aperto un tunnel di sole attraverso la giungla, e su entrambi i lati c'era un groviglio di fitti arbusti intrecciati. La vegetazione che s'innalzava davanti a Jaeger era come una scogliera scura e impenetrabile: alti giganti della foresta contornati da arbusti più piccoli simili a palme, oltre a felci rampicanti che si innalzavano ben al di sopra del suolo. Col carico che aveva sulle spalle, era praticamente impossibile affrontarla.

Jaeger si incamminò verso est, seguendo la sponda del fiume fino a raggiungere il crepaccio che aveva costeggiato prima. Nel punto in cui si gettava nel fiume, il terreno era praticamente privo di vegetazione, con una piccola spiaggia rocciosa non più ampia di un normale sentiero di campagna.

Era sufficiente. Da lì potevano tentare l'attraversamento, sempre che Narov fosse in grado di farcela.

La sollevò dalle sue spalle e la adagiò a terra. Dava scarsi segni di vita e per un terribile secondo Jaeger temette che le tossine avessero avuto la meglio mentre la trasportava attraverso la giungla. Ma quando le sentì il polso, notò qualche brivido e tremito che le scuotevano le membra, mentre il veleno del *Phoneutria* provava a farsi strada nel suo organismo.

Narov non tremava più con la stessa violenza di prima – il siero evidentemente stava facendo effetto –, ma continuava a sembrare morta, nonostante le sue sollecitazioni: in stato comatoso, separata dal mondo. Le sollevò la testa, reggendole il volto con una mano, per farle assumere qualche liquido. Lei deglutì un paio di sorsi, ma ancora non dava segno di riuscire ad aprire gli occhi.

Jaeger prese lo zaino e ne estrasse il GPS. Doveva controllare se riusciva a "vedere" abbastanza cielo per captare un segnale utile. L'apparecchio fece un *bip*, un secondo, un terzo, poi l'icona del satellite comparve sullo schermo. Controllò la posizione: la griglia indicata dal GPS dimostrava che era riuscito ad orientarsi alla perfezione.

Per un momento lanciò un'occhiata al fiume, contemplando la traversata che li attendeva. C'erano quasi cinquecento metri fino all'altra sponda, forse di più. La lenta acqua scura era interrotta qua e là da sottili banchi di fango che spuntavano appena dalla superficie.

Peggio ancora, su un paio di essi Jaeger intravide quel che più aveva temuto di trovare: le lucenti sagome di creature simili a lucertole giganti, che prendevano il sole nel tepore del mattino.

Le bestie davanti a loro erano i più grandi predatori che l'Amazzonia aveva da offrire. Coccodrilli.

O più precisamente, visto che si trovavano in Sudamerica, caimani.

30

Il caimano nero – *Melanosuchus niger* – può raggiungere i cinque metri di lunghezza, e pesare fino a quattrocento chili: più di cinque volte il peso di un uomo. Incredibilmente forte e con la pelle spessa quanto quella di un rinoceronte, non ha predatori naturali.

Nulla di cui stupirsi, pensò Jaeger. Una volta, qualcuno aveva descritto l'animale come un "coccodrillo fatto di steroidi", e un normale coccodrillo non aveva alcun bisogno di essere più grande e più aggressivo di quanto già non fosse. "Tienilo a mente" pensò Jaeger. "Fa' attenzione."

Jaeger si sforzò anche di ricordare che i caimani neri ci vedevano poco, e che erano soliti cacciare al buio. Sott'acqua erano quasi ciechi, ancor più in un fiume limaccioso come quello. Dovevano tenere la testa fuori dall'acqua per vedere prima di attaccare, e ciò significava che sarebbero stati visibili.

Solitamente si affidavano all'olfatto per raggiungere la preda. Per un istante, Jaeger controllò il punto in cui Narov l'aveva graffiato col coltello, mentre tentava di parare i fendenti durante la caduta libera. La ferita aveva smesso di sanguinare da tempo, ma sarebbe stato meglio tenerla fuori dall'acqua.

In mancanza di piani alternativi, procedette con l'unico che aveva. Si tolse lo zaino, l'aprì, e tirò fuori le sacche da canoa. Svuotò lo zaino e ne divise il contenuto in modo che il peso fosse equamente distribuito sulle due sacche.

Poi mise una delle sacche nello zaino, la gonfiò e la chiuse, piegando il sigillo due volte e chiudendolo saldamente, prima di gonfiare la seconda sacca.

Usando gli agganci sullo zaino, vi assicurò la sacca. Poi prese il suo fucile e l'arma di Narov e annodò un lungo pezzo di paracord a entrambe, collegando l'altro capo ai due angoli della zattera improvvisata, con dei nodi facilmente scioglibili.

In quel modo, se uno dei fucili fosse caduto sarebbe riuscito a recuperarlo.

Quindi scelse del bambù spesso in un canneto che cresceva accanto al bordo dell'acqua. Lo tagliò col machete e lo divise in pezzi da un metro e mezzo. Con la lama affilata, spaccò a metà due dei pezzi, per creare quattro bracci di croce. Quindi ne mise in fila quattro pezzi, fissò le estremità delle due croci con del paracord, legando tutto insieme per creare una semplice struttura, che a sua volta venne fissata alle sacche galleggianti.

Trascinò la zattera improvvisata verso l'acqua. Vi si sedette a cavalcioni, testandone la resistenza. Sopportava facilmente il suo peso, galleggiando sopra all'acqua, proprio come aveva sperato. Finito questo passaggio, era pronto.

Era praticamente certo che avrebbe retto il peso di Narov.

Tirò a riva la zattera e si mise a filtrare dell'acqua. Era sempre una buona idea tenere le borracce piene, specialmente visto quanto stava sudando. Usando il Katadyn, risucchiò la sporca acqua marrone del fiume attraverso il tubo d'ingresso, e il filtro riversò dell'acqua limpida nella borraccia. Ne bevve il più possibile, prima di riempire di nuovo entrambe le borracce.

Aveva quasi finito quando un rumore inatteso ruppe il silenzio. Una voce esausta fendette il caldo soffocante, fragile, carica di dolore, roca per la stanchezza.

«Noioso, stupido... e mezzo matto.» Era Narov. Aveva ripreso conoscenza e l'aveva osservato mentre provava la zattera. Accennò un fiacco gesto in quella direzione. «Non pensarci nemmeno a mettermi là sopra. È ora che accetti l'inevitabile e prosegui da solo.»

Jaeger ignorò il suo commento. Posizionò le armi ai lati della zattera, rivolte verso il basso. Tornò da Narov, accovacciandosi davanti a lei.

«Capitano Narov, la tua carrozza ti attende.» Indicò la zattera. Si sforzò di sorridere. Sentì che le viscere gli si contorcevano al pensiero di quel che li attendeva, ma fece del suo meglio per non darlo a vedere. «Ti porterò giù e ti metterò a bordo. È abbastanza stabile, ma prova a non muoverti troppo. E non buttare i fucili in acqua.»

Le rivolse un sorriso di incoraggiamento, ma lei riuscì appena a reagire.

«Mi correggo» bisbigliò. «Non mezzo matto: sei clinicamente folle. Ma come vedi, non sono in grado di controbattere.»

Jaeger la sollevò. «Questa è la mia ragazza.»

Lei sbuffò. Evidentemente era troppo stremata per pensare a una risposta adatta.

Jaeger la depose gentilmente sulla zattera, di traverso, avvisandola di tenere le lunghe gambe piegate. Lei si rannicchiò in posizione fetale e la zattera affondò di un quindicina di centimetri, ma la maggior parte rimase comunque al di sopra della superficie.

Erano pronti a partire.

Jaeger entrò nell'acqua profonda spingendo la zattera davanti a sé; i piedi gli sprofondarono nella densa fanghiglia. L'acqua era tiepida e velata di una melma oleosa. Di tanto in tanto lo scarpone andava a urtare un grumo di vegetazione marcescente – probabilmente un ramo – avvolto nel limo pesante. Quando lo pestava, rilasciava una lunga scia di bolle, gas prodotti dalla decomposizione che risalivano in superficie.

Quando l'acqua gli arrivò al petto, Jaeger si lanciò. La corrente era più forte di quanto si fosse aspettato, e non dubitava che li avrebbe trasportati rapidamente verso la foce. Ma era quel che si nascondeva nell'acqua che gli metteva una gran voglia di arrivare dall'altra parte.

Jaeger nuotò scalciando attraverso il primo tratto di acqua aperta, tenendo entrambe le mani sulla zattera. Narov era distesa davanti a lui, raggomitolata e immobile. Era cruciale che continuasse ad avanzare dritto e regolare. Era certo che se la corrente avesse fatto virare o sbilanciare la zattera, Narov sarebbe caduta e, in acqua, sarebbe sicuramente morta.

Era troppo debilitata per riuscire a resistere alla corrente, o a nuotare.

Gli occhi di Jaeger scrutarono il fiume in entrambe le direzioni. Era quasi al livello della superficie, il che gli restituiva una prospettiva bizzarra, irreale. Pensò che ci si dovesse sentire così a essere uno dei caimani del Rio de los Dios, perlustrando le acque quasi totalmente sommersi, a caccia di una preda.

Scrutò a destra e sinistra per controllare se vi fosse qualche animale diretto verso di loro.

Era a meno di venti metri dal banco di fango davanti a loro quando intravide il primo. Fu il movimento ad attirare il suo sguardo. Lo osservò scivolare nel fiume un centinaio di metri più in alto. Impacciata sulla terraferma, la creatura si muoveva con una grazia e una velocità mortali nell'acqua; Jaeger percepì la tensione in ogni muscolo, in vista del combattimento.

Ma invece di discendere il fiume verso di loro, il caimano voltò il muso a nord, inseguendo una traccia controcorrente per una cinquantina di metri o più. Poi salì su un banco di fango e tornò alla sua occupazione precedente: prendere il sole.

Jaeger tirò un sospiro di sollievo. Quel caimano evidentemente non aveva fame.

Qualche istante dopo, sentì che gli scarponi toccarono il fondo. Camminando, spinse la zattera sulla striscia di terra più vicina: un nastro di sedimenti fangosi largo meno di quattro metri. Si spostò davanti alla zattera e iniziò a tirarla, con i muscoli che gli bruciavano per lo sforzo di trascinare quel peso morto e le gambe che a ogni passo affondavano fino al ginocchio nel nero fango vischioso.

Per due volte perse del tutto la presa, cadendo sulle mani e sulle ginocchia, coprendosi completamente di limo disgustoso. Per un attimo gli tornò in mente la palude in cui lui e Raff si erano nascosti sull'isola di Bioko. L'unica differenza era che laggiù non c'erano caimani giganti contro cui lottare.

Quando Jaeger raggiunse di nuovo l'acqua profonda, era coperto dalla testa ai piedi di una porcheria putrida e nera, di frammenti marcescenti, e il suo cuore batteva come una mitragliatrice per lo sforzo.

Calcolò che c'erano altri due banchi di fango che non sarebbe riuscito ad aggirare; avrebbe dovuto attraversarli. Non c'erano dubbi: una volta raggiunta l'altra sponda, sarebbe stato esausto.

Se avessero raggiunto l'altra sponda.

Tornò a immergersi, trascinandosi dietro la zattera, poi ritornò a poppa. Mentre scalciava e spingeva la zattera verso il centro del fiume, la corrente iniziò a strattonarlo più violentemente. Jaeger dovette lottare con tutte le sue forze per tenere la zattera in equilibrio, con le gambe che pompavano per farsi strada.

Più in basso lungo il corso del fiume l'acqua era meno profonda, ma più rapida nelle vicinanze della riva. Jaeger vide che il fiume si faceva più turbolento, colpendo le rocce che creavano una striscia di schiuma. Doveva portare la zattera a riva prima che venissero trascinati nelle rapide.

La zattera si avvicinò al secondo banco di sabbia. In quel momento, Jaeger avvertì un contatto inatteso: qualcosa gli aveva sfiorato il braccio destro. Alzò lo sguardo per accorgersi che si trattava soltanto della mano di Narov. Aveva allungato le dita, chiudendole attorno alle sue; gli diede una leggera stretta.

Non riusciva a capire cosa stesse provando a dirgli: indovinare i pensieri di quella donna era praticamente impossibile. Ma forse, e solo forse, la Regina dei Ghiacci stava iniziando a sciogliersi un poco.

«So cosa stai pensando.» La voce di lei lo raggiunse ridotta a un mezzo bisbiglio per via delle tossine che aveva in circolo. «Ma non è un gesto intimo. Sto provando a metterti in guardia. Il primo caimano... sta arrivando.»

Tenendo ferma la zattera con i polsi, Jaeger afferrò i due fucili. Li strinse per l'impugnatura, piegando gli indici sui due grilletti; le due canne tenevano sotto tiro l'acqua su entrambi i lati, mentre i suoi occhi sondavano la superficie.

«Dove?» sibilò. «Da quale lato?»

«Ore undici» bisbigliò Narov. «Più o meno dritto davanti a noi. Dodici metri. Si avvicina in fretta.»

Si stava avvicinando nel suo punto cieco.

«Tieniti stretta» esclamò Jaeger.

Lasciò andare l'arma alla sua sinistra, disfò il nodo che reggeva il fucile da combattimento, l'afferrò e mollò la zattera, tuffandosi dietro di essa e scalciando con entrambe le gambe. Quando arrivò sotto il lato più lungo intravide un enorme muso nero che fendeva l'acqua verso di lui, e dietro a esso un corpo corazzato coperto di creste e squame che serpeggiava per cinque metri o più.

Era un caimano nero, nessun dubbio in proposito, e un vero mostro.

Jaeger puntò il fucile proprio nell'istante in cui le fauci del caimano si spalancavano davanti a lui. Si ritrovò a fissare la sua gola. Non aveva tempo per prendere la mira. Premette il grilletto a bruciapelo e con la sinistra spinse indietro il meccanismo a pompa, caricando un altro colpo, e un altro ancora.

L'impatto degli spari ripetuti sbalzò la testa dell'animale fuori dall'acqua, ma non fu sufficiente ad arrestarne l'avanzata. Poteva anche averlo ucciso all'istante, col ventaglio di pallini di piombo che gli aveva fatto saltare il cervello, ma il suo cadavere insanguinato piombò su Jaeger con tutta la forza di una bestia da quattrocento chili.

Jaeger sentì che l'aria gli fuggiva dai polmoni compressi, mentre affondava sotto la zattera e l'acqua scura e torbida si chiudeva sopra di lui.

In alto, la massa insanguinata del muso del caimano si fermò con uno scricchiolio rivoltante, gli occhi morti che fissavano affamati, le fauci dilaniate che si abbattevano sulla parte anteriore della zattera.

La leggera imbarcazione si inclinò pericolosamente; l'impatto quasi la spezzò in due. Qualche istante dopo, la massa immobile e priva di vita del caimano iniziò ad affondare sotto la superficie del fiume.

La zattera urtata si inclinò ancora di più, l'acqua limacciosa sfiorò la testa e le spalle di Narov, mentre schizzava tra le rocce, trascinata nella prima rapida.

Lei si accorse che stava affondando. Per un istante tese i muscoli, cercando di mantenere la presa.

Ma evidentemente lo sforzo era troppo per lei.

Infine, Jaeger riuscì a tornare in superficie, sputando fuori dai polmoni l'acqua fetida del Rio de los Dios. Era finito in profondità e c'era rimasto a lungo, lottando per la vita; gli sembrava di essere quasi annegato. Per un lungo istante cercò di riprendere fiato: il suo intero corpo urlava per il bisogno d'ossigeno, pregando che l'aria vitale tornasse in circolo.

Attorno a lui c'erano altri caimani che si stavano avvicinando al cadavere del mostro che aveva appena ucciso. Erano attirati dall'odore del sangue. Mentre veniva trascinato verso il letto del fiume, Jaeger aveva perso il fucile e ormai era praticamente inerme, ma i caimani non sembravano prestargli molta attenzione.

Invece, avevano un loro simile con cui banchettare, e l'acqua imbevuta di sangue li stava facendo impazzire.

Per un lungo istante Jaeger provò a orientarsi, poi anche lui venne trascinato tra le rapide. Tentò di proteggersi il busto mentre veniva sospinto verso le rocce, tenendo i piedi in avanti per scalciare via ogni ostacolo e le braccia distese per stabilizzarsi.

Mentre si spingeva verso la corrente più debole lungo la scia di schiuma, fece un giro di trecentosessanta gradi su se stesso per cercare la zattera, ma scrutando il fiume tutt'attorno a lui non riuscì a localizzarla in nessuna direzione. Il leggero galleggiante sembrava svanito nel nulla: quella perdita gli fece gelare il sangue.

Continuò a cercare con sempre maggiore apprensione, ma la zattera improvvisata non si vedeva da nessuna parte.

E, per quanto riguardava Irina Narov, non c'era alcuna traccia di lei.

31

Jaeger si issò sulla riva.

Cadde sulle ginocchia, esausto e spossato, con i muscoli brucianti e i polmoni che annaspavano per un po' di fiato. A chi l'avesse visto sarebbe sembrato più un ratto quasi annegato e coperto di fango che un essere umano... Non che si aspettasse che in molti lo stessero guardando.

Per ore aveva instancabilmente perlustrato il Rio de los Dios alla ricerca di Irina Narov. Aveva setacciato il fiume da riva a riva, cercando ovunque, urlando il suo nome. Ma, per ore, non aveva trovato la minima traccia di lei, né della zattera. E poi era successo quel che più aveva temuto: aveva trovato il suo zaino e la sacca galleggiante, ancora legati ma strappati e fatti a brandelli dalle zanne e dagli artigli dei caimani.

I resti devastati della zattera erano finiti nelle secche più in basso lungo il corso del fiume. Su un banco di fango vicino, Jaeger aveva scorto una traccia inquietante della donna che aveva disperatamente tentato di proteggere: l'elastico blu, fradicio, strappato e macchiato di fango.

Continuò comunque a perlustrare le rive del fiume fino a dove poteva arrivare, ma già sapeva che i suoi sforzi sarebbero stati vani. Jaeger immaginò che Irina dovesse essere stata sbalzata in acqua già nel momento in cui il cadavere del caimano l'aveva scagliato nell'acqua scura come inchiostro. Il fiume, le rapide e i caimani dovevano aver finito il lavoro.

Per un minuto buono aveva lottato contro le rapide, ma era comunque abbastanza perché la zattera potesse essere stata trascinata dove non riusciva a vederla. Se fosse rimasta intatta e galleggiante, avrebbe notato l'imbarcazione di fortuna quand'era ritornato in superficie, e l'avrebbe raggiunta a nuoto. Sarebbe stato in grado di afferrarla e portarla a riva.

E se Irina Narov fosse stata ancora a bordo, avrebbe potuto salvarla.

Ma ormai... Be', non aveva voglia di pensare al destino di Narov, ma nemmeno per un istante dubitò che fosse morta. Era finita: annegata nel Rio de los Dios, o fatta a pezzi dai famelici caimani neri; probabilmente, un misto delle due cose.

E lui, Will Jaeger, non era riuscito a fare nulla per salvarla.

A fatica si rimise in piedi e arrancò lungo l'argine fangoso. Malgrado lo shock, ricordava quello per cui era stato addestrato; era allenato a sopravvivere, era l'unica cosa che sapeva fare. Ne aveva perso uno – Narov –, ma gli altri membri della spedizione erano da qualche parte nella giungla. Presumibilmente otto persone erano ancora al banco di sabbia, in attesa, e contavano su di lui.

In quel momento non aveva coordinate da seguire. Era impossibile avanzare verso il relitto. E, senza un percorso, era tutt'altro che facile uscire da quel selvaggio Mondo Perduto; nessuna strategia d'uscita. Per tirarsi fuori da un luogo remoto e apparentemente maledetto come la Cordillera de los Dios, una lunga pianificazione e preparazione erano fondamentali, come Jaeger sapeva bene.

Per non vanificare il sacrificio di Narov, doveva riunirsi alla squadra e condurla per il resto della spedizione. Doveva guidarla fino al sito dell'aereo, e per far ciò doveva raggiungere il banco di sabbia, anche se le probabilità di riuscirci a breve erano estremamente ridotte.

Procedette a svuotare il contenuto di ogni tasca della cintura. Dopo il caos della traversata, non aveva idea di quali strumenti gli fossero rimasti. Lo zaino ormai era andato – fatto a pezzi dai caimani, il contenuto perduto –, ma, esaminando la sua misera attrezzatura, Jaeger ringraziò la sua buona stella.

La cosa più importante di tutte, la bussola, era ancora in una delle tasche impermeabili dei pantaloni. Grazie a quell'unico strumento, aveva la possibilità di raggiungere il distante banco di sabbia. Si sfilò la mappa dalla tasca laterale. Era bagnata e malconcia, ma ancora utilizzabile.

Aveva sia la bussola che la mappa: era un inizio.
Controllò il coltello che portava sul petto. C'era ancora, la lama ben infilata nella fodera; il coltello che gli aveva dato Raff, quello che gli era tornato utile durante l'epico scontro sulla spiaggia del villaggio di Fernao, quando il piccolo Mo era stato ucciso.
Quanta morte; e ora, un'altra con cui fare i conti.
Jaeger avrebbe dato qualunque cosa per avere Raff al proprio fianco. Se ci fosse stato il formidabile maori, Narov avrebbe potuto sopravvivere. Non c'erano garanzie, ovviamente, ma Raff l'avrebbe aiutato a tenere a bada i caimani assassini, e uno o l'altro di loro sarebbe uscito illeso dal primo attacco, riuscendo a difendere la zattera e il suo prezioso carico.
Ma Jaeger era solo, Irina Narov era scomparsa e doveva concentrarsi sui fatti nudi e crudi. Non aveva scelta: doveva andare avanti.
Continuò a controllare l'attrezzatura. Aveva due borracce piene d'acqua assicurate in vita, anche se il filtro Katadyn era sparito. Aveva qualche provvista d'emergenza, il rotolo di paracord che aveva usato per scendere dai rami, e una ventina di cartucce per il fucile.
Gettò le munizioni: erano un peso inutile, senza il fucile.
Tra le altre cose che trovò durante il controllo, il suo sguardo si posò sulla forma scintillante del medaglione del pilota del C-130. Il motto dei Night Stalker brillava al sole: "La morte attende nel buio". Non c'era dubbio: la morte con le zanne e gli artigli insanguinati era nascosta nelle acque scure del Rio de los Dios.
E li aveva trovati; o almeno, aveva trovato Narov.
Ma in nessun modo era colpa del pilota, ovviamente.
Li aveva fatti uscire dall'aereo nel punto di lancio preciso. Una manovra non da poco. Il disastro che era seguito non era opera sua. Il medaglione seguì gli altri pochi oggetti di Jaeger in fondo alla tasca. È la speranza che ci tiene in vita, Jaeger ricordò a se stesso.
L'ultimo oggetto che contemplò era il più difficile da guardare: il coltello di Irina Narov.
Dopo averlo usato per liberarsi dalle corde da discesa, Jaeger l'aveva appeso alla sua cintura. In tutto quel caos, con Narov messa fuori gioco dal morso del ragno, gli era sembrata la cosa giusta da fare. E adesso, era l'unica cosa di lei che gli rimanesse.

Lo tenne a lungo tra le mani. Gli occhi percorsero l'incisione sull'impugnatura d'acciaio. Conosceva tutto della storia della lama, l'aveva studiata insieme a quella di suo nonno.

Nei mesi seguiti alla *Blitzkrieg* di Hitler nella primavera del 1940 – la guerra lampo che aveva respinto le truppe alleate dalla Francia –, Winston Churchill aveva ordinato la creazione di un'unità speciale capace di sferrare micidiali e terrorizzanti raid contro il nemico. A quei volontari speciali venne insegnata una tecnica militare molto poco britannica, rapida e sporca, senza regole.

All'accademia top secret di distruzione e massacro venne loro insegnato a ferire, dilaniare, menomare e uccidere con facilità. Gli istruttori erano i leggendari William Fairbairn e Eric "Bill" Sykes, che nel corso degli anni erano andati perfezionando uno strumento per uccidere in silenzio, a distanza ravvicinata.

Sykes e Fairbairn avevano commissionato alla Wilkinson Sword una coltello da combattimento destinato ai volontari di Churchill. Aveva una lama di diciotto centimetri, un'impugnatura pesante che permettesse di reggerlo saldamente anche se bagnata, un filo da rasoio e un profilo acuminato da stiletto.

I coltelli erano usciti dalla linea di produzione londinese della Wilkinson Sword, ciascuno con inciso alla base della lama "Coltello da combattimento Fairbairn-Sykes". I due istruttori avevano insegnato ai volontari speciali che non esisteva arma più letale per gli scontri corpo a corpo e, soprattutto, che "non resta mai a secco di munizioni".

Jaeger non aveva mai visto Narov ricorrere al coltello in preda alla rabbia. Ma il fatto che avesse deciso di portare con sé un'arma simile – la stessa che aveva usato suo nonno –, l'aveva in un certo senso attratto, anche se non aveva avuto l'occasione di chiederle dove l'avesse trovata, o cosa esattamente significasse per lei.

Si domandò come vi si fosse imbattuta: una russa, veterano dello SPECNAZ, con un coltello militare britannico. E perché quel suo commento, "perfetto per uccidere i tedeschi"? Durante la guerra ogni soldato del Commando britannico e del SAS aveva ricevuto in dotazione quel coltello; non c'era dubbio che la leggendaria lama avesse mietuto una buona fetta di vittime naziste.

Ma era molti decenni, e un intero mondo prima.

Jaeger si rimise il coltello alla cintura.

Per un istante si chiese se avesse commesso un errore a insistere affinché Narov lo seguisse. Se avesse fatto come voleva lei e l'avesse abbandonata, probabilmente sarebbe stata ancora in vita. Ma l'imperativo di non lasciarsi mai un uomo – o una donna, in quel caso – alle spalle era parte del suo DNA; e poi, per quanto avrebbe resistito?

No. Più ci pensava, più si convinceva di aver fatto la scelta giusta. L'unica scelta. Sarebbe morta comunque. Se l'avesse lasciata, avrebbe patito una morte più lenta e dolorosa, e sarebbe morta da sola.

Jaeger spinse ogni pensiero riguardo a Narov nei recessi della sua mente.

Fece il punto della situazione. Lo attendeva un viaggio scoraggiante: oltre venti chilometri attraverso la fitta giungla con solo due litri di acqua pulita con cui idratarsi. Un essere umano può sopravvivere per giorni senza cibo, ma non senza acqua. Avrebbe dovuto razionarla con cura: un sorso all'ora, nove sorsi per bottiglia. Diciotto ore di cammino, al massimo.

Jaeger controllò l'orologio.

Mancavano appena due ore al tramonto. Se voleva raggiungere il banco di sabbia in tempo per il PI d'emergenza avrebbe probabilmente dovuto marciare anche nelle ore notturne, il che era assolutamente sconsigliato nella giungla. Era impossibile vedere nel buio pesto sotto la volta della foresta.

Non aveva nulla con cui difendersi, a parte le sue mani nude e il coltello. Se fosse incappato in qualche pericolo grave, non avrebbe potuto far altro che scappare. Aveva solo un vantaggio: senza Narov, non aveva più il suo peso a rallentarlo.

Aveva addosso tutto il suo equipaggiamento, il che significava che poteva muoversi rapidamente. Tutto sommato, calcolò di avere delle buone probabilità di cavarsela. Ma temeva comunque il viaggio.

Si alzò in piedi e tenendo la bussola sul palmo fece una prima rilevazione. Il punto cui mirò era un tronco d'albero caduto, più o meno in direzione sud, quella in cui doveva muoversi. Rimise a posto la bussola, si chinò e raccolse dieci sassolini, ficcandoseli in tasca. Ogni dieci passi avrebbe trasferito un sasso nell'altra tasca. L'ultimo sasso avrebbe indicato cento passi.

Dalla sua lunga esperienza Jaeger sapeva che gli ci sarebbero voluti settanta passi sinistri per coprire cento metri su un terreno pianeggiante e con un carico leggero. Con lo zaino pieno, le armi e le munizioni, ce ne volevano ottanta, perché in quel caso la falcata tende a diminuire. Percorrendo una ripida salita, poteva arrivare anche a cento passi.

Trasferire i sassi era un sistema semplice che gli era tornato utile innumerevoli volte durante epiche sfacchinate su terreni accidentati. E spostarli da una tasca all'altra l'avrebbe aiutato a restare concentrato e a tenere la mente occupata.

Prima di partire fece un'ultima cosa: prese una penna e segnò dove si trovava. Accanto, scrisse: "Ultima posizione nota di Irina N.".

In quel modo, se ne avesse avuto l'occasione, sarebbe potuto tornare a cercare metodicamente i resti della donna, avendo a disposizione tempo e rinforzi. Almeno avrebbero avuto qualcosa da restituire alla famiglia, anche se Jaeger non aveva la minima idea di chi o dove potessero essere i suoi familiari.

Si mise a camminare: a camminare e contare.

Si inoltrò nella foresta, spostando un sasso da una tasca all'altra ogni dieci passi. Un'ora, e venne il momento del primo sorso d'acqua e di uno sguardo alla mappa.

Segnò la propria posizione – due chilometri a sud della sponda del fiume –, fece una rilevazione e proseguì oltre. In teoria, usando la bussola e contando i passi, poteva riuscire a farsi strada attraverso la giungla fino al banco di sabbia. Riuscirci davvero, con due litri d'acqua e senza armi, era tutto un altro paio di maniche.

Anche quando la sua figura solitaria venne inghiottita dalla penombra della fitta giungla, Jaeger continuò ad avere l'impressione che quegli occhi misteriosi lo osservassero nascosti in mezzo alle ombre.

Mentre si faceva strada nella tetra e buia foresta, la mano sinistra stringeva la tasca piena di sassolini e le sue labbra si muovevano contando i passi.

32

A diverse miglia di distanza nella giungla, un'altra voce stava parlando.

«Lupo Grigio, qui è Lupo Grigio Sei» scandì. «Lupo Grigio, Lupo Grigio Sei. Mi senti?»

L'uomo era chino su un apparecchio radio posizionato all'interno di una tenda militare, in fondo a una pista d'atterraggio improvvisata. Tutt'attorno c'era un filare di alberi curvi, con delle colline in lontananza che si alzavano contro un cielo striato di grigio. Una fila di elicotteri neri con le lame delle eliche ripiegate costellava la pista di terra.

Per il resto, non c'era altro.

Il paesaggio ricordava la Serra de los Dios, pur non essendo identico.

Quasi, ma non troppo.

Questa era la giungla sudamericana, ma più in alto sulle montagne, in un luogo distante e indisturbato, nascosto tra le selvagge e primitive colline andine che si inoltravano verso la Bolivia e il Perù. Un luogo perfetto per un'operazione segreta il cui scopo era far sparire per sempre un aereo da guerra della Seconda guerra mondiale, cancellandolo dalla faccia della terra.

«Lupo Grigio, Lupo Grigio Sei» ripeté l'operatore. «Mi senti?»

«Lupo Grigio Sei, qui Lupo Grigio» confermò un'altra voce. «Dimmi, passo.»

«Squadra inviata come da piano» annunciò l'operatore noto come Lupo Grigio Sei. «Attendiamo nuovi ordini.»

Restò per qualche secondo in ascolto di quel che gli veniva

comunicato. Chiunque fosse quest'uomo – questo soldato – sulla semplice tenuta verde militare non c'era nessun segno della sua unità, del suo grado, e nemmeno della nazionalità. Anche la tenda attorno a lui era priva di qualsiasi segno identificativo. Persino gli elicotteri lungo la pista non avevano decalcomanie, numeri di serie o bandiere nazionali di sorta.

«Sì, signore» confermò l'operatore. «Ho sessanta uomini nell'area. Non è stato facile, ma siamo riusciti a portarli a destinazione.»

Ascoltò per qualche secondo le istruzioni, poi le ripeté per confermare di averle comprese.

«Usare ogni mezzo per scoprire le coordinate dell'aereo. Non risparmiare nessuno nella ricerca della posizione esatta. Passo.»

Ci fu il gracchiare di un'altra breve comunicazione, prima che l'operatore passasse alla battuta conclusiva.

«Ricevuto, signore. È una squadra di dieci uomini, e vanno tutti eliminati. Nessun sopravvissuto. Lupo Grigio Sei, passo e chiudo.»

Detto questo, chiuse la comunicazione.

33

Jaeger crollò in ginocchio, stringendosi tra le mani la testa dolorante e pulsante.

Sentiva che il cervello gli vorticava fuori controllo, come se stesse per esplodere attraverso la fronte per lo sforzo.

La vegetazione contorta e nodosa gli ondeggiava davanti agli occhi, trasformandosi in un'orda fremente di temibili mostri. Pensò di essere vicino a perdere il controllo. Il disorientamento era iniziato ore prima, dopo che la disidratazione aveva raggiunto i livelli di guardia, seguita da un dolore che continuava a peggiorare e dalle allucinazioni.

Lontano dal fiume c'era pochissima acqua e, contrariamente a quanto Jaeger aveva sperato, non era scesa neanche un po' di pioggia a rinfrancarlo. Le borracce erano ormai vuote da parecchio, dopodiché era stato costretto a bere la sua stessa urina, in un tentativo disperato di arrestare il crollo. Ma all'incirca un'ora prima aveva smesso del tutto di orinare – e di sudare –, il segno inequivocabile di un imminente collasso. Eppure, in un modo o nell'altro, aveva continuato a trascinarsi avanti.

Esclusivamente grazie alla sua forza di volontà riuscì a risollevarsi in piedi, mettendo uno stivale davanti l'altro.

«Sono Will Jaeger, sto arrivando!» La sua voce roca, gutturale e ruvida riecheggiò attraverso la massa confusa degli alberi che lo circondavano. «Will Jaeger, in avvicinamento!»

Stava mandando un segnale alla sua squadra, che doveva essere radunata davanti a lui su quel banco di sabbia, il punto che sperava e pregava di raggiungere presto, anche se, date le condizioni in cui si trovava da qualche ora, aveva iniziato a dubitare di essersi mosso nella direzione giusta. Una minuscola radura in una gigantesca distesa di giungla: non poteva permettersi di sbagliare.

Jaeger avanzava con andatura traballante, esausta e incerta. La sua mente urlava, ma riusciva ancora in qualche modo a contare i passi. I sassolini erano sempre stretti nella mano destra, e ciascuno passava da una tasca all'altra segnando il suo avanzare.

Era inevitabile che un viaggio attraverso la giungla non andasse mai liscio come l'olio, tanto meno se ad affrontarlo era un uomo nel suo stato, costretto a continuare a spostarsi persino nelle ore notturne. Così, ventisette chilometri in linea d'aria erano diventati quarantacinque e più chilometri effettivi. Essendo quasi senza acqua, era stata una fatica di Ercole.

Provò a urlare di nuovo: «Will Jaeger, in avvicinamento!».

Nessuna risposta. Si fermò, cercando di restare immobile e in ascolto, ma traballava per la stanchezza e la sete.

Tentò di nuovo, più forte: «Will Jaeger, in arrivo!».

Ci fu un secondo di silenzio, prima che arrivasse la risposta. «Resta dove sei, o sparo!»

Era l'inconfondibile voce di Lewis Alonzo, l'ex Navy SEAL della sua squadra, a riecheggiare tra gli alberi.

Jaeger obbedì, ondeggiando ancora una volta e poi cadendo in ginocchio.

Una sagoma massiccia e possente si materializzò tra i cespugli a una cinquantina di metri da lui. L'afroamericano Alonzo univa il fisico di Mike Tyson all'avvenenza e alla simpatia di Will Smith, o almeno, così Jaeger aveva iniziato a pensare di lui alla fine delle due brevi settimane in cui l'aveva iniziato a conoscere.

Ma in quel momento Jaeger si ritrovò a fissare la canna di un fucile d'assalto Colt. L'indice di Lewis Alonzo era teso sul grilletto.

«Fai un passo e identificati!» comandò Alonzo, la voce carica di aggressività. «Un passo e identificati!»

Jaeger si costrinse ad alzarsi in piedi, facendo un passo avanti. «William Jaeger. Sono Jaeger.»

Probabilmente, non era strano che Alonzo non lo riconoscesse. La voce di Jaeger era strozzata dalla fatica, la gola tanto secca che riusciva appena a gracchiare qualche parola. I pantaloni mimetici erano ridotti a brandelli, la faccia era gonfia, rossa e insanguinata per i morsi d'insetto e i graffi, ed era incrostato di fango da capo a piedi.

«Mani sopra la testa!» ruggì Alonzo. «Getta le armi!»

Jaeger alzò le braccia. «William Jaeger, disarmato. Dannazione.»

«Kamishi! Coprimi!» esclamò Alonzo.

Jaeger vide che una seconda figura stava avanzando dai cespugli. Era Hiro Kamishi, il veterano delle forze speciali giapponesi. La figura inginocchiata di Jaeger finì sotto il tiro di un secondo fucile Colt.

Alonzo avanzò, pronto a fare fuoco. «A terra!» urlò. «Allarga le gambe!»

«Cristo, Alonzo. Sto dalla tua parte» protestò Jaeger.

Come unica risposta il poderoso americano si avvicinò ancora e spinse Jaeger nel fango con un calcio. Cadde a peso morto, con le braccia e le gambe divaricate.

Alonzo gli girò intorno sino a mettersi dietro di lui. «Rispondi a queste domande» ringhiò. «Perché tu e la tua squadra siete qui?»

«Per trovare il relitto di un aereo, identificarlo e portarlo via dalla giungla.»

«Il nome del nostro contatto locale, il generale brasiliano.»

«È un colonnello» lo corresse Jaeger. «Colonnello Evandro. Stefan Evandro.»

«Nomi di tutti i membri della squadra.»

«Alonzo, Kamishi, James, Clermont, Dale, Kral, Krakow, Santos.»

Alonzo si inginocchiò, fissando Jaeger dritto negli occhi. «Ne manca uno. Eravamo in dieci.»

«No. Narov è morta. L'ho persa mentre provavamo ad attraversare il Rio de los Dios, per raggiungervi.»

«Gesù Cristo.» Alonzo si passò una mano tra i capelli a spazzola. «Allora fanno cinque.» Si staccò una borraccia dalla cintura e la passò a Jaeger. «Amico, non crederai mai a quel che ci è successo negli ultimi due giorni. E, solo perché tu lo sappia: stai di merda.»

«Potrei dire lo stesso di te» ansimò Jaeger.

Afferrò la borraccia che gli veniva offerta e la vuotò nella gola spalancata in un unico sorso disperato. Tese la borraccia vuota ad Alonzo, che fece cenno a Kamishi di avvicinarsi. Jaeger ne vuotò una seconda e una terza, finché la sua sete non fu del tutto placata.

Alonzo chiamò una terza figura, che emerse dalle ombre. «Dale, Natale è in anticipo! Via libera. Azione!»

Mike Dale fece un passo avanti con una minuscola videocamera digitale fissata alla spalla. Jaeger riuscì a vedere la luce rossa lampeggiante sul microfono, che indicava che stava registrando.

Jaeger lanciò un'occhiata ad Alonzo. L'americano alzò le spalle, come a scusarsi. «Spiacente, amico, ma non mi ha dato tregua. "Se Jaeger e Narov ce la fanno, devo riuscire a filmare l'arrivo... Se Jaeger e Narov ce la fanno, devo riuscire a filmare l'arrivo".»

Dale si fermò a una trentina di centimetri davanti a loro e si accovacciò sui calcagni, abbassando la videocamera al livello di Jaeger. Tenne l'inquadratura per un paio di secondi, poi premette "stop" e la luce rossa si spense.

«Amico, oltre ogni immaginazione» bisbigliò Dale. «Incredibile.» Osservava Jaeger seminascosto dalla videocamera. «Ma senti, Mr Jaeger, credi di poter magari ritornare fra i cespugli per me e rientrare come hai appena fatto? Una specie di replica, capisci, perché quella parte me la sono persa.»

Jaeger fissò il cameraman in silenzio per un lungo istante. Dale. Sui venticinque anni, capelli lunghi, bello in maniera artefatta – mai senza tre giorni di barba perfettamente disegnata –, aveva un'aria da pavone che a Jaeger non piaceva.

O forse era semplicemente la sua naturale avversione per la videocamera. Era così invadente, senza il minimo rispetto per la privacy, il che era anche un riassunto stringato della personalità di Dale.

«Ripetere quel che ho fatto in favore dell'obiettivo?» ringhiò Jaeger. «Non credo proprio. E sai un'altra cosa? Filma un altro secondo e ti prendo quella videocamera, la faccio a pezzi e te la faccio mangiare.»

Dale alzò le mani – una reggeva ancora la videocamera – in una parodia di resa. «Ehi, okay. Hai passato dei momenti d'inferno, lo capisco. Ma, Mr Jaeger, è proprio in momenti come questi che vanno accese le videocamere. Quando le cose vanno male. È quel che dobbiamo documentare. È questo che fa un programma di successo.»

Malgrado l'acqua che aveva bevuto, Jaeger stava ancora malissimo e non era dell'umore giusto per quelle stronzate. «Programma di successo? Pensi ancora che il punto sia fare un programma di successo? Dale, c'è una cosa che devi ficcarti in testa: qui si tratta di restare in vita. Sopravvivenza. La tua, e quella di tutti gli altri. Non è più una storia. È la tua vita.»

«Ma se non filmo non ci sarà nessun programma» obiettò Dale. «E la gente che finanzia tutto questo, i produttori, sprecherebbero tutti i loro soldi.»

«I produttori non sono qui» ringhiò Jaeger. «Ci siamo noi.» Un istante di pausa. «E se registri ancora un fotogramma senza il mio permesso, le riprese sono finite. E anche tu.»

34

«Allora, ditemi: che cazzo è successo qui?» li esortò Jaeger.
Si trovava nel campo improvvisato che Alonzo e gli altri avevano organizzato nella giungla, dove la folta vegetazione sfiorava il banco di sabbia. Ombreggiato dagli alberi sovrastanti, era il massimo dell'accoglienza in una zona come quella.
Era riuscito a lavarsi rapidamente nel fiume, che serpeggiava davanti a loro lento e cupo come sempre. Da uno dei contenitori a tubo aveva preso un sacco giornaliero, estraendone le cose essenziali per riprendersi dalla sua epica traversata della giungla: razioni di cibo, acqua in bottiglia, sali reidratanti e un repellente per gli insetti. Dopo di che, aveva ricominciato a sentirsi più o meno umano.
La squadra – o meglio, quel che ne rimaneva – si era radunata per una riunione d'aggiornamento, ma c'era una strana tensione elettrica nell'aria, la sensazione che forze ostili si aggirassero ai margini del campo, in agguato nell'ombra. Jaeger aveva recuperato un fucile di scorta da uno dei cassoni, e non era l'unico a tenere un'occhio sulla giungla e una mano sull'arma.
«Meglio cominciare dall'inizio, da quando vi abbiamo persi durante il lancio.» Alonzo rispose con il tono profondo e rombante che gli era tipico.
Come Jaeger aveva iniziato a intuire, Alonzo era il tipo di uomo che non si curava di nascondere le proprie emozioni. Mentre procedeva, le sue parole si caricarono della desolazione per quanto era accaduto.
«Vi abbiamo persi subito dopo il lancio, quindi sono stato io a

guidare il gruppo. Abbiamo effettuato una buona discesa. Tutti uniti, nessun ferito, terreno solido e pulito. Abbiamo preparato il campo, controllato l'equipaggiamento, coordinato dei turni di guardia; tutto sembrava a posto: avremmo aspettato te e Narov, visto che questo era il primo PI.

«A quel punto, è stato come se ci fossimo divisi in due campi» proseguì. «C'era il mio gruppo, chiamiamolo la Squadra Guerrieri, che voleva partire in esplorazione nella direzione in cui pensavamo foste atterrati, per vedere se potevamo aiutarvi, nel caso foste ancora vivi... E poi c'era la squadra degli Abbraccia-alberi...

«Dunque, gli Abbraccia-alberi, guidati da James e da Santos, volevano andare da quella parte.» Alonzo puntò il pollice verso ovest. «Erano convinti di aver trovato un sentiero lungo il fiume, creato dagli indios. Be', sapevamo tutti che la tribù era là fuori da qualche parte. Sentivamo degli occhi nella giungla. Gli Abbraccia-alberi volevano partire per cercare un contatto pacifico.

«Contatto pacifico!» Alonzo fissò Jaeger. «Capisci, ho passato un anno a gestire delle operazioni di pacificazione in Sudan, sulle montagne Nuba, uno dei posti più isolati che esistano. Alcune di quelle tribù praticamente se ne vanno ancora in giro a culo scoperto. Ma sai una cosa, amico, ho imparato ad apprezzare quella gente. È una lezione che ho appreso fin dall'inizio: se vogliono un contatto pacifico, te lo fanno capire.»

Alonzo alzò le spalle. «Per farla breve, James e Santos sono partiti verso l'ora di pranzo, il primo giorno. Lei diceva di sapere quel che stava facendo: era brasiliana, aveva lavorato per anni con le tribù amazzoniche.» Alonzo scosse il capo. «E James è fuori di testa, un pazzo totale. Aveva preparato degli appunti per gli indigeni: dei disegni.» Lanciò un'occhiata a Dale. «Hai le riprese?»

Dale afferrò la videocamera, aprì lo schermo e scorse i file digitali salvati sulla scheda di memoria. Premette "play". Sullo schermo comparve un'immagine: un dettaglio degli appunti. Sullo sfondo si udì la voce di Joe James, col suo pesante accento neozelandese, che leggeva:

"Salve, abitanti dell'Amazzonia! A voi piace la pace, a noi piace la pace. Facciamo la pace!" L'inquadratura si allargò mostrando la barba alla Bin Laden di James e i suoi rozzi lineamenti da motociclista. "Stiamo entrando nel vostro territorio per salutarvi e stringere un contatto pacifico."

Dale scosse il capo, incredulo. «Avete visto questo tizio? "Salve, abitanti dell'Amazzonia!" Come se gli indigeni capissero l'inglese! Un vero matto... È rimasto troppo a lungo nella sua capanna nel bosco. Perfetto per la tivù. Un disastro per la missione.»

Jaeger face un gesto per dire che aveva visto a sufficienza. «È abbastanza particolare. Ma chi non lo è? Una persona razionale al cento per cento non sarebbe mai venuta qui. Essere un po' matti aiuta.»

Alonzo si accarezzò la barba. «Sì, ma, amico, James è totalmente oltre il limite. A ogni modo, lui e Santos si sono messi in marcia. Ventiquattr'ore dopo non c'era ancora traccia di loro, ma non avevamo nemmeno avuto segnali allarmanti. Così, la seconda squadra degli Abbraccia-alberi – la francese, Clermont e, stranamente, il tedesco, Krakow, non l'avrei mai inquadrato come un abbraccia-alberi – è partita per raggiungere James e Santos.

«Non avrei dovuto lasciarli andare» ringhiò Alonzo. «Avevo una brutta sensazione. Ma cazzo, con te e Narov scomparsi non avevamo né un capo né un vice. Attorno a mezzogiorno – un'ora dopo la partenza di Clermont e di Krakow – abbiamo sentito delle urla e degli spari. Sembrava uno scontro, una specie di imboscata, con degli spari di risposta.»

Alonzo guardò Jaeger. «E così: fine degli abbracci. Abbiamo organizzato una squadra di ricerca e abbiamo seguito le loro tracce fino a un punto a mezzo miglio da qui. Là, abbiamo trovato il sottobosco distrutto. Sangue fresco. E poi, un bel po' di queste.»

Alonzo tirò fuori qualcosa dallo zaino e lo passò a Jaeger. «Attento. Immagino ci sia del veleno.»

Jaeger studiò l'oggetto che gli aveva consegnato. Era un esile bastoncino di legno lungo circa quindici centimetri. Era intagliato e appuntito a un'estremità, con la punta cosparsa di una sostanza scura e vischiosa.

«Siamo andati avanti» aggiunse Alonzo «e abbiamo ritrovato le tracce di James e Santos. Abbiamo individuato il loro campo, ma di loro nemmeno l'ombra. Neanche un segno di lotta. Di scontro. Niente sangue, niente frecce, nulla. Era come se fossero stati teletrasportati altrove dagli alieni.»

Fece una pausa. «E poi abbiamo trovato questo.» Tirò fuori un bossolo esploso dalla tasca. «Sulla via del ritorno. Praticamente ci siamo inciampati.»

Lo passò a Jaeger. «7.62 mm. Probabilmente un GMPG o un AK-47. Non è uno dei nostri, questo è certo.»

Jaeger si fece rotolare il bossolo sul palmo per qualche secondo.

Fino a qualche decennio prima, 7.62 mm era il calibro usato dalle forze della NATO. Nella Guerra del Vietnam gli americani avevano sperimentato un calibro minore, 5.56 mm. Con dei proiettili più leggeri, un soldato di fanteria poteva portare con sé più munizioni, il che significava maggior potenza di fuoco, fondamentale, durante le lunghe missioni a piedi nella giungla. Da allora il 5.56 era diventato il calibro più diffuso nella NATO, e nessuna delle persone radunate sul banco di sabbia usava armi da 7.62.

Jaeger lanciò un'occhiata ad Alonzo. «Nessun'altra traccia dei quattro?»

Alonzo scosse il capo: «Nessuna».

«Cosa credi sia successo?» lo incalzò Jaeger.

Alonzo si fece scuro in volto. «Non lo so, amico... C'è una forza ostile là fuori, questo è sicuro, ma al momento di che si tratti è un mistero. Se sono gli indios, come si spiega l'arma da 7.62? Da quando una tribù isolata ha una risorsa del genere?»

«Dimmi» chiese Jaeger «com'era il sangue?»

«All'imboscata? Più o meno quello che ti aspetteresti. Pozze. Rapprese.»

«Un mucchio di sangue?» domandò Jaeger.

Alonzo alzò le spalle. «Abbastanza.»

Jaeger sollevò la sottile scheggia di legno che gli aveva dato. «Un dardo da cerbottana, ovviamente. Sappiamo che sono le armi usate dagli indios. Può essere avvelenato. Sai cosa usano? Curaro, ricavato dalla linfa di una liana. Uccide arrestando il diaframma. In altre parole, ti soffoca fino a farti morire. Non è un bel modo di andarsene.

«Sono cose che ho imparato mentre stavo addestrando le truppe della BOE del colonnello Evandro. Le tribù di solito lo usano per cacciare le scimmie tra i rami. Il dardo colpisce, la scimmia cade, la tribù raccoglie i corpi e recupera i dardi. Ciascuno è inciso a mano, e solitamente gli indigeni tendono a non lasciarli in giro. Ma la cosa più importante è che essere colpiti da un dardo al curaro è come essere punti da un ago: praticamente non si sanguina.

«E poi c'è questo.» Jaeger si accostò il dardo alla bocca, assaggiando l'impasto nero sulla punta. Alcuni fra i membri della squadra trasalirono.

«Il curaro non ha effetto se viene ingerito» li rassicurò Jaeger. «Deve entrare direttamente in circolo. Ma il punto è che ha un inconfondibile gusto amaro. Questo? Secondo me è uno sciroppo fatto di zucchero bruciato.» Fece un sorriso amareggiato. «Mettendo tutto assieme, cosa otteniamo?»

Si guardò attorno, osservando le facce dei superstiti. Alonzo, con la mascella squadrata, il viso sincero che emanava una rassicurante onestà, in tutto e per tutto un ex Navy SEAL. Kamishi: silenzioso, in attesa, il corpo come una molla compressa. Dale e Kral: due astri nascenti dei media, intenti a girare il loro blockbuster.

«Nessuno è stato colpito dai dardi.» Jaeger rispose alla sua stessa domanda. «Chi gli ha teso l'agguato aveva delle armi da fuoco; il sangue da solo basta a provarlo. Quindi, a meno che quella tribù perduta non abbia in qualche modo messo assieme un arsenale, c'è una forza che non conosciamo là fuori. Il fatto che abbiano lasciato questo» mostrò a tutti il dardo «e che abbiano fatto del loro meglio per far sparire i bossoli suggerisce che stiano provando a dare la colpa agli indios.»

Jaeger osservò il dardo per un istante. «Qui non dovrebbe esserci nessuno tranne noi e la tribù. Al momento, non abbiamo idea di chi siano questi misteriosi uomini armati, di come siano arrivati qui o del perché siano ostili.» Alzò lo sguardo, cupamente. «Ma una cosa è chiara: la natura di questa missione è irreversibilmente mutata.

«Hanno preso cinque dei nostri» annunciò Jaeger lentamente. C'era una luce fredda nel suo sguardo. «Abbiamo appena messo piede nella giungla e abbiamo già perso metà della squadra. Dobbiamo valutare le nostre opzioni, attentamente.»

Fece una pausa. Nei suoi occhi c'era una durezza che pochi

avevano mai visto. Non conosceva molto bene nessuno dei quattro scomparsi, eppure si sentiva personalmente responsabile della loro perdita.

Gli erano piaciute la franchezza e l'assenza di malizia di Joe James, il grande neozelandese folle. Ed era dolorosamente consapevole del fatto che Leticia Santos era la rappresentante del colonnello Evandro nella squadra.

Santos era estremamente attraente, una specie di versione da città – o da giungla – dell'attrice brasiliana Tais Araujo. Con gli occhi e i capelli scuri, impetuosa e pericolosamente divertente, era praticamente l'esatto opposto di Irina Narov.

Per Jaeger, perdere una persona – Narov – era già stato un tragico disastro. Perderne cinque nel giro di quarantott'ore era inimmaginabile.

«Opzione uno» annunciò con voce carica della tensione del momento. «Decidiamo che la missione non può più proseguire e chiamiamo una squadra di recupero. Abbiamo dei buoni strumenti di comunicazione, e questa è una zona adatta all'atterraggio. Possiamo ragionevolmente aspettarci che vengano a prenderci. Ci mettiamo al riparo dalla minaccia, ma dobbiamo abbandonare i nostri amici, e al momento non sappiamo se siano vivi o morti.

«Opzione due: andiamo a cercare gli scomparsi. Partiamo dal presupposto che siano tutti vivi fino a prova contraria. Il lato positivo: facciamo il nostro dovere. Non voltiamo loro le spalle al primo segno di pericolo. Il lato negativo: siamo una squadra piccola, con poche armi, di fronte a un nemico presumibilmente meglio armato e con un numero di uomini a disposizione che non conosciamo.»

Fece una pausa. «E poi c'è una terza opzione: continuiamo la spedizione secondo i piani. Ho il sospetto – è l'istinto a dirmelo – che così facendo scopriremo cos'è successo ai nostri compagni. Chiunque ci abbia attaccato, è logico immaginare che l'abbia fatto per impedirci di arrivare a destinazione. Continuando, gli forzeremo la mano.

«Questa non è un'operazione militare» proseguì Jaeger. «Se lo fosse, sarei io a dare gli ordini. Ma noi siamo un gruppo di civili e dobbiamo prendere una decisione condivisa. A mio modo di vedere, queste sono le nostre tre opzioni: ora dobbiamo votare.

Ma prima di procedere, ci sono domande? Suggerimenti? Sentitevi liberi di parlare, la videocamera è spenta.»

Jaeger rivolse a Dale un'occhiata minacciosa. «Non stai filmando, vero, Dale?»

Dale si scostò i lunghi capelli lisci dalla fronte. «Non ricordi? Hai posto il veto.»

«È così.» Jaeger si guardò attorno, in attesa di domande.

«Sono curioso» cominciò pacatamente Hiro Kamishi, con un inglese praticamente perfetto a parte il lieve accento giapponese. «Se questa fosse un'operazione militare, quale opzione ordineresti di seguire?»

«La terza» rispose Jaeger, senza un'istante di esitazione.

«Ti spiacerebbe spiegare perché?» Kamishi parlava in maniera bizzarra, forbita, come se scegliesse con grande attenzione ogni singola parola.

«È controintuitivo» rispose Jaeger. «Normalmente, a una situazione di stress si risponde fuggendo o combattendo: in questo caso, annullare tutto o andare direttamente a caccia dei nemici. La terza opzione è la meno prevedibile, e spererei di confonderli; di spingerli a uscire allo scoperto, a commettere un errore.»

Kamishi fece un piccolo inchino. «Grazie. È una buona spiegazione. E io sono d'accordo.»

«Sai, amico, non sono cinque» ringhiò Alonzo. «Sono sei. Con Andy Smith, fanno sei membri persi. Non ho mai pensato che la morte di Smith sia stata un incidente, ancor meno dopo quello che è successo.»

Jaeger annuì. «Con Smith sono sei.»

Non aveva più senso nascondere i suoi sospetti sull'omicidio di Andy Smith. Dopo quel che era capitato, Jaeger era più o meno certo che gli assassini di Smith fossero esterni alla squadra.

«Allora, quando ci dai le coordinate?» domandò una voce. «Quelle dell'aereo?»

Era Stefan Kral, il cameraman slovacco. Il suo inglese aveva un forte accento gutturale. Basso, robusto, con l'aspetto quasi da albino e la pelle butterata, insieme a Dale formava un'accoppiata in stile la Bella e la Bestia. Aveva quasi sei anni più di Dale, anche se non li dimostrava, e per anzianità avrebbe dovuto essere lui a dirigere le riprese.

Ma Carson aveva affidato il compito a Dale, e Jaeger non aveva difficoltà a capire perché. Dale e Carson erano come due gocce d'acqua. Dale era sciolto, alla mano e disinvolto, perfettamente in grado di sopravvivere nella giungla dei media. Al contrario, Kral era un fascio di nervi, impacciato e un po' sfigato. Era un pesce fuor d'acqua nell'industria televisiva.

«Dopo la scomparsa di Narov, Alonzo è il mio vice» rispose Jaeger. «Ho comunicato a lui le coordinate.»

«Cosa? E gli altri?» insistette Kral.

Ogni volta che parlava uno strano sorrisetto storto gli compariva sul volto, indipendentemente dalla serietà dell'argomento in discussione. Jaeger immaginò che fosse un segno di nervosismo, ma lo trovava comunque vagamente inquietante.

Aveva conosciuto un buon numero di ragazzi come Kral nell'esercito, gli introversi, che avevano difficoltà a rapportarsi con gli altri. Jaeger aveva sempre prestato attenzione a sostenere quelli che entravano nella sua unità. Solitamente si dimostravano leali fino all'eccesso, e dei veri demoni quando calava la rossa nebbia del combattimento.

«Se scegliamo l'opzione tre – andare avanti –, vi darò le coordinate una volta giunti al fiume» gli spiegò Jaeger. «È il patto che ho stretto col colonnello Evandro: avrete le coordinate quando raggiungeremo il Rio de los Dios.»

«Quindi come hai fatto a perdere Narov?» lo punzecchiò Kral. «Che è successo di preciso?»

Jaeger lo fissò. «Ho già spiegato come è morta.»

«Vorrei sentirlo di nuovo» lo pressò Kral, col sorrisetto storto che si allargava sul volto. «Solo, capisci, per eliminare ogni conflittualità. In modo che sia tutto chiaro.»

La perdita di Narov era un tormento per Jaeger, e non aveva intenzione di riviverla di nuovo. «È stato un completo disastro, terribile, rapido. Fidati: non c'era nulla che potessi fare per salvarla.»

«Ma perché sei convinto che sia morta?» continuò Kral ostinatamente. «Che differenza c'è rispetto a James, Santos e gli altri?»

Jaeger socchiuse gli occhi. «Avresti dovuto esserci» replicò con freddezza.

«Ma doveva esserci per forza qualcosa che potevi fare... Era il primo giorno, stavate attraversando il fiume...»

«Vuoi che gli spari subito?» intervenne Alonzo in un brusco tono di avvertimento. «O dopo che gli abbiamo tagliato la lingua?»

Jaeger continuò a fissarlo; nella sua voce si era fatta strada una chiara nota minacciosa. «È strano, Kral: ho l'impressione che tu mi stia intervistando. Non è così, vero? Non mi stai intervistando?»

Kral scosse il capo nervosamente. «Sto solo dando voce a dei pensieri, per eliminare i conflitti...»

Jaeger spostò lo sguardo da Kral a Dale. La videocamera era a terra accanto a lui. La sua mano le si avvicinò furtiva.

«Sapete una cosa, ragazzi» ringhiò Jaeger «anch'io vorrei eliminare un conflitto.» Lanciò un'occhiata alla videocamera. «Hai coperto la spia rossa con del nastro adesivo nero. L'hai messa a terra, con la lente girata verso di me, e immagino fosse già accesa quando l'hai posata.»

Sollevò gli occhi su Dale, che sembrava tremare visibilmente sotto il suo sguardo. «Te lo dirò ancora una volta. Un'ultima volta. Fammi di nuovo uno scherzo del genere, e ti infilo la videocamera così in fondo al culo che dovrai pulire la lente come se fossero i tuoi denti. Intesi?»

Dale alzò le spalle. «Sì, okay. Solo che...»

«Solo, niente» l'interruppe Jaeger. «E quando avremo finito, cancellerai tutto quello che hai registrato con me presente.»

«Ma se non posso filmare scene chiave come questa, non ci sarà nessuno show» obiettò Dale. «I committenti, i produttori...»

Lo sguardo di Jaeger fu sufficiente a zittirlo. «C'è una cosa che devi capire: al momento, non me ne frega nulla dei tuoi produttori. Al momento, c'è un'unica cosa di cui mi importa: portare il maggior numero di membri della mia squadra fuori di qui, vivi. E al momento, siamo a corto di cinque – sei –, dunque sono sulla difensiva.

«E la cosa mi rende pericoloso» proseguì Jaeger «e incazzato. E quando sono incazzato, tendo a rompere le cose. Ora, Mr Dale: spegni-quella-merda.»

Dale si allungò verso la videocamera, premette un paio di pulsanti e la spense. Era stato colto in flagrante ma dalla sua espressione imbronciata si sarebbe detto che fosse stato lui a subire un torto.

«Mi hai fatto fare un mucchio di domande idiote» bisbigliò Kral rivolto a Dale, sottovoce. «Un'altra delle tue idee del cazzo.»

Jaeger aveva incontrato in passato gente come Dale e Kral. Alcuni dei suoi ex compagni delle forze speciali avevano provato a entrare nel loro mondo, il mondo dei reality show, dei programmi tivù sulla natura selvaggia. Troppo tardi avevano scoperto quanto fosse spietato. Masticava le persone per poi sputarle come gusci vuoti. E onore e lealtà erano merce rara.

Era un lavoro da tagliagole. Persone come Dale e Kral – per non parlare del loro capo, Carson – erano decise a farcela, senza curarsi di tutti gli altri. Era un mondo in cui bisognava essere pronti a filmare la gente mentre decideva su questioni di vita o di morte anche se si aveva promesso di non farlo, perché quelle erano le regole del gioco: era così che si creava una storia.

Bisognava essere pronti ad accoltellare alla schiena il proprio partner, se poteva migliorare anche di poco la propria posizione. Jaeger odiava quell'idea, ed era per questo che fin dal primo istante aveva preso in antipatia i due cameraman.

Aggiunse Kral e Dale alla lista delle cose cui avrebbe dovuto prestare particolare attenzione, insieme ai ragni velenosi, ai caimani giganti, alle tribù selvagge, e anche a una squadra non identificata di uomini armati, apparentemente pronti a far scorrere il sangue.

«Bene, allora, adesso che la videocamera è davvero spenta, passiamo alla votazione» annunciò Jaeger. «Prima opzione: dichiariamo l'operazione conclusa. Chi è d'accordo?»

Nessuna mano si alzò.

Fu un sollievo: almeno, per un po' di tempo, non avrebbero girato i tacchi per fuggire dalla Serra de los Dios.

35

«Posso filmare?» chiese Dale a Jaeger con un gesto.

Jaeger era chino sulla riva del fiume per le abluzioni serali, il fucile accanto, a portata di mano.

Sputò nell'acqua. «Sei ostinato, lo ammetto. Il capo della spedizione si lava i denti. Roba forte.»

«No, davvero. Mi serve un po' di questa roba. Una nota di colore. Solo per documentare come procede la vita in mezzo...» indicò il fiume e la giungla attorno «a tutto questo.»

Jaeger alzò le spalle. «Accomodati. Ti do un'anticipazione: sto per lavare la mia faccia puzzolente.»

Dale filmò qualche spezzone dei tentativi di Jaeger di usare il Rio de los Dios come il bagno di casa sua. A un certo punto il cameraman finì con entrambi gli scarponi nell'acqua, dando la schiena al fiume, mentre filmava dal basso con l'obiettivo praticamente nella gola di Jaeger.

Jaeger sperò che un caimano di cinque metri venisse ad afferrare Dale per le palle, ma niente da fare.

Tranne Alonzo, che come c'era da aspettarsi avrebbe voluto partire subito all'inseguimento dei nemici, il voto era stato unanime. La terza opzione – continuare la missione secondo i piani – era stata la scelta di tutti gli altri. Jaeger aveva dovuto chiarire alcuni punti con Carson, ma una breve chiamata via satellite col telefono Thuraya aveva risolto tutto.

Carson aveva illustrato chiaramente e rapidamente le proprie priorità: nulla doveva ostacolare il procedere della spedizione. Tutti conoscevano e comprendevano i pericoli, fin dall'inizio. Ogni membro della squadra aveva firmato una liberatoria legalmente vincolante, dichiarando di essere a conoscenza dei rischi. Le cinque persone scomparse erano esattamente quello: scomparse fino a prova contraria.

Carson doveva assicurarsi che il suo progetto televisivo globale da dodici milioni di dollari andasse avanti, e le sorti della Wild Dog Media – per non parlare di quelle della Enduro Adventures – dipendevano dal suo successo. Qualunque cosa succedesse, Jaeger doveva condurre la squadra fino al relitto dell'aereo, svelare i suoi segreti, e se possibile recuperare l'aeromobile misterioso.

Se qualcuno fosse rimasto ferito o fosse morto nel corso delle operazioni, la loro triste sorte sarebbe stata oscurata dalla stupefacente natura della scoperta, o almeno così sostenne Carson. Dopotutto, si trattava dell'Ultimo Grande Mistero della Seconda guerra mondiale, ribadì, l'aereo che non è mai esistito, il volo fantasma. Era stupefacente la rapidità con cui Carson si era appropriato delle definizioni dell'archivista Jenkinson.

Carson era persino arrivato al punto di rimproverare Jaeger per aver ostacolato alcune delle riprese, il che significava che Dale doveva averlo chiamato per lamentarsi. Jaeger gli aveva risposto in malo modo: era lui il capo dell'operazione a terra, e nella giungla la sua parola era legge. Se a Carson non stava bene, poteva partire per la Serra de los Dios e prendere il suo posto.

Conclusa la telefonata con Carson, Jaeger ne aveva fatta una seconda, all'Airlander. C'era voluto un po' perché il dirigibile gigante lasciasse il Regno Unito, ma si stava avvicinando al punto di stazionamento sopra le loro teste. Jaeger conosceva il pilota, Steve McBride, da quando le loro strade si erano incrociate nell'esercito. Era una persona capace e affidabile, era un'ottima cosa avere lui al controllo dell'Airlander.

C'era un'altra ragione per la quale Jaeger si fidava completamente dell'equipaggio dell'Airlander. Prima di lasciare Londra, aveva stretto un accordo con Carson: se non poteva avere Raff a terra con sé, allora lo voleva a fargli da occhi nel cielo. Carson si era arreso, e il mastodontico maori era stato nominato ufficiale operativo di McBride sull'Airlander.

Jaeger aveva telefonato al dirigibile, ottenendo il via libera di Raff su tutti gli aspetti del progetto generale della spedizione. Non c'erano aggiornamenti sulla morte di Andy Smith, il che non lo sorprese affatto. Invece, restò scioccato dalla notizia che riguardava Simon Jenkinson.

Qualcuno aveva fatto irruzione nell'appartamento londinese dell'archivista. Tre cose erano scomparse: il fascicolo sul volo fantasma Ju 390, l'iPhone con cui aveva scattato di nascosto la foto del documento su Hans Kammler, e il suo portatile. Jenkinson era rimasto sconvolto dal furto, e ancor di più quando aveva fatto un controllo con l'Archivio nazionale.

Il documento su Hans Kammler era stato archiviato con il codice AVIA 54/1403. Secondo l'Archivio, non vi era traccia alcuna dell'esistenza di un documento simile. Jenkinson l'aveva visto con i suoi occhi, l'aveva fotografato col suo telefono. Ma dopo il furto e la cancellazione di ogni traccia dall'archivio, era come se l'AVIA 54/1403 non fosse mai esistito.

Il volo fantasma ora aveva anche il suo fascicolo fantasma.

Jenkinson era spaventato, ma non sembrava scoraggiato, gli aveva spiegato Raff. Anzi: aveva giurato di recuperare le foto, a ogni costo. Fortunatamente le aveva salvate su una serie di sistemi di back-up online. Non appena fosse riuscito a procurarsi un altro computer, le avrebbe scaricate.

La notizia poteva significare solo una cosa, rifletté Jaeger: chiunque fossero quelli che li stavano ostacolando, avevano il potere e l'influenza per far sparire un documento del governo britannico. Quelle ramificazioni erano altamente preoccupanti, ma non c'era molto che potesse fare, nel cuore dell'Amazzonia.

Jaeger aveva esortato Raff a tenere gli occhi aperti, e a mettersi in contatto con lui ogni volta che fosse stato possibile comunicare tra la squadra a terra e l'Airlander.

Una volta che ebbe finito di lavarsi, Jaeger mise via le sue cose arrotolandole in un fagotto compatto. La mattina seguente sarebbero partiti di buon'ora per discendere il fiume, e lo spazio sulle canoe era limitato. Dale aveva chiaramente filmato abbastanza, perché spense la videocamera. Ma Jaeger percepì la sua esitazione, come se volesse scambiare qualche parola.

«Senti, lo so che tutto questo ti mette a disagio» si arrischiò Dale. «Le riprese, intendo. E mi dispiace per l'incidente di prima. Mi sono lasciato prendere la mano. Ma se non riesco a filmare abbastanza materiale per far funzionare il programma, mi taglieranno la testa.»

Jaeger non rispose. Dale non gli piaceva particolarmente, ancor meno dopo l'episodio delle riprese di nascosto.

«Sai, c'è un detto sul mio ambiente» tentò Dale. «L'industria televisiva. È di Hunter S. Thompson. Ti va di sentirlo?»

Jaeger si mise in spalla il fucile. «Sono tutto orecchi.»

«"Il business della televisione è una crudele e superficiale trincea di denaro"» cominciò Dale «"un lungo corridoio di plastica dove ladri e ruffiani corrono liberi e gli uomini buoni muoiono come cani." Forse non ricordo parola per parola ma... "Gli uomini buoni muoiono come cani." Riassume perfettamente il mio mondo.»

Jaeger lo fissò. «C'è un detto simile sul mio mondo: "Una pacca sulla spalla non fa che preparare la strada al coltello".» Jaeger fece una pausa. «Senti, non mi devi piacere per riuscire a lavorare con te. E non sono qui per romperti le palle. Basta che fissiamo delle regole comuni e dovremmo riuscire ad arrivare in fondo senza ucciderci a vicenda.»

«Che tipo di regole?»

«Regole di buon senso. Che voi rispettiate. Per esempio, uno: non dovete chiedermi il permesso per registrare. Filmate quando vi pare opportuno. Ma se vi dico di smettere, obbedite.»

Dale annuì. «Si può fare.»

«Due: se un altro membro della squadra vi chiede di non filmare, fate come vi dice. Potete venire a parlarne con me, ma sul momento rispettate il suo desiderio.»

«Ma questo significa che tutti avranno di fatto potere di veto» obiettò Dale.

«No, solo io ce l'ho. Questa è la mia spedizione. E ciò significa che tu e Kral siete parte della mia squadra. Se riterrò che sia vostro diritto filmare, starò dalla vostra parte. Avete un compito difficile e faticoso, e io lo rispetto. Sarò un arbitro imparziale.»

Dale alzò le spalle. «Okay. Immagino di non avere molta scelta.»

«Non ce l'hai» confermò Jaeger. «Regola numero tre: se mai proverete a ripetere il numero di stamattina, registrare quando avete promesso di non farlo, le videocamere finiscono nel fiume. Non sto scherzando. Ho perso cinque persone. Non esagerate.»

Dale allargò le mani in un gesto di scuse. «Come ho già detto, mi dispiace.»

«Quarta e ultima regola.» Jaeger fissò Dale per un lungo istante. «Non infrangete le regole.»

«Capito» confermò Dale. Fece una pausa. «Però forse c'è una cosa che potresti fare per renderci le cose più facili. Se potessi intervistarti, tipo qui vicino al fiume, e tu riassumessi quello che è successo oggi... Le cose che non abbiamo potuto filmare.»

Jaeger ci rifletté per un momento. «Se non volessi rispondere alle tue domande?»

«Non sei obbligato. Ma sei il capo della spedizione. Chi meglio di te?»

Jaeger alzò le spalle. «Okay. Lo farò. Ma ricorda: le regole sono regole.»

Dale sorrise. «Capito, capito.»

Dale andò a chiamare Kral. Posizionarono la videocamera su un cavalletto leggero, appuntarono un microfono sul colletto di Jaeger per ottenere un audio decente, e con Kral dietro l'obiettivo a gestire l'inquadratura, Dale si calò nel ruolo dell'intervistatore. Si sedette di fianco alla videocamera, chiedendo a Jaeger di parlare direttamente con lui e di provare a ignorare la lente che lo fissava.

Dale quindi chiese a Jaeger di ricapitolare gli eventi intercorsi nelle ultime quarantott'ore. Man mano che l'intervista procedeva, Jaeger dovette in parte ammettere che Dale era bravo nel suo lavoro. Aveva un modo di estorcere le informazioni tale che si aveva l'impressione di stare semplicemente chiacchierando con un amico al pub sotto casa.

Dopo un quarto d'ora, Jaeger aveva quasi dimenticato la presenza della videocamera.

Quasi.

«Era abbastanza evidente che tu e Irina Narov vi studiavate come due leoni pronti all'attacco» azzardò Dale. «Quindi perché rischiare tutto per lei durante la traversata del fiume?»

«Era nella mia squadra» rispose Jaeger. «Basta questo.»

«Ma hai lottato contro un caimano di cinque metri» lo incalzò Dale. «Hai quasi perso la vita. Hai lottato per qualcuno che sembrava avercela con te. Perché?»

Jaeger fissò Dale. «È una vecchia regola del mio mestiere di non parlare male dei morti. Ora, andiamo oltre...»

«Okay, andiamo oltre» assentì Dale. «Dunque, questi misteriosi uomini armati... Nessuna idea su chi possano essere o sulle loro intenzioni?»

«Praticamente nessuna» rispose Jaeger. «Nel cuore della

Serra de los Dios non dovrebbe esserci nessun altro oltre a noi e agli indios. Per quanto riguarda le loro intenzioni, immagino che forse vogliano scoprire la posizione del relitto, magari per impedirci di raggiungerlo. Ipotesi diverse non hanno senso. Ma è soltanto un'impressione istintiva, nulla di più.»

«Non è una cosa da poco: una squadra rivale potrebbe essere là fuori in cerca del relitto» lo incalzò Dale. «I tuoi sospetti si basano su qualcosa di concreto?»

Prima che Jaeger potesse rispondere, Kral fece uno strano rumore con la bocca. Jaeger aveva notato che il cameraman slovacco aveva la fastidiosa abitudine di succhiarsi i denti.

Dale si voltò fulminandolo con gli occhi. «Amico, sto cercando di fare un'intervista qui. Resta concentrato, e piantala con questi cavolo di versi.»

Kral gli restituì l'occhiataccia. «Sono concentrato. Sono dietro questa dannata videocamera a spingere i dannati pulsanti, se non te ne sei accorto.»

Splendido, pensò Jaeger. Erano partiti da pochi giorni e i due membri della troupe erano già ai ferri corti. Come sarebbero diventati dopo settimane nella giungla?

Dale tornò a voltarsi verso Jaeger. Alzò gli occhi al cielo, come a dire: "guarda cosa mi tocca sopportare". «Questa squadra rivale... Ti stavo chiedendo dei tuoi sospetti.»

«Pensaci» rispose Jaeger. «Chi conosce la posizione precisa dell'aereo? Il colonnello Evandro. Io. Alonzo. Nel caso qualcun altro stesse provando a trovarlo, dovrebbe seguirci. O costringere qualcuno della nostra squadra a parlare. Durante il volo di andata, un aereo misterioso ci ha seguiti. Quindi forse – e sottolineo forse – ci seguono e minacciano fin dall'inizio.»

Dale sorrise. «Perfetto. Ho finito.» Fece un gesto a Kral. «Spegni. Niente male» commentò rivolgendosi a Jaeger. «Ottimo lavoro.»

Jaeger afferrò il fucile. «Preferirei scavaste meno nel torbido. Ma in ogni caso, meglio così che filmare di nascosto.»

«D'accordo.» Dale fece una pausa. «Senti, ci staresti a registrare una cosa simile ogni giorno, una specie di videodiario?»

Jaeger iniziò ad attraversare il banco di sabbia in direzione del campo. «Forse. Se ne abbiamo il tempo...» Alzò le spalle. «Vediamo come procede.»

36

La notte cala rapidamente nella giungla.

Con l'arrivo del buio Jaeger si spalmò addosso del repellente per insetti e si rimboccò i pantaloni mimetici negli scarponi, in modo che nessuna bestia strisciante ci si infilasse durante la notte. Avrebbe dormito così: completamente vestito, con le scarpe ai piedi e il fucile da combattimento stretto tra le braccia. In quel modo, in caso venissero attaccati durante le ore di buio, sarebbe stato pronto a combattere.

Ma nessuna delle sue precauzioni poteva sconfiggere il vero, indomito avversario nella Serra de los Dios: le zanzare. Jaeger non aveva mai visto mostri simili. Riusciva a sentire il loro ronzio rabbioso mentre gli sciamavano attorno come pipistrelli vampiro in miniatura, intenti nella loro distruttiva missione: succhiare sangue e trasmettere malattie. Ed erano persino in grado di farsi strada attraverso la sua tuta: di tanto in tanto sentiva un paio di minuscole "mascelle" da insetto che riuscivano a penetrarla.

Si arrampicò sull'amaca, le membra infiammate per la stanchezza. Dopo la lotta per salvare Narov, e la marcia in solitaria attraverso la giungla, era completamente esausto. La notte precedente aveva riposato appena. Non aveva dubbi che si sarebbe addormentato come un sasso, soprattutto visto che Alonzo aveva promesso di restare di vedetta durante le ore notturne.

L'ex SEAL aveva organizzato dei turni di guardia, in modo da tenere sempre gli occhi aperti sulla giungla. Se qualcuno doveva lasciare il campo per qualsiasi ragione – anche solo per andare al bagno – era necessario che si portasse dietro un compagno.

In quel modo chiunque aveva sempre le spalle coperte, in caso di pericolo.

Una tenebra spessa e vellutata avvolgeva la spiaggia, e insieme a essa arrivò una cacofonia di suoni notturni: lo spensierato canto ritmico delle cicale – *crii-crii-crii-crii* – che sarebbe andato avanti fino all'alba, i goffi, rumorosi tonfi degli enormi scarafaggi e di altre creature volanti che schizzavano in giro, i quasi inaudibili strilli acuti dei pipistrelli giganti che perlustravano l'acqua a caccia di prede.

L'aria sopra il Rio de los Dios era piena di ali che sbattevano nel buio. Jaeger vedeva le loro silhouette sfreccianti stagliate contro la fioca luce delle stelle che riusciva a filtrare attraverso le fronde degli alberi. Le loro forme spettrali contrastavano nettamente con lo scintillare etereo e pulsante delle lucciole.

Le lucciole ravvivano la notte setosa come esplosioni di stelle cadenti. Lungo la sponda del fiume formavano una nube fosforescente di un blu verdastro che spuntava e si nascondeva tra gli alberi. E, di tanto in tanto, qualcuna spariva – *puf*, una fiamma spenta con un soffio – quando un pipistrello scendeva in picchiata per strapparla al suo volo. Proprio come quattro membri della squadra erano stati strappati dalle ombre della foresta da una forza oscura e spettrale.

Solo, nel cuore della notte, Jaeger si ritrovava assediato dai dubbi che teneva nascosti durante il giorno. Erano appena all'inizio del viaggio e già avevano perso cinque persone. Eppure doveva, in un modo o nell'altro, risollevare le sorti della spedizione, ma in tutta onestà non aveva idea di come fare.

Non era la prima volta che si trovava nei guai, ed era sempre riuscito a salvare la situazione. Circostanze simili risvegliavano in lui una sorta di forza interiore, e in parte l'incertezza e le scarse probabilità di successo gli davano energia.

E di una cosa era certo: le risposte a tutto – a ogni incidente che li aveva colpiti – si trovavano sepolte nella giungla, nel sito del misterioso relitto aereo. Era l'unica cosa che lo spingeva a continuare.

Jaeger sollevò i piedi nell'amaca e si allungò per slacciare lo scarpone sinistro. Lo sfilò, ci ficcò dentro la mano e pescò qualcosa da sotto la soletta. Lo esaminò brevemente alla luce della torcia, i suoi occhi e il fascio di luce indugiarono sui due volti che lo fissavano. Erano le facce di una splendida madre con gli occhi verdi e i capelli corvini, e di un ragazzino che era l'immagine sputata di Jaeger, che le stava protettivamente al fianco.

Certe notti – molte notti – recitava ancora una preghiera per loro. L'aveva fatto durante i lunghi anni vuoti a Bioko. Lo fece quella notte, sdraiato su un'amaca tesa tra due alberi sulla spiaggia del Rio de los Dios. In quel relitto lontano avrebbe trovato le risposte, e forse anche quelle che più desiderava sentire: cos'era successo a sua moglie e suo figlio.

Jaeger chiuse gli occhi, stringendo la foto.

Mentre il sonno si avvicinava, ebbe la sensazione che fosse stata dichiarata una sorta di tregua con qualunque cosa stessero combattendo. Per la prima volta da quando si erano lanciati sulla Serra de los Dios, non riusciva a percepire nessuna spia, nessuno sguardo nascosto nelle ombre della giungla.

Ma aveva la sensazione che si trattasse di una calma temporanea. La prima schermaglia si era conclusa. Le prime vittime erano cadute.

La guerra vera e propria era appena agli inizi.

37

Si trovavano da tre giorni sul Rio de los Dios, tre giorni durante i quali Jaeger aveva continuato a riflettere sulla fase successiva della spedizione, il che l'aveva quasi spinto alla follia. Tre giorni di viaggio in direzione ovest su un fiume che scorreva alla velocità media di sei chilometri l'ora: via acqua avevano coperto centoventi chilometri.

Jaeger era soddisfatto dell'avanzamento. Affrontandola via terra, quella medesima distanza si sarebbe rivelata molto più lunga e stancante, e piena di insidie.

Era la metà del pomeriggio del terzo giorno quando individuò quello che stava cercando: l'Incontro delle Vie, il punto in cui il Rio de los Dios si fondeva con un corso d'acqua minore, il Rio Ouro, il fiume d'oro. Mentre il Rio de los Dios era pieno dei sedimenti fangosi della giungla di colore marrone scuro, quasi nero, il Rio Ouro era di un giallo dorato, per via dei sedimenti sabbiosi strappati dalle montagne che ne arricchivano le acque.

Dove i due fiumi si univano, le acque più fredde e dense del Rio Ouro si mostravano restie a fondersi con quelle del suo cugino più caldo e meno denso, dando origine a quel che Jaeger vedeva davanti a sé: un peculiare tratto di fiume in cui nero e bianco scorrevano fianco a fianco per un chilometro o più, quasi senza mischiarsi.

All'Incontro delle Vie l'affluente – il Rio Ouro – sarebbe stato completamente assorbito dal Rio de los Dios. Da quel punto, Jaeger e la sua squadra avrebbero potuto proseguire solo per altri tre chilometri: di fronte a loro si stagliava una barriera insormontabile, il punto in cui il fiume precipitava per più di trecento metri dando vita alle Cascate del Diavolo.

Fino ad allora il viaggio li aveva portati ad attraversare un altopiano coperto di giungla. Le tonanti cascate create dal Rio de los Dios segnavano il punto in cui l'altopiano era diviso a metà da una faglia frastagliata. La zona a ovest della frattura si trovava trecento metri più in basso, formando una sconfinata distesa di foresta pluviale di bassopiano.

La meta – il relitto misterioso – si trovava a una trentina di chilometri dalle Cascate del Diavolo, nel centro della distesa di giungla.

Jaeger spinse avanti la canoa affondando silenziosamente la pagaia nell'acqua, quasi senza incresparla. In quanto ex commando della Royal Navy si trovava a proprio agio sull'acqua. Aveva guidato la discesa del fiume aiutando quelli dietro di lui a navigare attraverso le secche più pericolose. Stava riflettendo sulla mossa seguente. Doveva prendere una decisione critica.

La discesa era stata relativamente tranquilla, almeno rispetto a quanto era accaduto prima. Ma temeva che, con l'avvicinarsi delle cascate, l'intermezzo di pace stesse per giungere al termine.

Nell'aria riusciva ormai a distinguere una nuova minaccia: un rombo profondo e gutturale gli riempiva le orecchie, come centinaia di migliaia di gnu lanciati al galoppo attraverso una pianura africana.

Scrutò davanti a sé.

Lungo l'orizzonte vide sollevarsi una torre di nebbia, o meglio di schiuma: quella gettata in aria dal Rio del los Dios mentre si lanciava oltre il bordo della faglia formando una delle cascate più alte e spettacolari del mondo.

Non c'era modo di superarla: lo studio delle foto aeree l'aveva reso chiaro. L'unica via per procedere sembrava essere una specie di cammino che discendeva lungo la scarpata, ma che si trovava più a nord, a un giorno di marcia abbondante. Il piano di Jaeger era lasciare il fiume a breve e intraprendere l'ultima fase del viaggio – inclusa la discesa di trecento metri – a piedi.

Girare attorno alle Cascate del Diavolo li avrebbe portati un bel pezzo fuori strada, ma a quanto gli pareva non c'erano alternative. Aveva studiato l'area da ogni angolazione, e il percorso lungo la scarpata sembrava l'unico modo per procedere. Chi o cosa avesse tracciato il sentiero, invece, restava un mistero.

Forse gli animali selvatici.

Forse gli indigeni.

Oppure, quella forza misteriosa che si trovava là fuori da qualche parte: armata, ostile e pericolosa.

Il secondo problema con cui Jaeger doveva vedersela era che fin dall'inizio avevano previsto di affrontare l'ultima parte del viaggio con una squadra di dieci persone. Ora erano ridotti a cinque, e Jaeger non aveva idea di cosa fare con l'equipaggiamento dei dispersi. Avevano caricato i loro effetti personali a bordo delle canoe, ma non c'era modo di trasportarli oltre quel punto.

Abbandonare quegli oggetti sarebbe stato come comunicare al mondo di aver accettato il fatto che i dispersi erano morti, ma Jaeger non sapeva come altro fare.

Scrutò dietro di sé.

La sua canoa guidava la formazione, gli altri lo seguivano a poppa. In tutto, erano cinque imbarcazioni, tutte kayak convertibili Advanced Elements, mezzi da esplorazione di quattro metri e mezzo, semipieghevoli e gonfiabili. I kayak erano stati paracadutati da Kamishi e Krakov, riposti nelle casse a tubo. Ciascuno pesava venticinque chili e si poteva ripiegare in un cubo di circa sessanta centimetri quadri, anche se aperto arrivava a trasportare duecentoquarantanove chili di attrezzatura.

Sulla spiaggia, avevano aperto le canoe, le avevano gonfiate con delle pompe a stantuffo e le avevano lanciate in acqua dopo averle caricate con l'attrezzatura. Ciascuna vantava un guscio a tre strati, antistrappo ed estremamente resistente alle forature, dei remi integrati in alluminio per garantire maggiore stabilità, oltre a sedili imbottiti regolabili che permettevano di pagaiare a lungo evitando di scorticarsi.

Con sei camere d'aria più i galleggianti, i kayak erano praticamente inaffondabili, e tali si erano rivelati nei pochi tratti di rapide che avevano incontrato.

Inizialmente, Jaeger aveva previsto di mettere in acqua cinque kayak, ciascuno con due membri della squadra. Ma, col loro numero dimezzato, avevano modificato la seduta in modo che ciascuna canoa potesse alloggiare una sola persona. Dale e Kral erano sembrati i più sollevati all'idea di non essere costretti a condividere un minuscolo kayak per tre giorni di viaggio.

Jaeger sospettava che l'animosità degli operatori dipendesse da una sola ragione: Kral non gradiva stare agli ordini di Dale. Era Dale a dirigere le riprese, mentre Kral era "solo" un assistente alla produzione, e c'erano momenti in cui lo slovacco non riusciva a nascondere la sua antipatia. Per quanto riguardava Dale, la fastidiosa abitudine di Kral di succhiarsi i denti sembrava farlo andare su tutte le furie.

Jaeger aveva partecipato ad abbastanza spedizioni per sapere che, nel crogiuolo della giungla, persino i migliori amici potevano finire per detestarsi visceralmente. Sapeva che doveva cercare di risolvere la questione Dale-Kral, perché quel genere di tensione poteva finire per mettere a rischio l'intera spedizione.

Per quanto riguardava il resto della squadra, gli sembrava che lui, Alonzo e Kamishi avessero legato abbastanza. Non c'erano molte cose in grado di far collaborare dei maschi alfa quanto la consapevolezza di essere alle prese con un nemico tanto inatteso quanto violento. I tre ex soldati delle squadre d'élite si erano uniti nell'avversità, erano solo i due operatori televisivi a sparlare l'uno dell'altro.

Quando la prua appuntita della sua canoa fendette l'Incontro delle Vie – acqua bianca e oro da una parte, nera inchiostro dall'altra –, a Jaeger venne da pensare che sul fiume era stato quasi felice.

Quasi. Ovviamente, la perdita di cinque compagni proiettava una persistente ombra scura sul loro percorso.

Ma quella era una delle cose che Jaeger aveva desiderato quando si trovava ancora a Londra: una lunga discesa lungo un fiume esotico e selvaggio, nel cuore di una delle più vaste giungle del pianeta terra. Lì, i fiumi erano corridoi di luce e vita: gli animali selvatici si assiepavano sulle sue rive, e l'aria vibrava al battito di una miriade di ali d'uccello.

Ciascun kayak era dotato al proprio interno di una rete elastica che garantiva rapido accesso agli oggetti più importanti. Jaeger vi aveva infilato il fucile, a portata di mano. Se un caimano avesse provato a infastidirlo, sarebbe riuscito ad afferrarlo e sparare nel giro di qualche secondo. Ma, a quanto pareva, la maggior parte aveva deciso di tenersi alla larga: i kayak erano praticamente la cosa più grande che si muovesse sull'acqua.

A un certo punto del mattino Jaeger aveva abbandonato la sua canoa alla lenta corrente per osservare un giaguaro – un maschio possente – che puntava la preda. Il colossale felino si muoveva a passi felpati lungo la riva, senza smuovere la minima onda o fare il minimo rumore. Poi si era posizionato nel punto cieco del caimano e aveva raggiunto a nuoto il banco di fango sul quale il rettile stava prendendo il sole.

Era un caimano jacaré, più piccolo del caimano nero.

Il felino era arrivato fino al banco di fango e poi aveva spiccato il salto. Il caimano aveva percepito il pericolo all'ultimo momento, provando a voltarsi per colpire con le fauci, ma il giaguaro era stato più rapido. Con le zampe sul dorso del rettile e gli artigli conficcati nella sua carne, gli aveva addentato la testa affondandogli le zanne nel cervello.

L'aveva ucciso all'istante, dopo di che l'aveva trascinato in acqua per ritornare a riva. Avendo assistito all'intero agguato, a Jaeger venne voglia di tributare un applauso al felino. Uno a zero per il giaguaro, e Jaeger avrebbe voluto che le cose rimanessero così.

Dopo il suo scontro con uno dei gigganteschi rettili e la morte di Irina Narov, Jaeger aveva sviluppato una profonda avversione per i caimani.

Discendere il fiume aveva comportato un altro vantaggio: i kayak di Dale e Kral erano stati collocati alla fine della piccola flotta. Jaeger aveva sostenuto che, essendo i meno esperti con la canoa, era meglio tenerli il più lontano possibile da ogni eventuale pericolo. In più, disporli in coda l'aveva messo al riparo dalla voracità dell'obiettivo di Dale.

Stranamente però, nel corso dell'ultima giornata, a Jaeger era mancata l'abituale conversazione davanti alla videocamera. Per quanto sembrasse assurdo, l'obiettivo era qualcuno con cui parlare, con cui sfogarsi. Mai nel corso di una spedizione aveva sentito così intensamente la mancanza di uno spirito affine, di compagnia.

Alonzo era un ottimo vice provvisorio. A dirla tutta, per molti versi gli ricordava Raff. Col suo fisico massiccio, non dubitava che l'ex SEAL si sarebbe rivelato un guerriero eccellente. Jaeger immaginava che col tempo Alonzo sarebbe potuto diventare un amico leale, ma di certo non era il suo confidente; almeno, non ancora.

Né lo era Hiro Kamishi. Jaeger supponeva ci fossero molte cose che avrebbe potuto condividere col taciturno giapponese, un uomo immerso nel *bushido*, la mistica guerriera orientale, ma prima avrebbe dovuto imparare a conoscerlo. Sia lui che Alonzo erano tipici soldati delle forze speciali: tipi tosti, che avevano bisogno di tempo prima di abbassare le difese e aprirsi.

In realtà, si sarebbe potuto rivolgere la stessa critica a Jaeger. Dopo i tre anni a Bioko, era profondamente consapevole di come si trovasse a proprio agio solo con se stesso. Non che fosse il classico tipo solitario – l'ex militare che non si fida di nessuno –, ma aveva imparato a sopravvivere contando solo su di sé. Si era abituato alla propria compagnia, e a volte, semplicemente, era più facile così.

Per un istante si domandò come si sarebbe comportata Irina Narov. Col tempo, si sarebbe rivelata una con cui avrebbe potuto parlare? Una compagna? Jaeger non lo sapeva. A ogni modo, l'aveva perduta molto prima di essere in grado di inquadrarla, se mai sarebbe stato possibile.

In sua assenza, la videocamera era una strana confidente. Comportava un enorme svantaggio: Dale era incluso nel pacchetto, il che non la rendeva molto affidabile. Ma, al momento, era praticamente tutto ciò che Jaeger aveva.

La sera precedente, al campo lungo il fiume, aveva registrato una seconda intervista con Dale. Nel mentre, aveva iniziato a provare simpatia per il ragazzo. Dale aveva la notevole capacità di strappare momenti di sincerità all'intervistato, con pacatezza e dignità.

Era un dono raro, e Jaeger stava iniziando a nutrire – pur con una certa riluttanza – rispetto per lui.

Dopo l'intervista, Stefan Kral si era trattenuto per una chiacchierata in privato. Mentre metteva via l'attrezzatura aveva offerto a Jaeger una breve confessione circa l'episodio della registrazione clandestina sul banco di sabbia.

"Spero tu non creda che stia raccontando palle, ma ritenevo dovessi saperlo" aveva cominciato col suo strano sorriso storto che gli alterava i lineamenti. "Filmare di nascosto... È stata un'idea di Dale. Mi suggeriva le domande mentre teneva d'occhio la videocamera."

Kral aveva lanciato a Jaeger un'occhiata inquieta. "Gli ho

detto che non avrebbe funzionato. Che ci avresti scoperti. Ma lui non mi ha voluto ascoltare. Lui è il grande regista e io solo un misero assistente, secondo lui... così è lui a dare gli ordini." Le parole di Kral erano colme di risentimento. "Ho un po' di anni più di lui, ho fatto molte più riprese nella giungla ma, chissà come, tocca a me obbedire agli ordini. E a essere sinceri... non mi sorprenderebbe se riprovasse a fare lo stesso scherzo. Solo perché tu lo sappia."

"Grazie" aveva risposto Jaeger. "Starò attento."

"Ho tre figli, e sai qual è il loro film preferito?" aveva continuato Kral, col suo sorrisetto storto che si faceva sempre più largo. "*Shrek*. E sai una cosa? Dale... lui è come il fottuto principe azzurro. E se ne approfitta. Il mondo della televisione è pieno di donne... produttrici, direttrici, registe. Se le rigira come vuole."

Nel periodo trascorso nell'esercito Jaeger si era fatto la reputazione di essere in grado di trasformare delle nullità in eroi, il che forse poteva contribuire a spiegare la sua naturale affinità con i deboli, e Kral era senza dubbio la parte debole della troupe.

Ma allo stesso tempo Jaeger era in grado di comprendere perché Carson avesse affidato il comando a Dale. Nell'esercito capita spesso che ufficiali giovani diano ordini a persone con più anni ed esperienza, semplicemente perché possiedono le qualità giuste per comandare. E se fosse stato al posto di Carson, avrebbe fatto la stessa cosa.

Jaeger aveva fatto del proprio meglio per rassicurare Kral. Gli aveva detto che, nel caso avesse avuto delle preoccupazioni, avrebbe potuto parlarne con lui. Ma tutto sommato spettava a loro due risolvere la questione. Era fondamentale che ci riuscissero.

Quella tensione – quel costante risentimento – avrebbe potuto lacerare la squadra.

Sotto la prua del kayak di Jaeger, la acque nere e bianche del fiume si stavano mischiando in un grigio scuro, mentre il mormorio delle Cascate del Diavolo diventata un ruggito assordante e minaccioso. La sua mente fu richiamata alle inevitabili priorità del presente.

Dovevano raggiungere la riva, e presto.

Davanti a lui e alla sua destra individuò una striscia di sponda fangosa, seminascosta sotto i rami sovrastanti.

Fece un gesto e orientò la prua in quella direzione, mentre le altre canoe si allineavano dietro di lui. Spingendosi avanti con la pagaia, notò un rapido movimento tra la vegetazione: di certo qualche animale che schizzava lungo la sponda. Jaeger studiò l'ombra al di sotto degli alberi per vedere se si sarebbe mostrato di nuovo.

Un secondo dopo una figura emerse dalla giungla.

Una figura umana.

Scalzo, nudo tranne che per un cintura di corteccia intrecciata annodata in vita, l'uomo si mostrò, fissando nella direzione di Jaeger. Neanche cinquecento metri d'acqua separavano Jaeger dal guerriero della tribù amazzonica fino ad allora mai contattata.

38

Jaeger non aveva dubbi che il guerriero della giungla avesse scelto deliberatamente di mostrarsi. La domanda era perché. L'indigeno si era materializzato dall'ombra, e certamente avrebbe potuto restare nascosto, se l'avesse voluto.

In una mano, reggeva un arco dalla curvatura elegante e una freccia. Jaeger conosceva quel tipo di arma. Ciascuna delle lunghe frecce aveva trenta centimetri di punta, di bambù affilato come un rasoio, con i bordi crudelmente seghettati.

Su un lato, la freccia era coperta col veleno dell'albero *tiki uba*, un anticoagulante, mentre sull'altro era fissata la piuma caudale di un pappagallo, per stabilizzarne la traiettoria. Quando si veniva colpiti, il veleno impediva che il sangue coagulasse, causando un'emorragia letale.

La gittata di una cerbottana indigena era poco più di una trentina di metri, abbastanza per raggiungere le fronde degli alberi. L'arco, invece, poteva coprire quattro o cinque volte quella distanza. Era l'arma cui la tribù ricorreva per cacciare prede più grosse: caimani forse, di certo i giaguari, e senza dubbio qualsiasi nemico umano che sconfinasse nelle loro terre.

Jaeger usò la parte piatta del remo per battere un segnale di pericolo sull'acqua, allertando quelli dietro di lui, nel caso non si fossero accorti di nulla.

Sollevò il remo dall'acqua e lo poggiò lungo la canoa, poi posò la mano sul fucile. Si lasciò trasportare per qualche secondo, in silenzio, tenendo d'occhio l'indio, che a sua volta continuava a osservarlo.

L'uomo lanciò un segnale: un unico gesto della mano, mossa prima da un lato, poi dall'altro. Altre figure comparvero a destra e a sinistra, vestite e armate nella stessa maniera.

Jaeger ne contò una dozzina, e ce ne dovevano essere altre nascoste nelle ombre dietro di loro. Quasi a conferma dei suoi sospetti, Jaeger vide che il capo guerriero – perché di certo era il capo – fece un secondo gesto, come a dare il segnale di via.

Un urlo riecheggiò sul fiume.

Animale, profondo, gutturale, si trasformò rapidamente in un canto di guerra che rotolò minaccioso sull'acqua. Era punteggiato da un serie di percussioni incredibilmente potenti, come se un enorme tamburo stesse scandendo un ritmo nella giungla: *kabooom-boom-boom, kaboom-boom-boom!*

I colpi profondi riecheggiarono sull'acqua, e Jaeger li riconobbe per quello che erano. Aveva sentito qualcosa di simile mentre lavorava con le squadre speciali del colonnello Evandro. Da qualche parte, subito dietro gli alberi, gli indios stavano battendo le loro mazze da guerra su un'enorme radice, e i colpi si diffondevano dalla parete di legno come dei tuoni.

Jaeger vide che il capo sollevava l'arco, mirando nella sua direzione. Le grida di guerra aumentarono di volume, i tonfi sul "tamburo" della radice sottolineavano ogni volta che scuoteva l'arma. Il gesto – l'intero effetto – non aveva bisogno di traduzione.

"Non avvicinatevi."

Il problema era che Jaeger non poteva tornare indietro. Alle sue spalle c'erano più di cento chilometri di fiume, controcorrente e nella direzione sbagliata, e davanti a lui c'era solo lo strapiombo delle Cascate del Diavolo.

O raggiungevano la riva, in quel punto, o la sua squadra se la sarebbe vista brutta.

Pur non essendo il modo migliore per stabilire un primo contatto, Jaeger non immaginava di avere molta scelta. Qualche secondo ancora e si sarebbe trovato alla portata delle frecce della tribù, e quella volta non aveva dubbi che sarebbero state coperte di veleno.

Sollevò il fucile dal suo sostegno, lo puntò verso il fiume davanti alla sua canoa e fece fuoco. Sei colpi d'avvertimento vennero esplosi in rapida successione, aprendo un varco a forma d'arco: ciascun colpo fendette l'acqua gettando un enorme spruzzo di schiuma in aria.

La reazione degli indigeni fu istantanea.

Incoccarono le frecce e le scagliarono, i dardi sfrecciarono in aria tracciando un arco verso il bersaglio, ma ricaddero appena prima della prua del kayak di Jaeger. Grida di allarme risuonarono da una parte e dall'altra e per un istante Jaeger fu certo che la tribù fosse determinata a mantenere la posizione e combattere.

L'ultima cosa per cui era andato laggiù era combattere contro quella tribù perduta. Ma, non avendo altra scelta, avrebbe adottato ogni possibile misura per difendere fino all'ultimo la sua squadra.

Per un lungo istante Jaeger sostenne lo sguardo del capo guerriero, in una sorta di scontro di volontà combattuto attraverso l'acqua. Poi l'uomo fece un altro gesto, il suo braccio scattò all'indietro verso la giungla. Le figure ai suoi lati si infilarono tra gli alberi. In quel medesimo istante, divennero invisibili.

Jaeger aveva visto ripetute volte diverse tribù orchestrare una simile sparizione, ma la cosa non smetteva mai di sorprenderlo. Non aveva mai visto nessuno, Raff compreso, in grado di fare altrettanto.

Ma il capo manteneva la posizione, immobile, il suo volto come un tuono.

Da solo, restò a fronteggiare Jaeger.

Il kayak proseguì verso la riva. Jaeger vide che il capo sollevava qualcosa nella mano destra e con un urlo di rabbia lo affondava nel terreno fangoso. Lo lasciò lì, una specie di lancia con un vessillo di guerra o un pennacchio che ondeggiava sulla cima.

Con quel gesto, l'uomo si voltò e scomparve.

Jaeger non voleva correre pericoli durante l'approdo. Avanzò da solo, ma con Alonzo e Kamishi ai suoi lati, un poco più indietro, con i fucili d'assalto pronti. In fondo posizionò Dale e Kral con la loro videocamera, visto che erano intenti a filmare ogni movimento.

Jaeger sapeva di essere ben coperto, e scommetteva che la dimostrazione di forza – i colpi di fucile – si sarebbe rivelata un potente deterrente contro la tribù. Con qualche colpo di pagaia ben assestato coprì gli ultimi metri. Afferrò il fucile e se lo appoggiò alla spalla: l'ampia canna spalancata minacciava la buia fila di alberi.

Nessun segno di movimento, da nessuna parte.
La punta del kayak si infilò nel fango, arrestandosi. Jaeger sbarcò in un lampo, si accovacciò nell'acqua dietro all'imbarcazione col suo carico pesante, l'arma che scandagliava la giungla davanti a lui.
Per cinque minuti abbondanti non si mosse.
Restò chino sul fucile, ascoltando e osservando in silenzio.
Accordò tutti i sensi al nuovo ambiente, filtrando ogni rumore che gli paresse interamente naturale. Riuscendo a ignorare il ritmo e il polso normale della foresta – il suo battito –, poteva concentrarsi su qualsiasi cosa fosse fuori del comune, come un passo umano, o un guerriero che tendeva la corda del suo arco.
Ma non riuscì a distinguere nulla del genere.
La tribù sembrava essersi dissolta, con la stessa rapidità con cui si era materializzata. Eppure, Jaeger non credette nemmeno per un istante che se ne fosse andata per sempre.
Tenendo pronto il fucile, fece segno ad Alonzo e Kamishi di avvicinarsi. Quando le loro canoe furono quasi allineate alla sua, si alzò e avanzò lungo il fondale più basso, col fucile sollevato e pronto a scatenare l'inferno.
Arrivato a metà dell'argine fangoso, si inginocchiò, mentre il fucile sondava la zona buia davanti a lui. Fece segno ad Alonzo e Kamishi di avanzare. Quando l'ebbero raggiunto, si spinse più avanti sulla sabbia fino a quando non fu in grado di afferrare la lancia dell'indio, sfilandola dal terreno.
Leticia Santos, la brasiliana dispersa della squadra di Jaeger, indossava una vistosa e coloratissima sciarpa di seta decorata con la parola "*Carnaval*". Jaeger se la cavava discretamente col portoghese, avendolo imparato mentre addestrava gli uomini della BOE, e aveva commentato che la sciarpa si abbinava bene al suo ardente spirito latino. Lei gli aveva raccontato che era un regalo di sua sorella, per il carnevale di Rio del febbraio precedente, e che la indossava come portafortuna durante la missione.
Era proprio la sciarpa di Leticia Santos a sventolare in cima alla lancia del guerriero.

39

Jaeger era intento a infilare l'attrezzatura nello zaino; parlava rapidamente, con un tono di reale urgenza. «Uno: come hanno fatto a superarci così in fretta e senza passare per il fiume? Due: perché hanno voluto mostrarci la sciarpa di Santos? Tre: perché poi sparire e basta?»

«Per farci capire che è solo questione di tempo prima che ci prendano tutti.» Fu Kral a parlare, e Jaeger notò che il suo inconfondibile sorrisetto era segnato da una preoccupazione prossima al terrore. «La situazione sta peggiorando rapidamente.»

Jaeger lo ignorò. Normalmente apprezzava una sana dose di realismo, ma Kral aveva un'indole inguaribilmente pessimista, mentre loro avevano bisogno di restare positivi e concentrati.

Se avessero perso il sangue freddo nel cuore della natura selvaggia, non avrebbero avuto speranze.

Avevano scaricato le canoe sulla riva del fiume per organizzare un campo provvisorio; Jaeger continuò a risistemare la sua attrezzatura il più rapidamente possibile.

«Significa che sanno dove ci troviamo» osservò. «Sono in un punto da cui possono tenerci d'occhio. Quindi è ancora più importante che ci mettiamo in marcia, e ci muoviamo veloci e leggeri.»

Lanciò un'occhiata al mucchio di oggetti sull'incerata, quelli che intendevano abbandonare. C'era tutto ciò che non era strettamente necessario: i paracadute, l'attrezzatura per discendere il fiume, armi varie. «Qualsiasi cosa, e ripeto, qualsiasi, di cui non avete bisogno, lasciatela qui. Qualsiasi peso extra, se siete in dubbio, abbandonatelo.»

Jaeger guardò i cinque kayak tirati in secca sulla riva. «Li sgonfieremo e nasconderemo anche quelli. D'ora in poi, proseguiremo il viaggio a piedi.»
Gli altri risposero annuendo.
Jaeger si rivolse a Dale. «Voi due prendete un Thuraya. È il telefono satellitare della Wild Dog Media. Io ne prenderò un altro. Alonzo, tu prendi il terzo. Fanno tre in tutto, gli altri li metteremo nel nascondiglio.»
Ci fu una serie di brontolii d'affermazione.
«E, ragazzi» lanciò un'occhiata a Dale e Kral «sapete tutti e due come si usa un'arma?»
Dale alzò le spalle. «Solo qualche sparatutto della X-Box.»
Kral gli lanciò uno sguardo di sufficienza. «Stai dicendo sul serio? Sai, tutti sanno sparare in Slovacchia. Al mio paese, impariamo tutti a cacciare, specialmente sulle montagne.»
Jaeger alzò i pollici. «Vai a prenderti un fucile e sei caricatori pieni. Ne terrete uno in due. È meglio che vi alterniate a portare il carico, perché avete anche il peso extra della videocamera e di tutto il resto.»
Per un istante Jaeger soppesò il coltello di Narov nella mano. Andò a unirsi agli altri oggetti da lasciare. In teoria, avrebbero dovuto recuperarli più avanti, nascondendoli il meglio possibile in un punto definito. In pratica, Jaeger non riusciva a immaginare come chicchessia sarebbe potuto arrivare fin lì per recuperare quel che era stato scartato.
In realtà, immaginava che li avrebbero persi per sempre.
Cambiò idea, aggiungendo il coltello di Narov alla pila di attrezzatura che avrebbe portato con sé. Fece lo stesso con il medaglione dei Night Stalker che gli aveva regalato il pilota del C-130. In entrambi i casi, fu una decisione impulsiva: né il coltello né il medaglione erano fondamentali per affrontare quel che li aspettava. Ma Jaeger era fatto così: era superstizioso, credeva nelle premonizioni, e di rado si disfava di qualcosa che aveva per lui un significato personale.
«Almeno ora sappiamo chi sono i nemici» commentò Jaeger, cercando di risollevare il morale di tutti. «Non avrebbero potuto darci un messaggio più chiaro, neanche se l'avessero scritto sulla sabbia.»
«Qual era il messaggio, secondo te?» chiese Kamishi, la voce

soffusa dalla sua tipica, misurata calma. «Forse può essere letto in maniera diversa.»

Jaeger guardò Kamishi con curiosità. «La sciarpa di Santos, legata a una lancia conficcata nella sabbia? Direi che è abbastanza chiaro: non avvicinatevi, o andrete incontro allo stesso destino.»

«Forse c'è un altro modo di interpretarlo» azzardò Kamishi. «Non è necessariamente una minaccia diretta.»

Alonzo sbuffò. «Col cazzo che non lo è.»

«Potrebbe essere utile guardarla dal loro punto di vista» proseguì Kamishi. «Forse gli indios sono spaventati. Dobbiamo sembrargli degli alieni arrivati da un altro pianeta. Pioviamo dal cielo nel loro mondo isolato. Scivoliamo sull'acqua su quel mezzo magico. Portiamo bastoni di tuono che fanno esplodere il fiume stesso. Se non avessi mai visto nulla del genere, non avresti paura anche tu? E alla paura, di solito, si reagisce con la rabbia, l'aggressione.»

Jaeger annuì. «Vai avanti.»

Kamishi fece scorrere lo sguardo sugli altri. Avevano smesso di fare quel che li teneva occupati per ascoltare, o, nel caso di Dale, per registrare.

«Sappiamo che questa tribù ha subito una serie di aggressioni dall'esterno» proseguì. «I pochi contatti col mondo sono stati con persone che vogliono far loro del male: taglialegna, minatori, persone che vogliono depredare la loro terra. Perché dovrebbero aspettarsi qualcosa di diverso da noi?»

«Dove vuoi andare a parare?» lo incalzò Jaeger.

«Credo che forse sia meglio tentare un doppio approccio» rispose Kamishi pacatamente. «Da un parte, teniamo gli occhi aperti, specialmente quando siamo nella giungla, che è il loro territorio. Dall'altra, dobbiamo provare a ingraziarci gli amahuaca; dobbiamo trovare un modo per mostrare loro che abbiamo solo intenzioni amichevoli.»

«Cuori e menti?» chiese Jaeger.

«Cuori e menti» confermò Kamishi. «Se riusciamo a conquistarli, potremmo ottenere anche un altro vantaggio. Ci attende un viaggio lungo e pericoloso. Nessuno conosce la giungla meglio degli indios.»

«Avanti, Kamishi, svegliati!» lo attaccò Alonzo. «Hanno preso una dei nostri, probabilmente l'hanno bollita e mangiata, e noi dobbiamo andare a farceli amici? Non so da che pianeta vieni, ma nel mio mondo il fuoco si combatte col fuoco.»

Kamishi fece un lieve inchino. «Mr Alonzo, dobbiamo sempre tenerci pronti a combattere il fuoco col fuoco. A volte non c'è altro modo. Eppure, dobbiamo anche essere pronti a tendere la mano in amicizia. A volte, è questo il modo migliore.»

Alonzo si grattò la testa. «Amico, non saprei... Jaeger?»

«Teniamoci pronti su entrambi i fronti» decise Jaeger. «Pronti a usare la mano per fare fuoco o per tenderla pacificamente. Ma nessuno corra rischi inutili per attirare gli indigeni. Nessuna replica di quel che è appena successo.»

Jaeger indicò il mucchio dell'attrezzatura. «Kamishi, scegli qualcosa che secondo te potrebbe piacergli. Doni. Da portare con noi. Per provare ad attirarli.»

Kamishi annuì. «Farò una selezione. Impermeabili, machete, pentole... Una tribù isolata deve aver bisogno di queste cose.»

Jaeger controllò l'orologio. «Bene, solo le 14.00 Zulu. Ci manca un giorno e mezzo di cammino per arrivare al sentiero, l'unico che scende lungo la scarpata, di meno se ci diamo dentro. Partiamo subito, dovremmo raggiungerlo domani al tramonto.»

Estrasse la bussola, poi raccolse un po' di sassi come quelli che aveva usato prima. «Ci muoveremo sotto la vegetazione, contando solo sulla bussola. Immagino che alcuni di voi» lanciò un'occhiata a Kral e Dale «non conoscano la tecnica, quindi restate vicini. Ma non troppo.»

Jaeger guardò gli altri. «Non voglio che restiamo ammassati: saremmo un bersaglio troppo semplice.»

40

L'attraversamento della giungla non sarebbe potuto andare meglio. Il sentiero correva lungo il margine della faglia, il terreno era roccioso e più secco, la foresta un po' meno fitta. Di conseguenza, erano avanzati di parecchio.

La prima notte si erano accampati nella giungla e avevano messo in atto la loro doppia strategia: intensificare la guardia, e allo stesso tempo tentare di convincere gli indios a cercare un contatto pacifico.

Mentre era nell'esercito, Jaeger aveva partecipato a parecchie operazioni "cuori e menti", intese a mostrarsi amichevoli con le popolazioni locali, in qualunque zona stessero operando. Gli autoctoni potevano fornire importanti informazioni sui movimenti dei nemici, e conoscevano inoltre i percorsi migliori per raggiungerli e tendere loro un'imboscata. Era importantissimo riuscire a portarli dalla propria parte.

Con l'aiuto di Hiro Kamishi aveva appeso nella foresta dei doni per gli indios, in punti invisibili dal campo. Qualche coltello, un paio di machete, delle pentole: il tipo di utensili che Jaeger avrebbe apprezzato se fosse stato membro di una tribù isolata nel mezzo della giungla più grande del mondo.

Lui e Kamishi non si erano preoccupati di scrivere un messaggio per gli indios, come aveva fatto Joe James. Di solito le tribù mai contattate non sapevano leggere. Ma la buona notizia era che, al mattino, molte delle loro offerte erano state accettate.

Al loro posto qualcuno – presumibilmente i guerrieri indios – aveva lasciato dei doni: della frutta fresca, un paio di amuleti in osso, persino una faretra per i dardi, fatta di pelle di giaguaro.

Jaeger ne fu rincuorato. A quanto sembrava, i primi passi verso un contatto pacifico erano stati fatti. Ma non intendeva comunque abbassare la guardia. Gli indigeni erano vicinissimi. Erano sulle tracce di Jaeger e dei suoi, e ciò significava che la minaccia era ancora reale.

Jaeger aveva guidato lo spostamento verso la seconda area di sosta, al margine del precipizio di trecento metri, e verso il sentiero che conduceva al bassopiano sottostante. Quando avevano trovato un posto adatto per passare la notte stava iniziando a fare buio.

Indicò alla squadra di fermarsi. Si sfilarono gli zaini e ci si accomodarono sopra, senza scambiarsi una parola. Jaeger li fece restare così per dieci lunghi minuti, nelle tenebre che si facevano più fitte: un controllo uditivo, ascoltare la foresta alla ricerca di eventuali minacce.

Tutto pareva tranquillo.

Ciò concluso, fece loro cenno di accamparsi.

Si industriarono nel buio usando solo il tatto, in modo da non utilizzare luci che potessero rivelare agli indios la loro posizione esatta. Preparato il campo, Jaeger e Kamishi decisero di appendere altri doni, ma a una certa distanza, in modo da aggiungere un ulteriore livello di sicurezza.

Jaeger srotolò il suo poncho e lo appese a quattro alberi, formando una sorta di tettoia impermeabile. Dopodiché, si tolse di dosso gli abiti da trekking intrisi di sudore. Tutti nella squadra avevano un cambio di vestiti asciutti: una camicia e dei pantaloni mimetici più le calze. Lo indossavano di notte, qualche ora preziosa per permettere al corpo di riprendersi un poco.

Avere un po' di "tempo asciutto" era fondamentale. Lasciandola costantemente umida, con quel calore e quell'umidità la pelle avrebbe presto cominciato a piagarsi.

Una volta indossati gli abiti asciutti, Jaeger tese l'amaca sotto il poncho. Era stata cucita a mano a partire da una vela da paracadute, il che la rendeva resistente, leggera e durevole. C'erano due strati di seta, uno su cui sdraiarsi e l'altro da risvoltare formando una specie di bozzolo. Serviva a tenere fuori le zanzare e dentro il calore, perché di notte la giungla poteva essere sorprendentemente fresca.

In fondo alle corde dell'amaca era cucita una palla da squash tagliata a metà, con la coppa rivolta all'albero. Serviva a impedire che l'acqua scorresse lungo le corde bagnando le due estremità dell'amaca. Jaeger spruzzò l'area subito dietro la palla con del potente repellente: avrebbe intriso le corde impedendo che gli insetti vi si arrampicassero.

Si infilò la bussola nella tasca della tenuta asciutta. Se avessero dovuto scappare nel corso della notte, avrebbe avuto con sé lo strumento più prezioso. Gli abiti sudati erano infilati in un sacchetto di plastica, legato alla patta dello zaino che stava sotto l'amaca, col fucile sopra.

Se gli fosse servita l'arma nel corso della notte, gli sarebbe bastato allungare un braccio.

Erano partiti da sei giorni ormai, e con gli sforzi costanti e la necessità di stare continuamente all'erta, iniziavano a essere veramente provati. Ma continuare ad alternare abiti bagnati e abiti asciutti era fondamentale. Jaeger sapeva per esperienza che chi smetteva di cambiarsi durante una spedizione lunga come quella – "Sono troppo stanco, ora non ne ho voglia" – era finito. Lo stesso, se avessero bagnato gli abiti di ricambio. Il piede da trincea e l'epidermofizia inguinale sopraggiungevano rapidamente, rallentando il passo di un uomo con la stessa rapidità di un proiettile.

Prima di ritirarsi sulla sua amaca, Jaeger si passò della polvere antimicotica sulle zone più vulnerabili: tra le dita dei piedi, sotto le ascelle, sull'inguine. Erano i punti in cui tendevano a concentrarsi la sporcizia, l'umidità e i batteri, i primi a iniziare a marcire ed entrare in setticemia.

Il mattino seguente, lui e la squadra avrebbero seguito la stessa procedura, ma al contrario: togliersi gli abiti asciutti e infilarsi quelli bagnati, mettere via il cambio, versare del talco sulle calze e sulla biancheria e prepararsi per il resto del viaggio. Era un processo laborioso, ma era anche l'unico modo per tenere il corpo sano in condizioni del genere.

Infine, Jaeger controllò i cerotti che si era attaccato sui capezzoli. La frizione costante degli abiti sudati tendeva a irritare il petto. Tagliò delle nuove strisce di cerotto, se le applicò e mise quelle vecchie in una tasca laterale dello zaino. Meno "tracce" e spazzatura si lasciavano alle spalle, più sarebbe stato complicato rintracciarli.

A quel punto, era pronto ad andare ad appendere i doni con cui ingraziarsi gli indigeni. Lui e Kamishi ripeterono l'operazione della notte prima: attaccarono le poche offerte rimaste ai rami più bassi di un boschetto d'alberi distante. Tornarono al campo, dove avrebbero montato il primo turno di guardia. Due paia d'occhi sarebbero rimasti vigili e svegli per l'intera notte, in base a turni di due ore ciascuno.

Jaeger e Kamishi si sedettero con tutti i sensi all'erta, soprattutto udito e vista, i principali sistemi d'allarme. La chiave per sopravvivere nella giungla profonda era tenere gli occhi aperti, in ogni senso dell'espressione.

Era come una forma di meditazione, quel concentrarsi sul buio della foresta. Jaeger sentì che Kamishi al suo fianco faceva lo stesso.

Aprì la mente a ogni variazione nell'ambiente, diventando estremamente ricettivo a ogni indizio di minaccia. Se le sue orecchie captavano il minimo rumore – qualcosa di diverso dall'assordante ronzare notturno degli insetti, che pulsava tra le ombre – i suoi occhi si voltavano immediatamente per controllare il potenziale pericolo.

La tensione aumentava ogni volta che lui e Kamishi coglievano un movimento nel buio. Ogni rumore che proveniva dagli arbusti scuri faceva correre il cuore di Jaeger. C'erano numerosi strani suoni animali che riecheggiavano nella giungla, suoni che a Jaeger non sembrava di aver mai sentito prima. E quella notte, si convinse che alcuni di essi fossero umani.

Urla e lamenti strani, innaturali e penetranti, rimbalzavano tra gli alberi. Molti degli animali della giungla emettevano versi simili, in particolare le colonie di scimmie. Ma lo facevano anche le tribù di indios, quando si scambiavano segnali.

«Hai sentito?» bisbigliò Jaeger.

I denti di Kamishi rilucevano bianchi alla fioca luce della luna. «Sì, ho sentito.»

«Animali? O indios?»

Kamishi lanciò un'occhiata a Jaeger. «Indios, penso. Forse stanno dicendo che sono contenti dei nostri regali?»

«È positivo» mormorò Jaeger.

Ma quelle urla non assomigliavano a nessuna delle esplosioni di gioia che gli era capitato di ascoltare.

41

Jaeger si svegliò.

Era ancora notte inoltrata. Sul momento non seppe dire cosa l'avesse disturbato.

Quando i suoi sensi si focalizzarono sull'ambiente circostante, notò una palpabile, spettrale tensione all'interno del campo. E poi, con la coda dell'occhio, individuò una sorta di spettro che si materializzò tra le tenebre della giungla. Quasi nello stesso istante si accorse che c'erano decine e decine di figure simili, che avanzavano tra gli alberi.

Vide sagome completamente nude che emergevano dall'oscurità e attraversavano il campo senza fare rumore. Avevano le armi pronte, si muovevano come mosse da un'unica volontà. Jaeger abbassò il braccio, le sue dita sfiorarono l'acciaio gelido del fucile. Vi strinse attorno la mano e lo sollevò sull'amaca accanto a lui.

Si accorse che, oltre a lui, anche Alonzo era sveglio. Riuscirono a comunicare senza bisogno di parole: in un modo o nell'altro, il sistema di vedette non aveva funzionato, e gli indios si erano intrufolati nel campo senza essere notati.

Erano molto più numerosi di loro, era evidente, e Jaeger era certo che avessero altre armi nascoste nella foresta. Gli era anche chiaro quali conseguenze ci sarebbero state se lui e Alonzo avessero fatto fuoco: sarebbe stato un bagno di sangue, ma grazie alla sola forza dei numeri gli indigeni sarebbero riusciti a massacrarli.

Jaeger si costrinse a trattenersi, indicando ad Alonzo di fare altrettanto.

Qualche istante dopo, tre figure si materializzarono al suo fianco. Silenziose, coperte solo da strisce di corteccia e ornate di amuleti in osso e piume, alzarono un tubo di legno cavo – una cerbottana – puntandogliela alla testa. Jaeger era certo che fosse carica di dardi al curaro.

Tutt'attorno a lui, i suoi compagni d'avventura si ridestarono, con la terribile consapevolezza di essere prigionieri. Solo Kamishi non si trovava sulla sua amaca. Avevano scaglionato i turni di guardia con dei cambi sfalsati, e Jaeger immaginò che fosse stato Kamishi a trovarsi di turno e a essersi fatto sfuggire gli assalitori.

Ma perché era di vedetta da solo? Dovevano essere sempre in due per l'intero corso della notte. Comunque fosse andata, probabilmente Kamishi ormai era prigioniero, insieme a tutti gli altri.

Jaeger aveva pochissimo tempo per riflettere. Con gesti delle mani e duri ordini gutturali – il senso esatto gli sfuggì, ma il significato generale era palese – gli venne intimato di smontare dall'amaca. Mentre due indigeni lo tenevano sotto tiro con le cerbottane, il terzo gli sfilò il fucile dalle mani.

Fu costretto a smontare il campo, a mettere via amaca e poncho e a infilarsi lo zaino in spalla. Dopodiché ricevette una violenta spinta alla schiena, il che lasciò pochi dubbi circa quel che gli veniva richiesto. Jaeger doveva marciare, e non aveva il tempo di infilarsi gli abiti bagnati prima di intraprendere quel viaggio, dovunque l'avrebbe portato.

Uscendo dal campo notò il capo della tribù indigena – lo stesso guerriero con cui si era confrontato sulla riva del fiume – che stava impartendo degli ordini. I loro sguardi si incrociarono e Jaeger si ritrovò a fissare due pozzi di nulla assoluto. Inespressivi, bui, illeggibili.

Gli ricordarono lo sguardo del giaguaro.

Concentrati sulla caccia.

Jaeger raggiunse Hiro Kamishi. Il veterano del Tokusha Sakusen Gun – il corpo militare d'élite giapponese – non riuscì a sostenere il suo sguardo. Doveva essere consapevole di avere messo in pericolo l'intera squadra, forse con conseguenze fatali.

«Mi dispiace davvero» mormorò, con la testa china per la vergogna. «Durante il secondo turno, ho chiuso gli occhi per un secondo e...»

«Siamo tutti stanchi» sibilò Jaeger in risposta. «Non fartene una colpa. Ma chi c'era in turno con te?»

Kamishi alzò lo sguardo verso di lui. «Avrei dovuto svegliarti, ma ti ho lasciato dormire. Ho creduto di essere forte abbastanza da reggere il turno da solo. Questo» Kamishi indicò gli indios «è il risultato. Sono venuto meno al mio dovere di guerriero. Il mio orgoglio ha gettato l'onta sul mio *bushido*.»

«Ascolta, hanno preso alcuni dei nostri doni» gli ricordò Jaeger. «Il che prova che sono capaci di contatti pacifici. Persino di cercarli. E senza di te, non li avremmo mai contattati. Quindi, non c'è bisogno di vergognarsi, amico mio. Mi servi forte...»

La parole di Jaeger vennero troncate da un poderoso colpo alla testa. Uno degli indios si era accorto che lui e Kamishi stavano parlando, e la ricompensa fu un colpo di mazza sul cranio. Evidentemente, non si aspettavano che conversassero; dovevano limitarsi a marciare.

Mentre si allontanavano dal campo altre figure emersero dalle ombre. In qualche incomprensibile maniera, gli indigeni sembravano in grado di restare invisibili, persino a distanza ravvicinata, o almeno finché non decidevano di farsi vedere.

Jaeger conosceva bene le tecniche mimetiche delle troupe d'élite. Aveva passato giorni interi nascosto in qualche punto d'osservazione nella giungla, restando totalmente invisibile a chiunque gli passasse vicino. Ma gli indigeni non si stavano camuffando: c'era qualcosa di più profondo e viscerale. In un modo o nell'altro possedevano una forza – un'energia, un'abilità intangibile – che permetteva loro di fondersi con la giungla.

In una delle scuole d'addestramento del SAS Jaeger aveva ascoltato i consigli di un uomo che aveva passato anni con le tribù più isolate del pianeta. Lo scopo di quelle lezioni era imparare a muoversi e a combattere in ambienti simili, proprio come i nativi. Ma nessun soldato si era mai illuso di riuscirci davvero.

Il modo in cui quelle tribù sapevano usare quel potere era stupefacente. E malgrado la situazione allarmante, Jaeger era affascinato dalla possibilità di osservare da vicino come agivano. Si muovevano senza far rumore, senza mai un passo falso, persino nel buio totale. Molti dei suoi compagni invece – militari di lungo corso ed esperienza – continuavano a inciampare nelle radici e a sbattere contro gli alberi.

Jaeger sapeva che il momento migliore – e forse l'unico – per fuggire è subito dopo essere stati catturati. È allora che i prigionieri hanno ancora le forze e lo spirito per tentare la fuga, poiché gli avversari non sono abituati a gestirli. Di solito, infatti, si trattava di soldati e non di secondini, e la differenza era enorme. Eppure, era certo di quel che sarebbe successo se qualcuno avesse tentavo di fuggire: nel giro di qualche istante si sarebbe ritrovato crivellato di dardi o frecce.

Eppure, mentre camminava, Jaeger contò in silenzio i propri passi. In una mano stringeva la bussola, il cui quadrante debolmente luminoso si vedeva appena nel buio, e nell'altra teneva i sassolini, passandoli da una tasca all'altra.

Era fondamentale non perdere il senso dell'orientamento: così forse avrebbero avuto una possibilità di mettersi in salvo.

42

Era quasi l'alba quando gli indios condussero Jaeger e i suoi nel loro villaggio, anche se ben poco era visibile.

C'era una piccola radura al centro della quale si ergeva un unico edificio: un luogo di culto collettivo, grande e a forma di ciambella. Il tetto era coperto di canne che raggiungevano quasi terra, e un sottile ricciolo di fumo grigio saliva dall'apertura al centro della costruzione.

L'intero edificio era protetto da alberi che lo rendevano praticamente invisibile dal cielo. Per un istante Jaeger si domandò dove abitassero i nativi, poi sentì delle voci che provenivano dall'alto. Sollevò lo sguardo e trovò la risposta: probabilmente, per esigenze di difesa, la tribù aveva le proprie dimore sulle cime degli alberi.

Alcune capanne rettangolari stavano appollaiate a una ventina di metri o più sugli alberi più alti, protette dai rami delle chiome. Scale fatte di liane scendevano fino a terra, e alcune delle casupole erano collegate da camminamenti sospesi dall'aria alquanto instabile.

Jaeger aveva sentito di tribù con uno stile di vita simile. Aveva preso parte a una spedizione in Papua Nuova Guinea, dove gli indigeni korowai erano famosi proprio perché vivevano sugli alberi. Evidentemente, non erano gli unici a cui piaceva stare ben al di sopra del suolo della foresta.

La colonna di prigionieri si arrestò.

Dappertutto c'erano occhi che li fissavano.

I maschi adulti restarono in posizione mentre le donne sembravano desiderose di allontanarsi, con i bambini stretti protettivamente al petto. Altri ragazzini – impolverati e nudi, per metà incuriositi e per metà impietriti – sbirciavano da dietro gli alberi, gli occhi spalancati per lo stupore e la paura.

Un vecchio incredibilmente magro e curvo venne loro incontro. Si raddrizzò e accostò il volto a quello di Jaeger fin quasi a sfiorarlo, fissandolo negli occhi, come se riuscisse a vedere dentro il suo cranio. Continuò a scrutare per qualche istante, poi scoppiò a ridere. L'esperienza fu stranamente inquietante, quasi un atto di violenza. Qualsiasi cosa il vecchio indio avesse visto nella sua testa, Jaeger si sentì umiliato e infastidito.

I guerrieri si stavano avvicinando da ogni parte, pesantemente armati con lance e cerbottane, finché Jaeger e i suoi compagni non furono circondati. Una seconda figura fece un passo avanti, un altro anziano, vecchio e canuto. Quando iniziò a parlare, Jaeger comprese che si trattava di un uomo influente nella comunità.

Le parole del vecchio avevano un suono strano; la loro lingua ricordava i versi degli uccelli e degli animali, con trilli acuti, schiocchi e strilli. Alla sua immediata sinistra c'era un indigeno più giovane che stava evidentemente ascoltando con attenzione le sue parole. Qualsiasi cosa stesse succedendo, Jaeger ebbe l'inquietante impressione che lui e la sua squadra stessero subendo una specie di processo.

Dopo un paio di minuti il capo smise di parlare. L'uomo più giovane al suo fianco si voltò verso Jaeger e i suoi.

«Siete i benvenuti.» Pronunciò le parole lentamente, in un inglese traballante ma perfettamente comprensibile. «Il capo della nostra tribù dice che venite in pace, benvenuti. Ma se venite in rabbia, e avete cattive intenzioni verso noi e la nostra casa nella foresta, morirete.»

Jaeger si sforzò di riaversi dallo shock. Nessuna tribù completamente isolata dal mondo esterno poteva vantare un giovane in grado di parlare inglese in quel modo. O qualcuno aveva deliberatamente mentito, oppure avevano ricevuto delle informazioni parecchio sbagliate.

«Vi prego di perdonarci se sembriamo sorpresi» incominciò Jaeger «ma ci è stato detto che la vostra tribù non ha mai avuto contatti con l'esterno. A circa quattro giorni di marcia da qui, in direzione ovest, c'è un aereo, che crediamo sia precipitato quando la guerra mondiale è finita. Probabilmente risale a settant'anni fa, forse di più. Il nostro scopo è trovare quell'aereo, identificarlo e provare a portarlo via da qui. Siamo entrati nelle vostre terre solo per questa ragione, e desideriamo passare totalmente in pace.»

Il giovane tradusse, il capo pronunciò qualche parola di risposta e il ragazzo fece da interprete per Jaeger.

«Siete voi la squadra caduta dal cielo?»

«Siamo noi» confermò Jaeger.

«Quanti eravate quando siete caduti? E quanti ne avete persi nel frattempo?»

«Eravamo in dieci» rispose Jaeger. «Abbiamo perso una compagna quasi subito, nel fiume. Altri due sono stati presi quel giorno stesso, e ancora due il giorno seguente. Non sappiamo come siano stati catturati o che ne sia stato di loro, ma uno dei vostri uomini...» gli occhi di Jaeger scrutarono la folla, posandosi sul capo guerriero «ha lasciato questa.» Tirò fuori la sciarpa di Leticia Santos dallo zaino. «Forse potete dirci qualcosa di più?»

La domanda venne ignorata.

Il capo e il giovane si scambiarono alcune parole, poi il secondo parlò: «Dite che venite in pace; perché allora portate armi come quelle che abbiamo visto?».

«Autodifesa» rispose Jaeger. «Ci sono belve pericolose nella foresta. E sembra che ci siano anche persone pericolose, anche se non sappiamo esattamente di chi si tratti.»

Gli occhi del vecchio s'illuminarono. «Se ci offriamo di mostrarvi dell'oro, l'accetterete?» chiese, attraverso l'interprete. «A noi non serve a molto. Non possiamo mangiare l'oro. Ma l'uomo bianco lotta per averlo.»

Jaeger sapeva che lo stavano mettendo alla prova. «Siamo venuti per l'aereo. È la nostra unica missione. L'oro deve rimanere qui, nella foresta. Altrimenti, non vi causerebbe altro che problemi. Ed è l'ultima cosa che vogliamo.»

Il vecchio rise. «Molti dei nostri dicono così: solo quando l'ultimo albero verrà abbattuto e l'ultimo animale cacciato e l'ultimo pesce catturato, solo allora l'uomo bianco capirà che il denaro non si può mangiare.»

Jaeger rimase in silenzio. Erano parole sagge, che non poteva contraddire.

«E questo aereo che cercate: se lo trovate, anche quello ci causerà problemi?» chiese il vecchio. «Come l'oro, è meglio che rimanga perduto nella giungla, che l'uomo bianco non ottenga quello che una volta era suo?»

Jaeger alzò le spalle. «Forse. Ma non credo. Penso che se noi falliremo, arriveranno altri. Quel che è andato perduto è stato trovato. E, a essere onesti, credo che noi siamo i migliori in cui potreste imbattervi. Riteniamo che l'aereo abbia avvelenato la foresta circostante. E questa» Jaeger indicò la giungla attorno a loro «questa è la vostra casa. È più che la vostra casa. È la vostra vita. La vostra identità. Rimuovendo l'aereo, impediremo che l'intera foresta venga avvelenata.»

Jaeger lasciò che il silenzio calasse tra loro.

Il vecchio si voltò, indicando l'edificio comune. «Vedi il fumo che esce dalla Casa dello Spirito? Stiamo preparando dei festeggiamenti. Li stavamo preparando per uno di questi due motivi: o per accogliervi come amici, o per dire addio a un nemico.» Rise. «Quindi, andiamo a festeggiare l'amicizia!»

Jaeger ringraziò il capo del villaggio. Una parte di lui era spinta da un senso d'urgenza a proseguire la missione, ma sapeva anche che in culture come quella esisteva un modo in cui le cose andavano fatte, una scansione e un ritmo. L'avrebbe rispettato, affidandosi al destino. Sapeva anche di non avere molta scelta.

Camminando accanto al capo, la sua attenzione fu attratta da un gruppo di figure che si tenevano in disparte. Al centro c'era il capo guerriero che aveva incontrato al fiume. Non tutti sembravano contenti del risultato delle domande del capo del villaggio, a quanto pareva. Jaeger immaginò che lui e i suoi uomini avessero affilato le lance, preparandosi a eliminare un nemico dalla loro foresta.

Distratto per un secondo, Jaeger non notò che Dale stava tirando fuori la videocamera. Quando se ne accorse, ormai Dale se l'era caricata in spalla e aveva iniziato a filmare.

«Basta!» sibilò. «Fai sparire quella cazzo di videocamera!»

Ma era troppo tardi: il danno era fatto.

Una scarica di tensione attraversò il gruppo quando gli indios si accorsero di cosa stava accadendo. Jaeger vide il capo del villaggio girarsi verso Dale, con il volto di pietra e gli occhi spalancati per il terrore. Pronunciò qualche ordine con voce strozzata, e immediatamente le lance vennero puntate contro Dale, Jaeger e il resto della squadra.

Dale sembrava raggelato, la videocamera posata sulla spalla, ogni traccia di colore scomparsa dal volto.

Il capo gli si avvicinò. Allungò la mano: Dale gli passò la videocamera con espressione terrorizzata. Il capo la impugnò nel senso sbagliato, avvicinò l'occhio alla lente e vi guardò dentro. Per un lungo istante il suo sguardo ne sondò l'interno, come per capire cosa esattamente gli avesse rubato.

Infine la consegnò a uno dei suoi guerrieri e senza una parola tornò a incamminarsi verso la Casa degli Spiriti. Le lance vennero abbassate.

L'interprete alzò le spalle. «Non fatelo mai più. Altrimenti, rischierebbe di distruggere tutti i risultati che avete ottenuto.»

Jaeger restò indietro di un passo o due, fino a trovarsi accanto a Dale. «Fammi di nuovo uno scherzo simile, e ti faccio bollire e mi mangio la tua testa. O meglio, lascerò che sia il capo a farlo.»

Dale annuì. Aveva le pupille dilatate per lo shock e la paura. Sapeva che avevano sfiorato la catastrofe, e per una volta l'arguto cameraman era rimasto a corto di parole.

Jaeger seguì il capo all'interno della fumosa Casa degli Spiriti. Non aveva dei veri e propri muri, solo dei pali a sostegno del tetto, ma con le canne che quasi raggiungevano terra era protetta e buia. Ci volle un momento perché i suoi occhi, abituati alla luce intensa, si adattassero alla penombra.

Prima ancora che ci fossero riusciti, Jaeger udì una voce che gli parve di riconoscere, sebbene fosse impossibile.

«Allora, dimmi: hai il mio coltello, vero?»

Jaeger restò di sasso. Si era detto che non avrebbe mai più sentito quella voce, eppure sembrava che gli stesse parlando dall'oltretomba.

Quando i suoi occhi si furono abituati, intravide un'inconfondibile figura seduta a terra. Un turbine di pensieri gli vorticò in testa, mentre provava a capire come potesse essere arrivata lì, e soprattutto come fosse riuscita a sopravvivere.

Quella figura apparteneva alla donna che da giorni credeva morta: Irina Narov.

43

Narov era seduta insieme ad altre due persone. Una era Leticia Santos, la loro collega brasiliana, e l'altra l'imponente Joe James. Jaeger era senza parole, e la sua totale confusione non sfuggì al capo del villaggio. In realtà, l'anziano indio lo osservava da vicino, studiando ogni suo movimento.

Jaeger si avvicinò ai tre. «Ma come...» Il suo sguardo passò dall'uno all'altro mentre un sorriso gli si allargava sul volto. La barba alla Bin Laden di Joe James era più folta che mai. Jaeger gli tese la mano.

«Bastardo neozelandese! Non mi sarebbe spiaciuto non vederti più.»

James ignorò la sua mano, serrando Jaeger in un abbraccio stritolante. «Amico, devi imparare una cosa: i veri uomini si abbracciano.»

Poi fu la volta di Leticia Santos, che gli buttò le braccia al collo in una tipica manifestazione di irrefrenabile focosità latina. «Hai visto? Come promesso: ora hai conosciuto i miei indigeni!»

Narov fu l'ultima.

Si mise di fronte a Jaeger, qualche centimetro più bassa di lui, gli occhi inespressivi come sempre, lo sguardo sfuggente. Jaeger le lanciò un'occhiata veloce. Qualsiasi cosa avesse patito da quando l'aveva persa sul fiume – agonizzante per il morso del *Phoneutria* e raggomitolata sulla zattera d'emergenza –, non sembrava portarne i segni.

Lei allungò una mano. «Coltello.»

Per un istante Jaeger esaminò la mano: era la sinistra, e l'orrendo gonfiore e i segni del morso parevano quasi svaniti.

Si chinò appena, in modo da bisbigliarle all'orecchio. «L'ho dato al capo. Ho dovuto. Era l'unica cosa che potessi fare per comprarci la sicurezza.»

«*Schwachkopf.*» Poteva essere una traccia di sorriso sul suo volto? «Hai il mio coltello. È meglio che tu ce l'abbia. Altrimenti il capo sarà l'ultimo dei tuoi problemi.»

L'anziano fece un gesto rivolto a Jaeger. «Hai amici qui. Passa del tempo con loro. Cibo e bevande arriveranno.»

«Grazie. Te ne sono grato.»

Il capo annuì rivolto all'interprete. «Puruwehua resterà con te, almeno finché non ti sentirai a casa.»

E con quello se ne andò, allontanandosi tra la sua gente.

Jaeger si sedette con gli altri. James e Santos raccontarono per primi la loro storia. Si erano accampati nella foresta, forse a un'ora di marcia dal banco di sabbia, lo stesso giorno in cui si erano paracadutati nella giungla. Avevano appeso delle offerte agli alberi – una manciata di doni – ed erano rimasti in attesa.

Immancabilmente, gli indios erano arrivati, ma non come avevano sperato: durante la notte, entrambi erano stati fatti prigionieri.

Li avevano fatti marciare fino al villaggio: gli indios conoscevano i sentieri segreti della foresta e sapevano muoversi rapidamente e senza far rumore. Poi, il capo li aveva interrogati, in maniera simile a quanto aveva fatto con Jaeger: se venissero in pace o in rabbia, e quale fosse la natura della loro missione.

Dopo avergli raccontato tutto quel che potevano, James e Santos avevano avuto l'impressione di aver superato una specie di esame. Era stato allora che il capo aveva permesso loro di riunirsi a Irina Narov. Li aveva tenuti separati per verificare che le loro versioni combaciassero.

Anche l'interrogatorio era stato una specie d'esame. Il capo aveva tenuto nascosti i tre membri mancanti della squadra, per controllare che le versioni di tutti concordassero. Chiaramente, non era un ingenuo.

Anzi, aveva dimostrato a Jaeger – e a tutti gli altri – di essere parecchio in gamba.

«Che ne è stato di Krakow e di Clermont?» chiese Jaeger. Scrutò tra le ombre della Casa degli Spiriti. «Sono anche loro qui?»

Fu l'interprete, Puruwehua, a rispondere. «Abbiamo molto di cui parlare. Ma è meglio che sia il capo ad aggiornarti sui tuoi amici scomparsi.»

Jaeger guardò gli altri. James, Santos e Narov annuirono solennemente. Qualunque fosse stato il destino di Krakow e Clermont, sospettava che non fosse nulla di buono.

«E tu?» disse Jaeger osservando Narov. «Mi dici come diavolo hai fatto a tornare dal regno dei morti?»

Lei alzò le spalle. «Evidentemente, hai sottovalutato le mie abilità di sopravvivenza. Magari era un tuo desiderio inconscio.»

Le sue parole lo colpirono. Forse aveva ragione. Forse avrebbe potuto fare di più per salvarla. Ma ripensando ai suoi immani sforzi e a come successivamente aveva scandagliato il fiume, non avrebbe proprio saputo dire cosa.

Fu Puruwehua, l'interprete, a rompere il silenzio. «Questa, questa *ja'gwara*, l'abbiamo trovata sul fiume aggrappata a delle canne di bambù. All'inizio abbiamo pensato che fosse affogata; che fosse un *ahegwera*, un fantasma. Ma poi abbiamo capito che è stata punta dal *kajavuria*, il ragno che divora le anime.

«Sappiamo quale pianta può guarirlo» continuò. «Così l'abbiamo curata. E l'abbiamo portata attraverso la giungla fino a qui. C'è stato un momento in cui abbiamo capito che non sarebbe morta. È stato il momento del suo *ma'e-ma'e*, il risveglio.»

Puruwehua puntò i suoi occhi scuri su Jaeger. Nel suo sguardo c'era qualcosa che ricordava quello del capo guerriero: un felino in agguato, gli occhi inespressivi, vuoti, del giaguaro che, imperscrutabili, puntano la preda. A dire il vero, i suoi occhi, in qualche modo, gli ricordavano... Narov.

«Sembra arrabbiata con te» continuò Puruwehua. «Ma crediamo sia una dei figli degli spiriti. È sopravvissuta a quello a cui nessuno è mai sopravvissuto. Ha un fortissimo *a'aga*... spirito.» Fece una pausa. «Tienila vicino a te. Devi occuparti di lei, di questa *ja'gwara*. Di questo giaguaro.»

Jaeger avvertì un moto di imbarazzo. Aveva colto spesso questa tendenza tra le tribù indigene: per loro, quasi ogni esperienza o pensiero andava condiviso, ammettevano pochi confini tra ciò che doveva essere discusso in pubblico e ciò di cui era meglio parlare a tu per tu.

«Farò del mio meglio» commentò pacatamente Jaeger. «Anche

se il mio meglio sembra non essere mai abbastanza... però devi spiegarmi una cosa, Puruwehua: com'è possibile che in una tribù isolata ci sia un giovane uomo che parla inglese?»

«Noi siamo gli amahuaca, cugini della tribù confinante, gli uru-eu-wau-wau» spiegò Puruwehua. «Noi e gli uru-eu-wau-wau parliamo la stessa lingua tupi-guaraní. Due decenni fa gli uru-eu-wau-wau decisero di cercare un contatto con l'esterno. Col tempo, ci hanno trasmesso quello che hanno imparato. Ci hanno detto che viviamo in un paese chiamato Brasile. Ci hanno detto che era necessario imparare la lingua degli stranieri, perché il loro arrivo era inevitabile.

«Ci hanno detto che avremmo dovuto imparare il portoghese, e anche l'inglese, una la lingua del Brasile, e l'altra la lingua del mondo. Io sono il figlio minore di mio padre, il capo. Il maggiore, uno dei nostri gloriosi guerrieri, l'hai incontrato al fiume. Mio padre riteneva che il mio talento stava nella forza della mia testa, non nel braccio che regge la lancia. Sarei diventato un guerriero della mente.

«Attraverso gli uru-eu-wau-wau, ha fatto in modo che ricevessi un'istruzione» concluse la storia. «Ho passato dieci anni là fuori, a imparare le lingue. E poi sono tornato. E ora per la mia tribù sono la finestra sul mondo esterno.»

«Sono felice che tu lo sia» disse Jaeger. «Credo che tu ci abbia salvato la vita...»

Mangiarono e bevvero fino a sera inoltrata. A intervalli, gli uomini e le donne della tribù danzavano al centro della Casa dello Spirito, con delle strisce di semi a forma di luna, presi dal frutto *pequia*, attorno alle braccia e alle cosce. Quando pestavano i piedi e facevano roteare le braccia all'unisono, i semi cozzavano tra loro, scandendo un ritmo che pulsava attraverso il buio sempre più fitto.

A Jaeger venne offerto un contenitore pieno di una strana pasta rossa. Per un istante, non ebbe idea di cosa dovesse farne. Fu Leticia Santos a mostrarglielo: la pasta era ricavata dalla cornice di un certo albero, gli spiegò. Spalmata sulla pelle, diventava un potente repellente per insetti.

Jaeger pensò che fosse meglio usarne po'. Lasciò che Santos gliela spalmasse sul volto e sulle mani, divertito dalla scintilla di fastidio – era forse gelosia? – che attraversò gli occhi di Irina

Narov. Venne fatta passare una grande ciotola piena di un liquido grigio e schiumoso, dall'odore pungente. Era *masata*, spiegò Santos: una bevanda alcolica diffusa tra i nativi dell'Amazzonia. Rifiutarla, sarebbe stato interpretato come un insulto.

Solo dopo che Jaeger ebbe buttato giù un paio di sorsi del tiepido liquido viscoso, Santos spiegò come venisse prodotto. Parlò in portoghese, escludendo gli altri dalla conversazione, compresa Narov, e chiudendosi con Jaeger in una bolla di intimità, in cui risero di disgusto per quello che stavano bevendo.

Per preparare la bevanda le donne del villaggio prendevano della manioca cruda – una radice simile alla patata, ricca di amido – e la masticavano. Poi, sputavano la poltiglia risultante in una ciotola, vi univano l'acqua e lasciavano che fermentasse per qualche giorno. Il miscuglio che ne derivava, il *masata*, era ciò che Jaeger aveva appena consumato.

Delizioso.

Il clou della festa fu la carne arrosto, il cui ricco profumo riempì la Casa degli Spiriti. Tre scimmie stavano arrostendo sulla buca per il fuoco, e Jaeger dovette ammettere che l'odore era invitante, anche se non si trattava certo di uno tra i suoi piatti preferiti. Ma dopo una settimana di cibo liofilizzato, aveva una fame mostruosa.

Uno strillo si levò dal gruppo. Jaeger non sapeva che significasse, ma Narov invece sembrò comprendere.

Tese la mano verso di lui. «Per la terza e ultima volta: coltello.»

Jaeger alzò le braccia in gesto di resa, aprì lo zaino e tirò fuori il Fairbairn-Sykes di Narov. «L'avrei protetto a costo della vita.»

Lei l'afferrò, sguainò solennemente la lama e passò un lungo momento a controllarla.

«Ho perso l'altro nel Rio de los Dios» spiegò «e con esso migliaia di ricordi.» Si alzò in piedi. «Grazie per avermelo riportato.» Non lo guardava, ma le sue parole sembravano sincere. «Direi che è il tuo primo successo in questa missione.»

Si spostò al centro della Casa degli Spiriti. Jaeger tenne gli occhi incollati su di lei. Narov si chinò sulla buca del fuoco con la lama da diciotto centimetri in pugno. Iniziò ad affettare pezzi di carne fumante. Per qualche ragione, gli amahuaca avevano affidato a quella straniera, a quella donna, a quella *ja'gwara*, il diritto di tagliare per prima la carne.

Grossi pezzi vennero distribuiti, e Jaeger sentì presto il grasso caldo che gli colava lungo il mento. Si sdraiò contro lo zaino, godendosi la sensazione di avere lo stomaco pieno. Ma c'era qualcos'altro – qualcosa di molto più importante e rinfrancante della carne – che lo faceva stare bene: la consapevolezza che, una volta tanto, non doveva stare all'erta; una volta tanto, lui e la sua squadra non erano minacciati da un'entità misteriosa nascosta tra le ombre.

Per un istante, Jaeger si concesse il lusso di rilassarsi e sentirsi contento.

44

Il cibo e il senso di sicurezza dovevano averlo cullato fino a farlo addormentare. Quando si svegliò, la buca del fuoco riluceva di un rosso fioco e i festeggiamenti erano ormai terminati. Qualche rara stella splendeva nel cielo sopra di loro, e un caldo silenzio sembrava essere disceso sulla capanna, misto a una vaga atmosfera di attesa e trepidazione.

Jaeger si accorse che l'uomo magro e curvo che aveva scrutato nei suoi occhi si trovava al centro dell'attenzione. Era chino su qualcosa, le mani indaffarate con quel che sembrava una versione più corta e sottile delle cerbottane degli amahuaca; Jaeger vide che infilava qualcosa in una delle estremità.

Lanciò un'occhiata interrogativa a Puruwehua.

«È il nostro sciamano» spiegò l'interprete. «Sta preparando il *nyakwana*. Voi lo chiamereste "polvere da sniffare". È... ho dimenticato la parola giusta. Ti dà delle visioni.»

«Allucinogeno» suggerì Jaeger.

«Allucinogeno» ripeté Puruwehua. «È fatto con i semi dell'albero *cebil*, arrostiti e macinati fini, mischiati con il guscio essiccato di una lumaca gigante della foresta. Chi lo prende va in stato di trance, così da poter visitare il mondo degli spiriti. Ne sniffiamo mezzo grammo alla volta, più o meno.» Sorrise. «Tu... Tu è meglio se ne prendi molto di meno.»

«Io?» chiese Jaeger sorpreso.

«Sì, certo. Quando arriverà qui, uno dei tuoi dovrà accettare la pipa. Non farlo rovinerebbe molte delle cose positive ottenute stanotte.»

«Io e le droghe...» Jaeger si sforzò di sorridere. «Ho già parecchi problemi, senza doverci aggiungere anche questo. Sono a posto, grazie.»

«Sei il capo del tuo gruppo» insistette, pacatamente, Puruwehua. «Puoi lasciare l'onore a un altro, ma sarebbe... insolito.»

Jaeger alzò le spalle. «Posso adattarmi. Insolito non è un problema.»

Guardò la pipa che faceva il giro della Casa degli Spiriti. A ogni tappa, una figura accostava l'estremità alla narice, mentre lo sciamano gli soffiava la polvere nel naso. Qualche minuto dopo, chi l'aveva assunta si alzava in piedi, cantando e ballando, con la mente chiaramente in viaggio verso un altro mondo.

«Grazie al *nyakwana*, comunichiamo con i nostri antenati e con gli spiriti» spiegò Puruwehua «quelli ancorati nel mondo della giungla: gli animali, gli uccelli, gli alberi, i fiumi, i pesci e le montagne.»

Puruwehua indicò una delle persone in trance. «Quest'uomo sta raccontando la storia di uno spirito: "C'era un tempo una donna amahuaca che si è trasformata nella luna. Si era arrampicata su un albero, ma aveva deciso di restare nel cielo, perché il suo fidanzato aveva trovato un altro amore, e così divenne la luna...".»

Mentre Puruwehua parlava la pipa si faceva più vicina. Jaeger notò che il capo era attentissimo a ciò che sarebbe successo una volta arrivato il suo turno. Lo sciamano si fermò davanti a loro, si accucciò con la polvere disposta su un pezzettino di legno liscio, la lunga pipa decorata da incisioni stretta tra le mani.

Quando la polvere fu pronta, a Jaeger tornò in mente un'altra pipa che gli era stata offerta molti anni prima, in un mondo totalmente diverso. Per un istante, si ritrovò nello studio del nonno Ted nel Wiltshire, con l'intenso aroma del tabacco nelle narici.

Se il nonno aveva ritenuto opportuno offrire quella pipa a un sedicenne, forse Jaeger poteva accettare quella che gli veniva offerta ora, preparata da mani diverse, da un altro anziano.

Per un istante indugiò.

Lo sciamano lo guardò con aria interrogativa. Un secondo dopo, Joe James praticamente spinse da parte tutti gli altri per la smania di essere il primo.

«Amico, pensavo che non me l'avresti mai chiesto!» Si sedette a gambe incrociate davanti allo sciamano, la barba imponente che sfiorava il pavimento. Afferrò l'estremità della pipa, se l'infilò nella narice e tirò. Qualche secondo dopo, la mente del gigante neozelandese era chiaramente partita per la tangente.

Buon per James, si disse Jaeger. La cavalleria era arrivata all'ultimo momento.

Ma lo sciamano non si mosse. Invece, preparò una seconda dose di polvere e la infilò nella pipa.

«Siete due gruppi» spiegò Puruwehua. «Quelli arrivati per primi hanno già aperto la mente al *nyakwana*. Non è la prima volta di James. E poi ci sono i nuovi arrivati. La seconda pipa... è per te.»

Lo sciamano alzò lo sguardo. I suoi occhi – gli stessi che avevano scrutato nelle profondità del cranio di Jaeger – lo fissarono con aria di sfida. Jaeger si sentì spinto a farsi avanti: era inesorabilmente attratto verso la pipa. Si ritrovò seduto di fronte allo sciamano amahuaca, come James prima di lui.

Di nuovo, Jaeger ripensò allo studio di suo nonno. Ma non era più un sedicenne. Come il nonno prima di lui, Jaeger era un leader, una figura di rappresentanza, anche se in un luogo e in un'epoca diversissimi, per quanto collegati da un nemico comune.

Gli uomini e le donne di cui Jaeger era responsabile avevano bisogno che fosse forte, costante e lucido. Pur rispettando le consuetudini degli indigeni e la loro ospitalità, Jaeger si trovava lì per concludere un lavoro, ed era intenzionato ad attenersi ai piani. Alzò la mano davanti a sé, con un gesto che significava "stop".

«Come credo tu sappia, ho molti fantasmi» spiegò lentamente. «Ma al momento ho anche una missione da guidare. Quindi, questi fantasmi devono restare nascosti, almeno fino a quando non avrò portato tutti fuori dalla giungla, a casa.» Fece una pausa. «Non posso prendere la pipa.»

Mentre Puruwehua traduceva, lo sciamano studiò lo sguardo di Jaeger, come se avesse la chiave per liberare i demoni che tormentavano i suoi sogni. Ma quando Puruwehua ebbe terminato annuì brevemente e un moto di rispetto gli balenò negli occhi.

Abbassò la pipa.

Ci volle un bel po' prima che Jaeger si risvegliasse.

Era sdraiato contro lo zaino, con gli occhi chiusi. Dopo che gli era stata risparmiata la sniffata, doveva essersi addormentato: la pancia piena e il tepore della Casa degli Spiriti l'avevano cullato fino a farlo dormire profondamente. Aveva la mente completamente vuota, tranne che per un'unica, magnetica immagine che sembrava incisa sul retro delle sue palpebre.

Doveva trattarsi della scena di un sogno, provocato certamente dall'incontro ravvicinato con lo sciamano. Qualcosa che era arrivato a ritenere del tutto impossibile, ma che al momento sembrava assolutamente reale.

Si trattava di una splendida donna dagli occhi verdi, con un bambino che le stava di fianco con atteggiamento protettivo. La donna gli parlava dolcemente, la sua voce lo chiamava attraverso gli anni di separazione. E il bambino sembrava molto più alto, anzi, dell'altezza giusta per un ragazzino di undici anni.

Ed era sempre di più l'immagine sputata di William Jaeger.

45

Jaeger non ebbe molto tempo per riflettere su quel sogno straordinariamente evocativo. La pipa aveva ormai fatto tutto il giro della Casa degli Spiriti, e il capo amahuaca venne a unirsi a lui e alla sua squadra. Iniziò a parlare, con Puruwehua che faceva da interprete, e la gravità di quel che stava dicendo richiedeva tutta la loro attenzione.

«Molte lune fa, troppe perché noi amahuaca possiamo ricordarle, arrivarono i primi uomini bianchi. Stranieri con armi terribili entrarono nelle nostre terre. Catturarono una squadra di nostri guerrieri e li portarono in una zona remota della giungla. Furono costretti, sotto minaccia di morte, ad abbattere la foresta e a trascinare gli alberi da una parte.»

All'inizio Jaeger non capì se il capo stesse raccontando un mito tribale, la storia della sua gente, o una visione ispirata dal *nyakwana*.

«Rasero al suolo tutta la vegetazione» continuò il capo «e spianarono il terreno come se fosse il letto di un fiume. Tutto questo va contro quello in cui crediamo. Se facciamo del male alla foresta, facciamo del male a noi stessi. Noi e la terra siamo una cosa sola: condividiamo la stessa forza vitale. Molti si ammalarono e morirono, ma ormai quel tratto di terra era stato disboscato e la foresta era morta.»

Il capo guardò verso il soffitto aperto e la volta stellata sopra di loro. «Una notte dal cielo arrivò un mostro gigante. Un'enorme aquila di fumo, tuono e tenebra. Atterrò su quella striscia di terra morta e vi fece il nido. Dal suo ventre, il mostro celeste fece uscire altri stranieri. Quelli tra i nostri guerrieri che erano sopravvissuti dovettero scaricare il pesante carico dal ventre delle bestia.

«Erano barili di metallo» continuò il capo «e il mostro dell'aria iniziò a succhiarne del liquido, come un'enorme zanzara affamata. Quand'ebbe finito, balzò di nuovo verso il cielo e scomparve. Ne arrivarono altri due, esattamente come il primo. Ciascuno atterrò sulla radura, succhiò il liquido e poi risalì in aria, puntando da quella parte» indicò il sud «verso le montagne.»

Fece una pausa. «Poi un quarto mostro dell'aria arrivò, ringhiando dalle tenebre. Ma questa volta non c'era abbastanza sangue per soddisfare l'ultima zanzara affamata. I barili erano vuoti. Restò in attesa, sperando che ne arrivassero altri, ma non accadde. E gli uomini bianchi a bordo del mostro dell'aria... avevano sottovalutato la rabbia della foresta, e la vendetta degli spiriti su coloro che le avevano fatto del male.

«Quegli uomini bianchi vennero risucchiati dalla morte e dalla rovina. Infine, gli ultimi due sopravvissuti chiusero il mostro di metallo e se ne andarono portando con sé quel che potevano. La nostra gente li seguì. Anche loro perirono nella giungla.

«Nel corso degli anni la foresta ha reclamato la radura, gli alberi si sono levati sopra il mostro dell'aria finché il mondo esterno non se n'è dimenticato. Ma non è mai scomparso dalla memoria degli amahuaca, e la storia è stata tramandata di padre in figlio. E poi, ha portato altre tenebre. Credevamo fosse morto, la carcassa di un essere morto portato qui dagli uomini bianchi. Invece vive ancora... O meglio, qualcosa al suo interno. Ed è ancora in grado di farci del male.»

Il capo fece una pausa. Mentre raccontava, Jaeger si era accorto che un membro della sua squadra sembrava completamente catturato, come incollato a ogni parola dell'indio, ossessionato, con un fuoco intenso che gli bruciava negli occhi. Era la prima volta che Jaeger vedeva Irina Narov veramente coinvolta. Eppure, allo stesso tempo, la sua reazione sembrava sconfinare in una specie di follia.

«Gli animali furono i primi a soffrire» continuò il capo. «Alcuni si erano fatti la tana al riparo delle ali della bestia dell'aria. Alcuni si ammalarono e morirono. Altri diedero vita a una prole terribilmente deforme. I guerrieri amahuaca che cacciavano in quella zona si ammalarono dopo aver bevuto dai fiumi. L'acqua stessa sembrava maledetta, avvelenata. Poi le piante della foresta tutt'attorno iniziarono a morire.»

Il capo fece un gesto verso il figlio minore. «Ero ancora giovane all'epoca, più o meno dell'età di Puruwehua. Me lo ricordo bene. Alla fine, gli stessi alberi divennero le vittime del mostro dell'aria. Non rimasero altro che scheletri: legno morto, bianco come ossa al sole. Ma sapevamo che la storia della bestia dell'aria non era ancora finita.»

Lanciò un'occhiata a Jaeger. «Sapevamo che gli uomini bianchi sarebbero tornati. Sapevamo che quelli che sono arrivati avrebbero provato a scacciare la maledizione del mostro dell'aria dalle nostro terre, una volta per tutte. Per questo ho ordinato ai miei uomini di non attaccarvi, ma di portarvi qui. Per mettervi alla prova. Per essere sicuro.

«Ma purtroppo non siete soli. Una seconda forza ha varcato i nostri confini. Sono arrivati subito dopo di voi, come se vi avessero seguiti. Temo che siano giunti qui con scopi meno nobili. Temo che vogliano riversare nuova vita nel male dentro il mostro dell'aria.»

Nella mente di Jaeger bruciavano mille domande, ma sentì che il capo non aveva ancora finito.

«Ho degli uomini che stanno seguendo quella forza» proseguì. «La chiamiamo la "Forza Oscura", e con buone ragioni. Si stanno facendo strada attraverso la giungla, puntando direttamente verso la tana della bestia. Due dei miei guerrieri sono stati catturati. I loro corpi sono stati lasciati appesi agli alberi, con degli strani simboli incisi sulla schiena, come un avvertimento.

«Sarà difficile contrastarli» aggiunse. «Sono troppi, forse persino dieci volte più di voi. Hanno con sé molti bastoni del tuono. Temo che la mia tribù sarà massacrata se si dovesse arrivare a uno scontro aperto. Nel profondo della foresta potremmo anche vincere. Forse. Neanche questo è certo. Ma nella zona aperta della tana della bestia la mia gente sarebbe massacrata.»

Jaeger provò a dire qualcosa, ma il capo gli fece cenno di tacere.

«L'unica garanzia di successo è trovare il mostro dell'aria per primi.» Lanciò a Jaeger un'occhiata d'intesa. «Non avete alcuna possibilità di sopraffare questa Forza Oscura. Non da soli. Ma, se accetterete l'aiuto degli amahuaca, ce la farete. Conosciamo le vie segrete della foresta. Sappiamo muoverci rapidamente. Solo chi ha un cuore coraggioso dovrebbe prendere parte a un'impresa simile. Il viaggio comporterà una "scorciatoia" che solo noi amahuaca conosciamo.

«Nessuno straniero ha mai tentato un viaggio simile» proseguì. «Per farlo, dovete raggiungere le Cascate del Diavolo, e da là... be', dovete prendere la vostra vita nelle vostre mani. Ma è l'unica possibilità per provare a raggiungere la bestia dell'aria prima della Forza Oscura, e per trionfare.

«La foresta vi guiderà e proteggerà» sentenziò. «All'alba, chi sarà pronto partirà. Puruwehua vi farà da guida, e inoltre avrete una ventina dei miei migliori guerrieri. Resta da vedere chi accetterà questa offerta, e chi lascerà il vostro gruppo.»

Per un momento Jaeger non seppe cosa rispondere. Tutto procedeva troppo in fretta, e aveva mille domande che gli si affollavano in testa. Fu Joe James a rispondere per primo.

«Datemi un altro tiro di pipa e vi seguirò ovunque» bofonchiò.

Ci fu una risata. Il commento di James riportò tutti al presente.

«Una domanda» si fece avanti Jaeger. «Che ne è stato dei nostri amici scomparsi?»

Il capo scosse il capo. «Mi dispiace. Sono stati catturati e colpiti a morte. Abbiamo recuperato i loro corpi e li abbiamo cremati. È una tradizione amahuaca: mischiamo le ceneri delle ossa dei nostri morti con l'acqua e la beviamo, in modo che i nostri cari siano sempre con noi. Abbiamo conservato quel resta dei vostri amici, così che possiate farne quel che volete... Mi dispiace.»

Jaeger fissò il fuoco. Quante perdite. Uomini e donne capaci. Ai suoi ordini. Il suo stomaco fu scosso da un violento miscuglio di rabbia e frustrazione che sconfinava nella disperazione. Giurò a se stesso che avrebbe trovato i responsabili di tutto quello. Avrebbe ottenuto risposte e giustizia. Anche se alle sue condizioni.

La convinzione lo rassicurò, preparandolo a qualunque cosa sarebbe avvenuta.

46

Jaeger guardò il capo, con gli occhi colmi di preoccupazione. «Credo che spargeremo le loro ceneri tra gli alberi» gli comunicò sottovoce. Poi si rivolse alla squadra. «E, sapete: penso sia meglio che io parta da solo. Solo con i guerrieri del capo. Posso muovermi più in fretta, e non voglio che voi vi ritroviate ancor più invischiati in questo...»

«Tipico» si intromise una voce. «Avrai anche il cuore di un leone, ma hai il cervello di una scimmia, come quella che hai appena mangiato.» Era Irina Narov. «Credi di essere più duro di chiunque altro. L'eroe solitario. Farai tutto da solo. Gli altri sono un impaccio. Una scocciatura. Non riesci a vederne il valore e questo è come tradire tutta la tua squadra.»

Jaeger si sentì ferito dalle sue parole. La perdita della moglie e del figlio e i successivi anni a Bioko l'avevano reso diffidente, ne era consapevole. Ma, al momento, non era questo a spingerlo a proseguire da solo: era la paura di perdere altri compagni, e di essere sostanzialmente incapace di garantire la loro sicurezza.

«Sono già morte due persone» ribatté. «Non è più l'esplorazione di un mondo perduto, è diventato qualcosa di molto più sporco. Non è quel che tu o gli altri avete accettato quando avete deciso di partecipare.»

«*Schwachkopf.*» La voce di Narov si ammorbidì un poco. «È come ti ho detto dopo che siamo quasi morti durante la caduta libera: devi imparare a fidarti della tua squadra. E sai che c'è: col tuo esempio, ti sei meritato il diritto di comandare. Te lo sei conquistato. Dimostraci che non ci siamo sbagliati, che ti meriti la nostra *fiducia*.»

Qual era il segreto di quella donna?, si chiese Jaeger. Com'era possibile che, con poche frasi, riuscisse a dargli così sui nervi? Aveva un modo di parlare che andava dritto al cuore dei problemi, fregandosene dei convenevoli.

Jaeger guardò la sua squadra. «E voialtri?»

«È semplice.» James alzò le spalle. «Votiamo. Chi vuole partire parte. Chi non vuole, resta qui.»

«Sì» aggiunse Alonzo. «Cerca dei volontari. E chiariamolo: non c'è alcun disonore, nessuno, nel voler restare indietro.»

«Okay» acconsentì Jaeger e, rivolgendosi al capo, chiese: «Siete disposti a proteggere chi sceglierà di rimanere? Almeno fino a quando questa storia non sarà finita».

«Sono i benvenuti» confermò il capo. «La nostra casa è casa loro, fino a quando ne avranno bisogno.»

«Bene, mi servono dei volontari» annunciò Jaeger. «Conoscete i pericoli.»

«Contami pure» dichiarò James, quasi senza lasciarlo finire.

«È una vacanza di merda» grugnì Alonzo. «Ma, amico, ci sto.»

Kamishi alzò lo sguardo verso Jaeger. «Ti ho già deluso una volta. Temo che potrei...» Jaeger gli posò una mano sulla spalla per tranquillizzarlo. Kamishi si rasserenò. «Se accettassi...»

Alonzo gli diede una pacca sulla schiena. «Quel che fratello Kamishi sta provando a dire è che anche lui ci sta!»

Dale guardò prima il capo del villaggio, e poi Jaeger. «Se parteciperò, avrò il permesso di filmare? O mi trafiggeranno con le lance non appena tirerò fuori la videocamera?»

Jaeger guardò Puruwehua. «Sono certo che potremo arrivare a un compromesso col capo e i suoi guerrieri.»

Puruwehua annuì. «Gli anziani credono che la videocamera sia dannosa per la loro anima. Ma ai più giovani, i guerrieri, sono certo di poter fare cambiare idea.»

Dale esitò per un istante, chiaramente combattuto tra il desiderio di andare e la paura per quel che lo aspettava. Alzò le spalle. «Allora, credo che sia il film per cui vale la pena morire.»

Jaeger si voltò verso Santos. «Leticia?»

La donna alzò appena le spalle. «Mi piacerebbe molto venire. Ma la mia coscienza mi dice che è meglio restare qui, con i miei indios. Non credi anche tu?»

«Se pensi di dover restare, devi restare.» Jaeger tirò fuori la sua sciarpa con la scritta "*Carnaval*". «Questa è tua. Una sopravvissuta, come te!»

Emozionata, Santos prese la striscia di seta. «Ma devi portarla tu, no? È... un portafortuna per il viaggio.»

Si fece avanti e l'annodò al collo di Jaeger, per poi baciarlo sulla guancia.

Jaeger credette di cogliere un fremito in Narov, il che lo rese ancor più determinato a indossare la sciarpa fino al termine dell'avventura. Qualsiasi cosa pur di stuzzicarla, pur di cercare di raggiungere la persona nascosta dentro di lei.

«Quattro partono, una resta» riassunse Jaeger. «Gli altri?»

«Ho tre ragazzi a casa» disse una voce. Era Stefan Kral. «A Londra. Anzi, non più a Londra. Ci siamo da poco trasferiti a Luton, vicino all'aeroporto.» Lanciò un'occhiata risentita a Dale. «Non posso più permettermi di abitare a Londra, non con lo stipendio da assistente di produzione. Voglio restare vivo e tornare a casa tutto intero.» Guardò Jaeger. «Non vengo.»

«Capisco» disse Jaeger. «Torna a casa sano e salvo, e sii il padre di cui i tuoi figli hanno bisogno. È più importante di un relitto perso nella giungla.»

Mentre pronunciava quelle parole, sentì un grumo di bile che gli saliva dallo stomaco. Lo ricacciò indietro. Per un anno aveva cercato sua moglie e suo figlio, dopo che erano scomparsi. Aveva percorso ogni strada, rivoltato ogni pietra. Aveva seguito ogni pista, verificato ogni indizio, finché ogni traccia non si era rivelata inconsistente. Ma aveva fatto davvero tutto il possibile?

Aveva abbandonato la sua famiglia, rinunciando proprio quando avrebbe dovuto insistere? Jaeger scacciò il pensiero. Guardò Narov. «Tu?»

Lei incrociò il suo sguardo. «Davvero hai bisogno di chiedermelo?»

Scosse la testa. «Immagino di no. Irina Narov è dei nostri.»

Il capo degli amahuaca alzò lo sguardo al cielo. «Dunque, hai la tua squadra. Partirete al levar del sole, tra tre ore circa. Darò l'ordine ai miei guerrieri di prepararsi.»

«Una cosa» intervenne una voce: Narov si stava rivolgendo al capo. «Sei mai stato nel nido della bestia?»

Il capo annuì. «Sì, *ja'gwara*. Ci sono stato.»

Ja'gwara era un nome assolutamente adatto a Narov: rispecchiava la sua straordinaria capacità di adattarsi e sopravvivere.

«Lo ricordi bene?» chiese. «Potresti disegnare qualunque simbolo tu abbia visto?»

Il capo iniziò a tracciare dei segni sul pavimento di sabbia della capanna. Dopo qualche esitazione, il disegno rivelò un'immagine sinistramente familiare: il profilo di un'aquila, con le ali distese, la testa girata verso destra e uno strano simbolo circolare sovrapposto alla coda.

Un *Reichsadler*.

Il simbolo era dipinto sulla parte posteriore della fusoliera, spiegò il capo, subito prima della coda. Ed era lo stesso simbolo inciso nella pelle dei suoi guerrieri, aggiunse, quelli che erano stati catturati dalla Forza Oscura e uccisi.

Jaeger fissò l'immagine per un lungo istante, con un turbinio di pensieri nella mente. Sentiva che erano vicini alla meta, alla resa dei conti, ma allo stesso tempo venne colto da un soverchiante timore, come se il destino l'avesse ormai circondato da ogni lato e lui non avesse alcun controllo...

«Ci sono delle parole stampigliate accanto al simbolo dell'aquila» intervenne Puruwehua. «Le ho annotate.» Tracciò qualcosa sulla sabbia: *Kampfeswader 200* e *Geswaderkomodore A3*. «Parlo inglese, portoghese e la nostra lingua madre» aggiunse. «Ma questo... è possibile che sia tedesco?»

Fu Narov a rispondere, la voce bassa attraversata da un disprezzo a stento trattenuto. «La tua ortografia non è il massimo, ma *Kampfgeschwader 200* era l'aereo delle forze speciali della Luftwaffe. E *Geschwaderkommodore A3* era uno dei titoli attribuiti al generale delle ss Hans Kammler, il comandante di quell'aereo. Dopo Hitler, Kammler era uno degli uomini più potenti del Terzo Reich.»

«Era il plenipotenziario di Hitler» aggiunse Jaeger, ricordando la misteriosa email dell'archivista. «Verso la fine della guerra: fu il titolo conferitogli da Hitler.»

«Esatto» confermò Narov. «Ma sai cosa comporta la carica di plenipotenziario?»

Jaeger alzò le spalle. «È una specie di rappresentante straordinario?»

«Molto di più... Un plenipotenziario ha il pieno potere di

agire per conto di un regime, con totale impunità. Dopo Hitler, Kammler era l'uomo più potente e malvagio di un gruppo incredibilmente malvagio. Alla fine della guerra, le sue mani erano sporche del sangue di migliaia di persone. Ed era diventato anche uno degli uomini più ricchi del mondo.

«Opere d'arte inestimabili, lingotti d'oro, diamanti, contanti» continuò Narov. «I nazisti depredarono i territori europei conquistati rubando ogni cosa di valore su cui riuscirono a mettere le mani. Alla fine della guerra, sai che cos'è successo all'*Oberst-Gruppenführer* Hans Kammler e al suo bottino?»

La rabbia amara dietro le parole di Narov iniziava a filtrare. «È sparito. Scomparso dalla faccia della terra. È uno dei più grandi misteri, e dei maggiori scandali, della Seconda guerra mondiale: cosa ne è stato di Hans Kammler e della sua fortuna criminale? Chi l'ha nascosto? Chi l'ha protetto?»

Osservò i volti attorno a lei, finché il suo sguardo ardente non si posò su Jaeger. «Questo velivolo... È probabile che sia l'aereo da guerra personale di Kammler.»

47

Furono pronti per lasciare il villaggio degli amahuaca subito dopo l'alba. Jaeger e la sua squadra erano accompagnati da ventiquattro indigeni, incluso il figlio minore del capo, Puruwehua, e il maggiore, l'inconfondibile capo guerriero. Il suo nome era Gwaihutiga, che significava "il più grande del branco di cinghiali" in lingua amahuaca.

A Jaeger pareva particolarmente appropriato: i cinghiali erano tra gli animali più preziosi e temuti della giungla. Nessun maschio amahuaca poteva diventare un vero guerriero senza averne fronteggiato e ucciso uno.

Ormai sembrava che Gwaihutiga avesse accettato che il padre non volesse che Jaeger e la sua squadra venissero sterminati, anzi, desiderava che li conducessero il più velocemente possibile al relitto, proteggendoli da qualunque pericolo lungo il tragitto.

Ma Jaeger era felice di vedere che il figlio maggiore del capo era ancora pronto alla battaglia, se solo si fosse trovato davanti il nemico giusto. Portava la lancia, l'arco con le frecce, la cerbottana e la mazza, e attorno al collo indossava una collana di corte piume. Era un *gwyrag'waja*, spiegò Puruwehua: ciascuna piuma rappresentava un nemico ucciso in battaglia. Lo paragonò alle tacche che gli uomini bianchi incidono sulla pistola, una cosa che aveva visto nei film, quando viveva nel mondo esterno.

All'ultimo momento c'era stato un cambiamento imprevisto nella composizione della squadra di Jaeger. Leticia Santos aveva deciso di unirsi a loro. Impetuosa e impulsiva – una latina dal sangue bollente in tutto e per tutto –, non era riuscita a sopportare la vista degli altri che si preparavano per partire senza di lei.

Quella mattina Jaeger aveva concesso una breve intervista a Dale e Kral, per riassumere quel che era successo nelle ultime ventiquattr'ore. Era stato l'ultimo video che Kral avrebbe filmato con loro. Dopo aver riposto videocamera e treppiedi, lo slovacco aveva chiesto di scambiare qualche parola con Jaeger in privato.

Kral aveva chiarito perché avesse deciso di lasciare la spedizione. Non avrebbe mai dovuto accettare quell'incarico, disse. Aveva più anni di Dale e maggiore esperienza nel lavorare in territori impervi: aveva accettato solo perché gli servivano i soldi.

"Pensaci" aveva spiegato Kral "lavorare agli ordini di uno come Dale sapendo di essere più bravo, più professionale. Tu avresti resistito?"

"Porcate come questa capitano di continuo nell'esercito" gli aveva risposto Jaeger. "Il grado è più importante della capacità. A volte, non puoi far altro che stare al gioco."

Non aveva nulla contro Kral, ma in realtà perderlo era un sollievo. Il cameraman slovacco sembrava avercela col mondo intero, e Jaeger pensava che sarebbe stato più semplice senza di lui. Dale sarebbe stato impegnatissimo, dovendo filmare da solo, ma un unico operatore era meglio di due tizi perennemente occupati a darsi addosso.

Uno di loro doveva rinunciare, e per il bene delle riprese, era meglio che fosse lo slovacco.

"Qualsiasi cosa succeda d'ora in avanti" aveva proseguito Kral "almeno conosci le mie ragioni. Qualsiasi cosa succeda. Almeno, le ragioni principali."

"C'è qualcosa che stai provando a dirmi?" l'aveva incalzato Jaeger. "Ci stai lasciando. Sei libero di dire qualsiasi cosa tu voglia."

Kral aveva scosso il capo. "Ho finito. Buona fortuna, qualunque strada prendiate. Sai come mai non sono rimasto con voi."

I due si erano salutati amichevolmente, e Jaeger aveva promesso che si sarebbero incontrati a Londra per una birra, una volta che tutto fosse finito.

Decine di amahuaca accompagnarono la loro partenza, apparentemente l'intero villaggio. Ma mentre Jaeger guidava la sua squadra verso il margine della scura giungla, una cosa lo colpì più di tutte: Kral aveva un'espressione decisamente preoccupante.

Si era abituato al sorrisetto storto dello slovacco, ma per un istante lo sorprese a fissare Dale con uno sguardo da far gelare il sangue. I suoi occhi azzurri sembravano socchiusi con un'aria inspiegabilmente trionfante.

Jaeger non aveva tempo per pensare a quello sguardo o a cosa potesse significare. Di fronte a loro si aprì un sentiero che un osservatore distratto non sarebbe riuscito a individuare e presto furono inghiottiti dalla giungla. Ma il pensiero non l'abbandonò.

In diversi momenti – specialmente al fiume, quando Kral gli aveva riferito di come Dale avesse filmato di nascosto –, Jaeger aveva percepito una nota stonata. Adesso gli pareva tutto più chiaro. C'era qualcosa nel modo di fare di Kral che gli sembrava assolutamente ipocrita, quel suo atteggiamento alla "non vedo, non sento, non parlo". L'indignazione morale di Kral gli era parsa esagerata, quasi come se fosse una copertura.

Ma a protezione di cosa, Jaeger non sapeva dirlo.

Spinse quel sospetto – quel dubbio martellante – nel retro della mente.

Non appena erano entrati nella giungla, aveva intuito che i guerrieri amahuaca avrebbero mantenuto un passo estenuante. Avevano iniziato con una lenta corsa, intonando nel frattempo un canto profondo, ritmico, gutturale. Ci voleva tutta la sua concentrazione per avanzare alla velocità che avevano stabilito.

Lanciò uno sguardo a Puruwehua, che aveva preso posto al suo fianco. «Dimmi, il tuo nome significa qualcosa?»

L'altro sorrise, un po' impacciato. «*Puruwehua* è una grande rana marrone rossiccio, liscia, col ventre macchiato di bianco e nero. Una *puruwehua* enorme si era posata sulla pancia di mia madre poco prima che partorisse.» Alzò le spalle. «Abbiamo l'abitudine di scegliere i nomi dei bambini in base a queste cose.»

Jaeger sorrise. «Quindi un cinghiale enorme si è posato sulla pancia di tua madre prima della nascita di tuo fratello Gwaihutiga?»

Puruwehua rise. «Mia madre era una brava cacciatrice da giovane. Una volta si scontrò con un cinghiale. Alla fine lo uccise con la lancia. Voleva che il primogenito avesse lo spirito di quel cinghiale.» Lanciò un'occhiata al fratello maggiore che marciava in testa alla colonna. «Gwaihutiga ha quello spirito.»

«E la rana? Quella che ti ha dato il nome? Cosa le è successo?»
Puruwehua fissò Jaeger con uno sguardo insondabile. «Mia madre aveva fame. L'ha uccisa e si è mangiata anche quella.»
Proseguirono in silenzio per diversi minuti, prima che Puruwehua indicasse qualcosa tra i rami degli alberi. «Quel pappagallo verde che sta cercando la frutta è un *tuitiguhu'ia*. La gente li tiene come animali domestici. Imparano a parlare, e lanciano l'allarme quando un giaguaro sta per attaccare il villaggio.»
«Molto utile» commentò Jaeger. «Come si fa ad addestrarli?»
«Prima bisogna trovare un cespuglio di *kary'ripohaga*. Si prende un mazzo di foglie e si colpisce il pappagallo sul muso per un po' di volte. E poi è ammaestrato.»
Jaeger alzò un sopracciglio. «Così semplice?»
Puruwehua rise. «Certo! Molte cose diventano semplici quando si capisce come funziona la foresta.»
Passarono davanti a un tronco marcio. Puruwehua sfregò la mano contro un fungo di color rosso nerastro, poi si portò le dita al naso. «*Gwaipeva*. Ha un profumo particolare.» Si batté la mano sullo stomaco. «Buono da mangiare.»
Lo strappò alla radice e lo infilò nella sacca che portava a tracolla.
Qualche passo più avanti indicò un grosso insetto nero attaccato al tronco di un albero vicino. «*Tukuruvapa'ara*. Il re dei grilli. Rosicchia l'albero finché non cade.»
Quando passarono accanto all'albero, Puruwehua avvertì Jaeger di fare attenzione a dove metteva i piedi, perché c'era un rampicante contorto lungo il sentiero. «*Gwakagwa'yva*, il rampicante acquatico con le spine. Usiamo la corteccia per fare delle corde con cui intessiamo le amache. I baccelli dei semi sembrano delle banane, e quando si aprono i semi volano via col vento.»
Jaeger era affascinato. Aveva sempre considerato la giungla un ambiente interamente neutro: più se ne conoscevano i segreti, più la si poteva trasformare in un'alleata e amica.
Poco più tardi Puruwehua accostò la mano all'orecchio. «Senti? Questo *prrrikh-prrrikh-prrrikh-prrrikh-prrrikh*. È il *gware'ia*, un grande colibrì marrone col petto bianco e la coda lunga. Canta solo quando vede un maiale selvatico.» Estrasse una freccia. «Cibo per il villaggio...»
Mentre Jaeger afferrava il fucile, vide che Puruwehua si tra-

sformava da interprete a cacciatore, incoccando una freccia in un arco grande quasi quanto lui. Puruwehua era solo qualche centimetro più basso del fratello guerriero, con spalle altrettanto ampie e possenti.

Quando sarebbe arrivato il momento di lottare, pensò Jaeger, Puruwehua si sarebbe rivelato una rana poco disposta a farsi mangiare facilmente.

48

Parecchio più indietro, lo spiazzo del villaggio amahuaca era per lo più silenzioso e deserto. Ma una figura solitaria si aggirava nella radura.

Osservò il cielo al crepuscolo, avvicinandosi al punto in cui gli alberi non ostruivano la vista e la privacy era massima. Si sfilò qualcosa dalla tasca – un telefono satellitare Thuraya –, lo poggiò su un ceppo e si acquattò tra i cespugli, in attesa.

Il telefono fece *bip* una volta, due, tre: si era collegato ad abbastanza satelliti. La figura premette "chiamata rapida" e poi un'unica cifra.

Il telefono squillò due volte prima che una voce rispondesse. «Lupo Grigio. Parla.»

I denti di Kral spuntarono dietro un sorrisetto. «Qui Lupo Bianco. In sette sono partiti con una ventina di indigeni, diretti a sud verso le cascate. Da là, seguiranno un percorso noto solo agli indigeni, verso ovest, in direzione dell'obiettivo. Non potevo parlare prima, ma sono riuscito a defilarmi. Fate del vostro peggio.»

«Ricevuto.»

«Posso confermare che è l'aereo da guerra dell'*SS Oberst-Gruppenführer* Kammler. Il carico è più o meno intatto. Almeno, per quanto può esserlo dopo più di settant'anni.»

«Ricevuto.»

«Ho le coordinate esatte dell'aereo.» Una pausa. «Avete fatto il terzo pagamento?»

«Abbiamo già le coordinate. Il nostro drone di sorveglianza l'ha trovato.»

«Bene.» Un'ombra di irritazione gli passò sul volto. «Quelle che ho io sono 964864.»
«964864. Corrispondono.»
«E il terzo pagamento?»
«Sarà sul tuo conto di Zurigo come d'accordo. Spendili rapidamente, Lupo Bianco. Non si può mai dire cos'abbia in serbo il domani.»
«*Wir sind die Zukunft*» sussurrò Kral.
«*Wir sind die Zukunft*» ripeté la voce.
Kral interruppe la comunicazione.

La figura all'altro capo della linea teneva il ricevitore contro il collo, e per un lungo istante ve lo lasciò.
Guardò una foto incorniciata sulla scrivania. Ritraeva un uomo di mezza età in un completo gessato grigio. Aveva un'aria da uccello rapace, col naso aquilino, lo sguardo arrogante e dissoluto che rivelava un potere e un'influenza illimitati, il che gli conferiva una disinvolta fiducia nelle proprie capacità, persino in età avanzata.
«Finalmente» bisbigliò la figura seduta. «*Wir sind die Zukunft.*»
Si riaccostò il telefono all'orecchio e premette 0. «Anna? Mettimi in contatto con Lupo Grigio Sei. Sì... subito, grazie.»
Attese un secondo, poi udì una voce. «Lupo Grigio Sei.»
«Ho le coordinate» annunciò. «Corrispondono. Eliminateli tutti. Non devono esserci superstiti, incluso Lupo Bianco.»
«Ricevuto, signore» confermò la voce.
«Fate un lavoro pulito, a distanza. Usate il Predator, in modo da poter negare tutto. Avete l'unità di localizzazione. Usatela. Scovate i loro sistemi di comunicazione. Trovateli. Eliminateli tutti.»
«Ricevuto. Ma, signore, avremo difficoltà a rintracciarli dall'aria per via della foresta.»
«Allora fate quel che dovete. Sguinzagliate i vostri cani da guerra. Ma non devono avvicinarsi all'aereo.»
«Ricevuto, signore.»
La figura seduta interruppe la comunicazione. Dopo aver riflettuto per un istante si protese verso la tastiera del portatile interrompendo la modalità "sleep". Compose una breve email.

Caro Ferdy, *Adlerflug Vier* trovato. Stiamo per recuperarlo/occuparcene. Operazione di pulizia in corso. Nonno Bormann sarebbe stato fiero di noi.
Wir sind die Zukunft.
HK

Premette "invio", poi si appoggiò allo schienale con le dita intrecciate dietro la nuca. Appesa al muro alle sue spalle c'era una foto incorniciata che lo ritraeva, più giovane, con addosso l'inconfondibile uniforme da colonnello dell'esercito americano.

Grazie alla guida degli amahuaca, Jaeger e la sua squadra ripercorsero lo stesso tratto di strada dell'andata in meno della metà del tempo, fino a tornare alle Cascate del Diavolo. Arrivarono alla sponda del Rio de los Dios all'incirca un chilometro più in basso rispetto al punto dove avevano nascosto la loro attrezzatura.

Puruwehua li fece fermare al riparo della foresta, dove una perenne nuvola di schizzi offuscava l'aria. Indicò la foschia che saliva dal fiume, il netto precipizio che fendeva la roccia davanti a loro, scavato dalle rapide nel corso di infiniti millenni. Doveva urlare per farsi sentire attraverso il rombo assordante del Rio de los Dios che precipitava per trecento metri verso la valle sottostante.

«Da quella parte c'è un ponte fino alla prima isola» spiegò. «Da là, ci lanceremo con la corda. Ci sono due balzi verso altre due *evi-gwa*, isole di terra, così arriveremo dall'altra parte. Laggiù, un passaggio nella roccia scende verso le cascate, scavato tempo fa dai nostri antenati. Un'ora, forse meno, e saremo ai piedi delle cascate.»

«Da là quanto ci vorrà fino all'aereo?» chiese Jaeger.

«Al passo degli amahuaca, un giorno.» Puruwehua alzò le spalle. «Al passo degli uomini bianchi, un giorno e mezzo, non di più.»

Jaeger si accostò al margine del precipizio, scrutando alla ricerca del primo passaggio. Non riuscì a individuarlo, tanto era ben nascosto. Glielo dovette indicare Puruwehua.

«Là» puntò il braccio verso il basso, indicando un'esile struttura dall'aria traballante. «*Pyhama*, un rampicante che usiamo per salire sugli alberi, ma è perfetto anche per fare un ponte su un fiume. Ed è coperto di foglie dell'albero *gwy'va*, da cui prendiamo il legno per le nostre frecce. Così, è quasi invisibile.»

Jaeger e i suoi si misero gli zaini in spalla e seguirono gli indigeni giù per la scarpata fino all'inizio dell'attraversamento. Davanti a loro, teso sul primo precipizio, c'era un vertiginoso, assurdo ponte di corda. Dall'altra parte era fissato a un'isola di roccia, la prima delle tre posizionate lungo il bordo della cascata.

Il rumore dell'acqua impediva qualsiasi comunicazione. Jaeger seguì Puruwehua e fu il primo della squadra a mettere piede sulla precaria struttura. Afferrò i corrimani di corda ai due lati, costringendosi a mettere un piede davanti all'altro sugli incroci delle corde, posizionati a distanza di un passo l'uno dall'altro.

Per un istante, commise l'errore di guardare in basso.

Sessanta metri più sotto rombavano le rabbiose acque scure del Rio de los Dios, prima di gonfiarsi in un *maelstrom* di schiuma bianca e gettarsi nell'abisso. Jaeger pensò che fosse meglio tenere lo sguardo davanti a sé, e incollando gli occhi alla schiena di Puruwehua costrinse le gambe ad andare avanti.

Era quasi arrivato a metà ponte, con la maggior parte della squadra raggruppata dietro di sé, quando lo sentì.

Senza alcuna avvisaglia, un proiettile rapidissimo fendette la nebbia del fiume sulle loro teste: il sibilo del suo passaggio gli penetrò le orecchie. Attraversò il centro del ponte, per poi tuffarsi un millisecondo più tardi nel Rio de los Dios, esplodendo in un enorme schizzo di acqua bianca.

Jaeger fissò impietrito la fonte di incombente distruzione lanciata verso l'alto: il frastuono dell'esplosione gli rombò nelle orecchie e riecheggiò da una parte all'altra del burrone.

Finì tutto in meno di un secondo. Il ponte ondeggiò rapidamente da una parte all'altra mentre i viaggiatori vi si aggrappavano con gli occhi spalancati per il terrore. Jaeger aveva ordinato il lancio di abbastanza missili Hellfire per riconoscere il loro dolente ululato stridulo, anche se, probabilmente per la prima volta, era lui a essere l'obiettivo.

«HELLFIRE!» urlò a mo' di avvertimento. «HELLFIRE! Tornate indietro verso riva! Sotto gli alberi!»

A causa dello strano e peculiare modo con cui il tempo sembra rallentare in prossimità di uno scontro potenzialmente mortale, a Jaeger parve di vivere cento anni per ogni secondo che passava. La sua mente esaminò mille e uno pensieri, mentre spingeva i compagni di viaggio davanti a sé per condurli al riparo della giungla.

In quella zona profonda dell'Amazzonia brasiliana – si trovavano ai limiti occidentali dello Stato di Acre, nel dipartimento di Assis Brasil, in prossimità del confine peruviano –, pensò che quello che stava volando sulle loro teste non poteva essere altro che un aereo da guerra. Doveva trattarsi di un drone senza pilota: l'unico ad avere il raggio operativo e l'autonomia di volo sufficienti a sorvolare la giungla abbastanza a lungo da scovarli.

Jaeger sapeva quanto un Predator – il drone più comune negli eserciti avanzati del mondo – impiegava per riarmarsi e riagganciare l'obiettivo. Ogni lancio tendeva a far ondeggiare il velivolo, interrompendo il collegamento video con l'operatore remoto della macchina senza pilota.

Ci sarebbero voluti circa sessanta secondi perché si ristabilizzasse e ritrovasse il contatto video.

Il prossimo AGM-114 Hellfire – la maggior parte dei Predator ne portavano al massimo tre – sarebbe stato pronto a partire in qualunque momento. A seconda della quota a cui si muoveva il Predator – probabilmente venticinquemila piedi –, il missile avrebbe impiegato al massimo diciotto secondi per raggiungere il suolo: il tempo massimo che restava a Jaeger.

Il primo Hellfire non era esploso al contatto con la struttura di corda, fendendo una delle corde del ponte di *pyhama* come un coltello attraverso il burro.

Ma la seconda volta avrebbero potuto avere meno fortuna.

L'ultimo uomo – il figlio maggiore del capo – si stava arrampicando lungo il ponte, e Jaeger lo spinse verso la sponda del fiume. Poi si voltò per mettersi al sicuro nella giungla. Corse con gli stivali che cercavano un appiglio tra gli anelli di corda, con la foresta che si faceva più vicina a ogni passo.

«TRA GLI ALBERI!» urlò. «SOTTO GLI ALBERI!»

La vegetazione non li avrebbe protetti dall'esplosione di un Hellfire – non c'erano molte cose in grado di farlo –, ma per il Predator sarebbe stato pressoché impossibile vedere attraverso il fitto intrico di rami, quindi non sarebbe riuscito ad agganciare un bersaglio.

Jaeger continuò a correre, di anello in anello: era l'ultimo rimasto sul ponte.

Poi, il secondo missile partì.

Jaeger avvertì lo strattone dell'impatto un istante prima che il sibilo stridente della sua discesa gli trapanasse le orecchie: il missile viaggiava a Mach 1.3, dunque più veloce del suono. Esplose al centro esatto del ponte di liane e la struttura minimale si dissolse in una palla di fiamme ribollenti, mentre schegge affilatissime dello *shrapnel* sfrecciarono nell'aria attorno a lui.

Un istante dopo, Jaeger si sentì cadere.

Con le ultime forze che gli restavano si voltò, afferrando i corrimano di *pyhama*, serrandoli con le braccia e preparandosi all'impatto. Per qualche secondo, la metà del ponte su cui si trovava precipitò in verticale, prima che l'estremità fissata alla parete del precipizio la bloccasse, tirando violentemente quel che restava contro le rocce.

Jaeger tese ogni muscolo, come un blocco d'acciaio.

Colpì la parete di roccia: l'impatto gli strappò la pelle degli avambracci, mentre la sua testa veniva catapultata in avanti.

Sbatté la fronte con un terribile schiocco.

Un'accecante esplosione di stelle gli attraversò il cervello, e un istante dopo il mondo si spense.

49

Jaeger rinvenne.
Gli girava la testa, fitte dolorose gli trapanavano le tempie. Aveva lo sguardo appannato e gli veniva da vomitare.
Lentamente, iniziò a distinguere l'ambiente circostante. Su di lui si stendeva un vasto ombrello verde scuro.
Giungla.
Rami.
In alto.
Come una coperta protettiva.
Che lo schermava dal Predator.
«Spegnete tutto!» urlò. Si sforzò di sollevarsi su un gomito, ma delle mani lo trattennero, bloccandolo. «Spegnete tutto, cazzo! Sta tracciando qualcosa! SPEGNETE TUTTO!»
I suoi occhi folli e iniettati di sangue saettarono da un membro all'altro della squadra, mentre questi cercavano nelle tasche e nelle cinture.
Jaeger ansimò quando un'altra fitta gli attraversò il capo. «PREDATOR!» urlò. «Porta tre Hellfire! Spegnete tutto! SPEGNETELO, CAZZO!»
Mentre urlava e strepitava, i suoi occhi si posarono su una persona, Dale. Era accovacciato sulla riva del fiume, la videocamera poggiata sul ginocchio, l'occhio incollato al mirino mentre filmava la tragedia in corso.
Con uno sforzo erculeo Jaeger si liberò da chiunque lo stesse trattenendo. Balzò in avanti con gli occhi colmi di furore e la faccia coperta di sangue, l'espressione di un folle.

Un urlo gli sgorgò dalla gola come l'ululato di una bestia. «SPEGNI QUELLA CAZZO DI VIDEOCAMERA!»

Dale alzò lo sguardo senza comprendere: il suo mondo era ridotto a quel che veniva catturato dall'obiettivo.

L'istante dopo, William Jaeger gli si gettò addosso con tutti i suoi ottanta chili. Il placcaggio da rugbista li fece rotolare entrambi nella vegetazione, sbalzando la videocamera nella direzione opposta. Rotolò una volta e poi scomparve oltre il ciglio del burrone.

Andò a posarsi su una stretta sporgenza di roccia.

Qualche secondo dopo si sentì un ruggito, come se tutti i cancelli dell'inferno si spalancassero, e un terzo missile sfrecciò verso terra. L'Hellfire numero tre strappò la nebbia conficcandosi nel gradino di roccia su cui era caduta la videocamera. La detonazione spazzò via la stretta sporgenza, polverizzando quel poco di vegetazione che vi cresceva, ma la parete di roccia sovrastante servì a proteggere la squadra di Jaeger dalle conseguenze peggiori dell'esplosione.

L'onda d'urto venne incanalata verso l'alto, una pioggia di *shrapnel* fu proiettata verso il cielo aperto, il rombo assordante rimbalzò da una parte all'altra della vasta distesa del Rio de los Dios.

Quando l'eco si spense, uno strano silenzio si posò sulla gola del fiume. L'odore di roccia riarsa e vegetazione esplosa permeò l'aria, oltre al tanfo asfissiante della combustione del potente esplosivo.

«Hellfire numero tre!» esclamò Jaeger, dal punto del sottobosco in cui era caduto insieme a Dale. «Non dovrebbe averne altri. Ma controllate l'attrezzatura, TUTTA QUANTA, e spegnete ogni cazzo di apparecchio!»

Gli altri si affrettarono ad afferrare gli zaini svuotandoli del loro contenuto.

Jaeger si voltò verso Dale. «La videocamera: indica data, ora e localizzazione, vero? Ha un GPS incorporato?»

«Sì, ma ho chiesto a Kral di disattivarlo su entrambe le unità. Nessun operatore vuole che sul suo girato restino data e ora.»

Jaeger indicò la sporgenza di roccia dove l'apparecchio aveva esalato l'ultimo respiro. «Qualsiasi cosa Kral abbia fatto, quella non era disattivata.»

Gli occhi di Dale si posarono sul suo zaino. «Ne ho una seconda là dentro. Di scorta.»
«Allora resta sotto i rami e accertati che sia spenta!»
Dale si affrettò.
Jaeger si alzò faticosamente in piedi. Stava da schifo – la testa e gli avambracci gli pulsavano per il dolore –, ma aveva problemi ben peggiori da affrontare. Doveva controllare il proprio zaino. Si trascinò verso di esso e iniziò a tirare fuori quel che conteneva. Era certo che tutto fosse spento, ma un errore ormai poteva causare facilmente la morte di tutti.
Cinque minuti dopo aveva completato il controllo.
Nessuno aveva un'unità GPS attiva al momento del lancio degli Hellfire, né un telefono satellitare. Si stavano spostando rapidamente, seguendo il tragitto e il passo degli amahuaca. Nessuno della squadra di Jaeger aveva avuto bisogno di orientarsi, e inoltre si trovavano al di sotto della fitta volta della foresta, dove non vi era alcun segnale satellitare.
Jaeger radunò i suoi. «Qualcosa ha attivato il Predator» annunciò, digrignando i denti per il dolore. «Siamo usciti dalla foresta al margine della Cascate e *bip*! Un segnale è comparso sullo schermo del Predator. Perché accada ci vuole un telefono satellitare, un GPS o qualcosa del genere: qualcosa di immediatamente tracciabile.»
«Ha un sistema a infrarossi» intervenne Alonzo. «Il Predator. Con gli IR può vederci come fonti di calore.»
Jaeger scosse il capo. «Non sotto trenta metri di giungla. E anche se riuscisse a penetrarli – e fidatevi, non può – cosa vedrebbe? Un mucchio di macchie indistinte di calore. Potremmo essere tanto un branco di cinghiali quanto un gruppo di persone. No, ha rintracciato qualcosa: qualcosa che ha inviato un segnale chiaro e istantaneo.»
Jaeger guardò Dale. «Stavi registrando quando ci ha colpiti il primo Hellfire? La videocamera era accesa?»
Dale scosse il capo. «Scherzi? Su quel ponte? Mi stavo cagando addosso.»
«Okay, ragazzi: controllate di nuovo l'equipaggiamento» ordinò Jaeger, con aria cupa. «Guardate nelle tasche laterali degli zaini. Nelle tasche dei pantaloni. In quelle della camicia. Cazzo, nelle mutande persino. Ha tracciato qualcosa. Dobbiamo trovarlo.»

Jaeger si rimise a fugare un'altra volta nello zaino, prima di esaminare le tasche. Le sue dita sfiorarono la superficie liscia del medaglione dei Night Stalker che aveva infilato nei pantaloni. Stranamente, sembrava si fosse piegato – quasi spezzato – durante il caos e la devastazione degli ultimi minuti.

Lo tirò fuori. Immaginò che il medaglione fosse rimasto danneggiato quando la metà del ponte troncato dall'Hellfire l'aveva sbattuto contro la parete di roccia. L'osservò per qualche istante. Sembrava che una crepa minuscola corresse tutt'attorno alla circonferenza. Ci infilò dentro l'unghia, spezzata e insanguinata, ed esercitò una leggera pressione.

Il medaglione si aprì in due con un tintinnio.

All'interno, una delle metà era cava.

Jaeger non riusciva a credere ai propri occhi.

L'interno del medaglione nascondeva una scheda elettronica in miniatura.

50

«La morte attende nel buio.» Jaeger sputò fuori le parole del motto dei Night Stalker, impresso su una faccia del cosiddetto medaglione. «Non c'è da dubitarne, quando hai addosso una di queste.»

Afferrò un sasso, vi posò sopra il "medaglione" col circuito rivolto verso l'alto, poi afferrò un secondo sasso. L'avrebbe ridotto in frantumi, usando le pietre come martello e incudine. Alzò il pugno, pronto a calare il sasso – tutta la rabbia accumulata, la bruciante sensazione di essere stato tradito concentrate sul colpo –, quando una mano lo fermò.

«Non farlo. C'è un modo migliore.» Era Irina Narov. «Ogni sistema di localizzazione ha una batteria. E un pulsante d'accensione.» Prese il congegno e fece scattare un minuscolo interruttore. «Ora è spento. Nessun segnale.» Gli lanciò uno sguardo. «La domanda è: dove l'hai presa?»

Le dita di Jaeger si strinsero attorno al "medaglione" come se potessero sbriciolarlo nel pugno. «Il pilota del C-130. Ci siamo messi a chiacchierare. Ha detto di essere un veterano dei SOAR. Un Night Stalker. Li conosco bene: non esiste unità migliore. Gliel'ho detto.» Si interruppe, cupo. «Lui mi ha regalato il suo medaglione.»

«Dunque, lasciami fare un'ipotesi» suggerì Narov, con la voce gelida e vuota quanto un deserto artico. «Il pilota del C-130 ti ha rifilato un sistema di localizzazione. Questo ormai è chiaro. Noi, io e te, in tandem, siamo stati strattonati durante il salto.

Gli assistenti dell'equipaggio l'hanno fatto deliberatamente, per mandarci in *spin*. In più, hanno allentato il tuo fucile, per destabilizzarci ancora di più.»

Narov fece una pausa. «L'equipaggio del C-130 aveva l'incarico di ucciderci, o di permettere a qualcuno di seguirci. E chiunque ci stia tracciando grazie a quel "medaglione" sta anche provando a ucciderci.»

Jaeger annuì, ammettendo che l'ipotesi di Narov era l'unica che sembrasse minimamente sensata.

«Quindi, chi sta provando a ucciderci?» proseguì la donna. «È una domanda retorica. Non mi aspetto che tu abbia una risposta. Ma al momento, è la domanda da un milione di dollari.»

C'era qualcosa nel suo tono che gli dava sui nervi. A volte riusciva a essere fredda e meccanica come un robot. Era assolutamente sconvolgente.

«Sono lieto che non ti aspetti una risposta» rispose tra i denti. «Perché sai che c'è? Se il pilota del C-130 mi ha nascosto addosso un localizzatore, non ho più la minima idea di chi sia amico, o nemico.»

Indicò gli indigeni. «Praticamente gli unici di cui possa fidarmi al momento sono loro, una tribù amazzonica apparentemente isolata. E per quanto riguarda i nemici, l'unica cosa che so è che hanno degli strumenti niente male a disposizione: un Predator, congegni di localizzazione e Dio solo sa che altro.»

«È stato Carson a ingaggiare l'equipaggio del C-130?» chiese Narov.

«Sì.»

«Allora è un sospetto. Non mi è mai piaciuto, comunque. È uno *Schwachkopf* arrogante.» Lanciò un'occhiata a Jaeger. «Ce ne sono di due tipi. Gli *Schwachkopf* simpatici, e quelli che trovo assolutamente detestabili. Tu sei uno di quelli simpatici.»

Jaeger le lanciò un'occhiataccia. Non riusciva a capirla: stava flirtando con lui, oppure giocava al gatto col topo? A ogni modo, pensò che avrebbe comunque potuto accettare quel risicato complimento.

Alonzo apparve al loro fianco. «Immagino che sia meglio chiamare l'HAV» suggerì l'imponente afroamericano. «L'Airlander. Stanno sorvegliando costantemente la zona, giusto? Ormai devono aver iniziato a farlo, no? Chiedi loro cos'hanno visto.»

«Dimentichi una cosa» obiettò Jaeger. «Se faccio una chiamata, ci becchiamo un Hellfire su per il culo.»

«Invia dati» suggerì Alonzo. «In modalità *burst*. Il Predator ci mette novanta secondi per individuare, localizzare e agganciare un obiettivo, in *burst* i dati vengono trasmessi in un battito di ciglia.»

Jaeger ci rifletté un secondo. «Sì, immagino che possa funzionare.» Osservò il bordo del precipizio. «Ma lo farò là fuori. Io stesso. Da solo.»

Accese il proprio Thuraya. Digitò un breve messaggio, rassicurato dal fatto che si sarebbe collegato al satellite per inviarlo solo quando si fosse trovato all'aperto.

Il messaggio diceva: "Griglia 964864. Com intercettate. Squadra attaccata: Hellfire. Ricerca drone? Com solo con dati *burst* criptati. Cos'avete visto, Airlander? Chiudo".

Si avvicinò al ciglio delle rapide.

Uscì da sotto il fogliame tenendo il Thuraya a un braccio di distanza, osservando le icone del satellite che comparivano sullo schermo. Nell'istante in cui ottenne un segnale utile il messaggio partì; spense l'apparecchio e tornò in fretta al riparo della giungla.

Jaeger e i suoi attesero tra le ombre; la tensione si tagliava col coltello mentre contavano i secondi. Passò un minuto: nessun Hellfire. Due minuti: ancora nessun attacco missilistico.

«Tre minuti, amico» bofonchiò infine Alonzo «e ancora nessun Hellfire. La modalità *burst*, a quanto pare, fa al caso nostro.»

«Già» confermò Jaeger. «E ora?»

«Per prima cosa, permetti che mi occupi della tua testa.» Era Leticia Santos. «È troppo bella per lasciare che resti ferita e malconcia.»

Jaeger acconsentì, lasciando che Santos facesse quel che doveva. Gli ripulì le abrasioni sulle braccia, applicandovi della tintura di iodio, dopodiché gli avvolse una spessa garza attorno alla fronte.

«Grazie» le disse lui quand'ebbe finito. «Sai una cosa: dal punto di vista medico, sei un notevole miglioramento rispetto ai soliti soldati pelosi cui sono abituato.»

Si avvicinò a Puruwehua, spiegandogli in un paio di minuti quanto fosse successo. Pochi tra gli indios avevano la minima idea di cosa potessero essere gli Hellfire. La morte che piomba dal cielo così poteva essere un fulmine scagliato dai loro dèi. Solo Puruwehua – che aveva visto un mucchio di film di guerra – sembrava avere una minima comprensione dei fatti.

«Spiega ai tuoi cosa significa» gli disse Jaeger. «Voglio che capiscano appieno cosa dovranno combattere. Contro i Predator, cerbottane e frecce sono inutili. Se decideranno di tornare indietro, non potrò certo biasimarli.»

«Ci hai salvati sul ponte» replicò lui. «Dobbiamo ripagare il nostro debito. Le nostre donne ci mandano a combattere con un motto. Si potrebbe tradurre come "ritorna vittorioso, o morto". Sarebbe un grave disonore far rientro al villaggio senza aver meritato né la gloria né la morte. Non c'è dubbio: siamo con te.»

Gli occhi di Jaeger scintillarono di sollievo. Sarebbe stato un colpo durissimo perdere gli indios in quel momento. «Bene, sono curioso. Dimmi: come sono sopravvissuto alla caduta dal ponte?»

«Hai perso conoscenza, ma le tua braccia sono rimaste attorcigliate al *pyhama*.» Puruwehua guardò verso suo fratello. «Mio fratello e io ci siamo calati per recuperarti. Ma è stato Gwaihutiga che infine ti ha liberato e tirato in salvo.»

Jaeger scosse il capo, stupefatto. La modestia sincera nelle parole dell'indigeno mascherava quel che aveva dovuto essere un momento di puro terrore ed eroismo.

Guardò il giovane guerriero amahuaca, perché ormai Puruwehua era ben più di un interprete ai suoi occhi. «Quello che mi stai dicendo, Puruwehua, la rana con più palle dell'intera foresta, è che il debito è reciproco.»

«Lo è» confermò lui semplicemente.

«Ma perché Gwaihutiga?» chiese Jaeger. «Voglio dire, era quello che più di tutti ci voleva uccidere.»

«Mio padre ha deciso altrimenti, *Koty'ar*»

«*Koty'ar*?»

«*Koty'ar*: è così che mio padre ti ha chiamato. Significa "il compagno costante", "l'amico che è sempre al tuo fianco".»

Jaeger scosse il capo. «Direi piuttosto che sei tu un *Koty'ar* per noi.»

«La vera amicizia va in entrambe le direzioni. E, agli occhi di Gwaihutiga, ora sei uno della nostra tribù.» Puruwehua lanciò una rapida occhiata a Narov. «Così come la *ja'gwara*, e il piccolo uomo del Giappone, e il Grande Barbuto della tua squadra.»

Per Jaeger fu una lezione di modestia. Percorse la breve distanza che lo separava da Gwaihutiga. Il guerriero amahuaca si alzò in piedi quando gli si fece incontro. I due si avvicinarono, faccia a faccia, ciascuno più o meno della stessa altezza e corporatura. Jaeger porse la mano a Gwaihutiga in un gesto di sincera gratitudine.

L'indio osservò la mano di Jaeger per un istante, poi sollevò lo sguardo verso il suo volto, gli occhi uno scuro lago di nulla. Illeggibili. Di nuovo.

Per un lungo momento Jaeger temette che il gesto fosse stato rifiutato. Ma poi Gwaihutiga si fece avanti, prese entrambe le mani di Jaeger e le serrò nelle sue.

«*Epenham, koty'ar*» proclamò. «*Epenham*.»

«Significa "benvenuto"» spiegò Puruwehua. «"Benvenuto all'amico che è sempre al nostro fianco."»

Jaeger sentì un'ondata di emozioni montargli nello stomaco. Momenti simili, lo sapeva, erano rari. Si trovava di fronte a un capo guerriero di una tribù che praticamente non aveva mai avuto contatti con l'esterno, un guerriero che aveva rischiato la vita per salvare un completo sconosciuto, per giunta straniero. Jaeger strinse Gwaihutiga in un rapido abbraccio, poi si scostò.

«Allora, ragazzi, ditemi: qualche idea su come andarcene da qui?» chiese, non sapendo cos'altro dire. «Ora che il ponte di corda è stato fatto saltare?»

«È di questo che abbiamo discusso» intervenne Puruwehua. «Non c'è modo di attraversare il fiume e scendere da quella parte. L'unica alternativa è il sentiero che avevi deciso di usare all'inizio. Ma sarà una deviazione di tre giorni, forse anche più. Raggiungeremo l'obiettivo dopo quelli che stiamo provando a battere.»

«Allora non c'è tempo da perdere» intervenne Alonzo. «Cristo, ci faremo tutta la strada di corsa se sarà necessario. Mettiamoci in marcia.»

Jaeger alzò una mano, invocando silenzio. «Un secondo. Un attimo solo.»

Guardò i volti allineati davanti a lui con un sorriso folle sul volto. Nelle forze speciali si dava sempre per scontata la possibilità di fare ricorso a metodi non ortodossi e inattesi pur di fregare il nemico. Bene, Jaeger stava per lanciarsi in un fuori programma spettacolare.

«Al nascondiglio abbiamo i paracadute, giusto?» annunciò. «Dieci.» Una pausa. «Nessuno di voi ha mai provato il *base-jumping*?»

«Qualche volta» si fece avanti Joe James. «Quasi lo stesso sballo di un tiro di pipa amahuaca!»

«L'ho fatto anch'io» confermò Leticia Santos. «Eccitante, ma mai quanto danzare al *Carnaval*. Perché?»

«Il *base-jumping* praticamente è la versione breve di un HAHO da trentamila piedi, solo che si salta da una parete di roccia o da un grattacielo, e non dalla rampa di un C-130, e si ha un brevissimo intervallo per aprire il paracadute.»

Un'incontenibile esaltazione gli bruciava negli occhi. «È questo che faremo: recupereremo i paracadute dal nascondiglio e ci lanceremo dalle Cascate del Diavolo.»

Ci volle qualche istante perché gli altri comprendessero appieno le sue parole. Fu Hiro Kamishi a sollevare la prima – assolutamente comprensibile – obiezione.

«E gli amahuaca? Puruwehua, Gwaihutiga e i loro fratelli guerrieri? Non sarebbe... saggio lasciarli indietro.»

«Siamo in sette, quindi abbiamo tre paracadute in più. E possiamo portarne giù qualcuno in tandem.» Jaeger guardò Puruwehua. «Hai mai voluto volare? Come quell'aquila che mi hai mostrato, il *topena*, giusto? Il grande falco bianco che può rubare un pollo?»

«Il *topena*» confermò Puruwehua. «Ho volato in alto quanto il *topena* dopo aver sniffato il *nyakwana*. Ho volato sopra vasti oceani e fino a montagne lontane, ma si trattava di montagne della mente.»

«Ne sono certo» disse Jaeger, entusiasta. «Ma oggi, ora, imparerai a volare per davvero.»

Lo sguardo di Puruwehua rimase impassibile, privo della minima traccia di paura. «Se è l'unico modo per scendere, e il più rapido, salteremo.»

«Possiamo di sicuro portare giù sette di voi, forse di più se qualcuno si lancia in solitaria» spiegò Jaeger. «E almeno in questo modo abbiamo una possibilità di raggiungere il relitto per primi.»

«Salteremo» annunciò semplicemente Puruwehua. «Chi non è in grado scenderà per la via più lunga, il sentiero, e da là inseguirà e attaccherà la Forza Oscura. Così, li colpiremo su due fronti.»

Gwaihutiga pronunciò qualche parola, sottolineata dai movimenti della sua arma. «Mio fratello maggiore dice che dopo quel che è successo oggi vi seguiremo ovunque, persino dall'altra parte delle cascate» tradusse Puruwehua. «E ha usato un nuovo nome per te: *Kahuhara'ga*. Significa "il cacciatore".»

Jaeger scosse il capo. «Grazie, ma qui nella giungla siete voi i veri cacciatori.»

«No, credo che Gwaihutiga abbia ragione» intervenne Narov. «Dopotutto, Jaeger in tedesco vuol dire "cacciatore", no? E oggi, qui, nella giungla, quel nome ti è stato dato una seconda volta, da un guerriero amahuaca che forse nemmeno conosce il significato dell'originale. Deve significare qualcosa.»

Jaeger alzò le spalle. «Bene, ma al momento mi sento più una preda. Preferirei evitare qualunque scontro con i nostri avversari, il che significa arrivare all'aereo per primi, e c'è solo un modo per farlo.» Guardò in direzione delle cascate. «Quindi, mettiamoci in marcia.»

«Potrebbe esserci un problema» azzardò Narov. «Il lancio non è un problema, l'atterraggio invece... Non ho alcuna voglia di restare di nuovo appesa ai rami, a farmi mangiare viva dai *Phoneutria*. Dove hai intenzione di atterrare?»

In risposta, Jaeger guidò il gruppo verso il ciglio della Cascate del Diavolo.

Guardò il precipizio, indicando verso il basso. «Vedete? Quel laghetto strappato alla giungla in fondo alla cascata? Quando stavamo pianificando il viaggio l'abbiamo preso in considerazione come un punto d'atterraggio alternativo. L'abbiamo scartato per una serie di ragioni, ma al momento non abbiamo altre opzioni: è là che atterreremo.

«Una delle ragioni per cui l'abbiamo scartato» continuò Jaeger «è che pensavamo potesse essere pieno di caimani. Ce ne sono, Puruwehua? Caimani? In quel laghetto in fondo alla cascata?»

Puruwehua scosse il capo. «No. Niente caimani.»

Jaeger lo fissò. «Ma c'è qualcos'altro, non è vero?»

«Ci sono *piraihunuhua*. Come li chiamate? Pesci neri che mangiano pesci più grandi. A volte anche grossi animali.»

«Piranha?»
«Piranha» confermò Puruwehua. Rise: «Non ci sono caimani per via dei piranha».
«Cristo, io odio quei cavolo di pesci» sbottò Alonzo. «Li odio. Dobbiamo saltare da un dirupo, volare giù per una cascata, atterrare in un fiume e farci divorare vivi dal pesce più pericoloso al mondo. Un classico, Jaeger.»
Gli occhi di Jaeger si illuminarono. «Oh, no, non succederà. Restatemi vicini e atterrate nello stesso punto: ce la caveremo senza problemi. Tutti. Non perdete tempo: non è comunque il momento migliore per farsi un bagno. Ma fidatevi, possiamo farcela.»
Jaeger guardò uno per uno i membri della sua squadra. I visi che a loro volta lo fissavano erano velati di sudore e sporco, segnati dai morsi degli insetti, scavati dallo stress e dalla fatica. I suoi occhi si posarono sul cameraman. Dale, l'unico a non essere un ex militare, sembrava in possesso di riserve nascoste di energia, oltre che di coraggio e determinazione.
Incredibilmente, nulla ancora pareva averlo abbattuto.
«La videocamera di riserva» disse Jaeger. «Controlliamo se la funzione data, ora e localizzazione è disabilitata. Dopo, voglio che tu la accenda. Voglio che filmi tutto questo. E voglio che registri tutto quel che puoi, d'ora in avanti. Voglio che ogni cosa sia documentata, in caso accada il peggio.»
Dale alzò le spalle. «Immagino che tu salterai per primo. Inizierò a riprendere quando ti lancerai dalle Cascate del Diavolo.»

51

Jaeger si trovava sul ciglio del precipizio.

Alle sue spalle, la sua squadra si era radunata vicino a lui. A sinistra e più in basso un enorme volume d'acqua ribolliva oltre il margine delle Cascate, e sotto i suoi piedi la roccia era bagnata e scivolosa. Guardando verso il muro d'acqua in caduta, sembrava che la terra stessa si stesse muovendo.

Voltandosi verso il nulla, non vide altro che una massa vorticante di nebbia e vapore acqueo e un'intensa folata di calda aria tropicale che saliva verso l'alto.

E poi c'era Puruwehua, strettamente legato al suo corpo, per il tandem.

Tutti i membri originari della squadra di Jaeger avrebbero saltato in tandem, con un guerriero amahuaca legato addosso.

Joe James – uno dei più forti di loro, e il più esperto di *base-jumping* – avrebbe eseguito il breve lancio con in più il peso extra di un kayak ripiegato. Narov aveva avuto un'ottima idea sull'uso che avrebbero potuto farne una volta saltate le Cascate del Diavolo.

Poiché stava filmando, Dale si sarebbe lanciato per ultimo. Non essendo un militare, era il paracadutista meno esperto, e dovendo registrare ogni salto il suo compito era alquanto arduo. Per renderglielo più semplice, Jaeger aveva suggerito che fosse l'unico a lanciarsi in solitaria.

Jaeger si sporse nel vuoto, spingendo avanti a sé Puruwehua. Un'ultima pausa, un respiro profondo, e poi sospinse entrambi oltre il punto di non ritorno, e insieme affrontarono il balzo.

Come aveva previsto, non c'era bisogno di saltare molto dalla punta di roccia su cui si trovavano. La sporgenza era notevole, e Jaeger era riuscito a mantenerli stabili durante il lancio. Ciononostante, bisognava rendere merito a Puruwehua di non essersi fatto prendere dal panico rischiando di mandarli in *spin*. La sua calma mentalità da guerriero era venuta alla ribalta.

Mentre i loro corpi acceleravano, la corrente di aria calda e umida li afferrò spingendoli lontano dalla parete rocciosa verso la massa vorticante di bianco opaco.

"Duemila, tremila..." contò Jaeger mentalmente. «E APRI!»

Aveva preparato lui stesso il BT80, il che non era certo l'ideale, e per un momento pensò che la vela non si fosse aperta, nel qual caso lui e Puruwehua si sarebbero ritrovati ben presto molto bagnati e molto morti. Ma poi sentì il consueto strattone della vela di seta che si gonfiava d'aria sulle loro teste, mentre tutti i pannelli del paracadute si aggrappavano all'atmosfera calda e umida.

L'acqua in caduta gli rombava nelle orecchie, quando lui e Puruwehua vennero strattonati per le spalle e si trovarono a ondeggiare nell'appiccicoso bianco umido a trenta metri sotto il ciglio della cascata.

Per un istante Jaeger si trovò a fissare un muro con i colori dell'arcobaleno, dove gli schizzi dell'acqua colpivano i raggi del sole. Poi quel momento passò, Jaeger voltò le spalle alle cascate e si girò verso la giungla aperta.

Con i comandi virò verso destra, facendo compiere al paracadute una serie di lenti movimenti circolari ma badando a evitare la massa di acqua bianca che precipitava accanto a loro.

Se l'avessero colpita, avrebbe fatto collassare il paracadute e per lui e Puruwehua sarebbe stata finita.

Discese a spirale verso il laghetto. Piranha. Non c'erano molte cose che spaventassero Jaeger, ma farsi fare a pezzi da un esercito di pesci con le fauci nere e aguzze era una di quelle. In relazione alle dimensioni, il morso dei piranha era più possente di quello di un *Tyrannosaurus Rex*, e tre volte più forte di quello di un caimano.

Controllò per un istante il cielo sopra di lui. Contò quattro vele già in volo, e una quinta coppia di figure che si lanciava dalla parete rocciosa. La squadra stava scendendo ordinatamente, proprio come voleva.

Guardò in basso.

L'acqua era ormai a circa centoventi metri e si avvicinava rapidamente.

Aprì la tasca del gilet tattico e le sue dita si strinsero sull'acciaio freddo della granata.

Durante i tre anni perduti che aveva trascorso a Bioko, Jaeger aveva imparato alla perfezione la poco apprezzata abilità di ammazzare il tempo. Uno dei modi che aveva trovato era stato fare ricerche sul destino della *Duchessa*, la misteriosa nave cargo della Seconda guerra mondiale che la Gran Bretagna a quanto pareva aveva tentato di catturare a ogni costo.

Un altro modo di ammazzare il tempo era stato dedicarsi alla pesca.

Solitamente lo faceva insieme ai barcaioli del villaggio di Fernao, anche se loro non usavano molto spesso le lenze e le reti tradizionali. Il loro metodo preferito per prendere i pesci era la dinamite. Era nocivo per la fauna e l'ecosistema, ma innegabilmente efficace per catturare le prede, o meglio, per farle saltare fuori dall'acqua.

Jaeger estrasse la granata dalla tasca, rimosse l'anello della spoletta con i denti tenendo ancora premuta la leva di sicurezza contro il guscio di metallo. Doveva ringraziare il colonnello Evandro per le poche granate che aveva a disposizione, anche se non aveva immaginato di usarne una in quel modo.

Quando valutò che tempo e distanza fossero giusti, la lasciò cadere facendo scattare la leva.

Ora era innescata e stava precipitando verso la base della cascata. Sarebbe esplosa nel giro di sei secondi, quando, secondo i calcoli di Jaeger, si sarebbe trovata tre metri o più sott'acqua.

La granata colpì il lago, gli anelli dell'impatto si sparsero sulla superficie. Un paio di secondi dopo esplose, lanciando in alto uno schizzo di acqua bianca che ricadde schiantandosi sulla superficie ribollente.

Mentre virava verso il cuore dell'esplosione, Jaeger ebbe appena il tempo di lanciare una seconda granata. Il suo istruttore una volta gli aveva detto che EP (esplosivo plastico) stava per "Esagerate Pure", nel caso fossero stati in dubbio su quanto usarne per un lavoro.

La seconda granata esplose, e questa volta lo schizzo di

schiuma sfiorò i piedi di Jaeger e Puruwehua. Riusciva già a vedere dei pesci tramortiti che galleggiavano sulla superficie con il ventre in alto. Pregò con tutte le forze che il piano funzionasse.

I suoi scarponi toccarono l'acqua e nello stesso istante Jaeger sbloccò gli agganci liberandosi dell'imbracatura e sganciando allo stesso tempo Puruwehua. Alla sua sinistra vide Irina Narov colpire l'acqua, alla sua destra, Leticia Santos. Alonzo arrivò qualche istante dopo davanti a lui, mentre Kamishi atterrò alle sue spalle. Ciascuno di loro era legato in tandem a un guerriero amahuaca.

Cinque atterrati, dieci, contando gli indigeni.

Era il momento di portarsi a riva.

Dopo aver studiato accuratamente l'acqua dal punto d'osservazione sopraelevato, Puruwehua aveva indicato a Jaeger il punto esatto a cui mirare. Aveva scelto un punto vicino a un *evigwa*, una zona dove una lingua di terra si protendeva nel fiume, terminando con una netta discesa vero l'acqua profonda.

Qualche colpo possente con braccia e gambe e Jaeger arrivò a terra. Si sollevò a riva e si voltò per guardarsi alle spalle. Sempre più pesci inerti stavano affiorando in superficie, e la sua squadra, compresi gli indigeni, stava nuotando verso la sponda.

Sopra di lui, l'inconfondibile sagoma di Joe James stava scendendo a spirale, il penultimo paracadutista. James era legato a Gwaihutiga e in più al kayak che, ripiegato, pendeva legato a una corda sotto di lui. La canoa toccò per prima l'acqua, seguita da James e dall'indio; anche loro si slegarono e si spostarono verso riva, con James che si trascinava dietro il kayak.

Mancava solo Dale.

Era rimasto in alto a filmare tutti i lanci, finché l'ultimo non aveva saltato. Poi spense la videocamera, la infilò in una sacca ermetica per tenerla asciutta e al sicuro e la ficcò in fondo allo zaino.

Jaeger osservò Dale mentre saltava, apriva il paracadute e iniziava a scendere lentamente verso la superficie del lago.

D'improvviso, si udì un grido d'allarme. «*Purug!* I pesci! Saltano!»

Era Puruwehua. Jaeger guardò il punto che stava indicando: una scintillante forma nera attraversò la superficie balzando in alto. Tra lo scintillio dell'acqua Jaeger intravide la bocca spalancata, la doppia fila di denti serrati e spaventosi, sotto agli occhi sgranati e neri come la morte.

Sembrava uno squalo in miniatura, con la testa a proiettile e l'aria crudele, un corpo possente e le mascelle pesantemente armate. Un istante dopo, il fazzoletto d'acqua in cui Jaeger e i suoi erano atterrati iniziò ad agitarsi e ribollire.

«*Piraihunuhua!*» urlarono gli indigeni.

A Jaeger non serviva l'avvertimento: riusciva a vedere i piranha neri che si accanivano sui pesci morti o morenti portati in superficie dall'esplosione. Ce n'erano centinaia, e Dale stava per finire dritto in mezzo a loro.

Per una frazione di secondo Jaeger pensò di lanciare una terza granata, ma Dale era troppo in basso e sarebbe stato travolto dall'esplosione.

«Piranha!» gli urlò Jaeger. «PIRANHA!» Picchiò con le braccia sull'acqua ai suoi piedi. «Atterra qui! Qui! Ti tireremo su!»

Per un istante terribile temette che Dale non l'avesse sentito, e che sarebbe caduto nel mezzo della carneficina, nel qual caso il suo corpo sarebbe stato spolpato in pochi secondi.

All'ultimo momento Dale virò bruscamente a sinistra – troppo bruscamente – e sfrecciò verso il punto in cui si trovavano Jaeger e gli altri. Si avvicinò troppo velocemente e con un angolo sbagliato: il paracadute finì per colpire le cime degli alberi che si protendevano sul fiume.

I rami più alti si spezzarono per via dell'impatto e Dale rimase bloccato, ondeggiando avanti e indietro sopra l'acqua.

52

«Tiriamolo giù!» esclamò Jaeger.

Le sue parole vennero sopraffatte da uno schiocco esplosivo sulle loro teste: il ramo principale che reggeva Dale si spezzò in due. Il cameraman precipitò, il paracadute si strappò e qualche istante dopo finì in acqua.

«Tiratelo a riva!» urlò Jaeger. «A RIVA!»

Dale scorse tutt'attorno a sé delle possenti ombre nere che sfrecciavano avanti e indietro subito sotto la superficie del laghetto. Sarebbe bastato un solo morso e il gusto del sangue, e i piranha avrebbero compreso che era una preda. Un segnale avrebbe attraversato l'acqua raggiungendo l'intero branco: "venite a mangiare, venite a mangiare!".

Alonzo e Kamishi erano i più vicini. Si tuffarono.

Quando colpirono l'acqua, Dale lanciò un urlo di terrore. «Merda! Merda! Merda! TIRATEMI FUORI! TIRATEMI FUORI!»

Un paio di bracciate e Alonzo e Kamishi afferrarono Dale per l'imbracatura e lo trascinarono verso la riva. Lo issarono fuori dall'acqua, mentre i suoi occhi erano spalancati per il terrore, e il dolore.

Jaeger si chinò a esaminarlo. Era stato morsicato in più punti. Era bianco come un fantasma, soprattutto per lo shock. Jaeger non poteva biasimarlo: qualche secondo di più e sarebbe stato divorato. Chiese a Leticia Santos di darsi da fare col kit medico, mentre Alonzo e Kamishi verificavano i danni.

«Cristo! Quei cazzo di pesci mi hanno morso il culo!» si

lamentò Alonzo. «Voglio dire, che genere di pesci fa una roba del genere?»

Joe James si accarezzò la barba imponente. «Piranha, amico. Non tornare più in acqua. Ora che ti hanno assaggiato ti sentirebbero arrivare.»

Kamishi sollevò lo sguardo dal punto della coscia che si stava ispezionando. «Mi piacerebbe sapere se sono gustosi quanto loro ritengono che lo sia io.» Lanciò un'occhiata a Jaeger. «Vorrei prenderne uno e mangiarlo, preferibilmente con del *wasabi*.»

Jaeger non riuscì a trattenere un sorriso. Malgrado tutto, il morale del gruppo sembrava ancora alto. Anche se erano stati inseguiti da un Predator e attaccati dai piranha, erano ancora concentrati sull'obiettivo e pronti a lottare.

Passò al punto seguente del piano. «Narov, James: prepariamo la barca.»

Insieme, i tre spiegarono il kayak, lo gonfiarono e lo misero in acqua. Vi caricarono qualche sasso come zavorra e i paracaduti ancora piegati per dargli volume. Infine Narov vi gettò dentro il suo zaino e l'arma, e poi salì a bordo.

Stava per dare il primo colpo di pagaia verso il punto in cui il Rio de los Dios si infilava nella fitta parete di giungla, quando si voltò verso Jaeger. Osservò la sciarpa che si era messo al collo, con la scritta *Carnaval*.

«Mi serve qualcosa in cui avvolgerlo» commentò. «Il localizzatore. Per proteggerlo dagli impatti. È delicato, ci vuole un'imbottitura.» Tese la mano verso la sciarpa. «Quella è una decorazione inutile, ma è perfetta per i miei scopi.»

Jaeger scosse il capo. «Niente da fare, temo. Leticia mi ha detto che è un portafortuna. "Perdi la mia sciarpa, mio caro, e porterà sfortuna a tutto il gruppo." L'ha detto in portoghese, quindi probabilmente te lo sei perso.»

Narov sbuffò, e lo sbuffo si trasformò in un broncio.

Jaeger ne fu soddisfatto. La stava punzecchiando. Stava riuscendo a innervosirla, il che, pensava, era l'unico modo per iniziare a risolvere l'enigma rappresentato dalla russa.

C'erano molte cose in lei che non tornavano: lo strano attaccamento al coltello della Seconda guerra mondiale, il suo tedesco fluente, l'apparente conoscenza enciclopedica di ogni cosa riguardante i nazisti, l'odio viscerale per il retaggio di Hitler, per non parlare della sua apparente incapacità di comprendere le emozioni e di entrare in empatia con gli altri. In un modo o nell'altro, Jaeger era deciso a scoprire quale intento l'animasse.

Senza una parola di saluto lei si voltò, scontrosa, e affondò la pagaia nell'acqua infestata di piranha.

Una volta che si fu allontanata, con la corrente che stava iniziando a strattonare e tirare il kayak, puntò verso la riva. Scesa dalla canoa, estrasse il finto medaglione dei Night Stalker dalla tasca, accese il localizzatore GPS e incollò le due parti con del nastro adesivo nero.

Poi infilò il "medaglione" in una sacca impermeabile Ziploc, la infilò in uno degli scompartimenti sicuri del kayak e riportò l'imbarcazione verso la corrente.

Per un secondo esitò.

Un'idea – un'ispirazione fulminante – le balenò negli occhi. Frugò nel suo zaino e recuperò uno dei piccoli cellulari prepagati che teneva nella sua sacca miracolosa. Ne aveva diversi, in caso di estrema necessità, per le comunicazioni d'emergenza nel caso fosse stata costretta a mettersi in fuga.

Lo accese e infilò anche quello nella sacca, insieme al localizzatore. Dubitava che ci fosse un ripetitore nel raggio di migliaia di chilometri dal punto in cui si trovavano, ma forse non aveva importanza. Magari la semplice ricerca del segnale sarebbe stata sufficiente perché venisse individuato, localizzato e agganciato.

A quel punto, spinse il kayak lontano dalla riva.

La corrente lo afferrò trascinandolo via in pochi secondi. Con il guscio a tre strati, le sei camere d'aria e le sacche gonfiabili, sarebbe rimasto a galla qualunque cosa gli fosse capitata durante la discesa. Avrebbe potuto anche ribaltarsi o finire tra le rocce, ma avrebbe comunque proseguito il suo viaggio, e l'unità di localizzazione avrebbe di conseguenza continuato a inviare la sua segnalazione.

Narov si mise lo zaino in spalla, afferrò l'arma e iniziò a tornare verso il resto della squadra, attenta a tenersi lontana dall'acqua e al riparo della giungla.

Dieci minuti dopo era a fianco di Jaeger.

«Fatto» annunciò. «Da qui il Rio de los Dios curva verso nord. Il nostro percorso punta verso sud. Mandare il localizzatore in quella direzione ci aiuterà a confondere i nemici.»

Jaeger la fissò. «Chiunque essi siano.»

«Sì» gli fece eco lei «chiunque essi siano.» Una pausa. «Ho aggiunto un tocco finale di mia iniziativa. Un cellulare, l'ho messo a bordo della canoa. Immagino che anche senza campo possa essere rintracciato.»

Jaeger si concesse un sorriso. «Ben fatto. Speriamo che funzioni.»

«Lupo Grigio, qui Lupo Grigio Sei» cantilenò una voce. «Lupo Grigio, Lupo Grigio Sei.»

L'uomo era chino sullo stesso apparecchio radio, nascosto nella stessa tenda militare posizionata sulla stessa pista d'atterraggio improvvisata. Tutt'attorno c'erano i margini irregolari della giungla, una fila di elicotteri neri senza marcature lungo la pista, montagne scure e incombenti su ogni lato.

«Lupo Grigio Sei, qui Lupo Grigio» confermò una voce.

«Signore, li abbiamo persi per circa un'ora. Il localizzatore si è scollegato.» L'operatore radio osservò il monitor di un laptop. Mostrava una mappa generata al computer della Serra de los Dios, con diverse icone che punteggiavano lo schermo. «Sono ricomparsi ai piedi delle Cascate del Diavolo, stanno seguendo il fiume attraverso la giungla.»

«Il che significa?»

Sono riusciti a discendere le cascate. Si stanno muovendo sull'acqua, presumibilmente su una canoa, ma sono diretti a nord. L'aereo si trova a sud rispetto alla loro posizione.»

«Il che significa?»

L'uomo alzò le spalle. «Signore, stanno andando nella direzione sbagliata. Non so perché. Ho inviato un Predator verso la loro posizione, non appena avremo un contatto visivo con la loro imbarcazione manderemo le riprese video. Se sono loro, sarà là che li finiremo.»

«Che vuoi dire con "se sono loro"? Chi altri potrebbe essere?»

«Signore, non c'è nessun altro in movimento su quel tratto d'acqua. Non appena avremo il segnale video avremo la conferma definitiva e li annienteremo.»

«Era ora. Adesso mostrami le immagini dell'ultima azione. L'attacco al ponte.»

«Sì, signore.» Premette la tastiera del laptop, e una nuova immagine apparve sullo schermo.

Partirono i fotogrammi sgranati di una ripresa video: quel che il Predator aveva registrato del recente attacco con gli Hellfire. Il primo missile colpì il ponte di corda. Le immagini si disfecero in una confusione di pixel, prima di tornare a stabilizzarsi: per un istante, il volto dell'unica persona rimasta sul ponte venne catturato dall'obiettivo.

«Torna indietro» ordinò la voce. «Quell'uomo: fai un fermo-immagine. Vediamo con chi abbiamo a che fare.»

«Sì, signore.» L'operatore obbedì, bloccando subito il video e zoomando sul volto.

«Seleziona i fotogrammi attorno a quel momento.» La voce si era fatta più dura e intensa. «Fammeli avere su un canale sicuro. Entro un minuto, per favore.»

«Sì, signore» confermò l'operatore.

«E, Lupo Grigio Sei... Gradirei che la prossima comunicazione fosse "Missione compiuta". Chiaro? Non mi piace aspettare, né venire ripetutamente deluso.»

«Ricevuto, signore. La prossima volta il Predator non fallirà.»

«E ricorda, quell'aereo non ha mai volato. Non è nemmeno mai esistito. Dovete eliminarne ogni traccia, ovviamente, dopo aver recuperato quello che stiamo cercando.»

«Ricevuto, signore.»

L'operatore chiuse la comunicazione.

L'uomo – nome in codice Lupo Grigio – si abbandonò sulla poltrona, assorto nei suoi pensieri. Osservò la foto sulla scrivania. Tra lui e l'uomo di mezza età col completo gessato – lo sguardo arrogante, sicuro, che comunicava un potere assoluto – c'era più di una vaga somiglianza.

Non era difficile immaginare che fossero padre e figlio.

«Si stanno rivelando particolarmente difficili da ammazzare» mormorò, come se stesse parlando all'uomo nella cornice.

Un messaggio comparve nella posta in arrivo sul computer. Era la mail da Lupo Grigio Sei. Cliccò sull'allegato e il fermo-immagine del volto di William Jaeger apparve sullo schermo, con lo sguardo rivolto in alto.

L'uomo l'osservò per un lungo istante, studiando attentamente l'immagine sgranata. Si fece scuro in volto.

«È lui» mormorò. «Deve esserlo.»

Le sue dita batterono sulla tastiera, aprendo un account di posta privato. Iniziò a scrivere con rabbiosa foga.

Ferdy,
c'è una cosa che mi preoccupa. Ti manderò delle immagini. Il volto di uno degli obiettivi nei pressi dell'*Adlerflug Vier*. Sembra inquietantemente familiare. Temo che sia William Jaeger.
Hai detto che i tuoi di base a Londra l'avevano colpito. Hai detto di averlo lasciato in vita "per torturarlo con la perdita della sua famiglia". Sono un sostenitore della vendetta, *Herr Kamerade*. Anzi, con gente come Jaeger, la vendetta non è mai troppo tempestiva.
Comunque, sembra che al momento si trovi in Amazzonia alla ricerca del nostro aereo. Speriamo che non abbia raccolto il testimone di suo nonno.
Jaeger senior, come sai, ci ha causato un'infinità di fastidi.
L'esperienza mi ha insegnato a non credere nelle coincidenze. Manderò le immagini.
Wir sind die Zukunft.
HK

Premette "invio".
Il suo sguardo tornò alle immagini sullo schermo, ma era assorto nei propri pensieri: gli occhi erano cupi, pozzi di inchiostro nero che risucchiavano tutta l'energia, tutta la vita.

53

La foresta scintillava di mille gocce.

Tutt'attorno si udiva il rumore d'acqua che cadeva, scorreva, sgorgava. Con le nuvole basse e furiose sugli alberi e la pioggia fitta e scrosciante, ancor meno luce raggiungeva il suolo.

Il primo fronte della tempesta proveniente dalle montagne aveva fatto calare la temperatura dell'aria. Dopo diverse ore di pioggia torrenziale, il suolo era fradicio, scuro e molle, e faceva straordinariamente freddo.

Jaeger era bagnato fradicio, ma la situazione non gli dispiaceva. Mentre le gocce gli cascavano dalla tesa del cappello, ringraziò silenziosamente. Puruwehua l'aveva avvisato che sarebbe stata una *kyrapo'a* – pioggia fitta che avrebbe continuato per giorni – e non uno dei molti altri tipi di pioggia tipici di quella regione.

C'era la *kyrahi'vi*, una pioggia leggera che passava rapidamente, l'*ypyi*, battente e spinta dal vento, *kyma'e*, che durava più di un giorno, dopo di che il caldo tornava rapidamente, *kypokaguhu*, una pioggerellina leggera, intermittente, poco più che nebbia, *japa*, pioggia e sole insieme, a creare un arcobaleno permanente, e tanti altri tipi.

Chiunque passi le selezioni delle forze speciali britanniche diventa un esperto di pioggia. Le montagne meridionali del Galles – i Bracon Beacons – sono una massa brulla e selvaggia, spazzata dal vento, in cui sembra piova trecentosessantaquattro giorni l'anno. In realtà, a quanto Jaeger ricordava, su quei monti proibitivi c'erano più tipi di pioggia che nella giungla amazzonica. Era felice del fatto che la pelle umana è per lo più impermeabile.

Ma questa, aveva concluso Puruwehua, era senz'altra *kyrapo'a*: pioggia ininterrotta per giorni e giorni, senza sosta. A Jaeger faceva piacere.

Non era il massimo per i morsi di piranha di Dale, Alonzo e Kamishi. Abiti sporchi e umidi che sfregano contro bende sporche e umide non aiutano a far guarire le ferite. Ma al momento, quella era per Jaeger la minore delle preoccupazioni.

Prima di lasciare il lago infestato dai piranha alla base delle Cascate del Diavolo, Jaeger si era arrischiato a ricevere un messaggio criptato dall'Airlander. Raff era stato conciso e diretto, andando dritto al punto.

> Confermo vostra griglia: 964864. In arrivo per controllare. Predator individuato 10 km a nord di voi. Attento a Kral; Narov. Linea aperta. Passo.

Decodificato, il messaggio diceva che l'Airlander si stava portando sopra la loro posizione. C'era sicuramente almeno un drone Predator nel cielo sopra di loro, anche se il fatto che si trovasse a dieci chilometri di distanza lasciava presumere che stesse seguendo l'esca, il kayak vuoto che stava scendendo il fiume.

"Linea aperta" significava che Raff sarebbe stato ventiquattr'ore su ventiquattro in attesa dei messaggi di Jaeger. Inoltre, aveva avvisato l'amico di persone sospette nella squadra: Kral e Narov.

Prima di lasciare il Regno Unito, Jaeger non aveva avuto molte opportunità di controllare il passato dei membri della missione. Dopo la morte di Andy Smith, aveva supposto di avere tutto il diritto di farlo, ma era stato il tempo a mancargli. Aveva incaricato Raff di fare qualche ricerca, ed evidentemente quei due – Kral e Narov – erano risultati sospetti.

Col tempo, Jaeger aveva preso in simpatia Dale, ma una parte di lui aveva solidarizzato col cameraman slovacco, che era innegabilmente il più debole della Wild Dog Media. Eppure evidentemente qualcosa nel suo passato aveva fatto scattare l'allarme.

Nei recessi della mente di Jaeger continuava ad albergare il fastidioso pensiero che Kral non aveva disattivato le unità GPS su nessuna delle due videocamere di Dale. L'aveva fatto deliberatamente? Non c'era modo di scoprirlo, né aveva ormai la possibilità di interrogare Kral.

Per quanto riguardava Narov, si stava rivelando un rebus avvolto in un mistero all'interno di un enigma tanto quanto il relitto dell'aereo. Jaeger credeva che avrebbe lasciato senza parole persino Winston Churchill. Gli sembrava di conoscerla ancor meno di quando si erano incontrati la prima volta. In un modo o nell'altro, era deciso a sfondare il muro di granito che l'avvolgeva, e di giungere al cuore di qualunque verità nascondesse.

Ma per tornare alla pioggia, era una cosa positiva perché aveva bisogno di nuvole da cui cadere, e le nuvole nascondevano la foresta da qualsiasi cosa vi fosse al di sopra. Con occhi ostili che li osservavano dal cielo, Jaeger si sentiva molto più al sicuro grazie alle nubi. Formavano una coltre protettiva: fintanto che non avessero usato gli strumenti di navigazione e comunicazione, sarebbero rimasti invisibili e nascosti.

Per un momento Jaeger cercò di calarsi nella mente di chiunque comandasse i loro nemici. L'ultima posizione rilevata con certezza della sua squadra – della sua preda – doveva essere sul ciglio delle Cascate del Diavolo. Là, aveva avuto sia la traccia del "medaglione" che il segnale GPS della videocamera.

Dopo di che, un'ora di silenzio, e poi il segnale del localizzatore e, forse, il roaming del cellulare che si muovevano lungo la corrente del Rio de los Dios.

Il comandante nemico avrebbe dovuto partire dal presupposto che Jaeger e i suoi stessero procedendo sul fiume: non aveva altre informazioni su cui lavorare. E su quell'inganno orchestrato da Irina Narov, Jaeger era pronto a scommettere gran parte del loro futuro.

Immaginava che qualunque comandante sveglio – e a Jaeger non piaceva sottovalutare il nemico – avrebbe agito su più fronti. Avrebbe rintracciato il kayak, attendendo che la coltre di nubi si aprisse per verificare chi e cosa stesse trasportando, mentre si preparava a un attacco definitivo con gli Hellfire.

Ma allo stesso tempo avrebbe portato le truppe di terra verso l'aereo il più rapidamente possibile, per mettere sotto controllo l'area.

La corsa era iniziata. E in quel momento, secondo i calcoli di Puruwehua, Jaeger e la sua squadra avevano un giorno o più di marcia di vantaggio. Il relitto si trovava solo a diciotto ore da lì. Se tutto fosse andato per il verso giusto, l'avrebbero raggiunto la mattina seguente. Ma Jaeger non voleva illudersi che il viaggio da quel momento in poi sarebbe stato facile.

La pioggia tirava fuori il peggio della giungla.

Mentre marciavano, Puruwehua gli indicava i mutamenti causati dalle precipitazioni. Alcuni erano ovvi: in certi punti, Jaeger e i suoi si ritrovarono a guadare tratti di giungla allagati fino alla vita. Creature sconosciute cadevano, si ribaltavano, strisciavano nell'acqua bassa, e iridescenti serpenti acquatici si snodavano tra le ombre.

Puruwehua indicò un serpente dall'aria particolarmente cattiva; era a strisce nere, blu e di due rossi diversi. «Di questo non bisogna preoccuparsi troppo» spiegò. «*Mbojovyuhua*: mangia rane e piccoli pesci. Morde, ma il suo morso non uccide.»

Si voltò verso Jaeger. «È dal grande *mbojuhua* che devi stare in guardia. È lungo come cinque persone messe in fila, e grande come un caimano. È nero a macchie bianche, ti afferra con le fauci, ti si attorciglia attorno e stringe. La pressione ti spezza ogni osso del corpo, e non smette finché non sente più il tuo battito. Poi ti ingoia intero.»

«Bello» mormorò Jaeger. «Un *constrictor* con un pessimo carattere. Il mio secondo preferito dopo i piranha.»

Puruwehua sorrise. Jaeger aveva l'impressione che l'indigeno si divertisse parecchio a mettere paura alla squadra.

«Peggio ancora è il *tenhukikĩuhũa*» l'avvertì Puruwehua. «Lo conosci? È una lucertola grigia grande come un maiale di foresta, con dei quadrati neri giù lungo la schiena. Ha zampe come mani, con delle ventose. Il morso è molto velenoso. Noi diciamo che è peggio di qualunque serpente.»

«Non dirmelo» sbuffò Jaeger. «Esce solo quando piove?»

«Peggio: vive solo nelle foreste allagate. È un abile nuotatore, e si arrampica agilmente sugli alberi. Ha occhi bianchi come un fantasma, e se provi ad afferrarlo per la coda si stacca. È il suo metodo di fuga.»

«Perché mai uno vorrebbe afferrarlo?» si intromise una voce. Era Alonzo: l'americano sembrava disgustato dalla lucertola tanto quanto Jaeger.

«Per mangiarlo, ovvio» rispose Puruwehua. «Se riesci a non farti mordere, il *tenhukikĩuhũa* è buonissimo, un misto tra pesce e pollo.»

Alonzo fece una smorfia. «Pollo fritto! Ma comunque, direi di no.»

Era una specie di cliché dire che qualsiasi cibo insolito sapesse di pollo. Nell'esperienza di Jaeger e di Alonzo, raramente era così.

Altri cambiamenti prodotti dalla pioggia erano meno ovvi, e noti solo agli indigeni. Puruwehua gli mostrò un piccolo buco nel terreno. Jaeger pensò che si trattasse della tana di un roditore. In realtà, spiegò Puruwehua, era la casa del *tairyvuhua*, un pesce che viveva sottoterra, stava in letargo nel fango e tornava in vita solo quando pioveva.

Un'ora prima del crepuscolo si fermarono per mangiare. Avendo appreso dal capo amahuaca tutto ciò che doveva sapere rispetto a chi stava dando loro la caccia – la Forza Oscura –, Jaeger aveva imposto alla squadra una "routine dura". Niente fuoco, vietato cucinare: così c'erano meno tracce che il nemico potesse seguire. Ma la routine dura non era mai molto gradevole: significava mangiare delle razioni liofilizzate, fredde, senza alcun piacere, direttamente dalla busta.

Poteva attenuare la fame, ma faceva ben poco per il morale.

54

Jaeger sedeva su un tronco abbattuto, ruminando quel che doveva essere una razione di pollo e pasta ma che sapeva di colla rappresa. La sua mente tornò ai ricordi delle torte alla carota che Annie l'hippy preparava sulla sua chiatta londinese. Probabilmente pioveva anche là, rifletté mestamente.

Finì il pasto con una manciata di gallette, ma sentiva ancora i morsi della fame che gli serravano lo stomaco.

Alonzo si sfilò lo zaino e si lasciò cadere accanto a Jaeger. «Ahi!» Si massaggiò il fondoschiena, dove i piranha l'avevano morso.

«Come ci si sente a essere battuti da un pesce?» lo punzecchiò Jaeger.

«Dannati piranha» ringhiò Alonzo. «Non riesco neanche ad andare al cesso senza pensare ai morsi di quei maledetti pesci.»

Jaeger guardò la vegetazione gocciolante tutt'attorno. «Be', sembra che le cose stiano andando per il verso giusto, finalmente.»

«Dici la pioggia? Maledetta foresta pluviale, di nome e di fatto. Speriamo che tenga.»

«Puruwehua dice che è pioggia che durerà per giorni e giorni.»

«Puruwehua sa il fatto suo.» Alonzo si premette lo stomaco. «Amico, ucciderei per un McDonald's. Un doppio Quarter Pounder con formaggio e patatine, e un triplo milkshake al cioccolato.»

Jaeger sorrise. «Se ne usciamo vivi, te lo offro io.»

«Ci conto.» Fece una pausa. «Sai, ho pensato un po'. Non capita spesso, quindi ascoltami bene. C'è un Predator che ci dà la caccia. Solo pochi governi al mondo operano con quel tipo di macchine.»

Jaeger annuì. «Non possono essere i brasiliani. Anche se avessero un Predator, e ne dubito, il colonnello Evandro ci sta parando la schiena.» Lanciò un'occhiata obliqua ad Alonzo. «Lo scenario più plausibile: i tuoi amici americani.»

Alonzo fece una smorfia. «Amico, non so. Il Sudamerica è il nostro cortile di casa. Lo è sempre stato. Ma sai com'è, c'è un mucchio di agenzie là fuori... Alcune operano ai limiti della legalità.» Fece una pausa. «Chiunque stia usando il Predator, che ne faranno dell'Airlander? Ci hai pensato?»

«Ha un'ottima copertura» rispose Jaeger. «Il colonnello l'ha classificato come missione speciale della BOE. Là fuori è terra incognita, ed è da mesi che i brasiliani sorvolano i confini. L'Airlander batte bandiera brasiliana, più i colori della BOE, come se partecipasse a una semplice missione di ricognizione.»

«Credi che funzionerà? I bastardi non sentiranno puzza di bruciato quando si posizionerà sopra di noi?»

«L'Airlander vola a diecimila piedi. Il Predator a una quota quasi doppia. L'Airlander resterà allo scoperto, nascosto in piena vista. Ma non è necessario che ci stia troppo vicino. Con le sue tecnologie di sorveglianza ad ampio raggio, potrà tenerci d'occhio da miglia di distanza.»

«Spero tu abbia ragione, Jaeger, o siamo fregati.»

Jaeger osservò Alonzo, che come lui stava mangiando del cibo liofilizzato. «Quindi, c'è qualcuno che puoi chiamare?» azzardò. «Come nelle operazioni speciali? Per provare a capire chi diavolo ci sta dando la caccia? Per vedere se chi ci ha sguinzagliato dietro i cani può essere persuaso a richiamarli?»

Alonzo alzò le spalle. «Sono un riservista dei SEAL, grado di sergente capo. Conosco gente in quel mondo. Ma dopo l'11 settembre, hai idea di quante agenzie segrete ci siano là fuori?»

«Centinaia?» Jaeger tirò a indovinare.

Alonzo fece un risata. «Al momento, ci sono ottocentocinquantamila americani con mandati top secret. Ci sono milleduecento agenzie governative che lavorano a progetti segreti, per lo più antiterrorismo, e in più duemila società private coinvolte.»

«È... difficile da credere.» Jaeger scosse il capo. «È un gran casino.»

«No, amico, non lo è. Non fino a questo punto. È quel che viene dopo che è davvero incredibile.» Gli lanciò un'occhiata. «Nel 2003, il presidente fu persuaso a firmare un ordine esecutivo che consentiva a quegli ottocentocinquantamila di fare praticamente quel che gli pare, di organizzare operazioni senza alcuna autorizzazione. In altre parole, di operare fuori dal controllo presidenziale.»

«Quindi, chiunque abbia messo in campo il Predator può essere una di un migliaio di agenzie diverse?»

«Più o meno sì» confermò Alonzo. «E chiunque siano questi figli di puttana che stanno provando a eliminarci, è così che opereranno, totalmente in incognito. Fidati, nessuno sa cosa gli altri stiano combinando là fuori. Con un ordine esecutivo del genere, nessuno pensa di avere il diritto di opporsi, o anche solo di fare domande.»

«Folle.»

«Esatto.» Alonzo guardò Jaeger. «Quindi, sì, potrei chiamare un paio di persone. Ma, sinceramente, sarebbe come pisciare al vento.» Fece una pausa. «Puoi ripetermi la nostra strategia di esfiltrazione?»

«Immagina l'Airlander come un enorme dirigibile a forma di pastiglia» iniziò Jaeger. «Ha quattro propulsori, uno a ogni angolo, con i quali può spostarsi e sollevarsi in qualunque direzione: su, giù, avanti, indietro. Il ponte di volo è situato al centro del lato inferiore, tra due sistemi d'atterraggio a cuscino d'aria, praticamente un paio di mini hovercraft collocati ai due lati dello scafo.»

Prese una delle gallette intere per rappresentare il velivolo. «Può muoversi o restare a qualsiasi quota, in ogni direzione. È equipaggiato con argani e gru interni per le operazioni di carico e scarico. E la cabina principale può ospitare fino a cinquanta passeggeri. Nel migliore dei casi, confermeremo da terra che l'Airlander può avvicinarsi in sicurezza. Scenderà a bassa quota, stazionando sopra la giungla, noi imbracheremo l'aereo e l'Airlander lo solleverà, e noi insieme a lui.

«Questo è il piano, se riusciamo a battere sul tempo i nemici» proseguì Jaeger. «E se la minaccia tossica si rivela gestibile a terra. L'Airlander è lento. Ha una velocità di crociera di duecento chilometri all'ora. Ma ha un'autonomia di tremilacinquecento chilometri. È più che sufficiente a riportarci a Cachimbo dal colonnello Evandro.»

Jaeger alzò le spalle. «Nel peggiore dei casi, la minaccia tossica è letale, l'Airlander non può effettuare il prelevamento e noi dobbiamo metterci in salvo a piedi.»

Alonzo si sfregò il mento, pensoso. «Spero non ci capiti il secondo scenario.»

«*Eco'ipeva*» esclamò una voce. Era Puruwehua, e stava tenendo tra le dita qualcosa di scuro e insanguinato. «Non so la parola inglese. La pioggia li fa uscire; succhiano il sangue.»

«Sanguisughe» mormorò Jaeger. «Schifose sanguisughe.»

Alonzo ebbe un tremito. «Già... e davvero mostruose.»

Puruwehua si indicò le gambe e il ventre. «Noi amahuaca non portiamo i pantaloni, così riusciamo a vederle e toglierle. Ma voi... dovete controllare.»

Jaeger e Alonzo si scambiarono un'occhiata.

«Il grado prima della bellezza» annunciò Alonzo. «Con un bestione come il mio, hanno otto metri con cui banchettare.»

Jaeger si alzò con riluttanza. Si aprì cintura e pantaloni e si calò le mutande. Persino nella penombra riuscì a vedere che le gambe e l'inguine erano una massa di corpi lucidi e contorti simili a brevi e tozzi tentacoli. Sanguisughe tigre. Dio, come le odiava. Corpo nero, con strisce di un giallo acceso, ciascuna ormai gonfia fino a cinque volte le dimensioni normali.

Quando la prima sanguisuga si era infilata sotto i pantaloni di Jaeger alla ricerca di un punto caldo e umido per attaccarsi, era grande come il cappuccio di una penna, non di più. Dopo essersi nutrita per qualche ora era diventata delle dimensioni di un evidenziatore, gonfia del sangue di Jaeger.

«Accendino?» gli offrì Alonzo.

Il modo più soddisfacente per liberarsi di quelle bastarde era bruciarle. Il secondo modo più soddisfacente era ricoprirle di repellente per insetti e guardarle strisciare e contorcersi.

Jaeger tese la mano per prendere l'accendino. «Grazie.»

Sapeva che in realtà non avrebbe dovuto. Le sanguisughe secernono un anestetico insieme alla saliva, in modo che la vittima non senta il morso. Quando si attaccavano pompavano irudina, un potente enzima, nelle vene della vittima, per evitare che il sangue non coagulasse, in modo da poter continuare a nutrirsi per ore.

Accostandole una fiamma viva, la sanguisuga si contraeva istantaneamente, ritraendo i denti e staccandosi, riversando però nel mentre gran parte del contenuto del suo stomaco nel flusso sanguigno della vittima. In altre parole, risputava il sangue succhiato nelle vene, comprese le malattie di cui poteva essere portatrice.

Ma Jaeger odiava visceralmente le sanguisughe tigre, e non riusciva a resistere all'impulso di pareggiare i conti. Fece scattare l'accendino, abbassò la fiamma e osservò il primo dei gonfi tentacoli neri sibilare, contorcersi e bruciare.

«Ci sono dei missili Hellfire pronti a farci a pezzi... Sono felice di correre il rischio di bruciare un po' di queste bastarde.»

Alonzo rise. «Già... Questa è una battaglia che possiamo vincere.»

Dopo qualche secondo la sanguisuga cadde lasciando una scia di sangue che colava lungo la gamba di Jaeger. La ferita avrebbe continuato a sanguinare per un po', ma lui pensò che ne fosse valsa la pena.

Aveva torturato la sanguisuga in due modi: uno, aveva perso il suo prezioso pranzo di sangue; due, non si sarebbe mai ripresa dalle bruciature.

55

Quando ebbero finito di bruciare le sanguisughe era ormai il tramonto. Jaeger decise di accamparsi dove si trovavano. Fece girare la voce tra la squadra ma, mentre gli altri iniziarono a stendere amache e poncho tra gli alberi scuri lucidi di pioggia, notò che uno dei suoi era in difficoltà.

Si avvicinò a Dale, che doveva ancora togliersi gli abiti bagnati. Il cameraman aveva allungato le gambe sull'amaca e sembrava pronto ad addormentarsi. Aveva l'attrezzatura sul petto e stava usando una bomboletta di aria compressa per rimuovere sudiciume e umidità dalla videocamera.

Doveva essere complicato assicurarsi che un apparecchio del genere continuasse a funzionare in condizioni simili. Dale affrontava la pulizia serale come una specie di rituale religioso e molte notti si era addormentato esausto, stringendo la videocamera come un bambino abbraccia un orsacchiotto.

«Dale, non hai una bella cera» esordì Jaeger.

Una testa comparve oltre il bordo dell'amaca. Il volto del cameraman era terribilmente pallido e tirato. Jaeger era certo che dovesse ancora scoprire il suo carico di sanguisughe, perché cambiarsi d'abito era l'unico modo per riuscirci.

«Sono solo distrutto» mormorò Dale. «Devo pulire l'apparecchio e poi dormire.»

Nove giorni nella giungla iniziavano a farsi sentire. Per Dale lo sforzo era doppio, dato che doveva filmare la spedizione oltre che esserne parte. Mentre gli altri trovavano un po' di tempo per le basilari operazioni di igiene, Dale sembrava passare ogni momento libero a pulire la videocamera, a cambiare le batterie e salvare ogni ripresa su una memoria esterna.

In più, doveva trasportare il peso extra dell'attrezzatura. In diverse occasioni Jaeger si era offerto di dividere il carico, ma Dale aveva rifiutato, sostenendo di dover avere tutto a portata di mano; in realtà, Jaeger sospettava che fosse soltanto un operatore orgoglioso e determinato, e lo rispettava.

«Devi metterti i vestiti asciutti» gli disse. «Altrimenti, sei finito.»

Dale lo fissò, con gli occhi colmi di una stanchezza spossante. «Sono al limite. Davvero al limite.»

Jaeger si ficcò la mano in tasca e tirò fuori una barretta energetica, parte delle razioni di emergenza. «Tieni, mandala giù. E poi c'è un'altra cosa di cui devi occuparti subito. Non so come dirtelo con tatto: sanguisughe.»

Era la prima volta che Dale vedeva da vicino quei parassiti rivoltanti, e si rivelò un incontro particolarmente traumatico. Per via della sua abitudine di fermarsi regolarmente a filmare, sdraiandosi spesso a terra per ottenere un'inquadratura dal basso, era stato il bersaglio più semplice. Di conseguenza, aveva sanguisughe ovunque.

Jaeger gli offrì l'accendino. Mentre Dale, terrorizzato, si mise a bruciare i parassiti, Jaeger iniziò a parlargli per aiutarlo a distrarsi dall'operazione.

«Allora, come te la passi senza Kral?»

Dale gli lanciò un'occhiata. «Sinceramente?»

«Sinceramente.»

«Il lato negativo è che ho più peso da trasportare, perché io e Kral ce lo dividevamo. Il lato positivo è che non ho più quella schifosa sanguisuga costantemente addosso, acida, rabbiosa ed egocentrica. Quindi, tutto sommato, meglio così.» Sorrise, esausto. «Ma me la passerei meglio senza queste, di sanguisughe.»

«Una cosa è certa: voi due avevate cominciato col piede sbagliato. Cos'è successo?»

«Ti racconto una storia» mormorò Dale accostando la fiamma a un'altra sanguisuga gonfia. «Sono australiano di nascita ma mio padre mi ha mandato in un rinomato collegio inglese, un posto dove hanno eliminato ogni residuo di australianità, accento incluso. La scuola era nota per lo sport. Il problema era che io odiavo le discipline principali: rugby, hockey, cricket. Facevo anche schifo. In breve, per mio padre mi sono rivelato una cocente delusione. C'erano solo due cose in cui eccellevo: arrampicarmi sulle rocce e usare la videocamera.»

«Un compagno arrampicatore; anch'io ero bravo in quello, a scuola. È un'abilità utile in un gioco come questo.»

«Mio padre è un noto avvocato di Sydney» proseguì Dale. «Quando mi sono rifiutato di seguire le sue orme e ho scelto una carriera nei media, ha reagito come se mi avesse scoperto a spacciare droga o roba del genere. Mi ha tagliato fuori. Così mi sono lanciato nella fossa degli squali dei media londinesi, per farlo arrabbiare ancora di più.

«Le uniche opzioni erano affondare, nuotare o essere divorato. Ho deciso di specializzarmi nelle riprese ad alto rischio in zone estreme. Ma è un'esistenza assolutamente precaria. Kral poteva permettersi di scappare al primo segno di pericolo. Io no. Non se volevo dimostrare a tutti gli uccelli del malaugurio, *a mio padre,* che si sbagliavano.

«Riprese avventurose ad alto rischio, è questo che faccio. Se lasciassi quando le acque si fanno agitate, che mi resterebbe? Nulla.» Dale fissò Jaeger con uno sguardo assolutamente diretto. «Quindi si fotta Kral, col suo risentimento e la sua invidia. Ma a dire il vero mi sto cagando sotto, quaggiù.»

Eliminate tutte le sanguisughe, Jaeger si offrì di coprire il turno di guardia di Dale in modo che lui potesse prendersi una notte intera per riposare. Una volta tanto, l'australiano accettò l'offerta d'aiuto. Parve, in un certo senso, il segnale che tra di loro stava per nascere la più improbabile delle amicizie.

Mentre copriva il primo turno, fissando nel buio notturno della foresta, Jaeger si ritrovò a pensare che forse aveva giudicato male il ragazzo. Dale aveva un atteggiamento indipendente e intrepido, ed era capace di pensare fuori dagli schemi, il tipo di qualità che Jaeger apprezzava nei suoi uomini quand'era nell'esercito.

Se la vita li avesse condotti lungo altre strade, era possibile che Jaeger sarebbe finito a fare il cameraman di guerra, e che Dale sarebbe diventato un soldato delle forze speciali.

Più di molte altre persone, Jaeger sapeva che basta un attimo per cambiare il destino di un uomo.

56

Quando Jaeger finì il turno di guardia, scoprì che nel campo un'altra persona era ancora sveglia: Leticia Santos.

Le si avvicinò, con l'intento di avvertirla di controllare le sanguisughe. Santos aveva già affrontato il problema, e trovò l'imbarazzo di lui – specie quando le consigliò di controllare i suoi genitali – parecchio divertente.

«Otto anni con la BOE, cinque col FUNAI» gli rammentò. «Sono abituata a controllare lì!»

Jaeger sorrise. «Sono sollevato. Quindi perché ti sei trasferita?» le chiese sedendosi accanto a lei. «Dal dare la caccia ai cattivi al salvare gli indigeni?»

«Due ragioni» rispose lei. «Per prima cosa, ho capito che non possiamo fermare le gang dei narcos se non proteggiamo la giungla. È dove producono le sostanze e dove si nascondono. Per farlo, ci serve l'aiuto delle tribù amazzoniche. La legge brasiliana dice che le loro terre, la loro casa nella foresta, vanno protette. Quindi, se riusciamo a contattare e salvaguardare gli indigeni, abbiamo anche la possibilità di salvare l'Amazzonia.»

Lanciò un'occhiata a Jaeger. «Se questo fosse il tuo paese, se possedessi questa meraviglia, la foresta pluviale amazzonica, non vorresti anche tu proteggerla?»

«Certo. E la seconda ragione?» la incalzò Jaeger.

«Il mio matrimonio è finito per via del mio lavoro con la BOE» rispose lei tranquillamente. «Una carriera nelle forze speciali non è certo la ricetta per un'unione lunga e felice, no? Essere sempre a disposizione. Così tanti segreti. Non riuscire mai a pianificare nulla. Così tante vacanze, compleanni, anniversari cancellati. Mio marito si lamentava che non c'ero mai per lui.» Fece una pausa. «Non voglio che mia figlia, crescendo, mi rivolga la stessa accusa.»

Jaeger annuì. «Capisco. Ho lasciato l'esercito poco dopo aver messo su famiglia. Ma è una scelta dura, non c'è dubbio.»

Santos sbirciò la mano sinistra di Jaeger: l'unico accessorio era una semplice fede d'oro. «Sei sposato, sì? Con figli?»

«Sì. Un figlio. Anche se... be', è una storia lunga.» Jaeger fissò la giungla oscura. «Mettiamola così: li ho perduti...» Le sue parole si spensero nel nulla.

Santos gli poggiò una mano sul braccio. I suoi occhi scrutarono il volto di lui con evidente partecipazione. «È difficile essere soli. Se ti serve una spalla amica... sai di poter contare su di me.»

Jaeger la ringraziò. Si alzò in piedi. «Abbiamo bisogno di riposare. *Durma bem*, Leticia. Sogni d'oro.»

Jaeger si svegliò qualche ora più tardi, un sudato groviglio di urla.

L'amaca aveva iniziato a ondeggiare violentemente mentre lui si dimenava per scacciare i mostri che così spesso lo assalivano nei suoi sogni.

Era stata una replica dell'incubo che aveva fatto nel suo appartamento a Wardour Castle. Di nuovo, era arrivato fino al momento in cui sua moglie e suo figlio gli venivano strappati, poi un muro impenetrabile gli si era calato davanti.

Si guardò attorno: l'oscurità era così fitta che riusciva a malapena a scorgere la propria mano davanti alla faccia. Poi lo sentì: un movimento. Qualcuno – o qualcosa – stava strisciando tra gli arbusti fitti.

Fece scivolare la mano fuori dall'amaca, tastando il fucile da combattimento.

Dal buio, una voce lo raggiunse. «Sono Puruwehua. Ti ho sentito urlare.»

Jaeger si rilassò.

Non fu troppo sorpreso che le sue urla avessero svegliato l'indigeno. Puruwehua aveva montato l'amaca accanto alla sua. E poi, meglio lui che alcuni degli altri. Jaeger si fidava del guerriero amahuaca tanto quanto si fidava di chiunque altro.

Puruwehua si accovacciò accanto a lui. «I ricordi perduti... sono lì dentro, *Koty'ar*» disse pacatamente. «Devi solo concederti di liberarli, di andarci dentro.»

Jaeger fissò l'oscurità. «Ogni soldato che ritorna, ogni padre fallito ha incubi.»

«Eppure, porti molta oscurità in te» gli disse Puruwehua. «Molto dolore.»

Ci fu un lungo secondo di silenzio.

«Hai una luce?» gli domandò il guerriero.

Jaeger accese la lampada frontale, tenendola riparata all'interno dell'amaca in modo che spandesse un debole riflesso verde. Puruwehua gli porse una tazza piena fino all'orlo. «Bevi. Un rimedio della giungla. Ti sarà d'aiuto.»

Jaeger prese la tazza e lo ringraziò. «Mi spiace averti svegliato, mio amico guerriero. Ora riposiamo, e prepariamoci per domani.»

Quindi svuotò la tazza, ma la quiete che si era aspettato non arrivò mai.

Invece, sentì un'istantanea esplosione di dolore dentro al cranio, come se qualcuno gli avesse sferrato un calcio possente nelle orbite degli occhi. Qualche istante dopo, la sua mente iniziò a vacillare. Sentì delle mani che lo trattenevano, e l'inconfondibile voce di Puruwehua che gli mormorava parole rassicuranti nella sua lingua natia.

Poi, all'improvviso, le sue pupille parvero esplodere in un caleidoscopio di colori, che lentamente svanirono in una tela di un giallo acceso.

L'immagine si fece più intensa e più nitida. Jaeger era disteso sulla schiena in una tenda, due sacchi a pelo uniti, caldi e comodi, con moglie e figlio al fianco. Ma qualcosa l'aveva svegliato, strappandolo a un sonno profondo e riportandolo alla fredda realtà dell'inverno gallese.

La lampada frontale vagò sulla tela gialla sopra di lui mentre provava a determinare cosa l'avesse disturbato, cosa lo stesse minacciando. D'un tratto una lunga lama fendette il fianco sottile della tenda. Come Jaeger fece per reagire, tentando di districarsi dalla stretta del sacco a pelo, sentì il sibilo di una bocchetta infilata nell'apertura.

Un gas denso riempì la tenda, facendo ricadere Jaeger a terra con le membra paralizzate. Vide delle mani che si facevano strada, volti scuri coperti da maschere antigas sopra di loro, e qualche istante dopo sua moglie e suo figlio furono trascinati fuori dal tepore, nell'oscurità.

Non potevano nemmeno urlare, perché il gas aveva paralizzato loro tanto quanto Jaeger. Era impotente, incapace di difendere se stesso e, soprattutto, di difendere sua moglie e suo figlio.

Sentì il rombo di un potente motore, voci che schiamazzavano e portiere che venivano sbattute mentre qualcosa – qualcuno – veniva trascinato verso un veicolo. Con uno sforzo di volontà sovrumano si costrinse a strisciare verso lo strappo nella tenda. Spinse fuori la testa.

Colse solo un'immagine fugace, ma fu abbastanza. Nel cono di luce dei fari che si riflettevano sulla spolverata di brina e neve, vide due figure – una esile e maschile, l'altra flessuosa e femminile – che venivano infilate nel bagagliaio di una 4x4.

L'istante dopo, Jaeger venne afferrato per i capelli. Gli sollevarono la testa in modo che si trovasse a fissare, attraverso i buchi per gli occhi di una maschera antigas, uno sguardo pieno d'odio. Una mano inguantata emerse dal buio e con forza immane gli colpì il volto una, due, tre volte: il sangue schizzò sulla neve dal suo naso spezzato.

"Guarda bene" sibilò la faccia dietro la maschera, girando violentemente Jaeger verso la 4x4. Le parole erano attutite, ma riuscì comunque a comprenderne il senso; la voce pareva spaventosamente familiare. "Fissati questo momento nel cervello. Tua moglie e tuo figlio... sono nostri."

La maschera si chinò, così che il respiratore premette contro il suo volto insanguinato. "Non dimenticarlo mai: non sei riuscito a proteggere tua moglie e tuo figlio. *Wir sind die Zukunft!*"

Gli occhi erano enormi dietro il vetro della maschera, pompati di adrenalina, e Jaeger ebbe l'impressione di riconoscere il viso dietro lo sguardo folle. Lo conosceva, e allo stesso tempo non lo conosceva, perché non riusciva ad attribuire un nome a quei lineamenti sconvolti dall'odio. Qualche momento dopo la terribile scena, gli innominabili ricordi, svanirono, ma non prima che un'immagine si fissasse irrevocabilmente nella mente di Jaeger...

Quando infine riprese coscienza nell'amaca, si sentiva totalmente svuotato. L'immagine che ricordò dell'aggressione non fu esattamente una sorpresa. In cuor suo, se l'era aspettata; l'aveva temuta. Aveva sospettato che fosse lì, avvolta nel buio delle colline innevate del Galles.

Incisa sull'elsa del coltello che aveva lacerato la tenda c'era un'oscura, inconfondibile immagine: un *Reichsadler.*

57

Puruwehua restò di veglia accanto all'amaca di Jaeger per tutte le solitarie ore della notte. Solo lui comprendeva cosa Jaeger stesse passando. La bevanda che gli aveva dato era corretta col *nyakwana*, la chiave per aprire le potenti immagini seppellite nel fondo della mente. Sapeva che l'uomo bianco ne sarebbe rimasto intimamente scosso.

All'alba, nessuno dei due parlò di quello che era successo. In un certo senso, non c'era bisogno di parole.

Ma per l'intera mattina Jaeger rimase ombroso e chiuso in sé, intrappolato nel guscio dei ricordi riaffiorati. Fisicamente riusciva a mettere un piede davanti all'altro, marciando attraverso la giunga umida e gocciolante, ma la sua mente era in un luogo totalmente diverso, sepolta in una tenda squarciata, sul fianco ghiacciato di una montagna gallese.

La squadra non poté fare a meno di notare il suo cambiamento d'umore, anche se pochi potevano indovinarne la causa. Essendo arrivati così vicini al relitto – la scoperta finalmente a portata di mano –, si erano aspettati che Jaeger ne fosse rivitalizzato, che guidasse la carica. Ma era l'esatto opposto: sembrava chiuso in un luogo oscuro e solitario, che escludeva tutti gli altri.

Erano ormai passati quasi quattro anni da quando sua moglie e suo figlio erano scomparsi. Jaeger si era allenato per la Pen Y Fan Challenge, una corsa di ventiquattro chilometri sulle montagne del Galles. Era Natale, e lui, Ruth e Luke avevano deciso di trascorrerlo in un modo originale, facendo campeggio sulle colline. Era la scusa perfetta per andare da soli in montagna – una cosa che Luke adorava – e, per Jaeger, l'occasione per un po' di allenamento extra. Un pacchetto avventura in famiglia, come aveva detto a Ruth, scherzando.

Si erano accampati nei pressi della partenza della corsa. La Pen Y Fan Challenge era ispirata alle selezioni delle forze speciali britanniche. In una delle fasi più dure i candidati dovevano salire per quasi l'intero fianco del Fan, discendere la Jacob's Ladder, poi proseguire lungo la tortuosa strada romana, alla fine della quale avrebbero incontrato il punto di svolta, per poi ripetere l'intero percorso al contrario.

Era nota come la "Fan Dance" ed era una brutale prova di velocità, resistenza e forma fisica, cose che a Jaeger venivano naturali. Anche se si era ritirato dall'esercito, gli piaceva comunque ricordarsi, di tanto in tanto, di cosa era capace.

Quando erano andati a dormire quella notte, Jaeger aveva crampi in tutto il corpo dopo una dura giornata d'allenamento, e sua moglie e suo figlio erano altrettanto esausti per aver percorso in mountain bike le pianure innevate. Dopodiché, l'unico ricordo cosciente che Jaeger conservava risaliva a una settimana dopo, quando si era risvegliato in terapia intensiva per scoprire che Ruth e Luke erano scomparsi.

Si era scoperto che il gas usato contro di loro era il Kolokol-1, un agente stordente russo poco noto che faceva effetto in meno di tre secondi. Generalmente non era fatale – a meno che la vittima non fosse sottoposta a un'esposizione prolungata in un ambiente chiuso –, ma Jaeger aveva comunque avuto bisogno di mesi per riprendersi.

La polizia aveva scoperto che il bagagliaio dell'auto di Jaeger era pieno di regali di Natale per i suoi, regali che non sarebbero mai stati aperti. A parte le impronte degli pneumatici della 4x4, non era stata rinvenuta alcuna traccia di sua moglie e suo figlio. Sembrava un rapimento senza alcun movente, o addirittura un possibile omicidio.

Jaeger non era esattamente il principale sospettato, ma a volte la direzione degli interrogatori gli aveva destato qualche dubbio. Più la polizia si trovava a corto di moventi e indizi, più sembrava voler andare alla ricerca di spiegazioni nel passato di Jaeger, per scoprire chi avesse voluto far sparire la sua famiglia.

Gli inquirenti avevano setacciato la sua carriera nell'esercito, sottolineando ogni accenno a traumi estremi che avrebbero potuto scatenare una sindrome da stress post-traumatico. Qualsiasi cosa che potesse spiegare un comportamento apparentemente insensato. Avevano interrogato i suoi amici più stretti. Avevano torchiato incessantemente la sua famiglia – specialmente i suoi genitori – per scoprire se ci fossero dei problemi nel suo matrimonio.

Questo aveva in parte accelerato il loro trasferimento alle Bermuda, per il desiderio di sfuggire a intrusioni ingiustificate. Erano rimasti solo per aiutarlo a superare il peggio, ma quando senza preavviso lui era fuggito a Bioko, avevano colto l'opportunità per ripartire da zero. A quel punto, ogni pista si era rivelata infruttuosa. Ruth e Luke erano scomparsi da quasi un anno, e si sospettava fossero morti, e nella ricerca incessante Jaeger aveva rischiato di andare a pezzi.

Ci erano voluti giorni, mesi – anni, ormai – perché i ricordi sepolti di quella notte scura riaffiorassero in superficie. E poi, quello: aveva recuperato alcuni degli ultimi ricordi, quelli sepolti più a fondo, grazie a un guerriero amahuaca e a una buona dose di una bevanda al *nyakwana*.

Di sicuro non era un *Reichsadler* qualsiasi quello che aveva visto sull'elsa del coltello. Era identico a quello che lo zio Joe aveva trovato così terrificante nella sua capanna nel cuore delle colline scozzesi. Le sue parole tornarono alla mente di Jaeger, mentre avanzava nella giungla fradicia, insieme al lampo di puro terrore che gli aveva attraversato lo sguardo.

"E poi il mio adorato ragazzo viene qui con... con questa cosa. *Ein Reichsadler*! Questo maledetto, dannato maleficio! Sembra che il male sia tornato..."

Secondo il capo degli amahuaca, sul corpo dei due guerrieri catturati era stato inciso un *Reichsadler* simile dagli stessi uomini con cui Jaeger e i suoi avevano ingaggiato una lotta mortale.

Ma quel che più confondeva Jaeger era l'impressione di aver riconosciuto la voce che gli urlava contro da dietro la maschera a gas. Eppure, per quanto si arrovellasse, non gli venivano in mente né un nome né un volto.

Se anche conosceva, in qualche modo, il suo tormentatore, l'identità di quell'uomo continuava a sfuggirgli.

58

Era quasi mezzogiorno del decimo giorno nella giungla, quando Jaeger iniziò a scrollarsi di dosso l'inquietudine. L'imminente arrivo all'aereo abbandonato l'aveva trascinato fuori dal suo passato oscuro e sconvolgente.

Malgrado l'angoscia di quel mattino, Jaeger aveva ancora sassi e bussola stretti in mano. Calcolò che mancassero due chilometri e mezzo al punto in cui la foresta iniziava a morire. Oltre, ci sarebbero stati gli scheletri sbiancati degli alberi morti avvelenati che conducevano verso l'aereo.

Entrarono in una zona particolarmente allagata.

«*Yaporuamuhũa*» annunciò Puruwehua mentre iniziavano ad affondare. «Foresta allagata. Quando l'acqua sale così, i piranha tendono a uscire dai fiumi. Si nutrono di qualsiasi cosa trovino.»

L'acqua scura turbinava attorno alla vita di Jaeger. «Grazie per l'avvertimento» mormorò.

«Sono aggressivi solo quando spinti dalla fame» provò a rassicurarlo Puruwehua. «Dopo una pioggia del genere, dovrebbe esserci moltissimo cibo per loro.»

«E se invece sono affamati?» domandò Jaeger.

Puruwehua lanciò uno sguardo all'albero più vicino. «Bisogna uscire dall'acqua. In fretta.»

Jaeger individuò qualcosa di liscio e argenteo che scivolava nell'acqua bassa accanto a lui. Un altro e un altro ancora gli sfrecciarono vicino, sfiorandogli le gambe. I corpi sembravano di un verde setoso sulla superficie dorsale, con grandi occhi gialli rivolti verso l'alto, e due file di denti enormi come spine.

«Ci circondano» sibilò Jaeger.

«Non preoccuparti, questo è buono. È molto buono. *Andyrapepotiguhũa*. Pesce vampiro. Mangia i piranha. Li trafigge con i suoi lunghi denti.»

«Bene, teniamoceli vicini, almeno finché non raggiungiamo l'aereo.»

L'acqua si fece più profonda. Arrivava quasi al petto ormai.

«Presto dovremo nuotare come i *pirau'ndia*» commentò Puruwehua. «È un pesce che si tiene in verticale, con la testa fuori dall'acqua.»

Jaeger non rispose.

Ne aveva abbastanza di acqua fetida, zanzare, sanguisughe, caimani e zanne di pesci. Voleva raggiungere l'aereo, portare via da lì se stesso e la sua squadra, e riprendere a cercare la sua famiglia.

Era tempo di concludere la spedizione e ricominciare da capo. Alla fine di quella folle strada era certo che, in un modo o nell'altro, avrebbe scoperto che ne era stato di sua moglie e suo figlio. O, in caso contrario, sarebbe morto nel tentativo di scoprirlo. Vivere nella penombra come aveva fatto non era vivere. Questo era ciò che il risveglio gli aveva mostrato.

Jaeger percepì lo sguardo di Puruwehua fisso su di sé mentre proseguivano in silenzio.

«Hai la mente più chiara ora, amico mio?»

Jaeger annuì. «È tempo di strappare il controllo dalle mani di quelli che vogliono distruggere il tuo mondo, Puruwehua, e il mio.»

«Noi lo chiamiamo *hama*» commentò Puruwehua con aria d'intesa. «Fato o destino.»

Per un poco avanzarono nell'acqua uniti nel silenzio.

Jaeger avvertì una presenza accanto a sé. Era Irina Narov. Come il resto della squadra, avanzava tenendo la sua arma principale – un fucile da cecchino Dragunov – fuori dall'acqua, tentando di mantenerla pulita e asciutta. Era una fatica da spaccare la schiena, ma col relitto così vicino quella donna sembrava instancabile.

Il Dragunov era una strana scelta per la giungla, dove ogni scontro era inevitabilmente ravvicinato, ma Narov aveva insistito che quella era l'arma per lei. Ragionevolmente aveva optato per l'SVDS, la variante più compatta e maneggevole dell'arma.

Ma non era sfuggito all'attenzione di Jaeger il fatto che due delle armi che la russa aveva scelto – il coltello e il fucile da cecchino – erano spesso gli strumenti degli assassini. Degli assassini solitari. C'era qualcosa di particolare in Irina Narov, questo era certo, ma c'era anche una parte di Jaeger che trovava quei tratti stranamente familiari.

Il migliore amico di scuola di suo figlio, un ragazzo di nome Daniel, aveva mostrato alcune delle caratteristiche di Narov: parlava in maniera stranamente distaccata e diretta, a volte al limite della maleducazione. Spesso non riusciva a cogliere i segnali sociali che gli altri ragazzi comprendevano naturalmente. E aveva estrema difficoltà a guardare gli altri negli occhi, finché non li conosceva a fondo e se ne fidava davvero.

Daniel ci aveva messo parecchio a imparare a fidarsi di Luke, ma una volta che c'era riuscito si era rivelato un amico leale e costante. Facevano continuamente a gara, che si trattasse di rugby, air hockey o paintball. Ma si trattava della salutare competizione tra migliori amici, ed erano sempre pronti ad allearsi tra loro contro gli altri.

Quando Luke era scomparso, Daniel ne era stato devastato. Aveva perso il suo unico vero amico, il suo compagno di battaglia. Proprio come Jaeger.

Col tempo, Jaeger e Ruth erano entrati in confidenza con i genitori di Daniel, che avevano rivelato loro che al ragazzo era stata diagnosticata la sindrome di Asperger, o autismo ad alto funzionamento, gli esperti non era certi di quale delle due. Come capitava a molti altri ragazzi, c'era una cosa che ossessionava Daniel, e nella quale era geniale: la matematica. Quella, e una straordinaria intesa con gli animali.

Jaeger ripensò all'incontro ravvicinato con i *Phoneutria*. Qualcosa l'aveva colpito, anche se non era riuscito esattamente a comprendere cosa. Narov si era comportata quasi come se avesse un rapporto con i ragni velenosi, come se li comprendesse. Era stata riluttante a ucciderne anche uno soltanto, almeno fino a quando c'erano altre opzioni.

E se c'era una cosa da cui Narov poteva essere ossessionata, e in cui si sarebbe rivelata abilissima, Jaeger aveva un'idea precisa di cosa potesse essere: cacciare e uccidere.

«Quanto manca?» chiese. La sua voce si infilò tra i pensieri di Jaeger.

«Quanto manca a cosa?»
«All'aereo. Che altro c'è?»
Jaeger indicò avanti a sé. «Circa ottocento metri. Vedi dove la luce filtra tra i rami? È il punto in cui la foresta inizia a morire.»
«Vicinissimo» bisbigliò lei.
«*Wir sind die Zukunft.*» Jaeger ripeté le parole che aveva sentito alla fine della visione indotta dal *nyakwana*. «Tu parli tedesco. *Wir sind die Zukunft*. Che significa?»
Narov si bloccò. Lo fissò per un lunghissimo secondo, lo sguardo gelido. «Dove l'hai sentito?»
«Un'eco dal passato.» Perché quella donna rispondeva sempre a una domanda con una domanda? «Allora, che significa?»
«"*Wir sind die Zukunft*"» ripeté lei, lentamente e solennemente. «"Noi siamo il futuro." Era il grido di battaglia della *Herrenrasse*, la razza superiore nazista. Quando Hitler si stancava di "*Denn heute gehört uns Deutschland, und morgen die ganze Welt*", provava un po' di "*Wir sind die Zukunft*". Il popolo se la beveva.»
«Com'è che sei così esperta di queste cose?» chiese lui.
«Conosci il nemico» rispose criptica Narov. «Sapere queste cose è il mio compito.» Lanciò a Jaeger un'occhiata che gli sembrò accusatoria. «La domanda è: com'è che tu ne sai così poco?» Fece una pausa. «Così poco del tuo stesso passato.»
Prima che Jaeger potesse rispondere, alle sue spalle si sentì un urlo di terrore. Si voltò per scorgere un lampo di paura sul volto di Leticia Santos mentre veniva trascinata sott'acqua. Ritornò a galla, agitando disperatamente le braccia, il volto una maschera di terrore, prima di essere trascinata di nuovo sotto.
Jaeger aveva intravisto per una frazione di secondo cosa l'aveva afferrata. Era uno degli enormi serpenti acquatici da cui Puruwehua l'aveva messo in guardia: un *constrictor*. Scattò nell'acqua bassa, si tuffò verso il serpente letale, afferrandolo per la coda nel tentativo disperato di allontanare le sue spire dal corpo di lei.
Non poteva usare il fucile. Aprendo il fuoco avrebbe fatto saltare Santos insieme al serpente. L'acqua schizzava e ribolliva, Santos e il rettile erano intrecciati in una confusione di pelle di serpente e membra umane, mentre la donna combatteva una battaglia che da sola non avrebbe mai potuto vincere. Più Jaeger faceva forza, più il mostro *constrictor* sembrava serrare la presa assassina su di lei.

Poi, alle sue spalle, Jaeger udì uno scatto improvviso. Era il suono inconfondibile di un fucile da cecchino. Nello stesso istante, da qualche parte di quel groviglio di umano e rettile, qualcosa esplose in uno schizzo di sangue e carne polverizzata, quando il proiettile ad alta velocità andò a segno.

Qualche secondo dopo la lotta si concluse: la testa del serpente ciondolava molle e priva di vita. Jaeger vide che la maggior parte del suo cranio era saltata in aria dove il proiettile aveva lasciato un eloquente foro d'uscita. Una dopo l'altra, Jaeger iniziò ad allentare le spire mortali e con l'aiuto di Alonzo e Kamishi liberò Santos.

Mentre tutti e tre provavano a pomparle l'acqua fuori dai polmoni, Jaeger lanciò un'occhiata a Narov. Era nella palude con il Dragunov ancora in spalla, nel caso avesse dovuto colpire una seconda volta.

Santos riprese conoscenza con dei colpi di tosse frenetici, il petto che si sollevava violentemente. Jaeger si accertò che fosse stabile, ma aveva subito un grave trauma e tremava ancora di terrore per l'attacco. Alonzo e Kamishi decisero di trasportarla per l'ultimo tratto fino all'aereo, lasciando libero Jaeger di riunirsi a Narov in testa al gruppo.

«Bel colpo» commentò freddamente dopo che si furono rimessi in marcia. «Come facevi a essere certa di colpire la testa del serpente e non quella di Leticia?»

Narov gli lanciò un'occhiata gelida «Se qualcuno non avesse sparato, sarebbe morta. Anche col tuo aiuto, era una battaglia persa. Con questo» diede una pacca al Dragunov «avevo almeno una possibilità. Cinquanta e cinquanta, ma meglio di niente. A volte un proiettile salva una vita, non sempre serve a spegnerla.»

«Quindi hai lanciato la moneta e premuto il grilletto...» Jaeger tacque. Non gli sfuggiva che il proiettile di Narov avrebbe potuto colpire lui quanto Santos, eppure lei non aveva esitato prima di sparare, di correre un rischio simile. Non sapeva se ciò la rendeva una straordinaria professionista o una psicopatica.

Narov si voltò a guardare il punto dove il serpente era stato ucciso. «È un peccato per il *constrictor*. Stava semplicemente seguendo il suo istinto, provando a sfamarsi. Il *mbojuhua. Boa constrictor imperator*. È tra le specie elencate nell'allegato B della CITES, il che significa che è ad alto rischio di estinzione.»

Jaeger la guardò con la coda dell'occhio. Sembrava più preoccupata per la morte del serpente che per Leticia Santos. Immaginò che, se davvero fosse stata un'assassina, interessarsi soltanto agli animali le avrebbe reso le cose molto più facili.

Il terreno iniziò a salire mentre si avvicinavano alla zona morta.

Davanti a sé Jaeger poteva vedere la vegetazione che si diradava su ogni lato. Era rimpiazzata da file di spogli tronchi d'albero, sbiancati dal sole, come colonne infinite di lapidi. Sopra c'era una scheletrica ingraticciatura di legno morto – quel che restava della verdeggiante volta della foresta – e, ancora più in alto, un banco di basse nubi grigie.

Si raggrupparono al confine della zona in cui ogni forma di vita era morta.

Jaeger sentiva la pioggia che picchiava assordante davanti a lui invece di gocciolare sulla copertura di foglie. Era un rumore per un certo verso innaturale, che faceva sembrare la zona morta spaventosamente vuota ed esposta.

Percepì che Puruwehua stava tremando. «La foresta... non dovrebbe mai morire» si limitò a commentare l'indigeno. «Quando la foresta muore, noi amahuaca moriamo con lei.»

«Non abbandonarci ora, Puruwehua» bisbigliò Jaeger. «Sei il nostro *koty'ar*, ricordi? Abbiamo bisogno di te.»

Osservarono la zona morta. Più avanti Jaeger riusciva solo a individuare un'enorme massa scura, seminascosta tra le dita ossute che scendevano dalle nuvole. Il suo battito accelerò. Era la sagoma appena distinguibile di un aereo da guerra. Malgrado la visione della notte precedente – o forse proprio a causa di essa –, non vedeva l'ora di penetrare al suo interno per scoprirne i segreti.

Lanciò un'occhiata a Puruwehua. «La tua gente ci avvertirebbe se i nemici fossero nelle vicinanze? Avete degli uomini che seguono la Forza Oscura, giusto?»

Puruwehua annuì. «Sì. E siamo più veloci di loro. Se si avvicineranno, lo sapremo con largo anticipo.»

«Quanto tempo abbiamo, secondo te?» chiese Jaeger.

«La mia gente cercherà di avvisarci con un giorno d'anticipo. Un'alba e un tramonto prima che il nostro lavoro qui debba essere concluso.»

59

«Okay, fate attenzione» annunciò Jaeger radunando la squadra.
Si erano raccolti sotto gli ultimi metri di foresta ancora viva. Si trovavano su un'area sopraelevata, dove le acque alluvionali non sembravano essere arrivate.

«Per prima cosa, nessuno farà un altro passo senza protezione NBC. Dobbiamo identificare la minaccia, e solo a quel punto sapremo quale grado di pericolo dovremo affrontare. Una volta scoperta la tossicità, possiamo elaborare una strategia per proteggerci al meglio. Abbiamo tre tenute NBC complete. Vorrei essere il primo a salire a bordo, per prelevare campioni di acqua e aria e qualunque altra cosa troveremo. Poi possiamo fare a turno, ma dobbiamo mantenere al minimo il rischio di contaminazione incrociata.

«Monteremo qui il campo base» proseguì. «Stenderemo le amache lontano dal terreno morto. E vi prego di comprendere l'urgenza: secondo Puruwehua abbiamo ventiquattr'ore prima di ricevere la visita dei nemici. La sua gente dovrebbe avvertirci in anticipo, ma preferirei che organizzassimo anche un cordone di sicurezza attorno al campo. Alonzo: mi piacerebbe che te ne occupassi tu.»

«Contaci» confermò Alonzo. Annuì in direzione dell'aereo lontano. «Quell'affare... amico, mi mette i brividi. Non mi dispiace essere l'ultimo a entrarci dentro.»

«Riesci a montare di guardia?» chiese Jaeger a Leticia Santos. «O preferisci che ti prepariamo un poncho e un'amaca? Era un serpente notevole quello con cui ti sei azzuffata laggiù.»

«Finché riesco a tenermi fuori dall'acqua» replicò coraggiosamente Santos. Lanciò un'occhiata a Narov. «E finché la cosacca folle punta il suo fucile contro qualcun altro.»

Narov era concentrata su qualcosa. Sembrava totalmente assorta, incapace di staccare gli occhi dalla sagoma distante del velivolo.

Jaeger si rivolse a Dale. «Immagino che tu voglia filmare questo momento e, fidati, anch'io voglio che tu lo faccia. La prima volta che l'aereo viene aperto dopo decenni va documentata. Prendi la seconda tuta NBC, così potrai seguirmi.»

Dale alzò le spalle. «Che vuoi che sia? Può essere peggio che affrontare un banco di piranha, o ritrovarsi l'inguine pieno di sanguisughe?»

Era il tipo di risposta che Jaeger aveva imparato ad aspettarsi da lui. Dale non nascondeva la paura, ma non le avrebbe consentito di impedirgli di fare quel che era necessario.

Jaeger guardò Irina Narov. «Ho l'impressione che tu conosca quest'aereo meglio di chiunque altro: prendi la terza tuta. Puoi guidarci in quello che troveremo là dentro.»

Narov annuì, ma il suo sguardo era ancora fisso sull'aereo lontano.

«Puruwehua, vorrei che tu e i tuoi vi inoltraste nella foresta per creare un primo schermo, in caso ci fossero problemi. Gli altri si uniranno al cordone di sicurezza di Alonzo. E ricordate, nessuno usi mezzi di comunicazione o GPS. L'ultima cosa che vogliamo è allertare chiunque ci stia addosso.»

Chiarito quell'ultimo punto, Jaeger aprì la tenuta di protezione nucleare, biologica e chimica. La minaccia di qualsiasi materiale tossico fuoriuscito dall'aereo era doppia: poteva essere inalato o assorbito tramite una membrana porosa come la pelle.

Essendo costretti a portare addosso l'intera attrezzatura, erano stati in grado di trasportare solo tre protezioni NBC complete. Erano leggere, prodotte dall'azienda inglese Avon, e avrebbero protetto il corpo da eventuali gocce e vapori rimasti nell'aria.

Insieme alla tuta c'era la maschera Avon C50, un oggetto straordinario con la sua visiera singola, l'elevata protezione e la notevole vestibilità. Era la maschera – il respiratore – a proteggere il volto e gli occhi, impedendo che i polmoni inalassero sostanze tossiche.

Una volta che avessero indossato la protezione, sarebbero stati al riparo da qualunque minaccia chimica, biologica, nucleare o radioattiva, oltre che dagli scarti industriali, il che avrebbe dovuto comprendere qualsiasi pericolo nascosto sull'aereo.

In più, ogni maschera Avon era dotata di un trasmettitore-ricevitore incorporato, di modo che chi le indossava potesse comunicare attraverso un segnale radio a corto raggio.

Dopo essersi infilato l'ingombrante tuta, Jaeger fece una pausa. Aveva intenzione di accendere il Thuraya per controllare se avesse ricevuto un messaggio. Con l'ingombro della maschera e dei guanti non sarebbe stato facile usare quello strumento.

Jaeger tenne il trasmettitore dove poteva ricevere, e l'icona di un messaggio apparve sullo schermo. Fece un passo indietro, al riparo della giungla, per leggere la comunicazione di Raff.

> 08.00 Zulu – chiamati tutti i tel satellitari. Uno +882 16 7865 4378 ha risposto poi interrotto subito. Comunicato nome in codice (?) sembrava Lupo Bianco (?). Voce con accento Est Europa. KRAL?? In attesa risposta – urgente conferma pos.cond.

Jaeger lesse il messaggio tre volte per comprenderne appieno il senso. Evidentemente Raff era preoccupato per la loro posizione e le loro condizioni (nel suo gergo "pos.cond."), altrimenti non avrebbe corso il rischio di fare una chiamata vocale. Jaeger avrebbe dovuto inviare un rapido messaggio per fargli sapere che all'appello non mancava nessuno e che erano arrivati al sito dell'aereo.

O meglio, uno mancava: Stefan Kral.

E, a giudicare dal messaggio, Jaeger ebbe l'impressione che una nuvola scura fosse calata sul cameraman slovacco.

Fece scorrere i numeri delle chiamate rapide, cercando quelli degli altri membri della squadra. In teoria, avevano con sé solo tre telefoni satellitari – il suo, quello di Alonzo e quello di Dale –, mentre gli altri erano stati lasciati nel nascondiglio sopra le Cascate del Diavolo.

E, come sospettava, il +882 16 7865 4378 apparteneva a uno dei Thuraya che in teoria erano stati abbandonati.

Jaeger ripensò alle 08.00 Zulu. Avevano da poco lasciato il campo per riprendere la marcia. Nessuno della squadra avrebbe potuto ricevere la chiamata di Raff. Ma se Kral aveva nascosto un Thuraya nel suo zaino, avrebbe potuto benissimo rispondere dalla radura degli amahuaca.

E fare delle chiamate, anche.

La domanda era: perché avrebbe dovuto nascondere un telefono? E perché il nome in codice – se Raff aveva capito bene – Lupo Bianco? E perché aveva interrotto la comunicazione non appena aveva capito che veniva da Raff a bordo dell'Airlander?

Jaeger si sentì assalire da un terribile sospetto. Collegando l'episodio al fatto che Kral non aveva disabilitato l'unità GPS sulla videocamera di Dale, l'unica conclusione possibile pareva essere che lo slovacco fosse un infiltrato. Se davvero era una spia, Jaeger si sentiva doppiamente tradito: aveva abboccato in pieno alla sua recita di padre di famiglia bistrattato.

Chiamò Puruwehua. Gli spiegò il più succintamente possibile cosa fosse successo.

«Uno dei tuoi potrebbe tornare al villaggio per avvertire il capo e dirgli di trattenere Kral fino a che non potremo interrogarlo? Non dico che sia sicuramente colpevole, ma ogni indizio punta in quella direzione. Così, per andare dritto al sodo, gli impediremmo di fuggire.»

«Manderò qualcuno» assentì Puruwehua. «Qualcuno che sappia muoversi velocemente. Se è un vostro nemico, lo è anche della mia gente.»

Jaeger lo ringraziò. Inviò a Raff uno stringato aggiornamento, poi tornò a concentrarsi sul da farsi.

Spinse avanti le spalle, aprì il retro della maschera Avon e se la infilò sulla testa facendo attenzione a che la gomma gli aderisse perfettamente alla pelle del collo. Strinse le cinghie e la sentì premere contro i contorni del suo viso.

Mise la mano sul filtro del respiratore, bloccando l'aria. Poi respirò a fondo, così che la maschera gli si incollò al viso, per controllare che fosse perfettamente a tenuta ermetica. Quindi, fece qualche breve respiro attraverso il filtro, sentendo riecheggiare nelle orecchie il raspare e il risucchio dei suoi respiri.

Si sollevò il cappuccio della tuta sulla testa, bloccando l'elastico attorno alla maschera. Si infilò i copristivali di plastica che rivestirono completamente i suoi scarponi, poi li legò ben stretti alle caviglie. Infine, ma non meno importante, indossò i sottili sottoguanti bianchi e i pesanti guanti imbottiti di gomma.

Il suo mondo era ridotto a quel che riusciva a vedere attraverso la visiera della maschera. Il doppio filtro era posizionato sul davanti e sul lato sinistro, in modo da non bloccare la visuale, ma Jaeger iniziava già ad avvertire una certa claustrofobia, e sentì aumentare il calore e l'aria viziata.

Indossata l'attrezzatura, le tre figure uscirono dalla giungla viva per entrare nella terra desolata.

60

Una tranquillità innaturale colpì Jaeger. Era completamente protetto dalla tuta NBC, ma aveva comunque la sensazione di entrare in qualcosa di morto nel vero senso della parola.

Dopo il chiacchiericcio degli uccelli e il ronzio degli insetti nella verde giungla rigogliosa, la zona morta sembrava inquietantemente silenziosa. Il picchiettare costante della pioggia sul cappuccio aveva un ritmo regolare che accompagnava il risucchio e il soffio del suo respiro; tutt'attorno, il terreno pareva privo di vita.

Gli scarponi sprofondavano su rami e cortecce marci.

Nei punti in cui i sovrascarponi di Jaeger li avevano scostati, si potevano vedere degli insetti che avevano ricominciato a colonizzare la zona morta. Colonie di formiche dalla pelle corazzata schizzavano arrabbiate sotto i suoi scarponi. E poi c'erano i suoi vecchi amici di Black Beach: gli scarafaggi.

Formiche e scarafaggi: se fosse mai scoppiata una guerra mondiale a base di armi nucleari e chimiche, gli insetti probabilmente avrebbero ereditato la terra. Erano immuni a gran parte delle sostanze tossiche prodotte dall'uomo, inclusa con ogni probabilità quella che era fuoriuscita dall'aereo.

Le tre figure avanzarono in silenzio.

Jaeger sentiva la tensione emanata da Narov al suo fianco. Qualche passo più indietro c'era Dale, intento a filmare, ma aveva difficoltà a mantenere l'inquadratura, con le mani coperte dai guanti ingombranti e la maschera che limitava il suo campo visivo.

Si fermarono a una quindicina di metri dall'aereo; da quel punto riuscirono a valutare l'enormità di quel che li attendeva. Il velivolo era seminascosto dai tronchi cadaverici – privi di foglie e corteccia, totalmente morti –, ma non si poteva evitare di notare le linee eleganti e slanciate del gigantesco velivolo che era rimasto nascosto nella giungla per settant'anni o più.

Dopo l'epico viaggio per raggiungerlo, rimasero a contemplarlo in muta ammirazione.

Persino Dale aveva smesso di filmare per guardarlo.

Tutto era stato fatto per arrivare a quel momento: infinite ricerche, infinite pianificazioni, infinite speculazioni su cosa fosse davvero quell'aereo e poi, dopo quegli ultimi giorni, così tanta morte e sofferenza lungo il viaggio, e il freddo acciaio del tradimento.

Mentre lo osservava rapito dallo stupore, Jaeger fu colpito dal fatto che l'aereo appariva intatto. Gli venne da pensare che sarebbe bastato il rifornimento di carburante che aveva atteso per tutti quegli anni perché potesse accendere i motori e levarsi nuovamente in cielo.

Riusciva a capire come mai Hitler avesse annunciato quel velivolo come il suo *Amerika Bomber*. Come gli aveva spiegato l'archivista Jenkinson, sembrava fatto apposta per spargere gas nervino Sarin su New York.

Jaeger era stupefatto.

Cosa diavolo ci faceva lì? Qual era la sua missione? E se era l'ultimo di quattro voli simili, come il capo amahuaca aveva detto, che cosa stava – stavano – trasportando?

Jaeger aveva visto solo una foto di uno Junker Ju 390.

Era uno scatto in bianco e nero che Jenkinson gli aveva spedito via email, una delle pochissime immagini che esistevano di quell'aereo da guerra. Ritraeva un velivolo scuro e slanciato a sei motori, con una serie di oblò lungo le fiancate. Le uniche differenze tra la macchina ritratta nella foto e quella che avevano davanti erano la posizione e i contrassegni.

La foto mostrava un Ju 390 nell'ultima posizione nota, una pista ghiacciata, bloccata dalla neve a Praga, nella Cecoslovacchia occupata, in una pungente mattina di febbraio del 1945. Su entrambe le massicce ali del velivolo era dipinto l'inconfondibile simbolo di una croce nera su sfondo bianco – l'emblema della

Luftwaffe tedesca – con altre marcature simili sulla sezione di coda della fusoliera.

Al contrario, l'aereo che Jaeger aveva davanti mostrava una coccarda altrettanto inconfondibile: una stella bianca a cinque punte sopra a delle strisce bianche e rosse, l'inconfondibile marcatura dell'aviazione degli Stati Uniti. Le coccarde erano tanto sbiadite e scolorite da sembrare quasi invisibili, ma per Jaeger e i suoi erano ancora assolutamente riconoscibili.

Gli pneumatici giganti sulle otto ruote dell'aereo si erano consumati e parzialmente sgonfiati, ma arrivavano comunque quasi all'altezza delle spalle di Jaeger. La cabina di pilotaggio invece si era sollevata di circa trenta gradi verso quella che un tempo doveva essere la cupola della giungla e che ormai non era altro che un intreccio di rami morti alti sulle loro teste.

Come Carson aveva promesso negli uffici londinesi della Wild Dog Media, l'aereo faceva sembrare un Hercules C-130 – il velivolo usato da Jaeger e dai suoi – una specie di modellino. E a parte le liane e i rampicanti appassiti che si stendevano sulla fusoliera, e la vegetazione morta caduta sui cinquanta metri di apertura alare, sembrava del tutto intatto, a dimostrazione del fatto che era atterrato e non precipitato.

Ovviamente mostrava i segni di settant'anni d'abbandono nella giungla. Jaeger si accorse che alcuni dei bulloni che ne tenevano assieme il rivestimento si erano corrosi, e che qui e là una cappottatura o un rivestimento erano caduti dai motori. Ali e fusoliera erano coperte da un marcio tappeto di muffa, e i resti di felci ed epifite erano sparsi sulla superficie dorsale.

Ma il deterioramento era per lo più esteriore.

Strutturalmente l'aereo sembrava solido. Una rapida rinfrescata e Jaeger immaginava sarebbe stato pronto a decollare.

Dall'alto arrivò un assordante schiamazzo: un gruppo di pappagalli di un verde iridescente sfrecciò attraverso la foresta di scheletri, risvegliando Jaeger dal suo stato di trance.

Si voltò verso Narov. «C'è solo un'entrata.» Le parole erano attutite dalla maschera antigas, ma grazie al sistema incorporato di comunicazione radio erano udibili. Con la mano inguantata tracciò una retta dalla coda, lungo l'intera fusoliera, fino alla cabina.

Narov lo guardò attraverso la maschera. «Andrò io per prima.»

Dato che la ruota posteriore era sgonfia, il piano di coda si trovava a portata di Narov, che però riuscì a salirvi sopra solo grazie a un albero morto. Si allungò verso la parte superiore dell'aereo e si issò sulla superficie orizzontale del piano.

Jaeger la seguì. Aspettò Dale, afferrò la videocamera che questi gli passò e lo aiutò a salire. Narov procedette rapidamente, si affrettò lungo la superficie dorsale dell'aereo e scomparve dalla vista.

La superficie inferiore della fusoliera del Ju 390 era piatta, quella superiore formava una leggera cresta. Jaeger vi salì sopra e seguì Narov lungo la spina dorsale dell'aereo, facendosi strada attorno alla cupola posizionata sopra la cabina di pilotaggio, dove c'era il navigatore, circondato su ogni lato da una serie di pannelli di vetro. Da quella postazione prendeva le misurazioni delle stelle in modo da guidare l'aereo per le migliaia di miglia di oceano e giungla prive di punti di riferimento. Jaeger notò che parte della gomma che sigillava i pannelli si era consumata, così che una o due lastre erano cadute all'interno.

Arrivò alla cabina, strisciò verso il basso e raggiunse Narov sul muso dell'aereo. Era una posizione precaria: il suolo si trovava a una dozzina di metri sotto i loro piedi. Il muso dell'aereo era liscio e aerodinamico, ma segnato da settant'anni di permanenza nella giungla. Jaeger fece del suo meglio per ripulirlo dalla maggior parte dei detriti, in modo da avere un appoggio decente.

Dale apparve sopra di loro con la videocamera in mano e si apprestò a filmare.

Jaeger tirò fuori dalla tasca della tuta una misura di paracord e la lanciò a Dale chiedendogli di farla passare attorno all'antenna radio che spuntava dalla parte posteriore della cabina di pilotaggio. Dale gliela ripassò e Jaeger formò due anelli in modo che lui e Narov avessero qualcosa a cui aggrapparsi.

Narov stava scrutando attraverso uno dei due finestrini frontali. Jaeger riusciva a distinguere le sbavature dove aveva usato i guanti per provare a pulire la maggior parte dello sporco e della muffa.

Per un istante, Narov guardò nella direzione di Jaeger. «Il finestrino laterale... Credo l'abbiano lasciato aperto. Entreremo da lì.»

Si spinse verso il fianco con l'immancabile coltello in mano. Con destrezza infilò la lama nella gomma mezzo marcia che sigillava il pannello di vetro e fece forza. Di solito, quel tipo di aeromobili era dotato di finestrini a scorrimento in modo che il pilota potesse parlare all'equipaggio sulla pista.

Narov stava provando ad aprirlo.

Un centimetro dopo l'altro fece scorrere il vetro fino a creare un'apertura sufficiente per calarsi all'interno. Afferrando uno degli anelli di paracord si lanciò verso la parte laterale della cabina di pilotaggio, spingendosi con i piedi lungo la fiancata dell'aereo e infilando le gambe all'interno. Agile come un gatto, fece passare fianchi e busto attraverso il finestrino aperto e, quasi senza guardare Jaeger, scomparve.

Afferrando il paracord, Jaeger si spinse verso il lato e seguì Narov, atterrando con fragore metallico sul pavimento nudo della cabina.

I suoi occhi ci misero qualche secondo ad abituarsi alla penombra.

La prima impressione fu di trovarsi all'interno di una specie di capsula del tempo. Non sentiva nulla, ovviamente, perché il respiratore filtrava ogni cosa, ma immaginava il tanfo di muffa che doveva salire dai sedili di pelle marci, misto all'odore acido dell'alluminio corroso delle decine di comandi che costeggiavano il pannello di controllo.

Dietro di lui c'era quel che doveva essere il sedile del copilota, inserito in una piccola alcova e rivolto verso il corpo dell'aereo, con davanti una gran quantità di leve e comandi. Oltre a questo c'era la postazione del navigatore, inserito nella cupola, e oltre ancora, nascosta nell'ombra, si trovava la paratia che separava la cabina dalla stiva.

L'interno dell'aereo sembrava inquietantemente intatto, come se l'equipaggio l'avesse abbandonato solo poche ore prima. C'era una fiaschetta di latta accanto al sedile del pilota; accanto a essa, una tazza con quel che Jaeger immaginò fosse una traccia di caffè secco sul fondo.

Un paio di occhiali da sole da aviatore erano posati sulla poltrona del pilota, come se li avesse lasciati lì per uscire a scambiare qualche parola col personale della stiva. L'atmosfera era davvero spettrale: d'altronde, che altro potevano aspettarsi?

C'era qualcosa imbullonato sopra la postazione del pilota che attirò la sua attenzione. Era un marchingegno strano – quasi alieno – montato su un perno, come se lo si potesse calare sugli occhi del pilota. Guardò la postazione del copilota: un apparecchio simile era posizionato anche sopra quella poltrona.

Percepì lo sguardo di Narov.

«È quello che penso?» chiese Jaeger.

«*Ziegelrät 1229*, il *Vampir*» confermò Narov. «Visore notturno a infrarossi, diremmo oggi. Per atterrare e decollare nel buio più completo.»

La scoperta del *Vampir* non l'aveva di certo sorpresa. Ma Jaeger aveva creduto per molto tempo che i visori notturni fossero stati inventati dall'esercito americano soltanto qualche decennio prima. Vedere un apparecchio simile in un aereo tedesco della Seconda guerra mondiale per lui era sconvolgente.

Sul tavolo del navigatore dietro di lui Jaeger scoprì quel che restava di una carta ammuffita, con matita e divisori posati di lato. Il navigatore era evidentemente un fumatore incallito. Un cumulo di mozziconi mezzo decomposti si trovava in un posacenere a pressione, accanto a un pacchetto di fiammiferi della *Luftwaffe*.

Infilata in quella che doveva essere la cartella del navigatore, c'era una vecchia immagine ingiallita. Jaeger la raccolse. Era una foto aerea, e quasi immediatamente si accorse che ritraeva la pista d'atterraggio come doveva essere una settantina d'anni prima, appena aperta a colpi d'ascia nella giungla.

Era contrassegnata con alcune parole tedesche, una delle quali, *Treibstofflager*, aveva a fianco il disegno di un barile di benzina. Ovviamente, era stato proprio il *Treibstofflager* a esaurirsi intrappolando l'aereo nella giungla per sempre.

Jaeger fece per mostrarla a Narov, ma lei gli aveva voltato le spalle: nella sua postura c'era qualcosa di furtivo. Era china su una borsa a tracolla di cuoio, e stava sfogliando febbrilmente un plico di documenti. A giudicare dal linguaggio del corpo, Jaeger pensò che avesse trovato quello che stava cercando, e che nessuno avrebbe potuto portarle via qualunque cosa ci fosse in quella borsa.

Narov doveva aver percepito lo sguardo di lui perché, senza una parola, si sfilò lo zaino, vi cacciò dentro la borsa e si voltò verso la stiva. Lanciò un'occhiata verso Jaeger. Da quanto riusciva a vedere dietro la maschera, il volto di lei sembrava rosso d'eccitazione. Ma c'era anche un che di evasivo, un'aria difensiva, nei suoi occhi.

«Trovato quel che cercavi?» le chiese lui schiettamente.

Narov ignorò la domanda e, invece, indicò il retro dell'aereo. «Da quella parte, se vuoi vedere quali segreti nasconde questo aereo.»

Jaeger prese un appunto mentale per ricordarsi di interrogarla sui documenti nella borsa, una volta che avessero sollevato l'aereo dalla giungla. Non c'era tempo per un confronto del genere in quel momento.

61

Narov indicò la paratia. C'era un boccaporto oblungo, chiuso ermeticamente con una maniglia sollevata in posizione verticale. C'era un freccia rivolta verso il basso, con accanto una scritta in tedesco: ZU ÖFFNEN.

Non serviva un traduttore.

Jaeger afferrò la maniglia. Esitò per un istante, poi infilò la mano in una delle tasche anteriori e prese una lampada frontale Petzl. Allentò i lacci e se l'infilò sopra il cappuccio e la maschera. Poi afferrò di nuovo la leva e la abbassò in posizione orizzontale, prima di spalancare la pesante porta.

Nel ventre dello Ju 390 l'oscurità era totale.

Jaeger sollevò la mano inguantata e girò il vetro della lampada frontale, accendendola. Un'intensa luce blu si irradiò dalle due lampadine allo xeno. I raggi gemelli penetrarono l'oscurità, schizzando come un laser attraverso la stiva e illuminando fitti strati di quella che sembrava nebbia.

La "nebbia" si avvicinò a Jaeger, stendendo tentacoli spettrali attorno a lui.

Scrutò più a fondo: a quel punto della fusoliera, la stiva dello Ju 390 era alta almeno quanto due uomini adulti, e ancora più larga alla base. A quanto Jaeger riusciva a intravedere, l'intera stiva era piena di casse da trasporto. Ciascuna era fissata ad anelli di acciaio ancorati al pavimento dell'aereo, per evitare che il carico si spostasse durante il volo.

Jaeger, cautamente, fece un primo passo all'interno. Aveva totale fiducia nella tenuta NBC Avon, ma avanzare verso una minaccia sconosciuta faceva comunque una certa impressione.

Non esistevano agenti tossici noti in grado di avere la meglio sulle loro tute e maschere, ma se la stiva dell'aereo fosse stata minata?

La fusoliera scendeva davanti a lui, verso la coda dell'aereo poggiata a terra. Mentre si guardava attorno, notò che la luce della torcia catturava lunghi filamenti d'argento stesi da una parte all'altra dell'aereo. Inizialmente credette di aver scoperto la trappola predisposta da chi aveva abbandonato l'aereo, fili collegati, magari a cariche esplosive.

Ma poi notò che ciascuno dei filamenti era parte di più ampi e complicati disegni geometrici, che tracciavano una spirale verso una massa scura accovacciata al centro.

Ragni.

Perché dovevano sempre esserci dei ragni?

«Il *Phoneutria* è detto anche "ragno vagabondo"» gli comunicò Narov attraverso la radio. «Si infilano ovunque. Stai in guardia.»

Gli passò davanti, brandendo il coltello.

Dopo essere stata morsa una volta, non mostrava alcuna paura: colpiva con destrezza le ragnatele, facendole cadere per creare un passaggio. Balzando da una parte all'altra, tranciava i fili di seta e lanciava lontano i corpi dei ragni, muovendosi con la grazia e l'agilità di una ballerina.

Era affascinante. Jaeger seguì i suoi passi, notando il suo coraggio assoluto. Era davvero unica – e pericolosa? – quanto i ragni che abilmente stava eliminando.

Seguì il percorso da lei tracciato, tentando di capire se vi fossero degli inneschi lungo il pavimento. Il suo sguardo fu attratto da un'enorme cassa subito davanti a lui. Era così grande che a stento sarebbe riuscito a proseguire verso la coda. Si domandò come fossero riusciti a caricarla a bordo. Poté pensare solo che avessero usato dei mezzi pesanti per issarlo lungo la rampa posteriore.

Quando la studiò, la lampada illuminò una scritta stampigliata sul fianco:

Kriegsentscheidend: Aktion Adlerflug
SS Standortwechsel Kommando
Kaiser-Wilhelm Gesellschaft
Uranprojekt – Uranmaschine

Al di sotto, c'era l'inconfondibile sagoma nera di... un *Reichsadler.*

Jaeger riuscì a decodificare solo alcune delle parole – e il simbolo –, ma Narov gli avrebbe fornito i collegamenti mancanti. Si inginocchiò davanti alla cassa, seguendo le parole illuminate via via dalla sua lampada frontale.

«Be', niente di cui stupirsi...» cominciò.

Jaeger si accovacciò accanto a lei. «Alcune delle parole le conosco» disse. «*Kriegsentscheidend*: più che segretissimo. *SS Standortwechsel Kommando:* il commando di ricollocamento delle SS. E il resto?»

Narov lesse e tradusse le parole, mentre la luce della torcia di Jaeger si rifletteva sulle lenti della sua maschera. «*Aktion Adlerflug*: Operazione Volo d'aquila. *Kaiser-Wilhelm Gesellschaft*: Società Kaiser Wilhelm, il principale istituto per la ricerca nucleare dei nazisti. *Uranmaschine*, reattore nucleare.»

Si voltò verso Jaeger. «Componenti del loro programma atomico. I nazisti avevano fatto degli esperimenti con l'energia nucleare e su come sfruttarla negli armamenti, in modi che noi non avevamo mai immaginato.»

Narov si accostò a una seconda cassa e indicò una scritta simile, accompagnata da un altro *Reichsadler*.

Kriegsentscheidend: Aktion Adlerflug
SS Standortwechsel Kommando
Mittelwerk Kohnstein
A9 Amerika Rakete

«Le prime due righe sono identiche. Sotto: il *Mittelwerk* era un complesso sotterraneo scavato nei monti Kohnstein, nel cuore della Germania. Fu lì che Hitler diede a Hans Kammler l'incarico di ricollocare i principali missili e razzi nazisti, dopo che il centro di ricerca di Peenemunde fu bombardato dagli Alleati.

«Nell'inverno del 1944 e nella primavera del 1945, ventimila lavoratori forzati del vicino campo di concentramento di Mittelbau-Dora morirono costruendo il *Mittelwerk* per la stanchezza, la fame e le malattie. Vennero costretti a lavorare fino alla morte, o giustiziati se erano troppo deboli per rendersi ancora utili.»

Narov indicò la cassa. «Come vedi, non tutto il male del *Mittelwerk* è scomparso con la fine della guerra.»

Jaeger scorse l'ultima riga della scritta. «Cos'è l'A9?»
«Il seguito della V2. L'*Amerika Rakete*, il razzo americano progettato per volare a tremila miglia all'ora e colpire l'entroterra americano. Alla fine della guerra erano riusciti a testarne alcune versioni nelle gallerie del vento, e avevano fatto anche dei voli di prova riusciti. Ovviamente non volevano che l'A9 morisse insieme al Reich.»
Jaeger era certo che Narov sapesse molto più di quanto gli stava dicendo. Aveva avuto quella sensazione fin dall'inizio della spedizione. E ora, quella serie di scoperte sconvolgenti: un aereo da guerra tedesco segreto con i colori americani, perso per decenni nella foresta amazzonica e pieno di quello che a tutti gli effetti pareva un carico di orrori nazisti.
Eppure, nulla sembrava minimamente sorprendere o scioccare Irina Narov.

62

Si inoltrarono ancor più nelle tenebre.

Dentro la fusoliera, il caldo era soffocante e l'ingombrante tenuta NBC triplicava il disagio, ma Jaeger non aveva dubbi che stesse loro salvando la vita. Quali che fossero le esalazioni tossiche che riempivano l'aereo, se lui, Narov o Dale avessero provato a entrarci senza precauzioni si sarebbero trovati in un enorme guaio, ne era certo.

Per un istante, si voltò per controllare Dale.

Vide che il cameraman stava inserendo un flash a batterie in cima alla videocamera. L'accese – la luce necessaria per filmare – e l'interno dell'aereo venne tratteggiato in nette zone di luci e ombre.

Da ogni angolo, minuscoli globi gemelli di luce li fissavano: gli occhi dei *Phoneutria*.

Jaeger quasi si aspettava che i fantasmi dell'equipaggio si ridestassero nella luce intensa e avanzassero dalle ombre, brandendo delle pistole Luger per difendere fino all'ultimo il loro oscuro mistero.

Sembrava inconcepibile che il velivolo fosse stato completamente abbandonato, insieme a tutti i suoi segreti.

Narov si chinò accanto a una terza cassa, e Jaeger percepì quasi istantaneamente una variazione nel suo atteggiamento. Mentre osservava la scritta, si lasciò sfuggire un gemito soffocato: Jaeger capì che, almeno lì, c'era qualcosa che non si era aspettata.

Si chinò anche lui per leggere le parole stampigliate sul fianco della cassa.

Kriegsentscheidend: Aktion Adlerflug
SS Standortwechsel Kommando
Plasmaphysik – Dresden
Röntgenkanone

«Questo non ce l'aspettavamo» mormorò Narov. Guardò Jaeger. «Tutte le righe sono ovvie, ma l'ultima? E la terza, la capisci?»

Jaeger annuì. «Fisica del plasma – Dresda.»

«Esatto» confermò Narov. «Per quanto riguarda il *Röntgenkanone*, non esiste una traduzione diretta in inglese. Si potrebbe chiamare raggio della morte, un'arma a energia diretta. Emette un raggio speciale, una radiazione elettromagnetica, oppure delle onde sonore. Sembra una cosa da fantascienza, ma per anni si è detto che i nazisti avessero un'arma simile, e che l'abbiano usata per abbattere gli aerei alleati.»

Lo sguardo di Narov incrociò quello di Jaeger attraverso il vetro della maschera. «Sembra che fosse vero, e che abbiano difeso il *Röntgenkanone* fino all'ultimo.»

Jaeger sentiva il sudore che gli colava lungo il viso. Il calore stava raggiungendo livelli insopportabili, e il sudore iniziava a condensarsi nella maschera, appannando le lenti. Pensò che fosse il caso di provare a raggiungere la coda per aprire una delle porte laterali sopra il piano.

Mentre avanzavano a fatica, Narov gli indicò altre casse piene di armi straordinariamente avanzate. «La bomba planante BV 246. Aveva una gittata di duecento chilometri, e poteva agganciare il segnale radar dell'obiettivo... La bomba teleguidata Fritz X, con una testata a ricerca di calore o a guida radar/radio. Praticamente, i precursori delle moderne bombe intelligenti.»

Si chinò accanto a una fila di casse lunghe e basse. «Il *Rheintochter* R1: un missile teleguidato terra-aria per abbattere i cacciabombardieri alleati... l'X4: un missile aria-aria, condotto all'obiettivo dal pilota. Il *Feuerlilie*, giglio di fuoco, un razzo antiaereo teleguidato...»

Si fermò davanti a un gruppo di scatoloni più piccoli. «Un'unità per la visione notturna attiva Seehund, usata insieme a un proiettore a infrarossi, aveva un campo infinito... E qui, del materiale da camuffamento prodotto dalla IG Farben per il programma *Schwarzes Flugzeug*, Flotta Nera. Era il precursore dei moderni velivoli *stealth*.

«Qui invece c'è del materiale per camuffare i sottomarini XXI. Il rivestimento assorbiva il radar e il sonar, rendendo il XXI del tutto invisibile.» Lanciò un'occhiata a Jaeger. «Era talmente rivoluzionario che la versione cinese, il sottomarino di classe Ming, è ancora in uso oggi. E il progetto 633 dei russi, i loro sottomarini di classe Romeo, era una copia esatta del XXI, ed è durato per l'intera Guerra Fredda.»

Rimosse la polvere da un'altra cassa, svelando le parole che vi erano stampate. «Sarin, Tabun e Soman. I rivoluzionari agenti nervini dei nazisti, che le superpotenze mondiali stanno ancora immagazzinando. Nel 1945 non avevamo modi efficaci per difenderci. Nessuno, soprattutto, perché non sapevamo che esistessero.»

Narov prese un respiro profondo. «E accanto, una cassa di agenti biologici. Il nome in codice che Hitler diede alle armi biologiche era programma *Blitzableiter*: parafulmine. Fu una creazione dello scienziato nazista Kurt Blome. Negarono sempre la sua esistenza, mascherandolo da programma per la ricerca sul cancro, eppure qui abbiamo la prova definitiva della sua esistenza: peste, tifo, colera, antrace e agenti nefrotossici. Evidentemente, intendevano continuare dopo la fine della guerra.»

Quando raggiunsero la sezione di coda dell'aereo, a Jaeger girava la testa, sia per il caldo soffocante sia per tutto quello che avevano scoperto. La fede assoluta di Hitler nella tecnologia – che, contro ogni previsione, avrebbe permesso al Reich di vincere la guerra – aveva portato dei frutti, in modi che Jaeger avrebbe appena potuto immaginare.

Sia a scuola sia al centro di addestramento dei Royal Marines, dove aveva completato il corso da ufficiale, a Jaeger era stato insegnato che gli Alleati avevano sconfitto i nazisti sia militarmente sia in ambito tecnologico. Ma se c'era da fidarsi del contenuto dell'aereo, quella lezione sembrava totalmente errata.

Razzi e missili teleguidati, bombe intelligenti, aerei e sottomarini *stealth*, strumenti per la visione notturna, armi chimiche e biologiche, persino il raggio della morte: gli straordinari progressi dei nazisti erano provati dalle casse immagazzinate nell'enorme stiva dell'aereo.

63

I boccaporti posteriori dello Ju 390 si rivelarono dei tipici esempi di solida ingegneria tedesca. Su entrambi i lati c'erano doppie porte alte quasi due metri che si aprivano verso l'esterno. Erano fissate con due barre metalliche che le attraversavano al centro entrando in due fori nel soffitto e nel pavimento.

I cardini e i meccanismi di chiusura sembravano ben oliati, e Jaeger immaginò che sarebbe stato facile smuoverli. Fece forza su una delle leve, che cigolò appena quando la sollevò sbloccando le porte. Le spinse con tutto il suo peso, e un secondo dopo si spalancarono. In quel preciso istante, la densa nebbia che aleggiava nel ventre dell'aereo iniziò a filtrare all'esterno.

Jaeger rimase stupito nel vedere che sembrava più pesante dell'aria. Si riversò fuori dall'aereo, colando a terra in una pozza, come una densa zuppa tossica. Quando un raggio di sole colpì la nube di gas, questa sembrò illuminarsi dall'interno, con una strana luminescenza metallica.

Ciò fece tornare in mente a Jaeger che era stato incaricato di eseguire dei test per stabilire la causa della tossicità che proveniva dall'aereo. Era stato così concentrato nella ricerca che se ne era quasi dimenticato.

Ma avrebbe avuto tempo a sufficienza più avanti.

In quel momento stava bollendo, aveva bisogno di un attimo di respiro e di un po' d'aria. Si sedette su un lato della porta aperta e Narov prese posto di fronte a lui. Con la coda dell'occhio vide Dale che continuava a filmare, cercando di catturare con l'obiettivo ogni immagine della straordinaria scoperta.

Alla luce che filtrava dal boccaporto aperto, Jaeger notò quella che sembrava l'immagine di un MANPADS sul fianco di una cassa lì accanto. Si chinò per ispezionarla: ritraeva davvero un lanciamissili terra-aria a spalla.

Narov osservò la scritta lungo il fianco della cassa. «*Fliegerfaust*. Letteralmente significa "pugno del pilota". Il primo sistema missilistico antiaereo portabile al mondo, usato contro gli aerei da guerra alleati. Anche questo, per fortuna, è arrivato troppo tardi per cambiare l'esito della guerra.»

«È surreale...» mormorò Jaeger. «Così tante innovazioni... Ci vorrà una vita per catalogare tutti i segreti che ci sono qua dentro.»

«Cos'è che ti sorprende, esattamente?» chiese Narov, fissando le ossa bianche della giungla morta all'esterno. «Che i nazisti possedessero una simile tecnologia? Avevano tutto questo e molto altro. Perlustra per bene la stiva e chissà cosa può ancora saltare fuori.»

Fece una pausa. «O ti sorprende che l'aereo abbia delle marcature americane? Gli Alleati sostennero gli sforzi nazisti per trasferire gli armamenti – le *Wunderwaffen* – fino ai più lontani angoli della terra. Alla fine della guerra avevamo un nuovo avversario: la Russia sovietica. Il nemico del mio nemico è mio amico, quello era lo spirito. Gli Alleati diedero la loro benedizione ai piani alti dei trasferimenti nazisti, per questo l'aereo ha i colori dell'aeronautica statunitense. Gli Alleati, gli americani, erano i padroni del cielo, all'epoca: nessuno, diversamente, sarebbe riuscito a passare.

«Alla fine della guerra era iniziata la corsa contro la Russia» continuò Narov. «Accaparrandoci i segreti dei nazisti, la loro tecnologia e i loro migliori scienziati, avremmo potuto vincere la Guerra Fredda, per non parlare della corsa allo spazio. All'epoca, era così che giustificavamo tutto questo.»

«Noi?» esclamò Jaeger. «Ma tu sei russa. L'hai detto tu stessa: alla fine della guerra, eravate voi il nemico.»

«Di me non sai nulla» mormorò Narov. Restò in silenzio per un lungo istante. «Forse sembro russa, ma ho sangue inglese. Sono nata nel tuo paese. Ancor prima, le mie origini sono tedesche. E ora vivo a New York. Sono una cittadina del mondo libero. Questo mi rende il nemico?»

Jaeger si strinse nelle spalle, quasi scusandosi. «Come potevo saperlo? Non mi hai raccontato nulla di te o...»

«Ora non è il momento» l'interruppe lei indicando il carico dello Ju 390.

«Giusto. Comunque, continua... parlami dell'aereo.»

«Prendi ad esempio il complesso sotterraneo del *Mittelwerk*» proseguì lei riprendendo da dove si era interrotta. «All'inizio del maggio 1945, gli americani lo invasero, e i primi sistemi missilistici V2 furono trasportati negli Stati Uniti. Qualche giorno dopo, gli ufficiali dell'esercito sovietico arrivarono per prendere possesso della struttura: si trovava nella zona d'occupazione russa. Le missioni spaziali dell'Apollo furono progettate a partire dalla tecnologia V2.

«O pensa a Kurt Blome, il direttore del *Blitzableiter*. Una delle ragioni per cui il programma di armi biologiche dei nazisti era così avanzato era che avevano migliaia di prigionieri dei lager su cui testarle. Alla fine della guerra, Blome fu catturato e processato a Norimberga. In un modo o nell'altro venne assolto, dopo di che gli americani lo assunsero per lavorare all'Army Chemical Corps a un progetto top secret sulle armi chimiche.

«Siamo scesi a patti» ammise, incapace di trattenere una nota di amarezza. «E sì, siamo scesi a patti con quelle persone innominabili, i peggiori nazisti.» Lanciò un'occhiata a Jaeger. «Hai mai sentito parlare dell'operazione Paperclip?»

Jaeger scosse il capo.

«Era il nome in codice scelto dagli americani per un progetto di trasferimento negli Stati Uniti di migliaia di scienziati nazisti. Furono assegnate loro nuove identità, oltre a influenti posizioni di potere, fintanto che avessero continuato a lavorare per i loro nuovi padroni. Pure voi avevate un progetto simile, anche se con la tipica ironia britannica l'avete battezzata Operazione Darwin: la sopravvivenza del più adatto.

«Entrambi i progetti erano totalmente riservati» proseguì. «L'operazione Paperclip venne tenuta segreta anche a livello presidenziale.» Fece una pausa. «Ma c'erano aspetti ancora più segreti. *Aktion Adlerflug*, Operazione Volo d'aquila: c'è scritto su ogni singola cassa della stiva. *Aktion Adlerflug* era il nome in codice del piano di Hitler per trasferire la tecnologia nazista in luoghi dove potesse essere usata per ricostruire il Reich. Era un progetto a cui noi, gli Alleati, abbiamo dato il nostro beneplacito, fintanto che loro avessero collaborato con noi contro i sovietici.

«Per farla breve, ti trovi a bordo di un aereo che è al centro di una delle più oscure cospirazioni mai organizzate al mondo. Il livello di segretezza era – è – tale che la maggior parte dei documenti inglesi e americani riguardanti questa attività, per non parlare di quelli russi, restano riservati. E dubito che saranno mai desecretati.»

Alzò le spalle. «Tutto questo non dovrebbe davvero sorprenderti. I cosiddetti "buoni" hanno stretto un patto col diavolo. L'hanno fatto per quello che ritenevano uno scopo superiore: il bene del mondo libero.»

Jaeger indicò le casse allineate lungo la stiva dello Ju 390. «Ciò rende tutto questo ancor più incredibile. Quest'aereo dev'essere la più vasta collezione di segreti militari nazisti mai messa assieme. È ancor più importante che riusciamo a portarlo via da qui, a trasportarlo da qualche parte dove possiamo...»

«Dove possiamo cosa?» lo interruppe Narov, fissandolo con i suoi occhi gelidi. «Dire tutto al mondo? Gran parte di questa tecnologia l'abbiamo ormai perfezionata. Prendi il *Röntgenkanone*, il raggio della morte. Recentemente, gli americani hanno messo a punto una cosa simile. Il nome in codice è MARAUDER, che significa anello magneticamente accelerato per l'ottenimento di alta energia e radiazioni direzionate. Praticamente, lancia delle sfere a forma di ciambella di plasma fissato magneticamente. Come delle palle di fuoco.

«È un programma top secret ad accesso negato» proseguì. «In altre parole, il Santo Graal dei segreti. Come il diretto antecedente del MARAUDER, il *Röntgenkanone* dei nazisti. Quindi, no, Mr William Edward Michael Jaeger, non riveleremo questa scoperta al mondo molto presto. Il che non significa che non dobbiamo fare tutto ciò che è in nostro potere per proteggerla, e tutto per le migliori ragioni.»

Jaeger fissò Narov per un lungo istante. "William Edward Michael Jaeger": che intendeva dire usando il suo nome esteso?

«Sai una cosa? Ho un milione di domande.» La sua voce emerse tra i soffi e i risucchi della maschera antigas. «E la maggior parte di queste sembrano riguardare te. Ti spiace spiegarmi come fai a sapere tutto questo? Ti spiace dirmi tutto quello che sai? O magari, chi sei? Da dove vieni? Per chi lavori? Oh, già, e ti spiace spiegarmi cos'ha quel coltello di tanto speciale?»

Quando Narov rispose, il suo sguardo rimase fisso sulla foresta morta. «Potrei raccontarti qualcosa, una volta che saremo al sicuro fuori di qui. Quando saremo davvero al sicuro. Ma ora...»

«E la borsa di documenti» l'interruppe Jaeger. «Quella che hai recuperato dalla cabina di pilotaggio? Ti spiace dirmi cosa contiene? Il manifesto di carico? Mappe aeree? La destinazione di questo e degli altri aerei?»

Narov ignorò la domanda. «Ora, William Edward Michael Jaeger, credo che l'unica cosa che devi sapere sia: conoscevo Edward Michael Jaeger, tuo nonno. Il nonno Ted, come lo chiamavano tutti quelli che lo conoscevano. Per noi è stato una guida e una fonte di ispirazione.

«Lavoravo con tuo nonno, o meglio: lavoravo per la sua memoria. Lavoravo con la sua eredità.» Narov estrasse il coltello. «È stato tuo nonno a donarmelo. Ero curiosa di incontrare la sua eredità vivente: tu. Sono ancora curiosa: non so se tu sia tutto quello, o anche una parte, di quello che speravo che fossi.»

Jaeger era senza parole. Prima che riuscisse a elaborare una risposta adatta, lei proseguì.

«Era il nonno che non ho mai avuto. Che non ho potuto avere.» Per la prima volta da quando Jaeger l'aveva conosciuta, Narov lo guardò con uno sguardo diretto, penetrante e indugiante. «E sai un'altra cosa? Ho sempre invidiato il rapporto che avevi con lui... e il fatto che tu abbia avuto la libertà di seguire i tuoi sogni.»

Jaeger sollevò le mani. «Wow... Questa da dove viene fuori?»

Narov distolse lo sguardo. «È una lunga storia. Non so se sono pronta. Se tu sei pronto... E ora...»

Le sue parole furono interrotte da un urlo di terrore che uscì dalla radio. «*Argggghhh!* Toglietemelo! Toglietemelo di dosso!»

Jaeger si voltò per scoprire che Dale si era ritrovato in un punto dove le ragnatele sembravano fittissime. Il cameraman era così concentrato sulle riprese che non aveva prestato attenzione a dove stava andando. Era avvolto da spessi filamenti appiccicosi, mentre lottava per non far cadere la videocamera e allontanare i soffocanti fili di seta e l'orda di ragni che li abitavano.

Jaeger corse in suo aiuto.

Non credeva vi fosse la possibilità che le zanne dei *Phoneutria* potessero penetrare i guanti o la maschera di Dale, e probabilmente la tuta di protezione era abbastanza spessa da resistere a un morso. Ma Dale non sembrava saperlo, e il suo terrore era fin troppo reale.

Jaeger usò i pesanti guanti di gomma per scacciare la brulicante massa di ragni, respingendo i loro sfuggenti corpi sibilanti nelle tenebre. Con l'aiuto di Narov liberò Dale, che ancora stringeva disperatamente la videocamera. Ma quando l'ebbero allontanato dall'intreccio di fili, Jaeger vide la vera causa dell'orrore di Dale.

Al centro della massa di ragnatele strappate c'era uno scheletro spettrale, il volto scarnificato in una smorfia di terrore, le ossa del corpo ancora avvolte da un'uniforme mezza marcia da ufficiale delle SS. Mentre Jaeger fissava il morto – sicuramente uno dei passeggeri dello Ju 390 – una voce si fece udire attraverso la radio.

«Non era per via dei ragni!» esclamò Dale. «Ma perché sono finito nelle grinfie di un generale nazista morto!»

«Lo vedo» confermò Jaeger. «E sai una cosa? Al confronto, sembri quasi bello. Avanti, andiamocene.»

Jaeger era consapevole del fatto che erano rimasti nel soffocante ventre dell'aereo per quasi un'ora ormai. Era tempo di muoversi. Ma mentre riportava Dale e Narov verso la cabina, un pensiero scioccante lo colpì: ancora non aveva idea di come quell'aereo avrebbe potuto aiutarlo a scoprire il destino di sua moglie e di suo figlio.

Luke e Ruth: la loro scomparsa era inestricabilmente legata a ciò che avevano appena scoperto. Il *Reichsadler* – il marchio del male – incombeva sia sull'aereo che sul rapimento dei suoi.

E, in un modo o nell'altro, doveva iniziare a cercare le risposte.

64

Jaeger stava parlando alla sua squadra sul margine della foresta senza vita: c'erano Lewis Alonzo, Hiro Kamishi, Leticia Santos, Joe James, Irina Narov e Mike Dale – che stava ancora filmando –, oltre a Puruwehua, Gwaihutiga e i loro compagni indios. Si era sfilato la maschera antigas per riuscire a parlare, anche se stava ancora indossando il resto dell'attrezzatura NCB.

«Bene, conoscete tutti la situazione» annunciò con la voce carica di tensione e stanchezza. «Stiamo per cominciare il recupero. L'equipaggio dell'Airlander stima che ci vorrà un'ora per disincagliare l'aereo. È il tempo che vi prego di procurarci. Fate tutto il possibile per trattenere i nemici, ma senza gesti eroici. Missione uno: cerchiamo di restare in vita, tutti. E ricordate: non appena saremo andati, interrompete i contatti e portate via il culo.»

Jaeger osservò il colossale dirigibile che sembrava riempire l'intero cielo sulle loro teste. L'Airlander era uno spettacolo mozzafiato. Galleggiava a meno di trenta metri dalle cime spezzate della vegetazione morta, come il ventre di un'enorme balena bianca sospesa tra le nuvole.

Era quattro volte la lunghezza della fusoliera dello Ju 390, e dieci volte la sua larghezza: il guscio tondeggiante del dirigibile era riempito da quasi cento milioni di litri di elio.

Al confronto, l'aereo da guerra al di sotto sembrava un giocattolo.

Il pilota dell'Airlander non poteva arrischiarsi a scendere più in basso, perché i rami più alti della foresta morta salivano verso il cielo come aguzze punte di lance. Il dirigibile aveva un rivestimento intelligente che poteva rimarginarsi se strappato, ma tagli multipli avrebbero causato parecchi problemi.

In più, c'era la sconosciuta sostanza tossica che fuoriusciva dallo Ju 390, e nessuno a bordo dell'Airlander aveva voglia di avvicinarsi così tanto al pericolo.

Raff gli aveva inviato l'ultimo messaggio criptato quella mattina, comunicandogli che non c'erano droni nelle vicinanze. Il diversivo – il kayak col sistema di tracciamento e il cellulare – sembrava aver spostato la loro sorveglianza parecchio più a nord. Il Predator era finito fuori dal campo visivo dell'Airlander, che in ogni caso era ben nascosto da più di due chilometri di nuvole.

Ma era comunque possibile intercettare il segnale radio del dirigibile, e tracciare agli infrarossi le sue zone calde, come per esempio i quattro propulsori. Sarebbe bastato un unico contatto, e il Predator gli sarebbe stato addosso. Il tempo era un fattore fondamentale, più che in ogni altra fase della spedizione.

Era il mattino dell'undicesimo giorno, e se tutto sarebbe andato secondo i piani, sarebbe stato anche l'ultimo prima di rientrare in una qualche forma di civiltà. Almeno, per Jaeger, Narov e Dale. Nelle ore precedenti, lui e la sua squadra si erano impegnati in una corsa contro il tempo, e contro il nemico sconosciuto.

La sera prima, una staffetta amahuaca aveva raggiunto la loro postazione con notizie allarmanti: la Forza Oscura era a meno di diciotto ore di distanza. Se avessero continuato a marciare anche nella notte, sarebbero arrivati ancora prima. La squadra consisteva di più di sessanta operatori, ed erano pesantemente armati.

Gli indios che li seguivano avevano tentato di rallentare la loro avanzata, ma cerbottane e frecce si erano rivelate inefficaci contro le mitragliatrici e i lanciagranate. La maggior parte degli indios avrebbe continuato a seguirli e a insidiarli, ma non c'era molto da fare per rallentarli.

Da quel momento, Jaeger e i suoi avevano lavorato febbrilmente; nel frattempo, diverse cose erano diventate chiare. Prima di tutto, quale che fosse la mistura velenosa che filtrava dall'aereo, pareva una qualche forma di vapori di mercurio. Ma Jaeger non era in grado di identificarla meglio, perché sembrava una sostanza sconosciuta al suo kit per l'analisi.

Il kit funzionava confrontando la traccia chimica individuata con un indice noto di agenti. Qualunque cosa fosse quella sostanza, sembrava completamente fuori scala. Il che significava che nessuno poteva rischiare di avvicinarsi senza indossare una protezione completa.

In secondo luogo, l'Airlander era riuscito a calare un paio di imbracature da sollevamento – Jaeger e i suoi le avevano fatte passare sotto al punto in cui le ali dello Ju 390 si inserivano nella fusoliera –, ma non c'era modo di poter prelevare anche l'intera squadra dalla giungla.

L'Airlander avrebbe potuto sollevare tutti sino al dirigibile, ma non c'erano abbastanza tute NBC per farlo, né il tempo per riuscirci. Gli indios avevano inviato una serie di staffette per tutta la notte. L'ultima era arrivata poco prima dell'alba, per avvisarli che i nemici erano a due ore di distanza e si stavano avvicinando rapidamente.

Jaeger si era visto costretto ad accettare l'inevitabile: la sua squadra avrebbe dovuto dividersi. Il gruppo principale – Alonzo, Kamishi, Santos e Joe James, insieme a Puruwehua, Gwaihutiga e una mezza dozzina di guerrieri amahuaca – avrebbe formato un blocco tra l'aereo e i nemici.

Gwaihutiga si era offerto di guidare la carica. Sarebbe partito con la maggior parte dei guerrieri per portare a termine la prima imboscata. Puruwehua, Alonzo e gli altri avrebbero formato un secondo blocco, più vicino al relitto. In quel modo speravano di offrire alla squadra di prelevamento un po' di tempo prezioso.

Jaeger, Dale e Narov, invece, sarebbero saliti a bordo dello Ju 390 che l'Airlander avrebbe trasportato fuori dalla giungla. Almeno quello era il piano.

La scelta di Dale era scontata, perché era necessario che qualcuno filmasse il sollevamento dell'aereo. Jaeger era stato scelto perché il capo della spedizione doveva restare vicino all'obiettivo: l'aereo da guerra. Leticia Santos aveva insistito per salire anche lei sull'aereo perché era brasiliana e – presumibilmente – l'aereo era stato rinvenuto in territorio brasiliano.

Per un po', Irina Narov aveva fronteggiato Santos, facendo capire che nessuno l'avrebbe separata dal suo prezioso aereo. Jaeger aveva concluso la disputa sostenendo che Santos avrebbe dovuto proseguire con la sua missione iniziale, cioè proteggere la tribù indigena.

Aveva anche sottolineato che loro tre – lui, Dale e Narov – erano già equipaggiati, e che scambiarsi le maschere, i guanti e le tute avrebbe comportato il rischio di contaminare chi le avrebbe indossate. La minaccia era reale, ed era ragionevole che chi aveva già addosso le protezioni salisse a bordo dell'aereo.

A quel punto Santos, con riluttanza, si era arresa.

«Alonzo, lascio a te il comando.» Jaeger continuò con le istruzioni. «Puruwehua ha promesso di fare tutto il possibile per portarvi in salvo. Tornerete al villaggio amahuaca e da là entrerete nel territorio della tribù confinante. È un gruppo che ha contatti col mondo esterno: vi mostreranno la strada per tornare a casa.»

«Capito» confermò Alonzo. «Puruwehua, siamo nelle tue mani.»

«Vi porteremo a casa» rispose semplicemente l'indigeno.

«Se tutto andrà bene, noi tre viaggeremo sull'aereo fino a Cachimbo» annunciò Jaeger. «Quando saremo partiti, avviserò il colonnello Evandro di predisporre un cordone attorno alla zona dell'atterraggio, dove lo Ju 390 potrà essere posato e tenuto in isolamento almeno fino al momento in cui il carico sarà sicuro.

«È un viaggio di millequattrocento chilometri, quindi l'Airlander ci metterà come minimo sette ore, specialmente dovendo trainare quella cosa.» Jaeger indicò lo Ju 390. «A meno che il generale Hans Kammler e i suoi scagnozzi non l'abbiano sovraccaricato, il prelevamento dovrebbe essere fattibile, nel qual caso saremo a Cachimbo entro sera.

«Vi manderò un messaggio *burst* di un'unica parola quando arriviamo: "SUCCESSO". Spero che, durante il viaggio, avrete abbastanza campo per riceverlo. Nessun messaggio significa che qualcosa è andato storto, ma a quel punto la vostra unica priorità dovrà essere mettervi al sicuro e tornare a casa.»

Jaeger diede un'occhiata all'orologio. «Bene, al lavoro.»

Fu una separazione dolorosa, ma l'urgenza li costrinse a un addio rapido e conciso.

Gwaihutiga indugiò un istante davanti a Jaeger.

«*Pombogwav, eki'yra. Pombogwav, kahuhara'ga.*»

Dopo di che si voltò e sparì, guidando i suoi uomini con passo rapido e un canto di guerra che, tuonando dalla sua gola, venne ripreso dagli altri guerrieri, riecheggiando potente tra gli alberi.

Jaeger lanciò uno sguardo interrogativo a Puruwehua.

«*Pombogwav* significa "addio"» spiegò. «Non credo abbiate una parola per *eki'yra*. Significa "figlio di mio padre" o "fratello maggiore". Quindi, "addio, fratello maggiore". E *kahuhara'ga* la conosci: quindi, "addio, cacciatore".»

Non era la prima volta da quando era entrato in contatto con la tribù che Jaeger si sentiva davvero toccato.

Puruwehua quindi lo costrinse ad accettare un magnifico dono d'addio: la sua cerbottana. Jaeger ebbe difficoltà a trovare qualcosa di altrettanto prezioso per ricambiare. Alla fine, decise per il suo coltello Gerber, quello con cui aveva lottato sulla spiaggia di Fernao, a Bioko.

«Io e questo coltello abbiamo condiviso un momento importante» spiegò legandolo al petto dell'amahuaca. «Una volta, l'ho usato per combattere in un posto lontano, in Africa. Ha salvato la mia vita e quella di uno dei miei migliori amici. Ora anche tu sei uno dei miei amici migliori, tu e tutta la tua gente.»

Puruwehua sfoderò il coltello e ne saggiò la lama. «Nella mia lingua: *kyhe'ia*. Affilato, come una lancia tagliata per il lungo.» Guardò Jaeger. «Questo *kyhe'ia*, ha fatto scorrere il sangue del nemico. Lo farà ancora, *Koty'ar*.»

«Puruwehua, grazie... di tutto» gli disse Jaeger. «Ti prometto che un giorno ci rivedremo. Ritornerò al vostro villaggio per condividere la miglior carne di scimmia nella Casa degli Spiriti, ma solo se mi risparmi il *nyakwana*!»

Puruwehua rise annuendo. Niente più dosi della sostanza psicotropa per William Jaeger.

Jaeger si rivolse quindi a ciascun membro della sua squadra. Riservò un sorriso particolarmente caloroso a Leticia Santos. Lei fece altrettanto, soffiandogli un bacio brasiliano.

«Starai attento, no?» gli sussurrò all'orecchio. «Specialmente a quella... quella *ja'gwara*, Narov. E promettimelo, vieni a trovarmi la prossima volta che c'è il *Carnaval* di Rio! Ci sbronzeremo insieme e andremo a ballare!»

Jaeger sorrise. «Contaci.»

Con quello, la squadra comandata da Lewis Alonzo ma guidata dagli indigeni amahuaca si mise in spalla zaini e armi e scomparve nella giungla.

65

Il messaggio criptato di Raff era conciso e diretto come al solito: "Airlander pronto a partire. Allacciate le cinture, il sollevamento inizierà tra tre minuti, 08.00 Zulu".

Non era arrivato con nemmeno un istante di anticipo, pensò Jaeger. Negli ultimi minuti avevano udito dei colpi d'arma da fuoco provenienti dalla giungla a nord, la direzione da cui si avvicinava la Forza Oscura.

Avevano sentito l'improvviso crepitare rabbioso dei fucili d'assalto: secondo Jaeger, doveva essere l'imboscata tesa dai suoi, ma il fuoco di risposta era sembrato spaventosamente vigoroso: le inconfondibili, rapide raffiche delle mitragliatrici di squadra leggere, miste ai colpi più intensi di quelle che sembravano delle mitragliatrici medie, oltre a qualche scoppio sordo delle granate.

Con delle armi del genere si poteva creare facilmente un passaggio nella giungla.

Chiunque facesse parte di quella Forza Oscura, era pesantemente armato, pronto e deciso a ingaggiare uno scontro mortale. E malgrado gli sforzi della sua squadra, si stavano avvicinando a Jaeger e all'aereo con una rapidità preoccupante.

Il tempo stava finendo: l'Airlander avrebbe iniziato il sollevamento in centottanta secondi. E Jaeger, una volta tanto, non vedeva l'ora di decollare.

Si affrettò nella stiva buia dello Ju 390, afferrò i portelloni posteriori, li chiuse e li bloccò con la maniglia. Poi tornò verso il muso, facendosi strada tra le file di casse, nel buio, per chiudere la paratia della cabina, bloccandola alle sue spalle.

Dale e Narov avevano forzato il finestrino laterale della cabina di pilotaggio: una volta che l'aereo si fosse messo in movimento, la corrente d'aria avrebbe sgombrato la cabina da ogni vapore tossico. Jaeger prese posto sul sedile del copilota e si allacciò la cintura di sicurezza e l'imbracatura al petto. Dale sedeva al posto del pilota, accanto a lui: aveva preteso quella postazione per riuscire a filmare al meglio l'aereo che veniva sollevato dalla giungla.

Narov invece era china sul tavolo del navigatore, e Jaeger era abbastanza sicuro di sapere cosa stesse facendo. Stava studiando uno dei documenti che aveva trovato nella borsa nella cabina di pilotaggio dello Ju 390. Jaeger gli aveva dato una rapida occhiata. Le parole vergate sulle pagine ingiallite erano in tedesco, quindi per lui praticamente arabo.

Ma aveva riconosciuto una o due parole sulla prima pagina. C'era il solito timbro TOP SECRET, più le parole *Aktion Feuerland*. A quanto ricordava dai tempi della scuola, *Feuer* significava "fuoco", e *Land* "terra". Operazione Terra del Fuoco. Poco sotto, scritto a macchina c'era: *Liste von Personen*.

La traduzione non era difficile: "Lista del personale".

A quanto Jaeger aveva visto, ogni cassone nella stiva dello Ju 390 era contrassegnato *Aktion Adlerflug*: Operazione Volo d'aquila. Ma allora cos'era la *Aktion Feuerland*? E perché Narov ne pareva tanto affascinata da ignorare quasi tutto il resto?

Non aveva molto tempo per riflettere su quelle domande.

Il sollevamento che l'Airlander stava per tentare – uno Ju 390 a pieno carico – sarebbe dipeso da una serie di fattori. Uno, la forza aerostatica, dovuta al semplice fatto che il guscio del dirigibile, pieno di elio, era più leggero dell'aria.

Due, la spinta dei quattro propulsori del velivolo, ciascuno alimentato da una turbina a gas da duemilatrecentocinquanta cavalli che metteva in moto una serie di enormi eliche. Solo questo equivaleva ad avere quattro elicotteri da trasporto attaccati agli angoli dell'aereo, ciascuno alla massima potenza.

E tre, la portanza, fornita dal rivestimento laminato dell'Airlander. Era disegnato come la sezione trasversale di una normale ala di aereo, più piano al di sotto e con la parte superiore incurvata. Quella forma da sola avrebbe fornito il quaranta per cento della spinta, ma solo dopo che l'Airlander si fosse messo ad avanzare.

Per il primo centinaio di metri, sarebbe salito in verticale: in quel momento, avrebbe potuto contare solo sull'elio e i propulsori.

Jaeger sentì il rumore dell'Airlander passare da un ronzio appena percettibile a un ruggito sordo mentre si preparava a sollevarsi. In quell'istante, i quattro enormi gruppi di pale rotanti si trovavano in posizione orizzontale, per fornire la maggior trazione in verticale mentre l'Airlander tentava di disincagliare l'aereo da guerra.

La corrente discendente aumentò fino a diventare quasi un vento di tempesta, sollevando un vortice accecante di rami spezzati tutt'attorno all'aereo. A Jaeger sembrò di trovarsi dietro una mietitrebbia gigante mentre la macchina si faceva strada masticando un campo di grano gigantesco, sputandogli in faccia la pula indesiderata.

Chiuse il finestrino laterale e fece segno a Dale di fare altrettanto, mentre folate di legno marcito entravano nella cabina. A quanto pareva, si stavano avvicinando al momento più rischioso dell'intera folle impresa.

Il peso standard di uno Ju 390 carico era di cinquantatremila chili. Con una capacità di sollevamento di sessantamila chili, l'Airlander doveva essere in grado di trasportarlo, a meno che Kammler e i suoi scagnozzi non l'avessero sovraccaricato.

Jaeger aveva completa fiducia nella resistenza delle corde allacciate sotto le ali dello Ju 390. Ne aveva altrettanta nel pilota dell'Airlander, Steve McBride. La domanda da un milione di dollari era se sarebbero riusciti a liberarsi dal legno morto. Quella, e la scommessa che l'ingegneria aeronautica tedesca fosse in grado di resistere a settant'anni di corrosione e marcescenza nel cuore della giungla.

Anche un minimo errore di calcolo si sarebbe rivelato catastrofico. Lo Ju 390 – e forse anche l'Airlander insieme a esso – sarebbe precipitato come una pietra sopra la foresta.

Nel corso della notte Jaeger e i suoi avevano abbattuto alcuni degli alberi più grandi, usando delle cariche di esplosivo al plastico fatte ad anello e disposte attorno ai tronchi per farli saltare. Ma erano stati limitati sia dal tempo sia dal numero delle cariche a disposizione. Almeno il cinquanta per cento della foresta morta era ancora intatta.

Avevano abbattuto i tronchi più grandi e meno secchi, quelli che probabilmente avrebbero esercitato maggiore resistenza. Contavano sul fatto che il resto delle piante morte fosse marcio, e che si sarebbe spezzato quando l'Airlander avrebbe sollevato l'aereo.

Il rombo dei propulsori crebbe fino a diventare un ruggito da spaccare i timpani, la corrente divenne intensa come un uragano. Sentì qualcosa cadere dall'alto, e una lunga ombra scura attraversò la cabina di pilotaggio.

Un enorme ramo colpì il parabrezza dello Ju 390, dove i pannelli della finestratura si univano. Il montante verticale d'acciaio che collegava i pannelli si piegò per il colpo, lo spesso Perspex si deformò per l'impatto violento. Quando il ramo si spezzò in due e ricadde a terra, una crepa frastagliata attraversò il parabrezza come una saetta biforcuta.

Ma, almeno fino a quel momento, stava reggendo.

La testa di Jaeger era invasa da un'ondata di rumore. Pesanti detriti scagliati dal vento caddero sulla pelle metallica dello Ju 390. Gli sembrava di essere rinchiuso in un enorme barile d'acciaio.

Una lunga vibrazione attraversò la fusoliera come un mormorio quando la turbolenza scatenata dai propulsori creò una sorta di risonanza con gli spessi cavi di traino avvolti attorno all'aereo. Jaeger percepì che ogni fibra dell'aereo si stava sforzando per sollevarsi, e che l'intero aeromobile in un certo senso stava lottando per liberarsi.

All'improvviso ci fu una violenta sbandata: la cabina di pilotaggio parve precipitare verso terra e le ruote di coda dello Ju 390 si sollevarono, liberandosi. La sezione posteriore della fusoliera si alzò, facendo cadere i detriti e i pezzi d'albero che ancora la coprivano.

Quattro doppie ruote – otto pneumatici giganti – tenevano ancora l'aereo a terra. Il colossale velivolo sembrò scuotersi e scrollarsi come se fosse un uccello mostruoso che stava tentando di liberare le zampe dalle sabbie mobili e librarsi in cielo.

Qualche istante dopo si udì un suono simile a un'enorme striscia di velcro che veniva aperta, e lo Ju 390 fu scagliato in cielo.

La forza dello strattone premette Jaeger sul sedile e lo lanciò contro le cinture di sicurezza. Per diversi secondi il gigantesco aereo si sollevò in aria come se la forza di gravità fosse momentaneamente sospesa, spostandosi a velocità costante verso le chiome frastagliate della foresta di scheletri.

Mentre gli alberi morti gettavano una rete di ombre sulla cabina di pilotaggio, la fusoliera dell'aereo si scagliò contro i rami più bassi. Si udì uno schiocco possente, l'impatto improvviso sbalzò Jaeger dal sedile, le cinghie dell'imbracatura gli affondarono nelle spalle.

Tutt'attorno, gli ossuti rami degli alberi sferzarono la cabina come un'enorme mano che stesse provando a entrare per afferrare Jaeger, Dale e Narov e scagliarli al suolo. Mentre l'aereo si aprì un varco verso l'altro, un dito di legno particolarmente spesso penetrò il finestrino laterale di Perspex, quasi strappando la videocamera dalla mano di Dale e puntando verso Jaeger dall'altra parte.

Lui si chinò e il ramo spezzato affondò nel sedile dove poco prima si trovava la sua testa. Il colpo lo ruppe in due, e il pezzo di legno rimase appeso fuori dal finestrino.

Jaeger percepì che lo slancio in verticale dell'aereo stava rallentando. Arrischiò una rapida occhiata a sinistra. Vide gli enormi propulsori sull'ala di babordo dello Ju 390 – ciascuno il doppio dell'altezza di un uomo adulto – avvolti dai rami. Qualche secondo dopo, la presa degli alberi scheletrici si serrò attorno all'aereo, che si fermò.

Erano sospesi a quasi trenta metri da terra, ed erano bloccati.

66

Per diversi secondi lo Ju 390 sembrò restare sospeso nel suo nido di ossa di legno.

Sopra di loro, Jaeger sentì che il rombo dei propulsori cambiò tono: la corrente d'aria calò diventando una lieve brezza. Per un istante temette che il pilota volesse arrendersi, che fosse stato costretto ad ammettere che il legno morto l'aveva sconfitto, nel qual caso Jaeger, Narov e Dale avrebbero dovuto affrontare a breve un esercito di sessanta nemici.

Corse il rischio di accendere il Thuraya e istantaneamente arrivò un messaggio da Raff.

> Il pilota farà retromarcia per tentare uno scatto, usando la spinta del guscio per liberarvi. ASPETTATE.

Jaeger spese il telefono.

Il guscio dell'Airlander forniva quasi la metà di tutta la sua forza di traino: facendo marcia indietro e scattando verso l'alto avrebbe potuto usare il doppio della forza.

Jaeger urlò a Narov e a Dale di tenersi stretti. Subito dopo, la direzione della forza esercitata sullo Ju 390 cambiò bruscamente, mentre il dirigibile scattava in avanti alla massima potenza.

Le ali taglienti dello Ju 390 vennero scagliate contro il legno morto, il cono appuntito del muso penetrò in avanti. Jaeger e Dale si chinarono sotto il pannello di comando mentre la cabina di pilotaggio si faceva strada attraverso l'intricato muro di rami sbiancati dal sole tropicale.

Qualche istante dopo la vegetazione sembrò farsi nettamente più rada e la luce invase la cabina. Con uno strappo assordante, il possente aereo da guerra si liberò e venne catapultato nell'aria. A destra e a sinistra una nuvola di legno marcio e detriti cadde dalle ali e dal dorso, vorticando verso la foresta.

Quando i rami l'avevano lasciato andare improvvisamente, l'aereo era schizzato in avanti, oltre il punto in cui si trovava perfettamente al di sotto dell'Airlander, poi era dondolato all'indietro fino a fermarsi, sospeso sotto il ponte di volo del dirigibile. Non appena l'oscillazione ebbe raggiunto delle proporzioni gestibili l'Airlander iniziò a tirarlo su.

I potenti argani idraulici lo sollevarono fino a portarlo all'ombra dell'Airlander. Le ali finirono al di sotto del sistema d'atterraggio a cuscini d'aria, i pattini da hovercraft del dirigibile. Lo Ju 390 era ormai a tutti gli effetti attaccato al fondo dell'Airlander.

Con l'aereo agganciato in posizione, il pilota attivò i propulsori a tutta potenza, portò l'Airlander nella giusta direzione e iniziò la lunga ascesa verso la quota di crociera. Erano diretti verso Cachimbo e avevano appena sette ore di volo davanti a loro.

Jaeger, con aria di trionfo, afferrò la fiaschetta vecchia di settant'anni del copilota infilata nel fianco del sedile. La sventolò in direzione di Dale e di Narov. «Vi va un caffè?»

Persino Narov si lasciò sfuggire un sorriso.

«Signore, l'aereo non c'è» ripeté l'operatore noto come Lupo Grigio Sei.

Stava parlando nell'apparecchio radio sulla stessa pista isolata e senza nome, nel cuore della giungla. Dietro di lui la fila di elicotteri con le pale abbassate aspettava ordini, in attesa di una missione.

L'inglese dell'operatore sembrava abbastanza fluente, ma aveva un evidente accento, rivelando di tanto in tanto la dura inflessione gutturale tipica dell'Europa dell'Est.

«Come fa a non esserci?» esplose la voce di Lupo Grigio.

«Signore, la nostra squadra è nella griglia come da ordini. Si trovano nell'area di giungla morta. Hanno trovato le tracce di qualcosa di pesante. Hanno trovato del legno morto spezzato. Signore, l'impressione è che l'aereo sia stato portato via dalla giungla.»

«Portato via da cosa?» chiese Lupo Grigio, incredulo.
«Signore, non ne abbiamo la minima idea.»
«Avete il Predator sopra quell'area. Avete il controllo video. Come avete fatto a non notare che un aereo grande quanto un Boeing 727 veniva sollevato dalla giungla?»
«Signore, il Predator si trovava a nord dell'area, in attesa di una visuale chiara sul sistema di localizzazione. C'è una copertura nuvolosa fino a diecimila piedi. Non si riesce a vedere nulla. Chiunque abbia portato a termine il recupero, c'è riuscito mantenendo un totale silenzio radio, e sotto la copertura delle perturbazioni.» Una pausa. «So che sembra incredibile, ma si fidi... l'aereo è sparito.»
«Bene, ecco cosa faremo.» La voce di Lupo Grigio si era fatta calma, glaciale. «Avete a disposizione una flotta di Black Hawk. Fateli decollare e perlustrate lo spazio aereo. Troverete – ripeto: troverete – l'aereo. Recupererete quel che va recuperato. E poi lo distruggerete. Chiaro?»
«Chiaro, signore.»
«Presumo che sia opera di Jaeger e della sua squadra.»
«Non saprei cos'altro pensare, signore. Abbiamo lanciato degli Hellfire nella posizione sul fiume, agganciato il localizzatore e il cellulare. Ma...»
«È Jaeger» lo interruppe la voce. «Deve essere lui. Eliminateli tutti. Nessun testimone di questa faccenda deve uscirne vivo. Capito? E riempite quell'aereo con così tanto esplosivo che non ne venga ritrovata mai neanche una scheggia. Voglio che sparisca, per sempre. Non combinate casini questa volta, *Kamerad*. Ripulite tutto. Ogni singola persona. Uccideteli tutti.»
«Chiaro, signore.»
«Bene, fate decollare i Black Hawk. E un'altra cosa: sono in viaggio verso la vostra postazione. È una faccenda troppo importante per lasciarla a dei... dilettanti. Prenderò uno dei jet dell'Agenzia. Sarò da voi entro cinque ore.»
L'operatore noto come Lupo Grigio Sei fece una smorfia. Dilettanti. Quanto odiava il suo capo americano. Ma la paga era buona, come l'opportunità di dedicarsi alla devastazione e allo sterminio.
E nelle prossime ore lui, Vladimir Ustanov, avrebbe mostrato a Lupo Grigio di cosa fossero capaci lui e i suoi cosiddetti dilettanti.

67

Jaeger spense il telefono satellitare. Il messaggio che aveva appena ricevuto diceva: "Col. Evandro conferma preparazione zona atterraggio sanificata. Ora presunta a z. att. 16.30 Zulu. CE invia scorta aerea per coprire resto del viaggio".

Controllò l'orologio. Erano le 09.45 Zulu. Aveva sei ore e quarantacinque minuti davanti a sé prima di atterrare nella zona dell'aeroporto di Cachimbo che il direttore delle forze speciali brasiliane gli aveva riservato. Con "sanificata" Evandro intendeva un'area dove Jaeger e i suoi sarebbero stati liberi di decontaminarsi e in seguito di decontaminare anche l'aereo. Stava persino inviando una specie di scorta aerea per guidarli a destinazione, probabilmente un paio di jet.

Tutto stava andando per il meglio.

Per un'ora circa continuarono a salire di quota, mentre l'Airlander raggiungeva la quota di crociera di diecimila piedi. Più salivano più l'atmosfera si diradava e i motori guadagnavano in efficienza, il che avrebbe garantito loro di avere l'autonomia per raggiungere Cachimbo.

Infine, superata la cortina di nuvole, il sole entrò dai finestrini della cabina. Fu allora che Jaeger poté osservare lo straordinario spettacolo che avevano creato: un dirigibile dell'era dello spazio e lo slanciato aereo della Seconda guerra mondiale attaccato al di sotto, in volo come un corpo solo.

Per via della forma tondeggiante della parte inferiore dell'Airlander, le estremità delle ali spuntavano di una quindicina di metri da entrambi i lati. Jaeger immaginava che anche loro avrebbero potuto contribuire a parte della portanza, mentre l'Airlander avanzava a quasi duecento chilometri all'ora, aiutando il dirigibile a portarli a destinazione.

Con Narov sprofondata nei documenti e Dale intento a filmare il più possibile, Jaeger si ritrovò con poco da fare tranne che ammirare la vista. Una coperta di morbide nuvole bianche si stendeva al di sotto fino all'orizzonte, il cielo blu si spalancava sopra di loro. Per la prima volta in quella che gli sembrava un'eternità, ebbe un momento per riflettere su tutto ciò che era successo, e su quello che forse l'attendeva.

Narov e le sue rivelazioni scioccanti – che conosceva suo nonno e aveva lavorato con lui; che lui l'aveva trattata quasi come una di famiglia – avrebbero dovuto essere analizzate approfonditamente. Aprivano un mondo intero di dubbi. Una volta posati i piedi a Cachimbo – e davvero al sicuro, come aveva detto lei –, avrebbe dovuto fare una lunga chiacchierata con Irina Narov. Ma a ventimila piedi, attraverso radio e respiratori, non parevano esserci le condizioni adatte né la sufficiente riservatezza.

La priorità numero uno per Jaeger doveva essere stabilire come affrontare lo Ju 390 e il suo cargo. Stavano volando su un aereo da guerra nazista pieno dei segreti militari di Hitler, con le marcature dell'aeronautica statunitense, scoperto in quel che apparentemente era territorio brasiliano, ma che poteva essere anche boliviano o peruviano, e recuperato da una spedizione internazionale.

La domanda era: chi aveva diritto di rivendicarlo?

Jaeger riteneva che lo scenario più probabile fosse che numerose agenzie di intelligence si sarebbero precipitate a Cachimbo non appena fossero venute a conoscenza della scoperta. Il colonnello Evandro era un operatore capace, e di certo aveva scelto una zona del vasto complesso aeroportuale al riparo da occhi indiscreti, del pubblico e della stampa.

Con ogni probabilità, le agenzie di intelligence avrebbero richiesto – e ottenuto – un silenzio stampa totale fino a quando non avessero deciso quale versione della storia rendere nota al pubblico mondiale. In base alla sua esperienza, Jaeger sapeva come andavano quelle cose.

Il governo americano avrebbe voluto mettere completamente a tacere il proprio ruolo nell'organizzazione di quel volo, come quello degli altri alleati – principalmente la Gran Bretagna – che vi avevano certamente avuto parte.

Come Narov aveva minacciato, almeno parte della tecnologia a bordo della stiva era probabilmente ancora top secret, e certamente sarebbe dovuta restare tale. Avrebbe dovuto essere eliminata da ogni dichiarazione rilasciata all'opinione pubblica.

Ma Jaeger poteva immaginare benissimo che tipo di storia avrebbe infine raggiunto la stampa.

> Dopo essere rimasto per settant'anni dimenticato nella giungla, le marcature sull'aereo della Seconda guerra mondiale erano appena leggibili, ma sono pochi gli aerei da guerra così possenti ad aver mai solcato il cielo. Gli intrepidi esploratori che l'hanno scoperto hanno subito riconosciuto uno Junkers Ju 390, anche se in pochi avrebbero potuto immaginare l'incredibile carico che stava trasportando, o che avrebbe potuto gettare nuova luce sui colpi di coda del regime nazista di Hitler...

Avrebbero raccontato che Kammler e i suoi scagnozzi avevano tentato di salvare le loro migliori tecnologie dalle ceneri del terzo Reich, agendo di nascosto dagli Alleati. Qualcosa del genere. Per quanto riguardava l'ambizioso progetto televisivo della Wild Dog Media, Dale stava filmando come un matto, consapevole di avere tra le mani la storia della vita.

Jaeger immaginava che non vi fosse nulla di meglio per creare un racconto di mistero e avventura che al botteghino avrebbe battuto *Indiana Jones*. Non gli piaceva l'idea di interpretare un personaggio alla Indiana Jones, ma Dale aveva messo da parte una quantità notevole di interviste con lui.

Quel che era stato registrato era stato registrato, e Jaeger già immaginava la versione ripulita della serie tivù che sarebbe andata in onda, che glissava su almeno una parte del contenuto dell'aereo, per non parlare delle marcature americane. A dire il vero, sospettava che sarebbe stato uno spettacolo mozzafiato.

L'altra cosa che si sarebbe dovuto sicuramente eliminare dal film di Dale era la Forza Oscura che aveva dato loro la caccia. C'erano già abbastanza brividi con le tribù mai contattate e il Mondo Perduto, due cose più adatte al palato di un pubblico di famiglie.

Jaeger immaginava che a quel punto gli uomini della Forza Oscura sarebbero stati costretti ad annullare la caccia, dato che il trofeo era ormai fuori dalla loro portata. Ma dato che avevano a disposizione almeno un Predator e un'unità di terra pesantemente armata, non dubitava che si trattasse di un'agenzia oscura legata agli USA, ormai fuori controllo.

Autorizzando così tante agenzie clandestine, concedendo loro potere totale senza l'obbligo di rispondere a nessuno, bisognava attendersi dei "rinculi", come si diceva nell'ambiente.

A un certo punto, comunque, si finiva col perdere il controllo, e una di quelle agenzie avrebbe oltrepassato il confine.

68

Anche se il comandante della Forza Oscura aveva annullato la caccia, Jaeger non poteva fare altrettanto. Il suo istinto si era rivelato infallibile: alla fine della spedizione, credeva di aver inchiodato gli assassini di Andy Smith. Jaeger era certo che Smith fosse stato torturato e scagliato verso la morte nel tentativo della Forza Oscura di arrivare per prima all'aereo.

Jaeger aveva perso anche altri due membri della squadra – Clermont e Krakow – per colpa di quella stessa Forza. C'erano dei conti da saldare, almeno con chi aveva ordinato la tortura e l'esecuzione del suo migliore amico e di due membri della sua spedizione. Come aveva assicurato a Dulce – in quella che una volta era stata la casa di Andy nel Wiltshire – non voltava mai le spalle ai suoi amici.

Ma per prima cosa doveva recuperare il resto della squadra – il gruppo guidato da Lewis Alonzo – dalla Serra de los Dios e portarla al sicuro, il che significava affrontare una specie di incubo logistico. E oltretutto doveva in un modo o nell'altro trovare il tempo per cercare le risposte che più desiderava, e di cui più aveva bisogno: quelle che potevano condurlo a sua moglie e a suo figlio.

Era tormentato dalla certezza che Ruth e Luke fossero vivi. Non aveva una prova definitiva – soltanto i ricordi ridestati da una sostanza psicotropa – ma era comunque convinto che gli indizi sulla loro sorte si trovassero a bordo di quell'aereo.

Una pacca sulla spalla interruppe le sue riflessioni. Era Dale.

Il cameraman gli rivolse un sorriso spossato. «Possiamo

scambiare qualche parola? Una specie di riassunto di cosa si prova a starsene seduti qui, ora, nella cabina di questo aereo, prima di mostrarlo al mondo intero?»

«Okay, ma facciamo in fretta.»

Dale stava cercando l'inquadratura quando Jaeger notò che Irina Narov aveva sollevato di scatto la testa dal tavolo del navigatore. I finestrini posteriori della cabina a freccia davano sul fianco dell'aereo, e lei stava fissando intensamente fuori dal suo.

«Abbiamo compagnia» annunciò. «Tre elicotteri Black Hawk.»

«La scorta del colonnello Evandro» commento Dale. «Che altro?» Lanciò un'occhiata a Jaeger. «Un secondo. Aspetta per l'intervista, faccio qualche ripresa.»

Si spostò da quel lato dell'abitacolo e si mise a filmare. Jaeger lo seguì.

E difatti c'erano tre possenti elicotteri neri che seguivano l'Airlander, tenendosi a circa centocinquanta metri a dritta del dirigibile. Mentre Jaeger li osservava, qualcosa di strano gli balzò agli occhi. Gli elicotteri erano dipinti con una specie di materiale *stealth* di un nero opaco, e non avevano marcature di nessun genere.

L'aviazione brasiliana in effetti possedeva dei Black Hawk. Forse aveva pure una flotta di velivoli *stealth* non marcati, ma non era questo che Jaeger si era aspettato. Era più logico che il colonnello Evandro inviasse dei jet da Cachimbo – probabilmente degli F16 – per portarli velocemente a casa in un tripudio di gloria.

Dei Black Hawk non marcati: per Jaeger, non aveva alcun senso.

Anche se i Black Hawk erano pesantemente armati, si trattava di solito di mezzi per il trasporto truppe, e non avevano l'autonomia per raggiungere la base aerea di Cachimbo. Il loro raggio di combattimento era meno di seicento chilometri, meno della metà del necessario.

Jaeger non credeva affatto che si trattasse della scorta del colonnello Evandro.

Si voltò verso Narov e incrociò il suo sguardo.

Scosse la testa preoccupato pensando: "Qualcosa non va".

Lei fece lo stesso gesto.

Spostò l'interruttore del telefono Thuraya su "on" e chiamò

Raff. Evitare le comunicazioni non aveva più senso. O si trattava di una scorta amica, nel qual caso erano al sicuro, o erano stati individuati da quella forza ostile. In ogni caso, restare nascosti non serviva più a nulla.

Quando il telefono trovò campo, Jaeger sentì lo squillo, seguito da una risposta istantanea. Ma non fu la voce di Raff a mettersi in contatto. Sentì invece quelle che sembravano comunicazioni radio in entrata da parte di chiunque stesse comandando la misteriosa formazione di Black Hawk. Raff stava usando il collegamento col Thuraya per inoltrare la comunicazione a Jaeger e alla sua squadra.

«Qui Black Hawk non contrassegnato chiama Airlander su linea aperta» disse la voce. «Confermate di ricevermi. Qui Black Hawk non contrassegnato chiama Airlander: date conferma.»

"Linea aperta" si riferiva al normale traffico non criptato sulle frequenze radio monitorate da qualsiasi aeromobile. Stranamente, nella voce del pilota si sentiva un vago accento est europeo – russo –, il tono piatto e gutturale che a Jaeger ricordò immediatamente... il modo di parlare di Narov.

Lei era concentrata sulla voce che squillava dal telefono satellitare, ma per un istante appena i suoi occhi si sollevarono verso Jaeger. E in essi, lui colse un'emozione che non si sarebbe mai aspettato di vedere.

Paura.

69

Jaeger compose un messaggio brevissimo: "Sono collegato alle tue comunicazioni".

Non appena l'inviò, sentì la voce roca del maori in linea. «Black Hawk, qui Airlander. Confermiamo di sentirvi.»

«Con chi parlo?» chiese il comandante del Black Hawk.

«Takavesi Raffara, ufficiale operativo dell'Airlander. Con chi parlo?»

«Mr Raffara, faccio io le domande. Ho io le carte in mano. Passsami Mr Jaeger.»

«Negativo. Sono io l'ufficiale operativo di questo volo. Ogni comunicazione passa attraverso di me.»

«Ripeto, mi passi Mr Jaeger.»

«Negativo, ogni comunicazione passa attraverso di me.»

Jaeger vide che il più vicino dei Black Hawk aprì il fuoco, usando il GAU-19, una terribile mitragliatrice di tipo Gatling calibro 50 a sei canne. Durante i tre secondi di fuoco, l'aria al di sotto dell'elicottero si fece nera per i bossoli utilizzati. In quei tre brevi secondi aveva scagliato più di cento proiettili perforanti, ciascuno grande quanto il polso di un bambino.

L'esplosione di fuoco era passata a quasi trecento metri oltre il ponte di volo dell'Airlander, ma il messaggio era chiarissimo: "Siamo in grado di farvi a pezzi un centinaio di volte".

«La prossima volta prenderemo in pieno la tua gondola» minacciò il comandante del Black Hawk. «Passami Jaeger.»

«Negativo. Jaeger non è a bordo del mio volo.»

Raff sceglieva con cura le parole. Tecnicamente era vero: Jaeger non era a bordo dell'Airlander.

«Ascoltami attentamente, Mr Raffara. Il mio navigatore ha individuato una zona aperta centocinquanta chilometri a est, griglia 497865. Atterrate in quella griglia. E non fate errori: in tal caso, riterremo responsabile ogni membro della vostra squadra. Confermi di aver compreso le istruzioni?»

«Aspetta.»

Jaeger sentì il *bip* di un messaggio in arrivo sul suo telefono: "Risposta?".

Digitò una breve replica. "Se ci portano a terra siamo morti. Tutti. Tieni duro."

La voce di Raff tornò in linea. «Black Hawk, qui Airlander. Negativo. Procediamo verso la nostra destinazione come da piano. Siamo una squadra internazionale impegnata in una missione civile. Non – ripeto, non – interferite con questo volo.»

«In tal caso, dai un'occhiata al portellone aperto dell'elicottero di testa: vedi quella figura sulla soglia? È uno dei vostri amati indios. E in più, abbiamo qui con noi anche qualcuno dei vostri compagni.»

La mente di Jaeger era un vortice di pensieri. I nemici dovevano aver sopraffatto una delle loro squadre, catturando almeno qualcuno di loro vivo. Da quella zona doveva essere stato semplice caricarli a bordo dell'elicottero, usando il punto in cui era rimasto nascosto lo Ju 390 come comodo punto d'atterraggio.

«Credo che qualcuno di voi conosca questo selvaggio» ghignò il comandante del Black Hawk. «Il suo nome significa "grande maiale". Assolutamente appropriato. Ora, guardate come vola.»

Un istante dopo, una figura magra cadde fuori dal primo Black Hawk.

Anche da quella distanza, Jaeger capì che si trattava di un guerriero amahuaca, che precipitò con un urlo silenzioso. Fu subito inghiottito dalla massa di nubi, ma non prima che Jaeger credette di riconoscere il collare di corte piume attorno al suo collo – il *gwyrag'waja* – in cui ogni piuma indicava un nemico ucciso in battaglia.

Si sentì travolto da un impeto di rabbia accecante, mentre il corpo di quello che sembrava il fratello di Puruwehua precipitava fuori dal suo campo visivo. Gwaihutiga aveva salvato la vita di Jaeger sul ponte di corda, e ora probabilmente era precipitato verso la morte perché lui e la sua squadra avevano tentato di salvarsi la pelle. Jaeger sferrò un colpo contro la parete dell'aereo, mentre i suoi pensieri erano un turbinio di rabbia nauseante e frustrazione.

«Ho parecchi altri selvaggi» continuò il comandante del Black Hawk. «Ogni minuto che vi rifiuterete di cambiare rotta e portarvi verso la griglia 497865, un altro verrà lanciato fuori. Oh, e anche i vostri compagni di spedizione... Verrà pure il loro turno. Fate come vi ordino. Cambiate rotta. Un minuto da ora.»

«Aspetta.»

Sul telefono di Jaeger arrivò un altro messaggio: "Risposta?".

Jaeger guardò Dale e Narov: cosa diavolo doveva dire? Come a rispondergli, Narov agitò la borsa piena di documenti nella sua direzione.

«Su quest'aereo c'è qualcosa che vogliono» disse. «Qualcosa che gli serve. Non possono abbatterci.»

La mano di Jaeger esitò sulla tastiera del Thuraya mentre si sforzava di digitare quella che sapeva essere la risposta giusta. In preda a un conato che gli risaliva dalle viscere compose il messaggio: "L'aereo gli serve intatto. Non possono abbatterci. Non cedere. Tieni duro".

«Procediamo verso la destinazione come da piano.» La voce di Raff ricomparve in onda. «E fate attenzione: stiamo filmando ogni vostra azione, e stiamo trasmettendo a un server che carica il tutto su Internet.» Non era completamente vero, ovviamente; si trattava di una classica improvvisazione, un tipico bluff alla Raff. «Vi stiamo filmando, sarete chiamati in giudizio e accusati dei vostri crimini...»

«Stronzate» lo interruppe il comandante avversario. «Siamo una squadra di Black Hawk non contrassegnati. Non l'hai capito, coglione? Siamo più che invisibili. Noi-non-esistiamo. Credi di poter processare dei fantasmi per crimini di guerra? Coglione. Cambia rotta come ti ho ordinato, o affronta le conseguenze. Il sangue è sulle tue mani...»

Un'altra esile figura precipitò dall'aereo.

Mentre cadde attraverso il blu accecante, Jaeger tentò di scacciare l'immagine di Puruwehua che si schiantava nella giungla sotto di loro. Era impossibile capire esattamente quale degli indigeni l'equipaggio del Black Hawk avesse scagliato in aria, ma la morte era morte, l'assassinio era assassinio.

Quanto sangue avrebbe avuto sulle mani?

«Finora tutto bene» proseguì il comandante del Black Hawk. «Abbiamo usato due degli indigeni di scorta. Ce ne resta uno. Obbedirai ai miei ordini, Mr Raffara, o anche quest'ultimo deve imparare a volare?»

Da Raff non arrivò risposta. Se avessero cambiato rotta portando l'Airlander – e lo Ju 390 – nella griglia come da ordine, sarebbero stati finiti. Lo sapevano entrambi. Durante l'addestramento di Krav Maga, Raff e Jaeger avevano imparato che c'erano due ordini a cui non si doveva mai obbedire: uno era cambiare rotta, l'altro lasciarsi legare. Entrambi significavano disastro. Obbedire a un ordine del genere avrebbe condotto a una fine terribile per tutti.

Jaeger distolse lo sguardo quando una terza figura venne lanciata nel cielo inondato di sole, con le braccia agitate inutilmente nel tentativo di afferrare l'atmosfera rarefatta. Un ricordo riaffiorò alla memoria di Jaeger: Puruwehua che gli raccontava di tutte le volte che aveva volato come un *topena*, il grande falco bianco che si librava sulle montagne.

"Ho volato in alto quanto il *topena*" gli aveva detto Puruwehua. "Ho volato sopra vasti oceani e fino a montagne lontane."

Il ricordo torturò Jaeger quasi fino al limite della sopportazione.

«Dunque, Mr Raffara, ora possiamo passare alla parte davvero interessante. Secondo atto: i vostri compagni. Via col primo: dai un'occhiata al portellone. Non sembra aver molta voglia di imparare a volare. Cambia rotta verso la griglia come da ordine, o si farà un viaggio di sola andata verso lo spiaccicamento.» Il comandante rise alla propria battuta. «Un minuto da ora...»

Il telefono di Jaeger squillò. "Risposta?"

Jaeger vide la terribile immagine di una testa di capelli biondissimi trascinata verso il portellone del Black Hawk. Anche se Jaeger credeva che Stefan Kral fosse un traditore, non poteva esserne del tutto sicuro, e il pensiero della sua giovane famiglia a casa a Luton gli fece contorcere ancor più le budella.

Si sforzò di digitare una risposta. "Avvertili che CE ha inviato dei jet. Continua a farlo parlare."

«Procediamo verso destinazione come da piano.» La voce di

Raff tornò in linea. «E sappi che una scorta di jet dell'aviazione brasiliana è in arrivo...»

«Sappiamo tutto dei vostri amici della BOE» lo interruppe il comandante del Black Hawk. «Pensate di avere degli amici nei posti giusti!» Rise. «Non crederete mai a dove stanno i nostri, di amici. Comunque, gli aerei del colonnello sono a novanta minuti da qui. Obbedisci agli ordini, o altre persone moriranno.»

«Negativo» ripeté Raff. «Procediamo verso destinazione come da piano.»

«Allora mi avvicino un po' di più» annunciò il comandante. «Così potrete augurare buon viaggio al vostro amico.»

I tre elicotteri si fecero più vicini, mantenendo però la formazione, fino a trovarsi a non più di duecentotrenta metri dall'Airlander e dallo Ju 390. Quando raggiunsero la posizione, l'inconfondibile figura del cameraman slovacco fu spinta sul ciglio del portellone.

«Ultima occasione» ringhiò il comandante. «Cambiate rotta come da ordine.»

«Negativo» ribadì Raff. «Procediamo verso destinazione.»

Qualche secondo dopo, Stefan Kral venne spinto fuori.

Mentre il suo corpo precipitava verso il suolo, vorticando nel blu accecante, Jaeger sentì che Dale stava vomitando sul pavimento dietro di lui. Lui stesso si sentiva a pezzi.

Traditore o no, non era così che una vita – specialmente quella di un giovane padre – doveva finire.

70

«Congratulazioni, Mr Raffara» esclamò il comandante del Black Hawk. «Hai avuto il piacere di vedere morire quattro dei vostri amici. Dunque, l'ultimo candidato per il viaggio della morte è... Miss Leticia Santos! Oh, sì, sappiamo tutti quanto queste signore brasiliane amino fare quattro salti. Cambia rotta, Mr Raffara. Obbedisci ai miei ordini, o la morte della deliziosa Miss Santos ti perseguiterà per il resto della vita.»

Il telefono satellitare squillò: "Risposta?".

Jaeger fissò lo schermo: i suoi pensieri correvano a velocità folle. Da qualunque punto osservasse la faccenda, non aveva alcuna scelta. Le uccisioni dovevano finire. Non avrebbe permesso che Leticia Santos venisse lanciata nel vuoto. Ma che alternativa aveva?

Involontariamente la sua mano libera salì verso la sciarpa *Carnaval* annodata al collo. Un'idea improvvisa gli balenò negli occhi, per poi tornare, più solida, al centro della sua attenzione. Era un'idea folle, assurda, ma al momento credeva di non avere nulla di meglio.

Compose un messaggio con la tastiera del Thuraya. "Fai finta di obbedire. Cambia rotta. Aspetta."

La voce di Raff tornò in linea. «Affermativo, obbediamo agli ordini. Cambiamo rotta verso posizione 0845 gradi. Atterraggio previsto nella griglia tra quindici – ripeto uno-cinque – minuti.»

«Eccellente, Mr Raffara. Mi fa piacere vedere che alla fine stai imparando come tenere in vita i tuoi...»

Jaeger non aspettò di udire le ultime parole. Afferrò Narov, spalancò il portellone che portava alla stiva e corse verso una delle casse in fondo alla coda buia dello Ju 390.

Si chinò sul lungo scatolone che conteneva il lanciamissili a spalla *Fliegerfaust*. Per un istante fece per prendere il coltello, prima di ricordarsi di averlo regalato a Puruwehua. Un istante dopo Narov era accanto a lui, ad aprire lo scatolone con la lama da diciotto centimetri del suo Fairbairn-Sykes.

Gli stretti giri di corda caddero a terra e, dopo aver estratto i chiodi con la lama, i due sollevarono il coperchio di legno.

Presero il primo dei due lanciarazzi custoditi nella cassa. Era sorprendentemente leggero, ma non era il peso che al momento preoccupava Jaeger. La maggior parte dei lanciarazzi portatili moderni usavano un sistema di lancio elettronico alimentato a batterie. Se il *Fliegerfaust* aveva un sistema simile, le batterie dovevano ormai essere esaurite e loro sarebbero stati finiti.

Come aveva sperato, il meccanismo del *Fliegerfaust* sembrava al cento per cento meccanico. I lanciarazzi erano ben oliati e non sembrava esserci sopra neanche una briciola di ruggine. Persino le canne multiple sembravano lisce e pulitissime. Dopo settant'anni in una cassa, non c'era ragione per cui non avrebbero dovuto funzionare.

Narov recuperò le munizioni da nove colpi, ciascun razzo da 20 mm, lungo quasi venti centimetri. Mentre lui teneva ferma l'arma, lei infilò i proiettili nei tubi del lanciarazzi; si udì uno scatto netto quando furono in posizione.

«Quando premi il grilletto spara due scariche» spiegò Narov, la voce concitata per l'urgenza. «Una da quattro, seguita da una da cinque, un secondo preciso dopo la prima.»

Jaeger annuì. «Dobbiamo caricarli entrambi. Sei pronta a usare il secondo?»

Gli occhi di Narov si illuminarono di una luce assassina. «Con piacere, *Kahuhara'ga*.»

Prepararono il secondo lanciarazzi, poi tornarono al portellone di carico della stiva. Un'ora o poco più prima, Jaeger l'aveva chiuso preparandosi per il decollo dalla giungla. Non aveva immaginato che sarebbe stato costretto a riaprirlo così presto, soprattutto non per il tipo di azione che aveva in mente.

Afferrò il Thuraya e scrisse un messaggio. "Attaccheremo

Black Hawk dal retro dello Ju 390. Non colpiremo elicottero Santos. Attendi."

Sul telefono giunse la risposta: "Affermativo".

Lanciò un'occhiata a Narov: «Pronta?».

«Pronta» confermò lei.

«Io mi occupo di quello a ore nove, tu di quello a ore tre. Non colpire quello di Santos.»

Lei annuì seccamente.

«Non appena apriamo le porte» aggiunse lui «fai fuoco.»

Si sporse per sbloccare il portellone, poi si sedette sul pavimento dell'aereo poggiando i pedi contro le pareti. Narov fece altrettanto. Jaeger era certo che il comandante del Black Hawk non sospettasse che vi fosse un equipaggio a bordo dello Ju 390.

Ma stava per scoprire di essersi sbagliato.

«ORA!»

Jaeger sferrò un calcio, Narov fece altrettanto. Le porte si spalancarono e Jaeger si sollevò su un ginocchio col *Fliegerfaust* in spalla. Il Black Hawk più vicino era a meno di centottanta metri. Allineò il semplice mirino di ferro con la cabina di pilotaggio, disse una rapida preghiera augurandosi che il lanciarazzi funzionasse e premette il grilletto.

Quattro razzi partirono; il ritorno di fiamma spinse una nuvola di ardenti fumi soffocanti nella stiva dello Ju 390. Jaeger mantenne la mira e un secondo esatto più tardi i cinque proiettili rimasti schizzarono verso l'obiettivo. Al suo fianco, Narov fece fuoco e nove razzi esplosero attraverso il cielo verso il secondo Black Hawk.

Ogni razzo, perforante e altamente esplosivo, era stabilizzato da una serie di piccoli fori lungo la coda. Parte dei fumi di combustione uscivano da quei fori, facendo ruotare il missile attorno al suo asse. Era questa rotazione a far sì che i razzi riuscissero a raggiungere il bersaglio, proprio come un proiettile viene mandato in rotazione dalla rigatura della canna.

Jaeger vide che quattro dei suoi lanci mancarono il bersaglio, ma cinque andarono a segno. I razzi da 20 mm fecero schizzare piccoli sbuffi di fumo dalla fiancata dell'elicottero, mentre le punte perforanti penetravano la pelle di metallo. Un secondo dopo, le cariche esplosive detonarono, falciando l'interno del Black Hawk con una pioggia di shrapnel incandescente.

L'onda d'urto fece saltare il parabrezza della cabina di pilotaggio ed esplodere i finestrini laterali, lo shrapnel dilaniò i corpi dell'equipaggio. Qualche momento dopo l'elicottero abbandonò la rotta e iniziò a precipitare, lasciandosi una colonna di rabbioso fumo nero alle spalle.

Dietro di questo, il secondo obiettivo se l'era passata ancor peggio. Nel momento del massimo bisogno, il cecchino – l'assassino? – nascosto in Narov era venuto alla ribalta. Otto dei suoi razzi erano andati a segno, con un solo missile a mancare il bersaglio.

Almeno uno dei razzi da 20 mm doveva aver colpito il serbatoio, abbastanza pieno da completare una sortita da seicento chilometri. Il combustibile avrebbe potuto bruciare per ore e ore. Una lingua di fuoco arancione eruppe dall'elicottero, che un istante dopo si disintegrò in un'enorme, accecante palla di fiamme.

Jaeger si sentì travolto dal calore dell'esplosione, mentre i detriti incandescenti si allontanavano dall'epicentro dello scoppio. Per un istante, la conflagrazione sembrò minacciare l'Airlander sopra di loro, prima che le piume di detriti in fiamme ricadessero verso il banco di nuvole sotto di loro, scomparendo.

La carcassa devastata del secondo Black Hawk precipitò verso terra come un sasso. Tutto ciò che restava dei due elicotteri era una scura nube di fumo sospesa nella calda aria tropicale.

Erano rimasti un Black Hawk contro un Airlander/Ju 390, che tuonavano nel cielo aperto.

Il restante Black Hawk aveva deviato di colpo, mettendo una distanza di sicurezza tra sé e qualsiasi altro missile. Non che Jaeger e Narov potessero sparare di nuovo: erano rimasti senza *Fliegerfaust*. A ogni modo, a bordo dell'elicottero c'era Leticia Santos, e Jaeger non era disposto ad assistere anche al suo sacrificio.

«Mr Raffara, ti pentirai di averlo fatto!» urlò una voce folle di rabbia. «Ora ti farò saltare i motori!»

«Fallo e precipiteremo» ribatté Raff «e con noi anche il tuo prezioso aereo. Si schianterà nella giungla...»

Una raffica di colpi di precisione sparata dal GAU-19 del Black Hawk inghiottì le parole di Raff. I colpi penetrarono il propulsore anteriore sinistro dell'Airlander. In quell'istante, Jaeger percepì che lo Ju 390 si inclinava nettamente a destra, mentre uno dei quattro giganteschi rotori del dirigibile andava in pezzi.

A bordo dell'Airlander, l'equipaggio avrebbe dovuto lottare per tentare di tenerlo in quota con solo tre rotori, aggiustando la direzione e l'intensità della spinta per bilanciare il peso del carico, e pompando dell'altro elio tra i tre gusci giganti del dirigibile.

«Airlander a Black Hawk» si udì la voce di Raff. «Colpite un altro propulsore e non riusciremo a conservare il carico, dovremo eliminare lo Ju 390. Diecimila piedi di caduta. Allontanatevi, cazzo!»

«Non credo proprio» ribatté il comandante del Black Hawk. «Avete degli uomini a bordo dell'aereo, e non credo affatto che li lascerai cadere. Segui le mie istruzioni o sparerò al secondo motore.»

Un messaggio comparve sul Thuraya di Jaeger: "Risposta?".

Non sapeva cosa dire.

Ormai, non avevano davvero più scelta.

Erano a un punto morto.

71

Per la terza volta, il GAU-19 del Black Hawk fece fuoco.

Una violenta esplosione colpì il propulsore posteriore destro dell'Airlander. Jaeger e Narov erano tornati in cabina e sentirono lo Ju 390 sbandare violentemente a sinistra quando anche il secondo gruppo di rotori venne messo fuori uso.

Per qualche secondo di puro panico il gigantesco dirigibile faticò per raddrizzarsi, mentre i due propulsori rimanenti ai due angoli opposti del dirigibile si sforzavano di equilibrare il carico eccessivo. Ma quando l'Airlander finalmente sembrò stabilizzarsi, fu evidente che non aveva più la forza di gestire il peso che stava trasportando.

Quasi nello stesso istante iniziò a rallentare bruscamente, avendo perduto metà della spinta propulsiva. In più, cominciò a perdere quota. Con lo Ju 390 legato al di sotto, stava scivolando verso il disastro.

Il Black Hawk cambiò posizione, restando indietro e sparendo dalla visuale della cabina di pilotaggio dell'aereo. Jaeger non pensò nemmeno per un istante che il comandante avesse annullato l'attacco: cosa diavolo aveva in mente?

Un messaggio comparve sul Thuraya: "BH si sposta dietro di voi. Si avvicina ad ala babordo. Tentativo di salire a bordo???".

Jaeger fissò il messaggio per un istante: cosa stava facendo? Guardò fuori dal finestrino di babordo.

In effetti, il pilota stava avvicinando il portellone dell'elicottero all'estremità dell'ala sinistra dello Ju 390. Jaeger scorse una dozzina di operatori pesantemente armati raggruppati dietro il portello, con addosso tute NBC nere e respiratori.

Narov comparve al suo fianco. «Che ci provino!» ringhiò quando scorse le figure nere.

Un secondo dopo, aveva afferrato il fucile Dragunov, pronta a falciare chiunque provasse a salire sull'aereo.

«No!» Jaeger spinse verso il basso la canna. «Al momento non sanno dove ci troviamo. Se fai fuoco, colpiranno la cabina. Ci faranno a brandelli.»

«Allora lascia che elimini il pilota!» protestò lei. «Almeno questo!»

«Se elimini il pilota, il copilota prenderà il comando e ci crivelleranno comunque. E in più, Santos... è sull'elicottero.»

«A volte per salvare una vita bisogna sacrificarne un'altra» rispose lei freddamente. «O come in questo caso, sacrificarne una per salvarne molte.»

«No!» Jaeger scosse violentemente il capo. «No! Dev'esserci un modo migliore.»

Disperato, si guardò attorno nell'abitacolo. I suoi occhi si posarono su un cumulo di sacchi impolverati riposti sotto il sedile del navigatore. Su ciascuno c'era scritto *Fallschirm*. Pur non comprendendo il tedesco, intuì cosa dovessero essere. Si avvicinò e ne afferrò uno.

Rompi gli schemi.

Lo mostrò a Narov. «Paracadute, giusto?»

«Paracadute» confermò lei. «Ma...?»

Jaeger guardò fuori dal finestrino. La velocità dello Ju 390 era diminuita notevolmente, e vide la prima figura nera balzare fuori dal portellone del Black Hawk e saltare sulla punta della gigantesca ala dell'aereo, atterrando accovacciata. Qualche istante dopo, le si unì una seconda figura e insieme presero a strisciare verso la fusoliera.

Jaeger spinse il paracadute tra le braccia di Narov, gettò il secondo a Dale e ne prese un terzo per sé.

«Infilateli» urlò. «E speriamo che, come tutte le cose tedesche, anche questi siamo fatti per durare!»

Mentre si stavano infilando l'imbracatura, un messaggio comparve sul Thuraya: "Nemico arrivato alla fusoliera. Ha cariche esplosive".

Gli operatori vestiti di nero volevano aprire un varco nella sezione centrale dello Ju 390 per penetrare nella stiva.

Jaeger rispose: "Quando tutti i bastardi saranno a bordo, sganciaci. Lasciaci cadere. E Raff, non discutere. So quello che faccio".

Un nuovo messaggio: "Affermativo. Ci vediamo in paradiso".

Grazie a Dio c'era Raff a bordo dell'Airlander. Nessun altro avrebbe obbedito a un ordine simile senza fare domande. Era il legame unico che quei due uomini condividevano, formatosi durante molti anni nelle squadre più estreme dell'esercito.

Jaeger udì un'esplosione attutita provenire dal retro dell'aereo. Lo Ju 390 tremò per un istante, mentre la carica apriva nella sua pelle un varco della dimensione di un uomo. Si figurò gli operatori vestiti di nero che, uno dopo l'altro, entravano nella stiva buia, piena di fumo, con le armi spianate.

Ci avrebbero messo qualche secondo per orientarsi e perlustrare la stiva alla ricerca di Jaeger e dei suoi compagni. Dopo di che, sarebbero avanzati verso la cabina, predisponendo una seconda carica esplosiva. Il boccaporto, una volta chiuso poteva essere aperto solo dall'interno nella cabina di pilotaggio, così avrebbero dovuto far saltare in aria anche quello.

Ma ciononostante, Jaeger, Dale e Narov avevano ormai solo una manciata di secondi.

«Okay, ecco il piano» urlò. «Da un momento all'altro l'Airlander ci sgancerà. Come ogni buon aereo con un minimo di slancio in avanti, lo Ju 390 guadagnerà velocità cadendo, poi inizierà a planare. Non appena ci mollano, lanciamo fuori quelli che restano» indicò i paracaduti rimasti «e poi ci buttiamo.»

«Non aprite la vela prima di essere tra le nuvole» continuò «o il Black Hawk riuscirà a seguirci. Provate a restare insieme e ad allinearvi. Ordine di lancio: Dale, Narov, io. Pronti?»

Narov annuì. La passione per la battaglia e l'adrenalina scintillavano nei suoi occhi.

Dale invece era pallido come un lenzuolo, come se fosse di nuovo sul punto di vomitare. Eppure alzò il pollice, sebbene con un po' di incertezza. Jaeger era stupito: quel ragazzo aveva affrontato una serie di avventure che sarebbero bastate a snervare il più tosto dei soldati, eppure era riuscito a superare alla grande ogni prova.

«Non dimenticare la videocamera, o almeno le schede di

memoria» gli urlò Jaeger. «Qualsiasi cosa succeda, non perderemo le riprese!»

Prese i paracadute rimanenti e li ammucchiò su un lato della cabina di pilotaggio, poi spalancò entrambi i finestrini in modo da avere più spazio possibile per uscire.

Si voltò verso Narov. «Non dimenticare i tuoi documenti, qualunque cosa siano. Legati stretta la borsa, non lasciarla fuori da...»

Dovette ingoiare il resto della frase perché lo Ju 390 si scosse violentemente e iniziò a precipitare. L'Airlander l'aveva sganciato e per qualche terribile istante parve cadere in verticale come un sasso, prima che le ali prendessero vento e che la caduta si trasformasse in una planata vertiginosa e mozzafiato.

«Via! Via! Via!» urlò Jaeger, iniziando a lanciare i paracadute fuori dal finestrino.

Uno dopo l'altro gettò i *Fallschirm* restanti nel vuoto ululante.

Dale si accostò al finestrino, spinse fuori la metà superiore del corpo e poi si bloccò. La scia d'aria lo tirava per il busto ma i suoi piedi sembravano incollati al pavimento metallico dell'aereo.

Immobili.

Jaeger non esitò. Piegò le spalle possenti, afferrò Dale per le gambe e con tutta la sua forza lo sollevò, scagliandolo urlante nell'aria rarefatta.

Sentiva delle voci sostenute provenire dall'altra parte del boccaporto. Gli operatori vestiti di nero si stavano preparando ad aprirsi un varco con l'esplosivo. Narov balzò sul sedile del pilota, si aggrappò al soffitto della cabina di pilotaggio e spinse le gambe fuori dal finestrino.

Si voltò verso di lui. «Tu vieni, vero?»

Doveva aver colto l'esitazione che gli aveva attraversato gli occhi. Per un istante la sua mente era tornata a quella notte sulle montagne quando moglie e figlio gli erano stati strappati. Non aveva fatto tutto il possibile – Cristo, non aveva fatto nulla – per cercare in quell'aereo indizi su chi li avesse presi e perché.

Per un secondo terribile, la voce dietro la maschera antigas – la voce che Jaeger aveva creduto di riconoscere – tornò a picchiargli in testa: "Non dimenticarlo mai: non sei riuscito a proteggere tua moglie e tuo figlio. *Wir sind die Zukunft!*".

Jaeger era impietrito, incapace di muoversi.

Nel profondo del cuore, sentiva un bisogno disperato di risposte.

E se avesse abbandonato l'aereo, forse li avrebbe persi per sempre.

«Vai al finestrino!» urlò Narov. «SUBITO!»

Jaeger si ritrovò a fissare la canna di una pistola. Narov aveva sguainato una Beretta compatta a canna corta e gliel'aveva puntata alla testa.

«Io so tutto!» urlò lei. «Hanno ucciso tuo nonno. Sono venuti a cercare te e la tua famiglia. Qualcosa che hai fatto li ha spinti a reagire. Ecco come troverai le risposte. Ma se precipiti ora, su quest'aereo, loro avranno vinto!»

Jaeger provò a muovere le gambe.

«SALTA!» gli urlò Narov, il dito sbiancato sul grilletto. «NON TI PERMETTERÒ DI SPRECARE LA TUA VITA!»

D'improvviso, udirono un boato assordante alle loro spalle. Il boccaporto saltò in aria e la cabina di pilotaggio si riempì di un'accecante, soffocante nuvola di fumo. L'onda d'urto spinse Jaeger verso il finestrino e lo aiutò a riprendere il controllo. Mentre si avvicinava alla via d'uscita, Narov aprì il fuoco con la Beretta, sparando verso la massa di figure nere che si stavano riversando attraverso il varco.

Qualche istante dopo, Jaeger si lanciò fuori, sprofondando nel rarefatto blu ululante.

72

Un istante dopo il lancio, Jaeger si ritrovò a vorticare in caduta libera, proprio com'era capitato durante il salto quasi mortale dal C-130. Si sforzò di allargare le braccia e inarcò il corpo per stabilizzarsi. A quel punto, adottò la posizione di volo delta – le braccia premute lungo i fianchi, le gambe stese dietro di lui – per raggiungere il banco di nuvole il più in fretta possibile.

Ma mentre la sua velocità aumentava, si maledisse per essersi comportato in maniera così stupida. Narov aveva ragione. Se fosse morto sull'aereo, come avrebbe potuto essere d'aiuto agli altri, specialmente a sua moglie e suo figlio? Era stato un idiota a esitare, e aveva messo in pericolo la vita di Narov. Maledizione, non sapeva nemmeno se fosse riuscita a mettersi in salvo dall'aereo, e ora, nel mezzo del folle vortice della caduta, non aveva modo di controllare.

Lo Ju 390 aveva accelerato fin dal momento in cui l'Airlander l'aveva sganciato. Stava sfrecciando attraverso il cielo a quasi trecento chilometri l'ora, e lui non poteva far altro che sperare e pregare che Narov ne fosse uscita viva.

Qualche secondo dopo venne ingoiato dalle nuvole. Quando il denso vapore acqueo l'avvolse, afferrò la maniglia di rilascio del paracadute, la tirò vigorosamente... e pregò. In quel momento, sperò che i nazisti avessero creato qualcosa di duraturo.

Non successe nulla.

Jaeger controllò di aver tirato la maniglia giusta. Nella penombra in quel bianco vorticante nulla era semplice, specialmente quando si veniva sbattuti come una bambola di stracci. Ma a quanto riusciva a capire, la vela principale sembrava bloccata.

Una frase gli passò per la testa mentre il terreno gli correva incontro: "guardare-localizzare-sfilare-colpire-tirare-inarcare". Era il ritornello che gli era stato insegnato anni prima, per le procedure d'emergenza quando il paracadute principale si bloccava in caduta libera.

Stessi principi, sistemi diversi, si disse.

Afferrò quella che gli sembrava la maniglia di riserva. Era un sistema antiquato, ma non c'era ragione per cui non dovesse funzionare. Ora o mai più, pensò, perché il terreno si stava avvicinando rapidamente. Tirò con tutta la sua forza, e il paracadute d'emergenza – una vela di seta tedesca, rimasta ripiegata per settant'anni in attesa dell'occasione di tornare a volare – si aprì nell'aria sopra di lui.

Come quasi ogni cosa tedesca, quel *Fallschirm* era stato costruito badando alla qualità, e l'apertura andò liscia come l'olio. A dire il vero, era una gioia avere un paracadute del genere. Se Jaeger non si fosse trovato al centro di una tale confusione, avrebbe persino potuto godersi la discesa.

I tedeschi avevano usato un modello simile a quello in dotazione alle unità aeree britanniche durante la Seconda guerra mondiale. Aveva un profilo a cupola, simile a un fungo, ed era solido e stabile in volo, al contrario dello stile più piatto, rapido e maneggevole dei paracaduti militari moderni.

A circa cinquecento piedi di altitudine, Jaeger riemerse dalle nuvole. I suoi primi pensieri andarono a Dale e a Narov. Guardò verso ovest e gli parve di notare l'inconfondibile traccia di un paracadute a terra, a indicare il punto in cui Dale doveva essere atterrato.

Guardò verso est e vide una macchia bianca emergere dalla base di una nuvola.

Narov. Doveva essere lei. In un modo o nell'altro doveva essere riuscita a uscire dalla cabina di pilotaggio dello Ju 390 e, a giudicare dall'aspetto del corpo appeso alla vela, era ancora viva.

Memorizzò entrambe le posizioni, poi controllò il terreno sotto di sé.

Giungla fitta, nessun punto ovvio in cui atterrare.

Di nuovo.

Mentre scivolava verso la vegetazione, Jaeger rivolse un pensiero fugace allo Ju 390. Da diecimila piedi, l'aereo sfrecciante poteva planare per decine e decine di chilometri, ma sapeva che era condannato. Da quando l'Airlander l'aveva sganciato, a ogni secondo aveva guadagnato velocità ma perso quota.

Prima o poi si sarebbe schiantato nella giungla a più di trecento chilometri all'ora. Il lato positivo era che avrebbe portato con sé gli operatori vestiti di nero, perché di certo il Black Hawk superstite non sarebbe riuscito a prelevarli dall'aereo in caduta. E Jaeger, ovviamente, aveva lanciato ogni paracadute restante dal finestrino della cabina di pilotaggio.

Il lato negativo era che sarebbe andato perduto per sempre, insieme ai segreti che trasportava, e inoltre, il suo carico tossico si sarebbe riversato sulla foresta pluviale.

Ma non c'era molto che Jaeger potesse fare a proposito.

L'ultimo Black Hawk non contrassegnato scese a terra sulla pista isolata nella giungla.

L'operatore dal nome in codice di Lupo Grigio Sei – vero nome Vladimir Ustanov – scese dall'elicottero col telefono satellitare incollato all'orecchio. Aveva il volto grigio e tirato, l'esperienza delle ultime ore aveva lasciato il segno.

«Signore, provi a comprendere la situazione.» Stava parlando nel ricevitore, con la voce carica di stanchezza. «Della mia unità aerotrasportata siamo rimasti io e quattro altri. Non siamo in grado di organizzare nessuna operazione minimamente sensata.»

«E l'aereo da guerra?» chiese Lupo Grigio, incredulo.

«Un relitto fumante. Sparso tra decine e decine di miglia di giungla. L'abbiamo sorvolato fino a quando non si è schiantato.»

«E il carico? I documenti?»

«Distrutti in frammenti fumanti, insieme a una dozzina dei miei uomini migliori.»

«Se non abbiamo potuto metterci la mani sopra, meglio che siano andati distrutti.» Una pausa. «Alla fine, Vladimir, sei riuscito a concludere qualcosa.»

«Signore, ho perso due Black Hawk e più di trenta uomini...»

«Ne è valsa la pena» l'interruppe Lupo Grigio, spietato. «Erano pagati per eseguire un lavoro, ed erano pagati bene, quindi non aspettarti compassione da parte mia. Dimmi, qualcuno è uscito vivo da quell'aereo?»

«Abbiamo visto tre figure lanciarsi. Le abbiamo perse tra le nuvole. Che siano riusciti a sopravvivere non è certo. Non sappiamo se avessero dei paracadute, ma anche in tal caso, là sotto c'è solo giungla inesplorata.»

«Ma potrebbero esserci riusciti?» sibilò Lupo Grigio.

«Potrebbero» ammise Vladimir Ustanov.

«Potrebbero essere sopravvissuti, il che significa che potrebbero aver recuperato dall'aereo alcune delle cose che cercavamo?»

«Potrebbero.»

«Inverto la rotta» scattò Lupo Grigio. «Se non c'è più un'unità operativa, non ha senso che arrivi in zona. Voglio che tu e gli altri sopravvissuti partiate per una vacanza in un posto convenientemente lontano e oscuro. Ma non sparite. Restate raggiungibili.»

«Ricevuto.»

«Se qualcuno è sopravvissuto, bisogna trovarlo. Quello che cercavamo, se lo hanno loro... ci deve essere restituito.»

«Ricevuto, signore.»

«Ti contatterò nella solita maniera. Nel frattempo, Vladimir, potresti reclutare nuovi soldati per rimpiazzare quelli che sconsideratamente hai perso. Stessi termini d'ingaggio, stessa missione.»

«Ricevuto.»

«Un'ultima cosa: hai ancora la brasiliana?»

Vladimir lanciò un'occhiata verso una figura distesa sul pavimento del Black Hawk. «Ce l'abbiamo.»

«Tenetela. Forse potremo usarla. Nel frattempo, interrogala coi tuoi metodi speciali. Scopri tutto quello che sa. Con un po' di fortuna, potrebbe condurci dagli altri.»

Vladimir sorrise. «Con piacere, signore.»

Dal Learjet 85 in volo sopra il Golfo del Messico, il comandante noto come Lupo Grigio fece una seconda chiamata. Era diretta a un oscuro, grigio ufficio all'interno di un complesso di palazzi dai muri altrettanto grigi che sorgevano in una grigia striscia di bosco nella lontana campagna della Virginia, sulla costa orientale degli Stati Uniti.

La chiamata raggiunse un edificio che ospitava i più avanzati sistemi di localizzazione e intercettazione del mondo. Accanto all'entrata c'era una piccola placca di ottone, con sopra scritto CIA - DIVISION OF ASYMMETRIC THREAT ANALYSIS (DATA).

Rispose una figura in abiti civili casual ma eleganti.

«DATA. Harry Peterson.»

«Sono io» si annunciò Lupo Grigio. «Sto arrivando con un Learjet e mi serve che trovi l'individuo di cui ti ho mandato il file. Jaeger. William Jaeger. Usa tutti i mezzi possibili: Internet, email, cellulari, prenotazioni aeree, dettagli del passaporto, qualsiasi cosa. Ultima posizione nota, Brasile occidentale, vicino al confine con la Bolivia e il Perù.»

«Ricevuto, signore.»

Lupo Grigio interruppe la chiamata.

Si abbandonò sul sedile. Le cose non erano andate particolarmente bene in Amazzonia, ma si disse che si trattava solo di una schermaglia. Una delle tante battaglie simili, combattute in una guerra molto più lunga: una guerra che lui e i suoi antenati stavano portando avanti dalla primavera del 1945.

Una sconfitta, certo, ma gestibile, e nulla di paragonabile a quel che avevano dovuto sopportare in passato.

Si allungò ad afferrare un tablet sottile sul tavolo davanti a lui. L'accese e aprì un file che conteneva una lista di nomi in ordine alfabetico. Fece scorrere il cursore verso il basso e digitò qualche parola accanto a uno di essi: "Disperso in azione. Se vivo, eliminare. PRIORITARIO".

Quand'ebbe finito, prese una ventiquattrore poggiata al suo fianco, la posò sul tavolo e vi infilò dentro il tablet. Richiuse la copertina con un netto *clic* e fece scorrere il lucchetto a combinazione in modo che fosse perfettamente bloccata.

Sulla ventiquattrore, in piccole lettere dorate, c'erano le parole: HANK KAMMLER, VICE DIRETTORE, CIA.

Hank Kammler – alias Lupo Grigio – fece scorrere le dita con delicatezza e riverenza sulla scritta in rilievo. Alla fine della guerra suo padre era stato costretto a cambiare nome. L'*SS Oberst-Gruppenführer* Hans Kammler era diventato Horace Kramer, per rendere più semplice il suo reclutamento nel Dipartimento per i Servizi Strategici, il precursore della CIA. Mentre faceva carriera verso i livelli più alti dell'Agenzia, non aveva mai perso di vista la sua vera missione: restare nascosto in piena vista, riorganizzare e ricostruire il Reich.

Quando la vita di suo padre si era prematuramente interrotta, Hank Kammler aveva deciso di raccogliere il testimone e seguire i suoi passi nella CIA. Kammler sorrise appena tra sé, una punta di scherno gli passò negli occhi. Come se avesse potuto accontentarsi di servire come agente della CIA, dimenticando la gloria dei suoi antenati nazisti.

Recentemente aveva deciso di recuperare quel che gli apparteneva di diritto. Nato Hank Kramer, aveva ufficialmente cambiato il cognome in Kammler reclamando l'eredità di suo padre, e quel che considerava un diritto di nascita.

E per quanto lo riguardava, la riconquista era solo all'inizio.

73

Jaeger si accomodò al suo posto, sul breve volo di collegamento per l'aeroporto di Bioko.

Il volo da Londra alla Nigeria era stato proprio come se l'aspettava, veloce, diretto e comodo, anche se quella volta col suo budget non si era potuto permettere la prima classe. A Lagos si era imbarcato su un aereo di linea abbastanza malridotto per il breve attraversamento del Golfo di Guinea fino alla capitale insulare della Guinea Equatoriale.

Le informazioni che aveva ottenuto da Pieter Boerke erano inattese quanto stuzzicanti. Circa due settimane dopo essersi lanciato dall'aereo condannato a schiantarsi sulla giungla, Jaeger si era ritirato in un luogo relativamente sicuro, la base aerea di Cachimbo. Ed era stato a Cachimbo che Boerke era riuscito a contattarlo telefonicamente.

"Ho i tuoi documenti" aveva annunciato il sudafricano. "La settima pagina del manifesto di carico, come mi avevi chiesto."

Jaeger non aveva avuto cuore di dire a Boerke che l'ultima cosa a cui stava pensando era un'oscura nave cargo della Seconda guerra mondiale che aveva attraccato al porto di Bioko verso la fine del conflitto. Aveva chiesto al capo dei golpisti di scannerizzare il documento e di inviarglielo via email. Non aveva ottenuto la risposta che si era aspettato.

"Niente da fare, vecchio mio; impossibile" gli aveva detto Boerke. "Devi venire a dare un'occhiata di persona. Perché, amico, questa non è solo carta. C'è qualcosa di tangibile. Qualcosa che non posso mandarti via email o per posta. Fidati, vecchio mio: vieni a vedere."

"Mi dai un indizio?" aveva chiesto Jaeger. "È un volo abbastanza lungo. E poi, dopo le ultime settimane..."

"Mettiamola così" l'aveva interrotto Boerke. "Io non sono un nazista. Anzi, odio i fottuti nazisti. Né sono il nipote di uno di loro. Ma se lo fossi, farei parecchia strada – a dire il vero, andrei fino alla fine del mondo, e magari ammazzerei anche un bel po' di persone – per essere certo che questa roba non vedesse mai la luce del giorno. È tutto ciò che posso dirti. Fidati, Jaeger, è meglio che tu venga."

Jaeger aveva valutato le proprie opzioni. Partiva dal presupposto che Alonzo, Kamishi e Joe James fossero ancora vivi, e che gli indigeni superstiti li stessero guidando verso un luogo sicuro da cui avrebbero potuto raggiungere il mondo esterno. Era abbastanza sicuro che Gwaihutiga fosse morto, scagliato dal Black Hawk insieme a Stefan Kral, il cameraman che a quanto pareva li aveva traditi.

Per quanto riguardava Leticia Santos, era ancora scomparsa, la sua sorte sconosciuta. Il colonnello Evandro aveva promesso di fare tutto il possibile per ritrovarla, e Jaeger era certo che lui e la BOE avrebbero rivoltato ogni sasso.

Lo stratagemma di spingere l'Airlander a liberarsi dello Ju 390 aveva senz'ombra di dubbio salvato la vita all'equipaggio del dirigibile, Raff incluso. Il Black Hawk era stato costretto a seguire l'aereo mentre accelerava in planata, lasciando che l'Airlander arrancasse fino a Cachimbo.

Dale si era ferito quando il suo paracadute era sceso tra gli alberi, e Narov era stata colpita da una scheggia quando la Forza Oscura aveva fatto esplodere la porta della cabina. Jaeger però era riuscito a ritrovarli entrambi, a terra, e ad aiutarli a mettersi in marcia, anche se non era mai stato certo che sarebbero davvero riusciti a uscirne.

Com'era prevedibile, Dale e Narov avevano affermato di essere feriti solo superficialmente e di essere in grado di sopravvivere al viaggio. Jaeger era preoccupato che nella giungla calda e umida, con poche occasioni per riposare, scarso cibo e cure mediche, le ferite potessero infettarsi.

Eppure, aveva compreso che né Narov né Dale avrebbero

ascoltato le sue preoccupazioni, e d'altronde non c'era molto che potesse fare per aiutarli. O riuscivano a uscire dalla giungla contando sulle proprie forze, o sarebbero morti.

Jaeger aveva localizzato un ruscello, e l'avevano seguito per due giorni, muovendosi alla velocità che la loro condizione fisica permetteva. Alla fine il ruscello si era riversato in un fiume, che a sua volta confluiva in un fiume più grande che si rivelò navigabile. Per fortuna, Jaeger era riuscito a fermare una chiatta di passaggio, che trasportava i tronchi d'albero fino alle segherie più in basso lungo il fiume.

Era seguito un viaggio di tre giorni, durante il quale il pericolo maggiore sembrava essere che Narov litigasse col capitano brasiliano ubriaco. Ma era durata pochissimo.

Una volta che Narov e Dale erano a bordo, l'infezione si era manifestata, come Jaeger aveva temuto, e anche peggio. Alla fine del viaggio – quando Jaeger li aveva portati in un taxi locale alla base di Cachimbo e al suo avanzatissimo ospedale di massima sicurezza –, entrambi erano in preda a violente febbri.

La diagnosi era stata setticemia: le ferite si erano infettate e l'intero sistema circolatorio era stato coinvolto. Almeno nel caso di Dale, la situazione era ulteriormente aggravata dall'intensa stanchezza. Erano stati ricoverati in terapia intensiva, dove li stavano curando sotto l'occhio attento e vigile del colonnello Evandro.

Avendo messo al riparo dai peggiori pericoli quelli che poteva aiutare, e con poco da fare per Leticia Santos, Jaeger aveva deciso di poter correre il rischio di prenotare un volo dal Brasile a Bioko. Si era assicurato che il colonnello lo tenesse costantemente aggiornato sugli sviluppi.

Aveva promesso di tornare in tempo per riportare Dale e Narov a casa, non appena si fossero ripresi abbastanza da affrontare il viaggio. Aveva chiesto a Raff di montare costantemente la guardia fuori dalla porta dell'ospedale, come ulteriore misura di sicurezza.

Prima di partire, Jaeger aveva strappato qualche minuto da solo con Narov, appena dimessa dal reparto di terapia intensiva. Aveva dato un'occhiata ai documenti recuperati dallo Ju 390. Non riusciva a comprendere la maggior parte delle parole in tedesco, e la documentazione sull'*Aktion Feuerland* sembrava essere scritta per lo più in sequenze apparentemente casuali di numeri, che secondo Narov erano un codice.

Senza la chiave per interpretarlo, non c'era molto che lei o Jaeger potessero scoprire.

A un certo punto, Narov gli aveva chiesto di portarla nel cortile dell'ospedale, in modo da prendere un po' di sole in viso e una boccata di aria fresca. Una volta trovato un angolo abbastanza appartato, aveva iniziato a spiegargli quel che era successo nel corso degli ultimi giorni. Come c'era da aspettarsi, per farlo aveva dovuto iniziare dalla Seconda guerra mondiale.

"Hai visto che tipo di tecnologia c'era su quell'aereo?" aveva iniziato con voce flebile. "Nella primavera del 1945, i nazisti erano riusciti a testare dei missili balistici intercontinentali. Avevano adattato delle testate col gas nervino, con l'agente della peste e le tossine del botulino. Bastavano poche armi simili – una per ogni città: Londra, New York, Washington, Toronto e Mosca – e l'esito della guerra avrebbe potuto essere ribaltato.

"Per difenderci avevamo la bomba atomica, ma non era ancora stata perfezionata. E ricorda, poteva essere sganciata solo da un bombardiere pesante, non da un missile teleguidato capace di volare a più volte la velocità del suono. Eravamo praticamente indifesi davanti ai loro missili.

"I nazisti avevano in mano una minaccia straordinaria, e proposero agli Alleati un accordo per permettere al Reich di trasferirsi nei nascondigli prescelti, insieme ai loro armamenti ipertecnologici. Ma gli Alleati avanzarono una controproposta. Dissero: 'Okay, trasferitevi. Portate con voi tutte le vostre *Wunderwaffen*. Ma a una condizione: unitevi a noi nella vera lotta, l'incombente guerra globale contro il comunismo'.

"Gli Alleati si offrirono di aiutarli con i trasferimenti più segreti. Ovviamente non potevano portare in patria, negli USA o in Gran Bretagna, i vertici del partito nazista. L'opinione pubblica non l'avrebbe accettato. Così li mandarono nei loro "cortili": gli americani in America Latina, gli inglesi nelle colonie, in India, in Australia, in Sudafrica, luoghi in cui era abbastanza semplice nasconderli.

"Quindi venne stilato un nuovo patto. Un patto indicibile. Il patto Alleati-Nazisti." Narov aveva fatto una pausa, cercando dentro di sé la forza per proseguire. "*Aktion Adlerflug*, l'Operazione Volo d'aquila, era il nome in codice dato da Hitler al piano di trasferire le più importanti armi e tecnologie dei nazisti; da qui i timbri sulle casse nella stiva dello Ju 390. *Aktion Feuerland* – Operazione Terra del Fuoco – era il nome per il trasferimento dei loro membri più importanti."

Aveva fissato Jaeger con sguardo dolente. "Non abbiamo mai trovato una lista con i nomi esatti. Mai, malgrado anni di ricerche. I documenti trovati sull'aereo... è questo che speravo ci avrebbero rivelato. Questo, e qualche indizio su dove siano finite le tecnologie e le persone."

Jaeger era stato tentato di chiedere perché importasse. Erano passati settant'anni. Erano vecchie storie. Ma Narov aveva intuito i suoi pensieri.

"C'è un vecchio modo di dire." Gli aveva fatto cenno di avvicinarsi: la sua voce era sempre più debole per la stanchezza. "Il figlio di un serpente è sempre un serpente. Gli Alleati hanno stretto un patto con il diavolo. Più venne tenuto nascosto, più divenne vincolante e dispotico, fino a essere del tutto inespugnabile. Crediamo che duri ancora, a ogni livello dell'esercito, degli istituti bancari e dei governi mondiali, ancora oggi."

Doveva aver colto il dubbio che offuscava lo sguardo di Jaeger.

"Credi che sia inverosimile?" aveva sibilato in tono di sfida. "Chiediti quanto sia durato il retaggio dei Cavalieri Templari. Il nazismo ha meno di cent'anni; l'eredità dei Templari è sopravvissuta per duemila anni, ed è ancora con noi, oggi. Credi che i nazisti siano svaniti nel giro di una notte? Credi che quelli trasferiti nei rifugi avrebbero permesso che il Reich morisse? Credi che i loro figli abbiano rinunciato a quello che considerano un loro diritto di nascita?

"Il *Reichsadler*, con quello strano elemento circolare sotto la coda: crediamo che sia il loro simbolo, il loro marchio. E come sai bene, ha iniziato a rialzare la testa."

Per un istante Jaeger aveva pensato che Narov avesse finito, che la stanchezza l'avesse sopraffatta. Ma poi, da qualche parte, lei aveva trovato la forza per dire qualche parola conclusiva.

"William Edward Michael Jaeger, se hai ancora dei dubbi, c'è una cosa che dovrebbe convincerti. Pensa alle persone che hanno provato a fermarci. Hanno ucciso tre membri della tua squadra e molti indigeni. Avevano dei Predator, dei Black Hawk e Dio solo sa cos'altro. Erano una squadra top secret, senza marcature. Pensa a chi è in grado di mettere in campo una simile forza, o di agire con tale impunità.

"I figli dei serpenti si stanno risollevando. Hanno una rete globale e il loro potere sta aumentando. E come loro hanno una rete, ce n'è un'altra che sta provando a fermarli." Aveva fatto una pausa, la sua faccia aveva perso ogni colore. "Prima di morire, tuo nonno ne era a capo. A chiunque fosse invitato a farne parte veniva dato un coltello, un simbolo di resistenza, come quello che ho io.

"Ma chi vuole bere questo amaro calice? Chi? Il potere del nemico sta aumentando, mentre il nostro... diminuisce. *Wir sind die Zukunft*. Hai sentito il loro motto: noi siamo il futuro."

I suoi occhi si erano spostati su Jaeger. "Quelli di noi che danno loro la caccia di solito non vivono a lungo."

74

«Buongiorno, signore. Un drink prima di atterrare?» ripeté la hostess per la terza volta.

Jaeger era a chilometri e chilometri di distanza: stava rivivendo la conversazione con Narov. Lei non aveva detto molto altro. La stanchezza e il dolore avevano avuto la meglio, e Jaeger l'aveva riportata a letto.

Fece un sorriso alla hostess. «Un Bloody Mary, per favore. Con un bel po' di salsa Worcestershire.»

L'aeroporto non era cambiato molto dall'ultima visita di Jaeger. Una nuova unità di sicurezza e nuovi ufficiali della dogana avevano sostituito la guardia corrotta e venale del presidente Honoré Chambara, ma per il resto tutto sembrava identico. La figura familiare di Pieter Boerke lo aspettava nella sala Arrivi, insieme a una coppia di omoni che Jaeger riconobbe come la sua scorta personale.

Boerke aveva appena deposto un dittatore dispotico, e non era tipo da scegliere una security discreta. Il sudafricano gli porse la mano in segno di benvenuto, prima di voltarsi verso le guardie del corpo. «Bene, ragazzi, afferratelo! Riportiamolo a Black Beach!»

Per un istante, Jaeger si preparò alla lotta, poi Boerke scoppiò a ridere. «Calmati, vecchio mio, calmati! Noi sudafricani abbiamo un senso dell'umorismo del cazzo. È bello rivederti, amico.»

Lungo la strada per Malabo, la capitale dell'isola, Boerke aggiornò Jaeger sui successi del golpe. Le informazioni fornite dal maggiore Mojo – l'ex carceriere di Jaeger – si erano rivelate cruciali per la riuscita, un'altra ragione per cui Boerke era stato felice di restituire il favore promesso.

Raggiunsero il porto di Santa Isabel, a Malabo, e proseguirono per il lungomare fino a fermarsi davanti a un grande edificio coloniale affacciato sull'acqua. Durante i tre anni sull'isola, Jaeger aveva fatto del proprio meglio per tenere un profilo basso, e di rado aveva avuto la necessità di visitare degli uffici governativi.

Boerke lo condusse nelle camere di sicurezza dove i regimi che si erano susseguiti avevano nascosto i documenti più sensibili della nazione; non che ve ne fossero molti in un posto come la Guinea Equatoriale. Boerke chiuse e bloccò le porte della stanza blindata, con la scorta di guardia all'esterno. Solo lui e Jaeger rimasero nell'ambiente fresco e buio, che odorava un po' di stantio.

Boerke sfilò un raccoglitore di cartoncino da uno scaffale vicino. Era pieno di uno spesso pacco di documenti. Lo mise sul tavolo davanti a loro.

«Questo» diede un colpetto al raccoglitore. «Fidati, amico, è valsa la pena fare un viaggio attorno a mezzo mondo.»

Con una mano indicò gli scaffali lungo le pareti. «Poca di questa roba merita di essere conservata: la Guinea Equatoriale non ha molti segreti di Stato. Ma sembra che l'isola abbia giocato un ruolo durante la guerra... e verso la fine, lascia che te lo dica, si è arrivati a qualcosa di davvero sconvolgente.»

Boerke fece una pausa. «Bene, un po' di storia: immagino che tu già sappia quasi tutto, ma, altrimenti, non si capirebbe il contenuto del raccoglitore. All'epoca Bioko era una colonia spagnola chiamata Fernando Pó. La Spagna, in teoria, rimase neutrale durante la guerra, e di conseguenza anche Fernando Po. In pratica, il governo spagnolo era sostanzialmente fascista e alleato dei nazisti.

«Questo porto domina il Golfo di Guinea» proseguì Boerke. «Controllare questo tratto di oceano era cruciale per vincere la guerra nel Nordafrica, perché tutti i convogli di rifornimento passavano da questa tratta. I sommergibili tedeschi perlustravano le acque e riuscirono quasi a bloccare i trasporti degli Alleati. Il porto di Santa Isabel era il loro centro segreto per il riarmo e rifornimento dei sottomarini, con il beneplacito del governatore spagnolo dell'isola, che odiava gli inglesi.

«All'inizio del marzo 1945, le cose iniziarono a farsi davvero interessanti.» Gli occhi di Boerke scintillavano. «Un cargo italiano, il *Michelangelo*, attraccò nel porto, attirando giustamente l'attenzione delle spie inglesi in loco. Erano tre, di base al consolato, con false identità diplomatiche. Erano tutti agenti attivi dello Special Operations Executive.»

Lanciò un'occhiata a Jaeger. «Immagino che tu conosca il SOE? Si dice che Ian Fleming si sia ispirato a un vero agente del SOE per il personaggio di James Bond.»

Aprì il raccoglitore e ne estrasse una vecchia fotografia in bianco e nero. Mostrava una grande nave a vapore con un gigantesco fumaiolo verticale al centro. «Questo è il *Michelangelo*. Ma fai attenzione, porta i colori della Compañia Naviera Levantina, una compagnia commerciale spagnola.

«La Compañia Naviera Levantina fu creata da un certo Martin Bormann» proseguì Boerke «un uomo più noto come il banchiere di Hitler. Aveva un unico scopo: spedire i bottini nazisti ai quattro angoli della terra nascondendosi dietro la bandiera di un paese neutrale, la Spagna. Bormann scomparve alla fine della guerra. Completamente. Non venne mai trovato.

«Il ruolo principale di Bormann era gestire il saccheggio dell'Europa. I nazisti portarono in Germania tutto l'oro, il denaro, le opere d'arte che riuscirono a rubare. Alla fine della guerra, Hitler era diventato l'uomo più ricco d'Europa, forse del mondo intero. E aveva messo insieme la più vasta collezione d'arte mai conosciuta.

«Il compito di Bormann era assicurarsi che tutta quella ricchezza non svanisse con il Reich.» Boerke batté la mano sul raccoglitore. «E a quanto pare, Fernando Po divenne il luogo di transito di parte del tesoro dei nazisti. Tra gennaio e marzo del 1945, cinque altri bastimenti arrivarono nel porto di Santa Isabel, ciascuno carico di oggetti preziosi. Questi vennero trasferiti sui sommergibili per essere trasportati altrove, e a quel punto le tracce svaniscono.

«Il traffico venne documentato in dettaglio dagli agenti del SOE» continuò Boerke. «Ma sai qual è la cosa più strana? Sembra che gli Alleati non abbiano fatto nulla per fermare i nazisti. Ufficialmente, diedero a credere di essere pronti ad attaccare quelle navi. Ufficiosamente, non fecero nulla per bloccarle.

«Gli agenti del SOE erano parecchio in basso nella catena alimentare. Non riuscivano a capire perché quei trasporti non venissero mai fermati. E neanche io riuscivo a raccapezzarmici... Almeno, non prima di essere arrivato all'ultima pagina del dossier. È a quel punto che entra in scena il *Duchessa*.»

Boerke estrasse un'altra foto dal raccoglitore. «Eccolo, il *Duchessa*. Ma nota la differenza tra questa e le navi precedenti. Porta di nuovo i colori della Compañia Naviera Levantina, ma in realtà è una nave cargo progettata per trasportare persone oltre alle merci. Perché mandare una nave passeggeri se il carico è costituito per lo più da oro e inestimabili opere d'arte rubati in tutta Europa?»

Boerke lanciò un'occhiata a Jaeger. «Ti spiego io perché: perché in realtà stava trasportando dei passeggeri.» Spinse un foglio attraverso il tavolo. «La settima pagina del manifesto di carico del *Duchessa*. Contiene la lista di una ventina di passeggeri, ma ognuno di questi è indicato solo con una serie di numeri. Nessun nome. Il che non è abbastanza per averti costretto a volare fino a Bioko, vero, amico?

«Per fortuna, gli agenti del SOE erano pieni di risorse.» Estrasse un'ultima foto e la passò a Jaeger. «Non so quanto ti siano familiari i gerarchi nazisti della primavera del 1945. Questa è stata scattata con un teleobiettivo, presumibilmente dalla finestra del consolato britannico che dà sul porto.

«Non adori quelle uniformi?» chiese Boerke sarcasticamente. «Quei lunghi cappotti di pelle? Gli stivali di cuoio fino alle cosce? Le Teste di Morto?» Si passò la mano tra la folta barba. «Il problema è che, vestiti così, sembrano tutti uguali. Ma questi sono sicuramente nazisti di primo piano. Devono esserlo. E se riuscirai a decifrare il codice della lista, potrai provarlo.»

«Ma dove diavolo sono andati da qui?» chiese Jaeger incredulo.

In risposta, Boerke rovesciò le foto. «C'è la data sul retro: 9 maggio 1945. Due giorni dopo la firma della resa incondizionata agli Alleati da parte dei nazisti. È a questo punto che si perdono le tracce. Forse anche questo è spiegato nella parte criptata. Amico, ho passato diverse domeniche a studiare il fascicolo. Quando ho capito di cosa si trattava, quando ho collegato tutti i pezzi, mi ha messo addosso una paura del diavolo.»

Scosse il capo. «Se è tutto vero, ed è impossibile che un documento in questa camera blindata sia un falso, cambia completamente lo scenario che pensavamo fosse reale. L'intera storia del dopoguerra. È letteralmente sconvolgente. Ho provato a non pensarci. Sai perché? Perché mi fa cagare addosso. Gente del genere non sparisce di punto in bianco per mettersi a zappare la terra.»

Jaeger fissò la foto per un lungo secondo. «Ma se è un documento del SOE, come ha fatto a finire nelle mani del governatore spagnolo di Fernando Po?»

Boerke rise. «Questa è la parte divertente. Il governatore scoprì che i cosiddetti diplomatici inglesi in realtà erano spie. Allora si arrabbiò, organizzò un'irruzione al consolato e rubò tutti documenti. Certo, un gesto poco corretto, ma anche mandare sulla sua isola delle spie travestite da diplomatici non era esattamente il massimo della correttezza.

«Conosci quel vecchio detto: attento a quello che desideri?» Boerke spinse il raccoglitore verso Jaeger. «Amico, tu l'hai chiesto. È tutto tuo.»

75

Boerke non era tipo da drammatizzare troppo.

Il dossier dell'archivio del palazzo del governo di Bioko era scioccante quanto rivelatore. Quando Jaeger lo infilò nel suo bagaglio a mano, ripensò a un'espressione che Narov aveva usato: "amaro calice".

La borsa col dossier sembrava pesantissima tra le sue mani. Era un altro tassello del puzzle, senza dubbio un pezzo per cui la Forza Oscura sarebbe stata pronta a uccidere.

Jaeger ritornò da Boerke col bagaglio. Il sudafricano gli aveva offerto di accompagnarlo per un giro dell'isola prima che prendesse il volo di ritorno a Londra. Gli aveva promesso altre rivelazioni straordinarie, anche se Jaeger non riusciva a immaginare cosa potesse battere il dossier del palazzo del governo.

Si spostarono verso la parte est di Malabo, in direzione del fitto *bush* tropicale. Quando Boerke svoltò sulla stretta pista sterrata che avanzava verso la costa, Jaeger comprese dove stavano andando. Erano diretti a Fernao, il luogo in cui aveva trascorso tre lunghi anni a insegnare inglese ai bambini in un villaggio di pescatori.

Jaeger iniziò disperatamente a pensare a cosa avrebbe detto al capo del villaggio, il cui figlio, il piccolo Mo, era morto durante lo scontro sulla spiaggia. Erano passati meno di due mesi, ma a Jaeger sembrava un'altra vita, un altro mondo.

Boerke doveva aver colto la preoccupazione che gli scavava i lineamenti. Rise. «Jaeger, amico, lascia che ti dica una cosa: sembri più spaventato ora di quando ho ordinato ai miei di trascinarti a Black Beach. Rilassati. C'è una bella sorpresa che ti aspetta.»

Quando superarono l'ultima curva della strada, Jaeger vide con stupore che era in corso una specie di festa di benvenuto.

Si avvicinarono, e sembrava che l'intero villaggio si fosse radunato... Ma per cosa? Per accoglierlo? Dopo quello che era successo, davvero non se lo meritava.

Jaeger notò uno striscione fatto a mano teso tra due palme sopra la strada sterrata.

Diceva: BENTORNATO A CASA WILLIAM JAEGER.

Quando Boerke si fermò e i suoi ex alunni corsero verso la macchina, Jaeger si sentì un nodo in gola. Boerke e le sue guardie lo lasciarono andare e le piccole mani lo trascinarono fuori, spingendolo verso la casa del capo. Jaeger si fece forza, preparandosi a quello che sapeva sarebbe stato un incontro agrodolce.

Entrò. Dopo l'intensa luce del sole, l'interno buio lo accecò per un istante. Il suono familiare della risacca dalla spiaggia vicina filtrava attraverso i sottili muri di fango della capanna. Una mano si fece avanti per salutarlo, ma il benvenuto del capo si trasformò subito in un abbraccio possente.

«William Jaeger... William Jaeger, bentornato. Il villaggio di Fernao sarà sempre la tua casa.»

Il capo sembrava vicino alle lacrime. Jaeger tentò di frenare le emozioni.

«*Inshallah*, hai fatto un buon viaggio?» chiese il capo. «Dopo la tua fuga, non sapevamo se foste riusciti ad attraversare le acque, tu e il tuo amico.»

«*Inshallah*» rispose Jaeger. «Raff e io siamo sopravvissuti a quella e a molte altre avventure.»

Il capo sorrise. Indicò un angolo buio della capanna. «Avanti» ordinò. «Mr Jaeger ha atteso fin troppo.»

Una figura corse fuori dalle ombre, gettandosi tra le braccia di Jaeger. «Signore! Signore! Bentornato! Guarda!» Il ragazzino indicò gli occhiali da sole incollati alla fronte. «Li ho ancora! I tuoi occhiali! I tuoi Oakley!»

Jaeger rise. Non riusciva a crederci. Il piccolo Mo aveva una spessa benda attorno alla testa, ma era vivo!

Jaeger lo strinse a sé, godendosi quel dolce miracolo, ma al contempo sentì la fitta di una perdita incommensurabile nel suo cuore. Suo figlio doveva avere ormai l'età del piccolo Mo. Sempre che fosse ancora vivo...

Con tempismo perfetto, Boerke li raggiunse, e il capo iniziò a raccontare la storia miracolosa della sua sopravvivenza.

«Dobbiamo ringraziare Dio – e te, Mr Jaeger – per questo... miracolo. E Mr Boerke, ovviamente. Il proiettile sparato la notte della tua fuga ha colpito mio figlio di striscio. È stato dato per morto, e noi temevamo che lo fosse davvero. Ovviamente, non avevamo soldi per mandarlo nel tipo di ospedale dove avrebbero potuto salvarlo.

«Poi è arrivato il colpo di Stato, e si è presentato quest'uomo» il capo indicò Boerke «con un pezzo di carta e dei numeri. E questi ci hanno dato accesso a un conto in banca, dove tu avevi lasciato... dei soldi. Con quel denaro e l'aiuto di Mr Boerke, ho mandato il piccolo Mo nel migliore ospedale di tutta l'Africa, a Città del Capo, dove sono riusciti a salvarlo.

«Ma era una somma davvero enorme, e ne è avanzata una gran parte.» Il capo sorrise. «Così, per prima cosa ho comprato delle nuove barche, per sostituire quelle che sono state portate via o crivellate di colpi. Poi abbiamo deciso di costruire una nuova scuola. Una scuola vera, così non si deve più fare lezione sotto una palma. E infine, se Mrs Topeca può farsi avanti, abbiamo assunto una vera insegnante.»

Una giovane donna del luogo, in abiti eleganti, fece un passo avanti rivolgendo a Jaeger un sorriso simile. «Tutti i bambini parlano con affetto di lei, Mr Jaeger. Sto provando a portare avanti l'ottimo lavoro che lei ha iniziato.»

«Ovviamente, c'è ancora posto per un insegnante di talento come te» aggiunse il capo. «E al piccolo Mo mancano molto le vostre lezioni di calcio da spiaggia! Ma ho l'impressione che forse hai degli impegni che ti hanno riportato nel gran mondo, e che forse è una buona cosa.» Fece una pausa. «*Inshallah*, William, hai trovato la tua strada.»

Davvero aveva trovato la sua strada?

Jaeger ripensò al cupo aereo da guerra, i cui detriti erano ormai sparsi per la giungla, a Irina Narov e al suo prezioso coltello, a Ruth e Luke, la moglie e il figlio scomparsi. Molte strade sembravano aprirsi davanti a lui, ma forse, in un certo senso, convergevano tutte.

«*Inshallah*» rispose. Arruffò i capelli del piccolo Mo. «Ma fammi un favore, ti prego... tienimi un posto da insegnante, non si sa mai.»

Il capo gli diede la sua parola.

«Bene, è arrivato il momento» annunciò. «Devi venire a vedere il sito scelto per la scuola. Si affaccia sulla spiaggia da cui siete scappati, e vorremmo che fossi tu a posare la prima pietra. Stiamo pensando di chiamarla Scuola William Jaeger e Pieter Boerke, perché senza di voi non esisterebbe.»

Boerke scosse il capo, stupito. «Ne sono onorato. Ma no, Scuola William Jaeger è sufficiente. Io ho solo fatto da tramite.»

La visita al sito della scuola fu un momento speciale. Jaeger posò la prima pietra, su cui sarebbero stati costruiti i muri, e lui e Boerke si trattennero per la festa d'obbligo. Ma infine venne il momento dell'addio.

Boerke aveva in programma un'altra tappa nel loro giro dell'isola, e Jaeger aveva un aereo da prendere.

76

Da Fernao, Boerke si diresse a ovest tornando verso Malabo. Quando presero la strada costiera, Jaeger era abbastanza certo di sapere dove stessero andando: e difatti entrarono nel complesso del carcere di Black Beach, oltre il cancello aperto da un corpo di guardia nuovo e dall'aria più efficiente e capace.

Boerke si fermò all'ombra di un alto muro.

Si voltò verso Jaeger. «Come tornare a casa, eh? È ancora una prigione, ma per un altro tipo di carcerati. E le celle di tortura sono vuote, e gli squali stanno impazzendo per la fame.» Fece una pausa. «C'è una cosa che voglio mostrarti, e qualche oggetto che dev'esserti restituito.»

Smontarono dall'auto ed entrarono nel buio interno della prigione. Jaeger non poteva negare che ritornare nel posto dove lo avevano letteralmente massacrato di botte, e gli scarafaggi avevano quasi banchettato col suo cervello, lo rendeva parecchio inquieto. Ma dannazione, forse era un modo per uccidere i demoni.

Quasi immediatamente comprese dove lo stava portando Boerke: verso la sua vecchia cella. Il sudafricano batté sulle sbarre, richiamando l'attenzione di una figura all'interno.

«Allora, Mojo, è ora di incontrare il tuo nuovo carceriere.» Indicò Jaeger. «Oh, come cambiano le cose.»

Il nuovo occupante della vecchia cella di Jaeger lo fissò: un'espressione di orrore gli comparve sul volto.

«Ora, se non ti comporti da bravo ragazzo» proseguì Boerke «lascerò che Mr Jaeger sperimenti una nuova tortura riservata esclusivamente per te.» Lanciò un'occhiata a Jaeger. «Ci stai?»

Jaeger alzò le spalle. «Certo. Credo di ricordare i trucchi più crudeli, da quando il potere era nelle loro mani.»

«Sentito, Mojo?» chiede Jaeger. «Ti dirò un'altra cosa, amico: gli squali... mi dicono che al momento sono parecchio, parecchio affamati. Stai attento, vecchio mio. Stai molto, molto attento.»

Lasciarono l'ex carceriere di Jaeger e si diressero verso gli uffici del carcere. Lungo il percorso, Boerke si fermò davanti a un corridoio laterale che conduceva al blocco di isolamento. Lanciò un'occhiata a Jaeger.

«Sai chi c'è là dentro?» Indicò il corridoio con un gesto del capo. «Chambara. L'abbiamo preso all'aeroporto mentre provava a scappare. Vuoi andarlo a salutare? È lui il bastardo che ha dato l'ordine di arrestarti, vero?»

«Lo è. Ma preferisco lasciarlo al suo isolamento. Mi prenderei uno dei suoi yacht, però» aggiunse Jaeger con un sorriso.

Boerke rise. «Ti aggiungerò alla lista. No, amico. Non siamo qui per rubare e depredare. Siamo qui per ricostruire il paese.»

Salirono al piano superiore verso la direzione, il posto dove Jaeger era stato accolto a Black Beach. Boerke disse qualcosa alla guardia della reception, che gli passò un fagotto di oggetti personali – per lo più vestiti – legato con la cintura che Jaeger indossava al momento dell'arresto.

Boerke lo consegnò a Jaeger. «Credo che questi siano tuoi. Gli uomini di Mojo si sono presi tutti gli oggetti di valore, ma ci sono degli effetti personali che sono certo ti farà piacere riavere.»

Lo accompagnò in una stanza laterale, poi si allontanò per lasciare che Jaeger potesse passare in rassegna le proprie cose in privato.

A parte i vestiti, c'era il suo vecchio portafoglio. Avevano preso tutti i soldi e le carte di credito, ma fu felice di averlo ritrovato. Gliel'aveva regalato sua moglie. Era di cuoio verde bottiglia, con il motto delle SAS – "chi osa vince" – inciso sulla parte inferiore della linguetta interna.

Jaeger l'aprì e controllò la tasca segreta nascosta all'interno della fodera. Per fortuna, i secondini di Black Beach non avevano pensato a guardarci. Ne estrasse una foto minuscola. Mostrava una splendida, giovane donna con gli occhi verdi, con in braccio un neonato: Ruth e Luke, poco dopo la sua nascita.

Dietro la foto c'era un bigliettino di carta. Era un appunto con i PIN delle sue carte di credito, scritti in modo che nessuno potesse scoprirli. Jaeger aveva usato una semplice tecnica di codificazione: a ciascuna delle quattro cifre aveva aggiunto la sua data di nascita, 1979.

Così, 2345 diventava 3.12.11.14.

Semplice.

Un codice.

Per un istante ritornò col pensiero al vecchio baule militare nell'appartamento di Wardour Castle e al libro che conteneva, una rara copia di un testo medievale riccamente illustrato, in una lingua ormai completamente dimenticata. Da lì, la sua mente passò a una conversazione con Simon Jenkinson, l'archivista, negli uffici della Wild Dog Media, mentre mangiavano sushi gommoso e stantio. "C'è una cosa che si chiama cifrario a libro. La bellezza sta nella sua assoluta semplicità. In questo, e nel fatto che è totalmente indecifrabile, a meno, ovviamente, di sapere a che libro ogni persona si riferisca."

Dopo di che, l'archivista aveva scritto una sequenza di numeri apparentemente casuale...

Jaeger prese la borsa, tirò fuori il dossier del palazzo del governo di Malabo e aprì la pagina del manifesto del *Duchessa*. Fece scorrere gli occhi lungo l'elenco di numeri in apparenza casuali, mentre un'ondata di esaltazione gli saliva nel petto.

Irina Narov aveva confermato che il nonno Ted aveva guidato la caccia ai nazisti. Da quel poco che lo zio Joe si era sentito libero di dirgli, Jaeger sapeva che anche lui aveva avuto un ruolo nel lavoro del nonno. Entrambi tenevano una copia del raro libro antico – il Manoscritto Voynich – a portata di mano.

Forse, in quell'apparente follia, c'era un metodo.

Forse, il Manoscritto Voynich era la chiave del codice.

Forse, il nonno Ted e lo zio Joe avevano messo le mani su alcuni documenti nazisti della fine della guerra e avevano tentato di decifrare il codice come parte della caccia.

In ogni caso, Jaeger possedeva la chiave per interpretarlo. Se lui, Narov e forse Jenkinson si fossero messi al lavoro con i libri e i documenti, tutto quanto avrebbe iniziato ad avere una sorta di senso.

Jaeger sorrise tra sé. Boerke aveva ragione: era valsa la pena di fare quel viaggio fino a Bioko, l'avrebbe fatto di nuovo.

Il sudafricano bussò ed entrò nella stanza. «Bene, amico, mi sembri soddisfatto. Scommetto che in fin dei conti sei contento di essere venuto.»

Jaeger annuì. «Sono in debito con te, Pieter, davvero tantissimo.»

«Nient'affatto, amico. Ti ho solo resituito un favore, tutto qui.»

Jaeger prese l'iPhone dalla sua borsa. «Devo mandare due email veloci.»

«Fai pure, se riesci a trovare campo» gli disse Boerke. «La copertura attorno a Malabo spesso è davvero pessima.»

Jaeger accese il telefono e aprì la casella di posta, digitando il primo messaggio indirizzato a TheSimonJenkinson@hotmail.com.

Simon, sto tornando a Londra, arriverò domani mattina. Avrebbe tempo per un incontro, una cosa di un'ora? Verrò io da lei, dovunque le vada bene. È urgente. Credo che le interesserà quello che forse abbiamo scoperto. Mi faccia sapere il prima possibile.
Jaeger

Il messaggio era nella casella in uscita in attesa di trovare la connessione, quando iniziò a scrivere il secondo, a IrinaNarov007@gmail.com.

Irina (se posso permettermi), spero che tu stia bene e che ti stia rimettendo. A breve tornerò a Cachimbo. Buone notizie: forse ho decifrato il codice. Il resto, quando ci vedremo.
Tuo,
Will

Premette "invio" e quasi contemporaneamente il telefonò segnalò con un *bip* di essersi collegato a una rete chiamata SAFARICOM. Il simbolo di invio girò su se stesso un paio di volte prima che il telefono sembrasse perdere la connessione.

Stava per spegnerlo, riaccenderlo e riprovarci quando l'iPhone parve disattivarsi da solo prima di ritornare in vita. Un messaggio si compose da sé sullo schermo:

Domanda: come ti abbiamo trovato?
Risposta: il tuo amico ci ha detto dove guardare.

Un istante dopo lo schermo diventò di nuovo nero, prima di rivelare un'immagine che gli era diventata inquietantemente familiare: un *Reichsadler.*

Ma il *Reichsadler* si trovava su un vessillo in stile nazista fissato a una parete. Al di sotto, sdraiato su un pavimento di piastrelle, c'era Andy Smith, con i polsi e le caviglie legati. Aveva uno straccio sul volto e gli stavano rovesciando un secchio d'acqua addosso: era chiaro che lo stavano torturando.

Jaeger, impietrito, fissò l'orribile immagine.

Poteva solo pensare che fosse stata scattata nella stanza di Smithy al Loch Iver Hotel, prima che lo portassero sulle colline sferzate dalla pioggia, gli versassero una bottiglia di whisky giù per la gola e lo lanciassero in un abisso oscuro. Probabilmente era stato Stefan Kral a convincere Smithy ad aprire la porta ai torturatori.

Non c'era molto che Smithy avrebbe potuto rivelare ai suoi aguzzini prima di morire, a parte la posizione di massima del relitto, perché il colonnello Evandro non aveva ancora rivelato le coordinate esatte.

Altre parole comparvero sotto l'immagine.

Restituiscici quel che ci appartiene.
Wir sind die Zukunft.

"Restituiscici quel che ci appartiene." Jaeger poteva immaginare che si riferissero ai documenti della cabina dello Ju 390. Ma come potevano sapere che Narov li aveva recuperati, e che non erano precipitati con l'aereo? Jaeger non ne aveva idea... e poi, ebbe un'intuizione: Leticia Santos.

Evidentemente avevano convinto la prigioniera brasiliana a parlare. Come tutti gli altri membri della squadra, Leticia sapeva che qualcosa di fondamentale importanza era stato scoperto nella cabina. Non c'era dubbio: sotto pressione, doveva aver rivelato quello che sapeva.

Jaeger sentì una voce alle sue spalle. «Amico, chi diavolo te l'ha mandato quello? E perché?» Era Boerke, e stava fissando l'immagine sul telefono di Jaeger.

Le sue parole interruppero la trance in cui Jaeger era precipitato e, contemporaneamente, un lampo di consapevolezza gli attraversò la mente. Alzò il braccio e scagliò il telefono fuori dalla finestra aperta, lanciandolo il più lontano possibile tra i cespugli.

Poi afferrò la sua borsa e si alzò in piedi, urlando a Boerke di seguirlo.

«CORRI! Fuori tutti! ORA!»

Scattarono fuori dal reparto amministrativo, urlando alle guardie di fuggire. Avevano appena raggiunto le vecchie celle di tortura nei sotterranei quanto l'Hellfire colpì. Precipitò a terra nel punto dove si trovava il telefono di Jaeger, scavando un enorme buco nel muro perimetrale della prigione e facendo collassare il blocco di uffici, il posto in cui poco prima erano seduti Jaeger e Boerke.

Nei sotterranei, i due restarono illesi, come la maggior parte delle guardie. Ma Jaeger non poteva più prendersi in giro: in quella prigione in cui una volta aveva già visto la morte in faccia, la Forza Oscura era di nuovo andata vicino a ucciderlo.

E una volta ancora lui, William Jaeger, era la preda.

77

Fortunatamente, a Malabo c'era qualche Internet cafè. Seguendo le indicazioni di Boerke, Jaeger ne scelse uno e riuscì a inviare un brevissimo messaggio.

> Chiudete ogni comunicazione. Viaggiate come previsto. Tornate come d'accordo.
> WJ

Persino nella vita civile, Jaeger tendeva a rispettare il vecchio adagio del soldato: "non pianificare significa fallire".

Prima di lasciare Cachimbo, aveva organizzato un itinerario di viaggio e un sistema di comunicazioni alternativi, proprio nell'eventualità che la caccia riprendesse. Si era convinto che il nemico avrebbe lavorato su un doppio fronte: farsi restituire i documenti, oppure uccidere tutti coloro che sapevano della loro esistenza. L'ideale sarebbe stato raggiungere entrambi gli obiettivi.

Attraverso un indirizzo a cui aveva accesso il cuore della squadra – Narov, Raff e Dale –, salvò la bozza di un'email. Avrebbero potuto leggerla senza che venisse mai spedita, il che l'avrebbe resa non tracciabile.

L'email suggeriva l'ora per un incontro un paio di giorni più tardi, in una località già concordata. Se nella cartella delle bozze non fosse comparso un altro messaggio, la riunione sarebbe stata confermata. E grazie all'istruzione "viaggiate come previsto", Narov, Raff e Dale avrebbero capito di imbarcarsi per il Regno Unito usando i passaporti forniti dai collaboratori del colonnello Evandro nell'intelligence brasiliana.

Se necessario si sarebbero mossi con la copertura diplomatica brasiliana, tanto il colonnello era deciso a riportarli a casa sani e salvi e sciogliere l'enigma dello Ju 390.

Jaeger prese i voli da Bioko a Londra come progettato.

Non avrebbe avuto senso cambiarli, specialmente dato che li aveva prenotati usando il passaporto "pulito" che gli aveva fornito il colonnello Evandro e che sarebbe stato irrintracciabile.

All'arrivo a Londra, prese l'Heathrow Express fino alla stazione di Paddington, poi salì a bordo di un taxi. Si fece lasciare a mezzo miglio dalla marina di Springfield, per fare a piedi l'ultimo tratto fino alla sua dimora londinese. Era una precauzione per assicurarsi di non essere pedinato.

Vivere su una barca aveva diversi vantaggi, uno dei quali era non lasciare tracce evidenti. Jaeger non pagava tasse comunali, non era negli elenchi degli elettori né nel registro dei proprietari, e aveva scelto di non richiedere un indirizzo postale.

La barca stessa era intestata a una società offshore anonima, così come l'attracco. In breve, la chiatta era un posto perfetto per la riunione.

Lungo la strada per la marina si fermò in un Internet cafè dall'aria squallida. Ordinò un caffè, eseguì l'accesso e controllò la casella delle bozze. C'erano due messaggi. Uno era di Raff, che posponeva l'incontro di qualche ora per dare a tutti il tempo di arrivare.

L'altro messaggio era vuoto, ma c'era un link. Jaeger vi cliccò su e fu reindirizzato a Dropbox, un sistema online di immagazzinamento dati.

La cartella conteneva un'immagine: un file JPEG.

Jaeger la aprì.

La connessione era lenta, e mentre l'immagine veniva scaricata lo colpì come una raffica di pugni al ventre. Mostrava Leticia Santos, inginocchiata, nuda e con mani e piedi legati, gli occhi spalancati che fissavano la macchina fotografica, rossi per il terrore.

Dietro di lei c'era quello che sembrava un lenzuolo strappato e macchiato di sangue, su cui erano vergate le parole ormai familiari:

Restituiscici quel che è nostro.
Wir sind die Zukunft.

Erano scritte, crudelmente, con quello che sembrava sangue umano.

Jaeger non si preoccupò di disconnettersi. Scappò via dal locale senza nemmeno aver sfiorato la tazza.

In qualche modo persino quel sistema di comunicazione sicuro era stato violato. In quel caso, chi poteva dire quando un drone armato di Hellfire sarebbe piombato sulle loro teste? Jaeger dubitava che il nemico avesse i mezzi per inviarne uno sulla parte orientale di Londra, ma le congetture erano la madre di ogni disastro.

Istintivamente sapeva che il nemico stava per arrivare.

Lo stavano deliberatamente intimidendo. Era un metodo militare comprovato e noto, che i nazisti avevano ribattezzato *Nervenkrieg*, guerra di nervi. Lo stavano torturando in base a un piano preciso, nella speranza di spingerlo a restare in una posizione localizzabile abbastanza a lungo da permettere loro di trovarlo e ucciderlo.

O, in caso contrario, nella speranza che le provocazioni lo spingessero a mettersi in caccia, da solo.

E a dire la verità la *Nervenkrieg* stava funzionando.

Dopo aver osservato il download di quell'immagine rivoltante, era difficilissimo resistere alla tentazione di partire immediatamente alla ricerca degli aguzzini di Leticia Santos. Da solo.

C'erano numerosi indizi che poteva seguire. Il pilota del C-130, tanto per cominciare. Carson doveva avere registrato i suoi dati: sarebbe stato abbastanza perché Jaeger potesse iniziare a rintracciarlo. Inoltre il colonnello Evandro gli aveva promesso una cassa intera di altri indizi risultati dalle sue ricerche.

Ma Jaeger doveva trattenersi.

Doveva radunare i suoi uomini, ascoltare quello che avevano scoperto, studiare il terreno, il nemico e la minaccia, ed elaborare di conseguenza una strategia d'azione. In un modo o nell'altro, doveva tornare ad avere l'iniziativa: prendere decisioni proattive, non limitarsi a reagire sull'onda del momento.

Di nuovo il vecchio adagio: "non pianificare significa fallire".

78

Il primo ad arrivare all'incontro di quella sera fu l'archivista, Simon Jenkinson.

Jaeger aveva trascorso la maggior parte della giornata in sella alla Triumph Explorer, per una visita furtiva al suo appartamento a Wardour Castle. Là aveva recuperato la sua copia del Manoscritto Voynich, quella che il nonno Ted gli aveva lasciato in eredità.

Aveva poggiato lo spesso tomo sulla scrivania nella chiatta con una certa aria di solennità, in attesa dell'arrivo di Simon Jenkinson.

L'archivista si presentò con una buona mezz'ora d'anticipo, e l'aspetto da orso in letargo era praticamente lo stesso di quando Jaeger l'aveva visto l'ultima volta. Su sua richiesta, era riuscito a scovare una copia della traduzione del Manoscritto Voynich e l'aveva portata con sé, stringendola sotto il braccio.

Jaeger riuscì appena a offrirgli una tazza di tè prima che Jenkinson si sedesse davanti al manoscritto e al dossier di Bioko con la traduzione accanto. Immediatamente, con gli spessi occhiali infilati sulla punta del naso, Jenkinson si mise al lavoro sulla lista di numeri apparentemente casuali del *Duchessa*, cercando di decifrare il codice, immaginò Jaeger.

Un'ora più tardi, l'archivista sollevò il capo dal suo lavoro, lo sguardo ardente per l'esaltazione.

«Finito!» esclamò. «Finalmente! L'ho fatto due volte, per essere sicuro che la prima non fosse un caso. Dunque... numero uno: Adolf Eichmann.»

«Conosco il nome» confermò Jaeger «ma mi ricorda i dettagli?»
Jenkinson era già tornato a chinarsi sui libri e i fogli. «Eichmann, un esemplare davvero pessimo. Uno dei principali organizzatori dell'Olocausto. Fuggì dalla Germania nazista alla fine della guerra, per essere scovato in Argentina negli anni Sessanta.

«Il secondo: Ludolf von Alvensleben» declamò Jenkinson.

Jaeger scosse il capo: quel nome non gli diceva nulla.

«*SS Gruppenführer*, assassino di massa per eccellenza. Era a capo della Valle della Morte nella Polonia del Nord, la tomba di migliaia di persone.» Jenkinson lanciò un'occhiata a Jaeger. «Anche lui fuggì in Argentina, dove visse fino alla vecchiaia.»

Jenkinson tornò a chinarsi sui suoi libri, sfogliando le pagine avanti e indietro, fino a decodificare anche il terzo.

«Aribert Heim» annunciò l'archivista. «Questo deve averlo sentito. È stato al centro di una delle più lunghe cacce all'uomo di tutti i tempi. Durante la guerra aveva il soprannome di Dottor Morte. Se l'era guadagnato nei campi di concentramento, conducendo degli esperimenti sui prigionieri.» Jenkinson ebbe un fremito. «Si pensa che anche lui abbia trovato rifugio in Argentina.»

«Sembra che stia emergendo un collegamento» commentò Jaeger. «In relazione all'America Latina.»

Jenkinson sorrise. «Così pare.»

Prima che potesse svelare altri nomi, arrivò il resto del gruppo. Raff fece salire Irina Narov e Mike Dale sulla chiatta: gli ultimi due parevano esausti per il viaggio, ma anche straordinariamente migliorati e molto meglio nutriti di quando Jaeger li aveva visti per l'ultima volta.

Li salutò uno per volta, presentandoli poi a Jenkinson. Raff, Narov e Dale erano arrivati a Londra direttamente da Rio, con un volo interno da Cachimbo. Erano in viaggio da circa diciotto ore, e quella che li attendeva si preannunciava una lunga notte.

Jaeger preparò del caffè forte, poi annunciò la buona notizia: il codice del libro pareva funzionare, almeno con i documenti di Bioko.

Cinque figure si radunarono attorno al Manoscritto Voynich e alla sua traduzione, quando Narov consegnò la borsa di scartoffie recuperata dalla cabina dello Ju 390. L'atmosfera sulla chiatta era carica di attesa. Forse settant'anni di storia oscura e segreta sarebbero stati finalmente riportati alla luce?

Narov prese il primo plico di documenti.

Dale tirò fuori la videocamera, mostrandola a Jaeger. «Ti sta bene? Qui dentro?»

«Che ti è preso?» lo stuzzicò Jaeger. «Prima filma, poi domanda, no?»

Dale alzò le spalle. «È casa tua. È un po' diverso che filmare all'aria aperta.»

Jaeger percepì un mutamento nel ragazzo, un'aria di maturità e genuino interesse, come se le prove e i pericoli delle ultime settimane l'avessero in qualche modo cambiato.

«Procedi» gli disse Jaeger. «Documentiamo tutto... Tutto quanto.»

Seguendo le istruzioni di Jenkinson, Narov si mise al lavoro sui documenti dell'*Aktion Feuerland*, mentre Dale continuava a riprendere e Raff e Jaeger organizzavano un informale sistema di guardia. Poco dopo l'archivista fu in grado di lanciare una lista sotto il naso di Jaeger, la settima pagina del manifesto della *Duchessa*, completamente decodificata. Si mise a indicargli le personalità più rilevanti.

«Gustav Wagner, meglio noto come "la Bestia". Wagner diede il via al programma T4, sterminare i disabili, poi passò a gestire uno dei principali campi di sterminio. Fuggì in Sudamerica, dove visse fino a un'età veneranda.»

Il suo dito indicò un altro nome sulla lista. «Klaus Barbie, "il Macellaio di Lione". Un assassino di massa che si fece strada attraverso la Francia torturando e uccidendo. Alla fine della guerra...»

Jenkinson si interruppe quando Annie, la vicina di Jaeger, comparve all'ingresso della chiatta. Jaeger fece le presentazioni.

«Annie sta nella chiatta qui di fianco. È... una buona amica.»

Narov parlò restando china sui documenti. «Non lo sono tutte? Le donne e Will Jaeger... sembrano attratte come le falene dalla luce. Non è così che si dice?»

«Chiunque sappia fare una torta alla carota come Annie, avrà il mio cuore, puoi scommetterci» rispose Jaeger, facendo del proprio meglio per rimediare a una situazione imbarazzante.

Accorgendosi che lui e i suoi amici erano occupati e avvertendo la tensione nell'aria, Annie consegnò a Jaeger la torta che gli aveva portato e fece rapidamente marcia indietro. «Non lavorate troppo, ragazzi» esclamò salutando.

Narov si chinò ancor più sui documenti. Jaeger la guardò, irritato da come si era comportata. Che diritto aveva di essere così scontrosa con i suoi amici?

«Grazie per il contributo ai buoni rapporti con il vicinato» commentò sarcastico.

Narov non alzò nemmeno la testa dal suo lavoro. «È semplice. Le informazioni che questi documenti riveleranno, se mai riusciremo a decodificarli, non vanno condivise con nessuno, a parte noi quattro. Nessuno, nemmeno le migliori amiche.»

«Dunque, Klaus Barbie» riprese Jenkinson.

«Sì, mi racconti del Macellaio di Lione.»

«Alla fine della guerra, Klaus Barbie venne protetto dai servizi segreti britannici e americani. Venne inviato in Argentina come agente della CIA, nome in codice Adler.»

Jaeger sollevò un sopracciglio. «Adler: aquila?»

«Aquila» confermò Jenkinson. «Che ci creda o no, il Macellaio di Lione passò il resto della vita come agente della CIA, col nome di Aquila.» Fece scorrere il dito lungo la lista. «E questo. Heinrich Müller, ex capo della Gestapo, il più importante gerarca nazista il cui destino resta un completo mistero. I più credono che sia fuggito... be', indovini: in Argentina.

«Sotto di lui, Walter Rauff, un comandante delle SS. L'inventore dei veicoli mobili con cui i nazisti gasavano la gente. Fuggito in Sudamerica. È vissuto fino alla vecchiaia, e a quanto si dice il suo funerale è stato una celebrazione dell'ideologia nazista.

«E infine» annunciò Jenkinson «l'Angelo della Morte in persona, Joseph Mengele. Ha condotto esperimenti allucinanti su migliaia di prigionieri di Auschwitz. Alla fine della guerra è fuggito – c'è bisogno che lo dica? – in Argentina, dove si dice che abbia continuato con i suoi esperimenti. Una persona davvero mostruosa, se lo si può definire persona.

«Oh, e prima che mi dimentichi: anche Bormann è sulla lista. Martin Bormann, il braccio destro di Hitler...»

«Il banchiere di Hitler» intervenne Jaeger.

«Esatto.» Jenkinson gli lanciò un'occhiata. «In breve, è una straordinaria lista di furfanti nazisti. Anche se manca il peggiore di tutti: lo zio Adolf. Dicono che sia morto nel bunker di Berlino. Personalmente, non ci ho mai creduto.»

Jenkinson alzò le spalle. «Ho passato la maggior parte della vita negli archivi a studiare la Seconda guerra mondiale. Vi sorprenderebbe scoprire che industria ci è sorta intorno. Ma non mi sono mai imbattuto in nulla che assomigli anche solo vagamente a questo.» Indicò la pila di documenti sul tavolo. «E devo dire che mi sto divertendo parecchio. Le spiace se ne decifro un altro?»

«Si accomodi» assentì Jaeger. «C'è troppa roba perché Miss Narov sbrighi tutto in una notte. Ma sono curioso: cos'è successo al fascicolo su Hans Kammler che ha trovato negli Archivi nazionali? Quello di cui mi ha spedito un paio di pagine?»

Jenkinson sembrò trasalire, una punta di preoccupazione gli offuscò lo sguardo. «Andato. Sparito. *Kaput*. Quando ho controllato il sistema di archiviazione online, non ne è rimasta nemmeno una pagina. Il fascicolo fantasma.»

«Qualcuno ha fatto di tutto perché sparisse» disse Jaeger.

«Esatto» confermò Jenkinson, inquieto.

«Un'altra cosa» aggiunse Jaeger. «Perché usare un sistema così rudimentale come un cifrario a libro? Voglio dire, i nazisti avevano quella straordinaria macchina Enigma per cifrare, no?»

Jenkinson annuì. «Già. Ma grazie a Bletchley Park, siamo riusciti a decifrare Enigma e alla fine della guerra la leadership nazista l'aveva saputo.» Sorrise. «Un cifrario a libro può essere rudimentale, ma anche assolutamente sicuro, a meno di non avere tra le mani il libro – o come in questo caso i libri – su cui è basato.»

Detto questo, si unì a Narov, concentrando la sua mente sopraffina sulla decifrazione di un altro documento.

79

Macinare numeri non era certo il forte di Raff e Jaeger. Si tennero occupati preparando del caffè e tenendo d'occhio il ponte esterno. Jaeger non si aspettava dei problemi alla marina, ma sia lui che Raff erano ancora vivi e in gioco perché erano stati addestrati ad aspettarsi l'inaspettabile, un insegnamento che ancora rispettavano.

Dopo un'ora circa Dale si unì a loro. Bevve un lungo sorso di caffè. «C'è una quantità limitata di scartoffie che un uomo sano di mente può filmare.»

«A proposito di riprese, come procedono?» gli chiese Jaeger. «Carson è soddisfatto o verrai fucilato all'alba?»

Dale alzò le spalle. «Stranamente, sembra abbastanza entusiasta. Abbiamo trovato l'aereo e l'abbiamo recuperato proprio come promesso. Il fatto che l'abbiamo perso per strada significa solo che non ci sarà un sequel. Ma una volta che ho finito qui, devo andare in sala di montaggio per iniziare a preparare la serie.»

«Come mi farai sembrare?» chiese Jaeger. «Taglierai tutti i miei balbettii?»

«Ti farò sembrare un idiota» ribatté Dale, impassibile.

«Fallo e sarai davvero fucilato all'alba.»

«Fallo e non ci sarà nessun programma.»

Scoppiarono a ridere.

Era nata una certa intesa tra loro ormai, anche se in occasione del primo incontro Jaeger l'aveva creduto impossibile.

Era quasi mezzanotte quando Narov riuscì a decifrare il primo documento. Il Manoscritto Voynich si era davvero rivelato la chiave per scoprirne il significato, ma il lavoro era comunque lento e difficile. Raggiunse Raff, Dale e Jaeger all'esterno sulla poppa della chiatta.

«Sono arrivata a metà, più o meno» annunciò «ed è già incredibile.» Lanciò un'occhiata a Jaeger. «Ora sappiamo esattamente dove erano diretti i primi tre Ju 390 – *Adlerflug I, II* e *III* – e anche il nostro aereo, l'*Adlerflug IV*, se non fosse rimasto senza combustibile. Il che significa che sappiamo esattamente dove i nazisti avevano i propri rifugi.

«L'*Aktion Feuerland*» continuò. «Sapete perché l'hanno chiamata così? Viene dalla Terra del Fuoco. Dove si trova? È quella striscia di terra dove l'estremità meridionale dell'Argentina si allunga nell'Atlantico... Per quanto mi riguarda, l'Argentina non è una grande sorpresa. È sempre stata la maggiore sospettata di aver protetto i gerarchi nazisti.

«Ma il documento rivela molte altre località. Altri rifugi. E questi sono davvero sconvolgenti.» Narov fece una pausa, sforzandosi di controllare la propria esultanza. «Sapete, non abbiamo mai avuto i mezzi, i servizi di intelligence e le conoscenze, per portare a termine il lavoro. Ma decifrando questi codici, ora forse possiamo farcela.»

Prima che potesse continuare, dall'interno si sentì un grido trionfale. La voce era quella di Jenkinson, e gli altri immaginarono che dovesse trattarsi di qualcosa di straordinario, perché non era nella natura dell'archivista manifestare tutto quell'entusiasmo.

Rientrarono di corsa.

Jenkinson sollevò un foglio. «Ec-colo» balbettò, senza fiato. «Questo cambia tutto. Sarebbe stato così facile farselo scappare, un foglio pieno di numeri apparentemente privo di importanza... Ma finalmente tutto inizia a chiarirsi. Una chiarezza orribile, raggelante. Non ha molto senso trasferire il bottino, gli uomini migliori e le *Wunderwaffen*, le armi miracolose, ai quattro angoli del globo se non si ha uno scopo. Un programma. Un piano.

«Eccolo» sventolò il foglio. «È questo. *Aktion Werwolf*. Operazione Lupo Mannaro: il progetto del Quarto Reich.»

Jenkinson li fissò spaventato. «*Quarto Reich*. Non Terzo.»

Restarono in un silenzio colmo di stupore mentre Jenkinson iniziò a leggere.

«Comincia così: "Agli ordini del Führer, dalle ceneri del Terzo Reich l'*Übermensch*, la razza eletta, farà in modo che potremmo risollevarci di nuovo...".»

Jenkinson lesse il documento nella sua interezza. Delineava

un piano per sfruttare la maggiore debolezza degli Alleati – la paranoia per la crescita del Blocco orientale e del comunismo sovietico – contro di loro. Persino nel momento del trionfo alleato, i nazisti intendevano usare quella paranoia come cavallo di Troia, attraverso il quale sarebbero sopravvissuti e ritornati al potere.

«Usando l'incredibile ricchezza accumulata negli anni della guerra, avrebbero infiltrato dei "veri credenti" in tutti i settori della società. Avrebbero finto di mettere la propria tecnologia al servizio dei nuovi padroni, mentre in realtà avrebbero tentato di abbatterli. Avrebbero continuato a sviluppare le più promettenti tecnologie delle *Wunderwaffen*, ma in totale segretezza, per il beneficio del nazismo rinato sotto il Quarto Reich.»

Jenkinson lesse l'ultimo paragrafo del documento. «"Nessuno deve sottovalutare il compito che ci attende. L'Operazione Lupo Mannaro non verrà conclusa in una notte. Dovremo essere pazienti. Dovremo ricostruire il nostro potere e riorganizzare le nostre truppe. Il Führer, assistito dalle grandi menti del Reich, lavorerà in segreto a tal scopo. E quando il Reich si rialzerà come una fenice dalle ceneri, questa volta sarà globale e inarrestabile.

«"Molti di noi potrebbero non vivere fino a quel giorno"» proseguì l'archivista «"ma i nostri figli ce la faranno. Reclameranno il loro diritto di nascita. Il destino dell'*Übermensch* sarà realizzato. E la vendetta, la vendetta finalmente sarà nostra."»

Jenkinson piegò il foglio, passando al secondo. «Parlano di far entrare i loro uomini nel Dipartimento dei Servizi Strategici, il precursore della CIA, nel governo americano, nei servizi segreti britannici, nelle principali multinazionali... la lista è lunghissima. E si danno settant'anni per riuscirci, dalla data del completo disonore: la resa incondizionata agli Alleati nel maggio del 1945.»

Jenkinson alzò lo sguardo, impaurito. «Il che significa che siamo vicini al momento in cui il nuovo Reich dovrebbe risorgere, come la fenice dalle ceneri.»

Girò il documento verso Jaeger e gli altri. In fondo alla seconda pagina era stampata una figura familiare: un *Reichsadler*.

«Questa» indicò «è la loro firma. L'emblema del Quarto Reich. Il simbolo circolare sotto la coda dell'aquila... La scritta è anch'essa in codice. Un codice triplo, in realtà, ma sono riuscito a decifrarla.

«Dice: "*Die Übermensch des Reich – Wir sind die Zukunft*". "La razza eletta del Reich – Noi siamo il futuro."»

80

Jaeger guardò Irina Narov attraverso la calda acqua verde chiaro. «L'onda è tua» la sfidò «se sei uomo abbastanza.»

Dietro di loro, un impressionante cavallone stava avanzando verso la scintillante sabbia bianca, facendosi più alto e potente man mano che si avvicinava alla sabbia.

«*Schwachkopf!* Vai tu!» lo sfidò lei a sua volta.

Si voltarono e iniziarono a dare vigorose bracciate in direzione della battigia. Per un istante Jaeger sentì il rombo dell'onda che gli riempì le orecchie, poi la sua spinta furiosa sollevò il retro della tavola. Remò più rapidamente, cercando di prendere l'onda e di fondersi con essa, mentre sfrecciava verso la sottile striscia d'argento della spiaggia.

Accelerò, la tavola fendette la superficie dell'acqua e con un unico morbido movimento lui vi balzò sopra in piedi, con le ginocchia piegate per meglio ammortizzare la cavalcata. Quando la velocità aumentò, Jaeger sentì la familiare scarica di adrenalina e pensò di eseguire un rapido *roller* per essere certo di battere Narov in stile.

Ruotò le spalle verso l'onda e la tavola iniziò a risalire la parete d'acqua di tre metri e mezzo. Raggiunse la cresta di schiuma bianca e curvò in modo da iniziare la discesa. Ma aveva sottovalutato gli effetti delle cinque settimane a Black Beach, seguite da quasi altrettante in Amazzonia.

Mentre provava a spostare il peso sul piede avanti, Jaeger si accorse che le sue gambe erano rigide. Perse l'equilibrio e un istante dopo cadde. L'enorme onda lo ingoiò, tirandolo sotto e sballottandolo nel suo ventre ruggente.

Sentì la forza bruta dell'oceano che l'afferrava e si arrese. Era l'unico modo per sopravvivere a una caduta del genere. Come aveva detto a suo figlio la prima volta che l'aveva portato a fare surf: "Prendi il tempo che ti serve. Immagina di avere dieci secondi per salvare il mondo; riservane sempre cinque per il latte con i biscotti". Era il suo modo per insegnare a Luke di restare calmo nella tempesta.

Quando l'onda avrebbe finito con lui, Jaeger sapeva che l'avrebbe sputato dall'altra parte.

E infatti, diversi secondi dopo riemerse.

Prese un'enorme boccata d'aria e cercò il *leash* della tavola. Lo trovò, tirò la tavola verso di sé, ci montò sopra e iniziò a spingersi verso terra. Narov aspettava sulla sabbia, gli occhi scintillanti per la vittoria.

Era passata una settimana dall'epica sessione di decodificazione sulla chiatta di Jaeger e dalla scoperta dell'Operazione Lupo Mannaro. L'idea del viaggio alle Bermuda era stata sua. L'intenzione era passare qualche giorno a ricaricare le batterie e pensare al da farsi, ospitati dai genitori di Jaeger.

Un po' di riposo prima dell'imminente battaglia.

Essendo un piccolo territorio d'oltremare britannico nel bel mezzo dell'oceano Atlantico, le Bermuda erano uno dei posti più lontani da occhi indiscreti che si potessero immaginare. I genitori di Jaeger non vivevano sull'isola maggiore, Main Island. Si erano sistemati a Horseshoe Bay, nel territorio mozzafiato di Morgan's Point.

Straordinariamente isolato. Straordinariamente bello.

E lontanissimo dall'inferno della Serra de los Dios...

Stranamente per una persona così animata dalla missione – dalla caccia –, Narov era parsa entusiasta dell'opportunità di visitare il piccolo paradiso insulare. Jaeger immaginava che, una volta allontanatisi da tutto, sarebbe stata finalmente più disposta a parlare del suo misterioso passato, e non ultimo del legame con suo nonno.

A Londra, Jaeger aveva provato ad affrontare l'argomento un paio di volte, ma gli era sembrato che i demoni di Narov l'avessero inseguita anche lì.

Il viaggio alle Bermuda aveva anche dato a Jaeger l'opportunità di parlare con i suoi genitori della morte del nonno Ted, cosa che andava fatta da tempo. C'erano stati ovviamente dei sospetti, anche se Jaeger era troppo giovane all'epoca per notarli.

Quando la polizia non era riuscita a trovare alcuna prova, la famiglia era stata costretta ad accettare il verdetto di suicidio. Ma i loro dubbi erano rimasti.

Prevedibilmente, la madre e il padre di Jaeger avevano dato al suo arrivo con Narov un significato diverso da quello che aveva in realtà. Suo padre era arrivato al punto di portare il figlio nello studio per una chiacchierata in privato.

Aveva fatto qualche commento su Narov, dicendo che – malgrado alcune sue bizzarre abitudini – era davvero una bellezza, e che era un sollievo vedere Jaeger nuovamente interessato a una... compagnia femminile. Lui aveva fatto notare a suo padre che stava ignorando un dettaglio fondamentale: lui e Narov dormivano in camere separate.

Suo padre aveva fatto capire di non esserci cascato: per lui, la messinscena delle camere separate non era altro che, appunto, una messinscena. Era solo un trucco. Ora che la moglie e il figlio di Jaeger erano scomparsi da quasi quattro anni, gli aveva fatto intendere che per lui e la madre era arrivato il momento.

Il momento che Jaeger andasse avanti.

Amava i suoi genitori con tutto se stesso. Suo padre in particolare gli aveva trasmesso l'amore per la natura selvaggia: il mare, le montagne, le foreste. Jaeger non era riuscito a dirgli che non era mai stato tanto sicuro che Ruth e Luke fossero ancora vivi. Probabilmente, aveva taciuto per risparmiare ai suoi altra incertezza e angoscia.

Non sapeva come spiegare quella recente convinzione. Come far capire a suo padre che la pozione psicotropa offertagli da un indigeno dell'Amazzonia – un fratello guerriero – gli aveva restituito i ricordi e, con essi, la speranza?

Finita la mattinata di surf, Jaeger e Narov si incamminarono verso casa. I genitori erano fuori, e Narov andò a fare una doccia per sciacquarsi il sale dalla pelle e dai capelli. Jaeger andò in camera sua e prese l'iPad. Doveva controllare se ci fossero notizie dal resto della squadra.

Fino a che tutti non avessero lasciato l'Amazzonia sani e salvi, non sarebbe riuscito a progettare i prossimi passi in tranquillità. Certamente, il solo fatto di aver svelato il piano per il ritorno del Reich – la presa del potere nazista su scala mondiale – non significava che qualcuno stesse realmente cercando di attuarlo. Ma le prove erano davvero convincenti, e Jaeger temeva il peggio.

Prima Andy Smith era stato ucciso, poi Jaeger e la sua squadra erano stati inseguiti attraverso l'Amazzonia. La Forza Oscura aveva provato di tutto per eliminarli e nascondere per sempre i segreti del volo fantasma Ju 390. Ovviamente erano organizzati su scala mondiale, e avevano notevoli mezzi tecnologici e militari a disposizione. In più, un documento ufficiale del governo britannico era stato rubato, sparendo da ogni archivio senza lasciare traccia.

Da qualunque angolo Jaeger provasse a guardare la faccenda, i figli del Reich sembravano davvero pronti a risollevarsi. E sembrava che nessuno ne fosse al corrente, o stesse facendo molto per fermarli, a parte lui e la sua piccola squadra, stanca di combattere.

Quando Jenkinson aveva decifrato i documenti relativi all'Operazione Lupo Mannaro, Jaeger era stato tentato di rivelare la presenza, nel baule di suo nonno, di un fascicolo con la stessa intestazione. Ma l'istinto l'aveva trattenuto. Era una carta che avrebbe tenuto ben nascosta fino al momento giusto per giocarla.

Con l'aiuto del colonnello Evandro, era riuscito a organizzare un sistema di mail criptate, in modo che tutti i membri sopravvissuti della squadra potessero comunicare con un buon livello di sicurezza. O meglio, tutti tranne Leticia Santos. Il colonnello aveva mandato i suoi uomini migliori, col sostegno degli esperti di rapimenti, ricatti ed estorsioni, a perlustrare il paese, alla ricerca della donna, ma fino a quel momento le tracce non avevano portato a nulla.

Jaeger accese l'iPad ed eseguì l'accesso a ProtonMail, il sistema criptato *end-to-end* che stavano usando. C'era un messaggio in arrivo, da parte di Raff, con delle buone notizie. Nel corso delle ultime ventiquattr'ore, Lewis Alonzo, Hiro Kamishi e Joe James erano ricomparsi. Erano riusciti a lasciare la Serra de los Dios grazie alla guida di Puruwehua e di alcuni indigeni della tribù vicina, gli uru-eu-wau-wau.

Stavano bene – nei limiti del possibile dopo una simile esperienza – e Raff stava collaborando con Evandro per riportarli a casa il più rapidamente e in sicurezza possibile. Jaeger gli rispose, chiedendo aggiornamenti sulla ricerca di Leticia Santos.

Pur sapendo che non c'era molto da fare per aiutarli, una parte di lui avrebbe voluto tornare subito in Brasile per affiancare il colonnello Evandro nella caccia. Al ritorno dalle Bermuda era quel che intendeva fare, a meno che Santos non fosse stata salvata nel frattempo. Aveva giurato a se stesso di trovarla e riportarla a casa.

Nella casella della posta in arrivo c'era un altro messaggio, da Pieter Boerke. Stava per cliccarci sopra quando qualcuno bussò alla porta.

Era Narov. «Vado a correre.»

«Okay» rispose Jaeger, con gli occhi fissi sullo schermo. «Quando torni, forse potremmo affrontare quella conversazione che continuiamo a rimandare su come hai conosciuto mio nonno. E sul perché ce l'hai tanto con me.»

Narov si fermò. «Avercela con te? Forse non così tanto ora. Ma sì, forse in questo posto ne possiamo parlare.»

La porta si chiuse e Jaeger aprì la mail.

Per prima cosa, scarica la fotografia allegata. Me l'ero persa, nell'archivio. Quando ce l'hai, chiamami su Skype. Sono connesso dal cellulare anche quando sono in giro, quindi sono sempre raggiungibile. Fallo subito. Non parlarne con nessuno.

Jaeger seguì le istruzioni. La foto era un'immagine sgranata in bianco e nero scattata con un teleobiettivo. Di nuovo, ritraeva chiaramente il *Duchessa* e mostrava un gruppo di gerarchi nazisti radunati lungo il parapetto della nave. Non colse nulla di particolare, così, con la foto ancora sullo schermo, aprì Skype e chiamò Boerke.

Il sudafricano rispose, la voce carica di tensione. «Guarda il quarto tizio da sinistra, al centro della foto. Lo vedi? Quello sguardo torvo, quell'orrenda pettinatura, quel cipiglio. Ti ricorda nessuno? Ora immagina quella faccia con dei piccoli baffetti da idiota alla Charlie Chaplin...»

All'improvviso, Jaeger non riuscì più a respirare. «Impossibile» ansimò. «Non può essere. Abbiamo decrittato il codice, non era sulla lista. C'erano gli alti gerarchi, ma non lui.»

«Be', controlla di nuovo» ribatté Boerke. «Perché se non è quel pezzo di merda di Adolf Hitler, io sono un cazzo di cinese!

Un'altra cosa. C'è una data sul retro della foto: 7 maggio 1945. Immagino che non sia necessario sottolinearne la rilevanza.»

Dopo che Boerke ebbe chiuso la conversazione, Jaeger zoomò l'immagine. Osservò i lineamenti dell'uomo, quasi senza osare credere all'evidenza che aveva davanti agli occhi. Non c'erano dubbi: quella faccia era l'immagine sputata del Führer, il che significava che si trovava sul ponte di una nave, nel porto di Santa Isabel, una settimana dopo che, secondo la versione ufficiale, si era sparato nel suo bunker di Berlino.

Ci volle parecchio prima che Jaeger si sentisse in grado di tornare alle altre faccende. La rivelazione di Boerke – presumibilmente l'ultimo degli oscuri silenzi del *Duchessa* – l'aveva completamente intontito. Una cosa era scoprire che molti degli uomini del Führer – i principali architetti del male – erano sopravvissuti alla guerra.

Tutt'altra cosa era scoprire delle prove che anche il Führer poteva esserci riuscito.

Usando il motore di ricerca di ProtonMail, Jaeger entrò nell'account di posta che era stato violato. Non riusciva a resistere all'impulso di dare un'occhiata, e sapeva che grazie a quel sistema la sua posizione sarebbe stata sostanzialmente al sicuro. ProtonMail si vantava del fatto che persino la National Security Agency americana – il dipartimento di sorveglianza elettronica più potente del mondo – non fosse in grado di decrittare il traffico che passava dai loro server, con base in Svizzera.

C'era un nuovo messaggio nella casella delle bozze.

Lo aspettava da diversi giorni.

L'inquietudine di Jaeger aumentò.

Come l'altra volta, era vuoto, con solo un link a una cartella di Dropbox. Jaeger sapeva che non arrivava da nessuno dei suoi. Con un crescente senso di terrore, aprì Dropbox e cliccò sul primo file JPEG, aspettandosi che fosse un'altra foto terrificante di Leticia Santos, parte della costante *Nervenkrieg* del nemico.

Si disse che doveva guardare, nel caso in cui in una di quelle foto rivoltanti i nemici avessero inavvertitamente lasciato un indizio sul loro nascondiglio, un indizio in base al quale Jaeger e gli altri potessero iniziare a dare loro la caccia.

Comparve la prima immagine: solo sei righe di testo.

Vacanze in paradiso...
Mentre i tuoi cari bruciano.

Domanda: come facciamo a sapere tante cose?
Risposta: perché il piccolo Lukie continua a dircele.

Domanda supplementare: dov'è il piccolo Lukie adesso?
Risposta: *Nacht und Nebel.*

"*Nacht und Nebel*": notte e nebbia.

Col cuore che gli batteva come una mitragliatrice, Jaeger cliccò sul secondo file. L'immagine che si aprì ritraeva una donna con gli occhi verdi che un tempo era stata bellissima e un ragazzino: i loro volti erano cadaverici, gli sguardi allucinati, gli occhi incavati cerchiati di nero.

Madre e figlio erano in catene, inginocchiati davanti a un vessillo nazista dominato da un *Reichsadler*. Stringevano una copia dell'"International Herald Tribune". Con mani tremanti, Jaeger zoomò sull'intestazione del giornale: la data rivelò che la foto era stata scattata meno di una settimana prima. Era una prova certa che cinque giorni prima entrambi erano ancora vivi.

Sotto all'immagine c'erano due righe di testo:

Restituiscici quel che è nostro.
Wir sind die Zukunft.

81

Jaeger si voltò in preda a un conato. Stava tremando e soffriva come mai gli era capitato prima, nemmeno durante le torture patite a Black Beach. Cadde dalla sedia, col corpo piegato in due, ma anche quando si ritrovò sul pavimento non riuscì a distogliere gli occhi da quella fotografia straziante.

Diverse immagini gli passarono per la testa, scene così terribili e oscure che il cranio gli sembrò sul punto di esplodere. Restò a lungo sdraiato accanto alla scrivania, raggomitolato. Lacrime silenziose gli scendevano lungo le guance, ma quasi non se ne accorgeva.

Perse la cognizione del tempo.

Si sentiva esausto. Completamente svuotato.

Infine, il rumore della porta che si apriva lo ridestò.

In qualche modo era riuscito a tornare sulla sedia, e si era accasciato davanti alla scrivania e alla foto.

Si voltò.

Irina Narov era in piedi accanto a lui. Era avvolta in un piccolo asciugamano che la copriva appena. Doveva aver fatto una doccia dopo la corsa e Jaeger era certo che sotto fosse nuda.

Non gli importava.

«Una volta, quand'eravamo intrappolati tra gli alberi della giungla, ti ho spiegato le ragioni per cui due persone possono trovarsi così vicine» commentò Narov con quel suo bizzarro tono piatto e meccanico. «Questa vicinanza può essere necessaria per tre ragioni» ripeté. «Uno: necessità pratiche. Due: scaldarsi a vicenda. Tre: sesso.» Sorrise. «In questo momento, vorrei che accadesse per la ragione numero *tre*.»

Jaeger non rispose. Non era particolarmente sorpreso. Ormai era chiaro che Narov era quasi totalmente incapace di leggere le emozioni degli altri. Persino le espressioni facciali e il linguaggio del corpo, stranamente, sembrava le fossero incomprensibili.

Jaeger spostò l'iPad in modo che lei potesse vedere l'immagine sullo schermo.

Si portò una mano alla bocca, scioccata. «Oh, no...»

«La data del giornale» intervenne Jaeger, con una voce che sembrava venire dal fondo di un tunnel lunghissimo e oscuro. «Cinque giorni fa.»

«Oddio» esclamò Narov. «Sono vivi!»

I loro sguardi si intrecciarono attraverso lo spazio che li divideva.

«Vado a vestirmi» continuò lei, senza la minima traccia di imbarazzo o vergogna. «Abbiamo del lavoro da fare.»

Si voltò verso la porta, poi si fermò lanciando a Jaeger un'occhiata preoccupata. «Lo confesso, non sono andata solo a fare una corsa. Avevo un appuntamento... Ho incontrato una persona che crede di sapere dove tengono Leticia Santos.»

«Che cosa?» chiese Jaeger, cercando di scacciare la confusione dalla sua testa. «Dove? E chi, per l'amor di Dio? E perché non hai avvisato...»

«Tu non avresti voluto incontrarli» lo interruppe lei. «Non se sapessi chi sono.»

«Mettimi alla prova, cazzo!» scattò lui. Puntò il dito contro l'immagine sulle schermo. «Un indizio su Leticia... potrebbe portarmi da loro!»

«Lo so. Ora lo so» protestò lei. «Ma un'ora fa... non avevo idea che fossero vivi.»

Jaeger si alzò in piedi. Il suo atteggiamento era davvero minaccioso. «Allora, dimmi... chi diavolo c'era al tuo incontro segreto, e cosa ti ha detto?»

Narov arretrò di un passo. Era evidentemente sulla difensiva, ma una volta tanto non aveva con sé il coltello. «Uno degli scali più vicini alle Bermuda è Cuba. Cuba è ancora territorio russo, almeno secondo il Cremlino. Ho incontrato uno dei miei contatti...»

«Hai incontrato un fottuto agente dello SVR? Hai condiviso informazioni su quello che stiamo facendo con loro?»

Narov scosse la testa. «Un mafioso russo. Un trafficante di droga, o meglio uno dei boss del traffico di droga. La loro rete si estende per tutti i Caraibi. Sanno tutto, conoscono tutti. È indispensabile se vogliono trasportare la cocaina tra queste isole.» Lanciò a Jaeger un'occhiata risentita. «Ma se devi trovare un diavolo, a volte devi scendere a patti col diavolo in persona.»

«Allora... cosa ti ha detto?» chiese lui con voce stridula.

«Due settimane fa, a Cuba è arrivato un gruppo di est-europei. Hanno iniziato a spendere un mucchio di soldi per sballarsi. Nulla di insolito. Ma il mio contatto ha notato due cose. Uno, erano dei mercenari. Due, tenevano prigioniera una donna.» Un'aria di sfida le incendiò gli occhi. «Quella donna... è brasiliana. E il suo cognome... è Santos.»

Gli occhi di Jaeger studiarono a lungo il volto di Narov. Era strano ma, a completare il suo bizzarro quadro psicologico, sembrava incapace di mentire. Era bravissima a recitare una parte, ma con le persone di cui si fidava la verità veniva sempre a galla.

«Okay» ringhiò lui «chi se ne frega di come li hai trovati.» Il suo sguardo tornò all'immagine sull'iPad. «Prima salviamo Leticia, e poi...»

Gli occhi di Jaeger si erano fatti gelidi come il ghiaccio e l'acciaio. Aveva la sua squadra, aveva un indizio... Soprattutto, aveva il dovere di salvare il mondo e la sua famiglia.

Tornò a voltarsi verso Narov. «Prepara le valigie. Dobbiamo fare un viaggio.»

«È così» confermò lei. «Tu, Will Jaeger, e io. *Kahuhara'ga*, è ora di andare a caccia.»

Mondadori Libri S.p.A.

Questo volume è stato stampato
presso ELCOGRAF S.p.A.
Stabilimento - Cles (TN)

Stampato in Italia - Printed in Italy